À nos épouses,

Claudette et Normande

Jean-M. Martel
Raymond Nadeau

avec la collaboration d'Albert Dionne

STATISTIQUE EN GESTION ET EN ECONOMIE

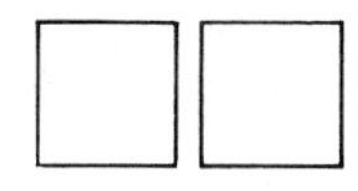

gaëtan morin
éditeur

gaëtan morin éditeur

C.P. 2400, SUCC. C, MONTRÉAL, QUÉBEC, CANADA
H2L 4K6 TÉL. : (514) 522-0990

ISBN 2-89105-009-6

Composition, montage et impression
Imprimerie Le Lac-St-Jean enr.

Dépôt légal 3e trimestre 1980
Bibliothèque nationale du Québec
Bibliothèque nationale du Canada

8e impression janvier 1988

Distributeur exclusif pour l'Europe et l'Afrique :

Éditions Eska S.A.R.L.

30, rue de Domrémy
75013 Paris, France
Tél. : 583.62.02

On peut se procurer nos ouvrages chez les diffuseurs suivants :

Algérie

Entreprise nationale du livre
3, boul. Zirout Youcef
Alger
Tél. : (213) 63.92.67

Espagne

DIPSA
Francisco Aranda n° 43
Barcelone
Tél. : (34-3) 300.00.08

Portugal

LIDEL
Av. Praia de Victoria 14A
Lisbonne
Tél. : (351-19) 57.12.88

Algérie

Office des publications universitaires
1, Place Centrale
Ben-Aknoun (Alger)
Tél. : (213) 78.87.18

Tunisie

Société tunisienne de diffusion
5, av. de Carthage
Tunis
Tél. : (216-1) 255000

et dans les librairies universitaires des pays suivants :

Algérie
Belgique
Cameroun
Congo
Côte-d'Ivoire
France
Gabon
Liban
Luxembourg
Mali
Maroc
Niger
Rwanda
Sénégal
Suisse
Tchad

AVANT-PROPOS

Voici le second d'une série de deux volumes destinés à présenter d'une façon élémentaire les notions fondamentales de probabilités et statistique dans un contexte d'application à la gestion et à l'économie. Après avoir traité du calcul des probabilités dans notre premier volume, le présent volume est consacré spécifiquement à la statistique.

Le lecteur pourra retrouver dans notre texte la plupart des notions les plus usuelles de la statistique, ces notions étant développées plus ou moins en détail selon le cas. Après une brève introduction qui précise la nature de la statistique, on élabore dans les chapitres subséquents les différentes étapes ou parties de l'analyse statistique. Au chapitre 2, on traite d'abord de la "matière première" de la statistique, à savoir des données statistiques ou plus précisément de la collecte de ces données. Le chapitre 3 est consacré au traitement des données ou à ce qu'on appelle habituellement la statistique descriptive. Le reste du volume est consacré à l'inférence et à la décision statistique.

Comme une grande partie de notre volume traite de l'inférence et de la décision statistique, nous avons commencé cette partie par un chapitre (le chapitre 4) sur le modèle bayesien de décision; nous avons par là voulu mettre l'emphase sur le fait que, dans un contexte d'application à la gestion et à l'économie, la statistique est surtout un outil pour aider la prise de décision. Le modèle bayesien de décision permet d'analyser des problèmes de décision dans l'incertitude. De plus, ce modèle permet aussi d'aborder les problèmes d'inférence statistique selon une nouvelle approche (l'approche bayesienne) en les considérant comme des problèmes de décision dans l'incertitude. C'est ainsi que, après avoir traité d'échantillonnage au chapitre 5, les problèmes d'estimation (chapitre 6), de tests d'hypothèses (chapitre 7) et de régression (chapitre 9) seront abordés d'abord selon l'approche statistique classique puis selon l'approche bayesienne. Au chapitre 7, nous faisons aussi une brève introduction à l'analyse de la variance. Le chapitre 8 traite de tests non paramétriques et finalement, au chapitre 10, nous présentons quelques éléments d'analyse multivariée, cette branche de la statistique trouvant beaucoup d'applications en gestion et en économie.

Notre volume est d'abord un texte d'introduction à la statistique appliquée plutôt qu'un texte d'introduction à la statistique mathématique. Dans cette optique, nous avons cherché à faire comprendre intuitivement les notions de la statistique plutôt qu'à développer les propriétés mathématiques associées à ces notions. Ce volume ne suppose aucune connaissance préalable de la statistique et il suppose des connaissances mathématiques relativement élémentaires. Cependant, pour parcourir ce volume sans difficulté, le lecteur doit connaître les notions fondamentales du calcul des probabilités, notions qu'il pourra retrouver par exemple dans notre premier volume intitulé **Probabilités en gestion et en économie** [5] ; il aura aussi avantage à avoir une connaissance minimale du modèle général de la théorie de la décision statistique qui est aussi présenté dans notre premier volume. A part ces restrictions, nos deux volumes sont tout à fait indépendants et peuvent donc être utilisés séparément.

Ce volume est d'abord destiné à servir de manuel pour un deuxième cours de probabilités et statistique au niveau universitaire en sciences de la gestion ou de l'administration et en économie (après un premier cours traitant du calcul des probabilités). Cependant, il serait aussi adapté pour des étudiants en sciences appliquées et en sciences humaines car il contient beaucoup d'exemples touchant ces domaines. Eventuellement, pour un cours de probabilités et statistique plus classique, on pourrait facilement utiliser nos deux volumes, par exemple, en passant les parties consacrées à la décision.

En terminant, nous tenons à remercier notre collègue Albert Dionne qui a bien voulu collaborer avec nous en écrivant le dernier chapitre de ce volume. Nous remercions également Johanna Sheink qui a manifesté beaucoup de patience et de dévouement en dactylographiant la majeure partie de notre manuscrit. Enfin, nous remercions aussi les autorités de notre faculté pour leur appui dans la réalisation de ce travail ainsi que tous ceux qui y ont collaboré de quelque façon.

Jean-Marc Martel
Raymond Nadeau

TABLE DES MATIÈRES

Avant-propos

Pages

CHAPITRE 1

INTRODUCTION

1.1 LA STATISTIQUE EN GESTION ET EN ECONOMIE

Il semble que l'univers des nombres envahit de plus en plus notre vie de tous les jours. En effet, pour nous en convaincre, nous n'avons qu'à nous rappeler, par exemple, le dernier bulletin de nouvelles entendu à la radio ou à la télévision: on y rapportait probablement la déclaration d'un politicien qui, pour appuyer sa vision des problèmes de notre société ou pour justifier ses solutions, avait truffé son discours d'une bonne quantité de données numériques; de même, ce bulletin de nouvelles ne contenait-il pas une foule de données numériques concernant la situation de l'emploi au pays, la situation dans tel ou tel secteur de l'activité économique, etc.? Cette tendance à se référer de plus en plus fréquemment à des données numériques pour juger des situations et envisager des actions s'impose peu à peu dans tous les domaines de l'activité humaine, et elle semble particulièrement marquée dans le domaine de la gestion et de l'économie.

Dans toute entreprise ou organisation, la fonction la plus importante et la plus caractéristique de l'administrateur réside dans la prise de décision; or la possibilité de prendre des décisions judicieuses repose en grande partie sur la qualité de l'information à laquelle il a accès. Cependant, il devient de plus en plus difficile pour l'administrateur d'aujourd'hui d'être constamment bien informé. En effet, à cause de la complexité toujours croissante du monde dans lequel évoluent les entreprises, la quantité d'information nécessaire pour prendre des décisions éclairées augmente constamment. En conséquence, au lieu de se fier uniquement à son intuition et à ses observations personnelles, l'administrateur doit pouvoir s'appuyer constamment sur un système d'information bien structuré lui permettant d'intégrer le plus grand nombre possible de données. D'autre part, à mesure que la demande pour l'information s'accroît, la nature de l'information requise tend à se modifier. On met de plus en plus l'accent sur l'information exprimée précisément de façon numérique plutôt que sur l'information exprimée en termes verbaux. Pour traiter et analyser ces masses de données numériques, on a développé un ensemble de techniques spécialisées dont l'application dans les divers domaines d'activité a été rendue possible grâce au progrès des ordinateurs modernes; l'ensemble de ces méthodes constitue une science que l'on appelle "la statistique".

1.2 LA NATURE DE LA STATISTIQUE

Pour bien comprendre le sens du mot "statistique", il faut d'abord réaliser que ce mot est utilisé pour exprimer plusieurs réalités différentes. Ainsi, au pluriel, on désigne souvent par "statistiques" un ensemble de données numériques; on parlera, par exemple, de statistiques relatives à des titres boursiers, de statistiques relatives à la situation de l'emploi au pays, de statistiques relatives au rendement des joueurs de telle équipe de hockey, etc. Pris au singulier, le mot "statistique" désigne une science, et ce sont les méthodes propres à cette science que nous voulons présenter dans ce texte. La statistique est l'ensemble des méthodes scientifiques visant à colliger, à résumer, à organiser et à analyser des données numériques, de même qu'à tirer des conclusions valables et à prendre des décisions raisonnables sur la base de cette analyse. A l'intérieur de cette science, on utilise aussi le terme "statistique" au singulier pour désigner une quantité particulière (telle une moyenne arithmétique ou une proportion) que l'on peut calculer à partir d'un échantillon.

La statistique comme science renferme un ensemble très diversifié de méthodes. Pour mieux comprendre ce qui différencie ces méthodes de même que ce qui les relie, il peut être commode de diviser une étude statistique en quatre parties:

1 - la collecte de données,
2 - la statistique descriptive,
3 - l'inférence statistique,
4 - la décision statistique.

On va maintenant décrire brièvement en quoi consiste chacune de ces parties.

La collecte de données. Avant de songer à traiter et à analyser des données ou des informations numériques concernant un certain phénomène, il faut d'abord aller chercher ces données. Cette collecte de données constitue l'étape préalable à toute analyse statistique; étant ainsi à la base des travaux ultérieurs du statisticien, cette étape doit être conduite avec beaucoup de prudence, de minutie et de sens critique. Face à un phénomène que l'on veut étudier ou à un problème que l'on veut résoudre, il faut déterminer de quel type d'information ou de données on a besoin, et préciser de quelle façon ces données seront recueillies. Il importe de définir les faits élémentaires qui font l'objet de l'étude, ainsi que de délimiter les champs d'investigation. Le mot "population" est utilisé pour désigner l'ensemble des individus ou des entités qui font l'objet de l'étude. Si l'information obtenue ne porte pas sur tous les individus de la population mais seulement sur une partie, alors cette partie de la population sera appelée "échantillon". La collecte de données sur un phénomène ou sur une population peut consister à rassembler de l'information qui est déjà disponible dans des documents préétablis ou encore à recueillir des données originales. Les principaux aspects relatifs à la collecte de données seront abordés au **chapitre 2** de ce volume.

La statistique descriptive. Une fois que l'on a en main une masse de données au sujet d'un problème ou d'un phénomène, on peut procéder à ce que l'on appelle "l'analyse statistique". La première étape de l'analyse statistique que l'on qualifie de "statistique descriptive" consiste en un traitement des données qui a pour but de présenter, de résumer et/ou de décrire les caractéristiques essentielles d'un ensemble de données numériques pour en faire ressortir toute l'information sous-jacente. Souvent, pour résoudre un problème en gestion, on doit faire face à un ensemble assez considérable de données; pour que ces données puissent apporter quelque éclairage sur le problème, elles doivent être ordonnées, classifiées et présentées sous une forme convenable. Ce sont ces méthodes de statistique descriptive qui feront l'objet du **chapitre 3** du présent volume.

L'inférence statistique. Il y a plusieurs décades, les méthodes statistiques de type descriptif constituaient l'apport essentiel de la statistique. Cependant, au cours des dernières années, la statistique s'est développée dans une direction passablement différente en donnant de plus en plus d'importance à l'inférence et à la décision statistique. L'inférence statistique regroupe l'ensemble des méthodes qui permettent de tirer des conclusions sur une population à partir d'une information partielle et de généraliser ces conclusions. En effet, face à une population que l'on veut étudier, il n'est pas toujours possible, ni même souhaitable d'observer toute la population de façon à en obtenir une information complète; le plus souvent, on se contente d'une information partielle obtenue en observant une partie de la population appelée "échantillon". A partir d'un ensemble restreint de données obtenues d'une population par échantillonnage, les méthodes d'inférence statistique classiques permettent de tirer des conclusions sur toute la population. Pour que les conclusions ainsi obtenues puissent être valables, il faut que l'échantillon sur lequel repose ces conclusions ait été obtenu d'une façon appropriée. Après avoir introduit la notion d'échantillon au chapitre 2, on traitera plus en détail au **chapitre 5** de l'échantillonnage, c'est-à-dire de la façon de bien choisir un échantillon dans une population. Par la suite, les **chapitres 6, 7, 8, 9 et 10** seront consacrés à divers aspects de l'inférence statistique.

Malgré l'importance prise par l'inférence, la statistique descriptive demeure une partie importante de l'analyse statistique aussi bien en gestion que dans d'autres domaines de l'activité humaine. Toute méthode d'inférence statistique présuppose, avant de tirer des conclusions de données contenues dans un échantillon, le recours à des méthodes descriptives pour mettre en lumière l'information contenue dans ces données. Jusqu'à ces dernières années, l'inférence statistique constituait avec la statistique descriptive l'essentiel de l'analyse statistique, le but premier d'une analyse statistique étant habituellement celui de faire une inférence sur la population c'est-à-dire d'accroître les connaissances sur la population. Cependant, au cours des dernières années, en plus de la statistique descriptive et de l'inférence statistique, il s'est développé tout un ensemble de modèles et de méthodes de type statistique qui tendent à prendre de plus en plus d'importance (particulièrement en gestion) et qui viennent en quelque sorte compléter l'analyse statistique: il s'agit de la décision statistique.

La décision statistique. Elle regroupe un ensemble des méthodes et des modèles quantitatifs qui permettent d'aider à la prise de décision dans un contexte d'incertitude. Par l'intermédiaire de ces techniques, on cherche à déterminer quelle est la meilleure action parmi un ensemble d'actions envisageables; cette prise de décision se fait dans l'incertitude puisque, en général, l'information que l'on a sur un phénomène n'est que partielle. Le choix d'une meilleure action s'effectue en tenant compte non seulement des probabilités des diverses éventualités, mais également des conséquences (économiques ou autres) des diverses actions en présence. La décision statistique vient couronner l'analyse statistique dans le sens qu'elle permet de déterminer de quelle façon les résultats de l'inférence statistique peuvent se traduire dans l'action. Le but ultime d'une analyse statistique réside généralement dans une prise de décision.

Cependant, il est important de signaler ici que, dans le contexte de ce qu'il est convenu d'appeler "l'approche moderne de la statistique", on tend de plus en plus à considérer l'inférence comme un problème de décision. Ainsi, toutes les méthodes statistiques permettant de tirer des conclusions sur une population à partir d'une information partielle, ou de prendre une décision dans un contexte d'incertitude pourraient être considérées comme faisant partie de la décision statistique. L'inférence classique regroupe les méthodes par lesquelles on peut tirer des conclusions sur une population à partir d'un échantillon; cependant, comme on le verra à partir du chapitre 6, les problèmes d'inférence peuvent être considérés comme des problèmes de décision particuliers. Dans cette optique, on présentera au **chapitre 4** de ce volume un modèle général pour la prise de décision dans l'incertitude, ce modèle incluant les éléments essentiels de ce que l'on appelle "le modèle bayesien de décision". Par la suite, à partir du chapitre 6, ce seront les deux principaux problèmes d'inférence statistique qui seront abordés, à savoir le problème d'estimation et celui des tests d'hypothèses. Dans l'optique de ce qui précède, ces deux types de problèmes seront traités selon deux approches: dans un premier temps, selon l'approche classique, chacun de ces problèmes sera abordé strictement comme un problème d'inférence pour lequel on ne considère que l'information obtenue par l'échantillon pour tirer des conclusions sur une population; dans un deuxième temps, selon l'approche bayesienne, on reprendra chacun de ces problèmes que l'on traitera comme un problème d'inférence et comme un problème de décision (par l'intermédiaire du modèle du chapitre 4), mais en ne considérant pas uniquement l'information fournie par l'échantillon. Ces autres informations, que l'on qualifie d'informations collatérales, seront intégrées aux résultats statistiques obtenus de l'échantillon au moyen de la règle de Bayes.

Un exemple

Pour mieux faire ressortir comment procède l'analyse statistique et de quelle façon chaque partie de la statistique intervient dans cette analyse, on va considérer l'exemple suivant: une grande entreprise de distribution de produits alimentaires envisage la possibilité d'ouvrir une nouvelle succursale dans un quartier regroupant 10,000 familles. Avant de prendre une décision, elle décide de faire une investigation statistique. La première étape de cette investigation consiste à recueillir de l'information pertinente sur le problème. Supposons que, relativement à ce problème de décision, il y ait très peu de données disponibles. Dans ce cas, il lui faut recueillir des données originales. Elle choisit d'une façon aléatoire un échantillon de 500 familles dans le quartier concerné et essaie de savoir, par exemple, si ces familles viendraient faire leur marché à la nouvelle succursale (advenant son ouverture) et quel montant elles consacrent à leur alimentation chaque semaine. Une fois ces données obtenues, les méthodes descriptives permettent d'en extraire l'information pertinente; on peut calculer, par exemple, la proportion des gens qui se déclarent prêts à venir faire leur marché à la nouvelle succursale, le montant moyen dépensé chaque semaine par ces familles pour l'alimentation, etc. A partir des informations ainsi extraites de l'échantillon, on pourra ensuite tirer des conclusions sur les 10,000 familles du quartier concerné; ainsi, par exemple, on pourra conclure que 40% des familles du quartier en question viendront faire leur marché dans la nouvelle succursale, que ces familles dépensent en moyenne $90 pour l'alimentation chaque semaine, que les familles de ce quartier dépensent en moyenne plus pour leur alimentation hebdomadaire que ne le font les familles du Québec, etc. Evidemment, ces conclusions étant tirées sur la base d'une information incomplète, elles sont entachées d'un certain niveau d'erreur que l'on doit pouvoir déterminer. Par la suite, une fois ces conclusions obtenues par l'intermédiaire de techniques d'inférence, l'entreprise doit décider si elle va ouvrir la succursale ou non. La question qui se pose alors est celle de savoir de quelle façon utiliser les conclusions de son investigation statistique pour prendre une décision. Pour décider, on peut intégrer les conclusions obtenues par inférence dans un modèle de décision global qui tient compte des actions possibles (ouvrir la succursale ou non), des conséquences monétaires découlant de chacune de ces actions et des probabilités reliées aux diverses éventualités concernant la part du marché qu'on peut espérer conquérir. Ainsi, dans cet exemple, les problèmes d'inférence ne sont que des problèmes de décision particuliers dans le cadre du problème de décision plus global qui consiste à savoir si l'on va ouvrir cette succursale ou non. De la même façon, en général, l'analyse statistique d'un problème n'est vraiment complète que lorsqu'elle permet une prise de décision effective par l'intermédiaire d'un modèle plus ou moins complexe.

1.3 LA PROBABILITE FACE A LA STATISTIQUE

La partie la plus importante d'une analyse statistique réside généralement dans l'inférence et la prise de décision. Or, lorsqu'on utilise une méthode d'inférence, on tire des conclusions sur une population à partir d'une information incomplète. Le caractère incomplet de cette information implique que l'on ne peut pas être absolument certain de l'exactitude des conclusions obtenues.

Tout ce que l'on peut espérer, c'est que l'échantillon à partir duquel on a procédé soit "représentatif" de la population et qu'en conséquence, la probabilité que ces conclusions soient erronées soit faible. Ainsi, puisqu'on ne peut espérer des conclusions d'une exactitude certaine, il faut absolument être en mesure de calculer les probabilités d'erreur reliées à ces conclusions, et essayer de faire en sorte que ces probabilités soient le plus faibles possible . En conséquence, le calcul des probabilités est intimement lié aux méthodes statistiques et constitue un outil indispensable à leur utilisation.

Pour mieux comprendre le rôle de la probabilité face à la statistique, il importe de réaliser que le raisonnement utilisé en théorie des probabilités diffère fondamentalement de celui utilisé en statistique. En théorie des probabilités, on utilise le raisonnement déductif; à partir d'une population donnée connue, on veut pouvoir prévoir les résultats d'un échantillon tiré de cette population. Ainsi, étant donnée la population du Québec dont on connaît certaines caractéristiques, quelle est la probabilité qu'un échantillon tiré d'une façon aléatoire de cette population possède les mêmes caractéristiques? En inférence statistique, on utilise un raisonnement de type inductif, qui est exactement l'inverse du précédent: à partir d'un échantillon connu, on veut tirer des conclusions sur toute la population dans laquelle a été choisi cet échantillon. Ainsi, étant donné un échantillon aléatoire tiré de la population du Québec, échantillon duquel on a pu dégager certaines caractéristiques, peut-on conclure que la population du Québec en général possède ces mêmes caractéristiques? On peut illustrer la différence entre ces deux types de raisonnement par les schémas de la figure 1.1.

FIGURE 1.1

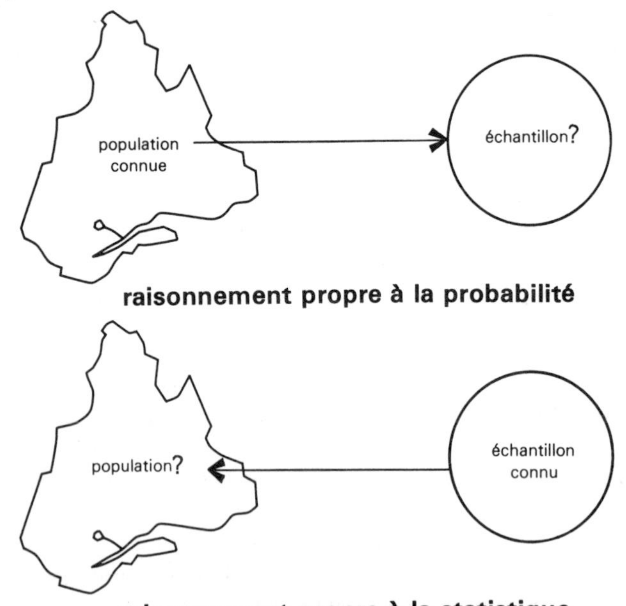

raisonnement propre à la probabilité

raisonnement propre à la statistique

En somme, comme les conclusions de toute inférence statistique sont par nature incertaines, il faut absolument pouvoir quantifier cette incertitude pour que ces conclusions aient quelque valeur. Ainsi toute inférence statistique devient impossible sans le calcul des probabilités. Il faut noter ici que la théorie des probabilités n'est pas une branche de la statistique; historiquement c'est même plutôt la théorie des probabilités qui a permis le développement de la statistique. La théorie des probabilités est une science autonome qui a pour but l'étude des expériences aléatoires. Bien que le langage de l'incertitude ne soit pas utilisé qu'en statistique, c'est certainement son principal champ d'application.

Dans le présent volume, on ne traite pas explicitement du calcul des probabilités; on suppose donc que le lecteur possède déjà une connaissance minimale des principaux éléments de cette théorie telles les notions de probabilité, de probabilité conditionnelle, de variable aléatoire, de distribution de probabilité, d'espérance mathématique, de variance, de même que les principales distributions de probabilités usuelles (entre autres la binomiale, la Poisson et la normale). On peut trouver un exposé détaillé et relativement élémentaire du calcul des probabilités appliqué à la gestion et à l'économie dans notre volume intitulé **Probabilités en gestion et en économie** [5] et publié chez le même éditeur. Il faut toutefois noter que le présent volume est tout à fait autonome par rapport à notre volume portant sur les probabilités, et qu'il peut donc être utilisé indépendamment de l'autre.

CHAPITRE 2

LA COLLECTE DES DONNÉES

Sur la base de ce que l'on a dit au chapitre précédent, l'analyse statistique peut être considérée comme une méthode scientifique pour traiter et interpréter des données numériques. Ainsi, avant de procéder à toute analyse statistique, il y a une étape préalable essentielle qui consiste justement à collecter les données numériques qui seront traitées et qui constituent la matière première de la statistique. En effet, par l'intermédiaire de l'analyse statistique, ce sont ces données de base qui seront transformées, soit pour obtenir une information plus précise sur certains points du phénomène étudié, soit pour prendre une décision. Il importe donc de bien définir ce que l'on entend par données statistiques.

2.1 LA NATURE DES DONNEES STATISTIQUES

Ce ne sont pas tous les nombres qui peuvent être considérés comme des données statistiques. Les logarithmes, par exemple, sont simplement des nombres abstraits. Pour être considérés comme des données statistiques, les nombres doivent avoir une signification concrète: ils doivent représenter des entités réelles ou certains aspects de ces entités (leurs nombres ou leurs mesures). Pour définir la nature et les types de données statistiques, il faut d'abord introduire certaines expressions qui sont à la base de toute étude statistique, en particulier les expressions "unité statistique", "population" et "variable statistique".

Population

L'unité statistique est le fait élémentaire qui est l'objet d'une étude statistique: quelle que soit sa nature, ce fait est appelé unité statistique s'il peut répondre à une définition précise. Ce fait élémentaire peut être un être humain (un étudiant, un chômeur ...), un être vivant quelconque (un animal, une plante, un microbe ...) ou un objet inanimé (un rapport d'impôt, un bilan, un produit, une industrie, une ville...). On appelle ensemble statistique ou **population** un regroupement d'unités statistiques délimité d'une façon précise, et qui sert d'ensemble fondamental ou d'ensemble de référence pour une étude statistique. Par exemple, la population étudiée peut être l'ensemble des citoyens du Québec ou l'ensemble des pièces produites par la machine M. On utilise le terme population parce que, historiquement, la statistique s'est d'abord occupée principalement de questions démographiques et les premiers regroupements étudiés ont été des populations au sens premier du terme, c'est-à-dire des regroupements d'êtres humains. Par la suite, on utilisera les termes "unité" ou "membre" pour désigner les éléments d'une population.

Une population est nécessairement constituée d'éléments distincts ou discernables, telles une population humaine ou animale, la production des pièces d'une machine, les firmes opérant dans tel secteur manufacturier, etc. Une population peut être finie ou infinie. Une population est **finie** si elle contient un nombre fini d'unités: par exemple, l'ensemble des citoyens du Québec, les entreprises oeuvrant au Québec dans le secteur du meuble, etc. Par contre, une population est **infinie** si elle constituée d'un nombre infini d'unités. Par exemple, lorsqu'on étudie un processus de fabrication, on peut considérer que la population des pièces produites est virtuellement infinie car le processus fonctionne d'une façon continue et l'on ne peut préciser à quel moment il s'arrêtera (même si, en réalité, ce processus produira nécessairement un nombre fini de pièces).

Variable statistique

Dans une étude statistique, l'attention se porte sur un (ou plusieurs) trait(s) particulier(s) commun(s) à tous les membres ou unités de la population considérée. On utilise l'expression **variable statistique** pour désigner ce trait ou ce caractère déterminé. Les variables statistiques peuvent être de nature très diversifiée: mesures de traits physiques (taille, poids, couleur des cheveux ou des yeux, ...), caractéristiques du personnel d'une entreprise (sexe, âge, état matrimonial, nombre d'enfants à charge, qualifications, ancienneté, salaire, ...), etc. Une variable statistique peut présenter deux ou plusieurs modalités ou valeurs différentes. Par exemple, la variable "sexe" comporte deux modalités (masculin, féminin), la variable "état matrimonial" peut être considérée comme comportant trois modalités (célibataire, marié, veuf ou divorcé), la variable "âge" comporte plusieurs valeurs (1, 2, 3, ..., 99, 100), etc. Par l'intermédiaire d'une variable statistique, on fait correspondre à une unité donnée de la population une modalité ou une valeur particulière de la variable statistique.

Une variable statistique peut être qualitative ou quantitative. Une variable est **qualitative** si ses diverses modalités ne sont pas mesurables numériquement. Ainsi, les variables sexe, profession, état matrimonial et opinion politique sont qualitatives. Par contre, si ses diverses valeurs sont mesurables numériquement, une variable est dite **quantitative**. Ainsi les variables âge, poids, taille et salaire sont quantitatives. De plus une variable quantitative peut être discrète ou continue. Une variable quantitative est **discrète** si elle ne peut prendre que des valeurs isolées (le plus souvent entières): par exemple, le nombre d'enfants d'un ménage, le nombre de pièces défectueuses dans un lot, l'âge au dernier anniversaire, ... Une variable quantitative est **continue** si elle est susceptible de prendre n'importe quelle valeur dans un intervalle donné: par exemple, la taille et le poids d'un individu, le diamètre d'une pièce mécanique, la température d'un corps, ...

Les données statistiques

Une fois définies les notions de population et de variable statistique, on est en mesure d'énoncer le principe de la collecte des données ou des observations: c'est le relevé méthodique de la valeur d'un caractère commun aux membres d'une population. Face à un groupe d'éléments ou d'objets, on est amené à se demander pour chacun d'eux s'il est membre de la population envisagée, puis quelle est la valeur ou la modalité de la variable considérée et enfin à enregistrer cette valeur ou cette modalité. On appelle **données statistiques** des valeurs numériques qui peuvent être soit directement les valeurs que l'on a observées pour une variable quantitative, soit des nombres que l'on a associés aux modalités ou valeurs observées pour une variable statistique (qualitative ou quantitative). Ainsi, les données statistiques seront nécessairement des valeurs numériques. Si la variable observée dans la population est quantitative, les données statistiques qui en découlent peuvent être simplement les valeurs prises par cette variable. Par contre, lorsqu'on a affaire à une variable qualitative, les modalités que prend la variable ne sont pas mesurables numériquement; dans ce cas, on peut associer aux modalités prises par la variable au cours d'un processus d'observation le nombre de fois que cette variable a pris telle modalité au cours du processus. Ce sont alors ces fréquences qui sont considérées comme données statistiques.

Exemple 2.1. Pour planifier les embauches et les promotions du personnel de secrétariat d'une firme comptable, on désire obtenir des informations concernant les personnes qui font partie de cette catégorie professionnelle actuellement à l'emploi de la firme. Supposons, par exemple, que ce personnel de secrétariat est constitué de 20 personnes. Si l'on s'intéresse à l'âge de ces personnes à leur dernier anniversaire, il s'agit d'une variable quantitative et l'observation de cette variable pourra, par exemple, fournir les données statistiques suivantes: 18, 17, 25, 22, 20, 23, 34, 28, 45, 57, 17, 23, 18, 19, 32, 19, 23, 27, 31, 20. On peut aussi s'intéresser à d'autres variables, tel l'état matrimonial; il s'agit là d'une variable qualitative qui peut présenter trois modalités: célibataire, marié, veuf ou divorcé. Dans ce dernier cas, au lieu d'enregistrer pour chacune des 20 personnes la modalité prise par la variable "état matrimonial", on va plutôt enregistrer le nombre de fois que cette variable a présenté telle modalité lorsqu'on a observé ces vingt personnes: on pourrait, par exemple, obtenir 8 célibataires, 7 personnes mariées et 5 personnes veuves ou divorcées. Ce sont là des données statistiques associées à la variable "état matrimonial".

Parfois, l'ensemble des données statistiques que l'on a obtenues en observant une population est appelé **série statistique**. Si l'on considère des données statistiques en fonction de la façon dont elles caractérisent les unités d'une population dans le temps, on peut distinguer entre données statistiques de structure et données statistiques de mouvement. Les **données de structure** caractérisent les unités d'une population à un moment donné dans le temps. Ainsi, dans l'exemple 2.1, les données concernant l'âge des individus caractérisent nécessairement ces individus à un moment précis dans le temps. Par contre, les **données de mouvement** indiquent de quelle façon une variable statistique évolue en fonction du temps. Ainsi, par exemple, un détaillant d'automobiles neuves enregistrant au cours d'une année le nombre d'automobiles qu'il a vendues chaque mois, pourrait obtenir la série suivante: 25, 34, 42, 75, 89, 86, 76, 98, 84, 102, 54, 32. Une telle série de données statistiques de mouvement est souvent appelée **série chronologique.**

Echantillon et recensement

La population constitue l'ensemble de référence ou l'ensemble fondamental d'une étude statistique. Ce que l'on désire, c'est acquérir une meilleure connaissance de cette population au moins sous certains aspects. A cette fin, on peut soit observer toute la population, soit n'observer qu'une partie de la population. Le processus consistant à observer chaque unité d'une population est appelé un **recensement.** Ainsi, par exemple, tous les dix ans le gouvernement canadien procède à un recensement général de tous les individus qui résident au Canada, afin d'obtenir à leur sujet des renseignements utiles à la gestion des affaires publiques. De même, dans les entreprises de fabrication, il arrive que l'on fasse annuellement un inventaire complet de toute la matière première et de toutes les unités fabriquées disponibles pour pouvoir établir un bilan de l'entreprise. Cependant, le recensement est une méthode de collecte des données assez rarement utilisée; la méthode la plus courante consiste à observer seulement une partie ou un nombre restreint d'unités dans la population. La partie de la population qui est alors observée est appelée **échantillon,** et le processus permettant de choisir cette partie de la population est appelé **échantillonnage.** Pour une population discrète, on appelle **taille de l'échantillon** le nombre entier n d'unités de la population qui font partie de l'échantillon. Souvent, on appelle aussi taille de l'échantillon le nombre entier n d'observations que l'on a obtenues de la population. En procédant par échantillonnage, on n'obtient directement de l'information que sur les n unités incluses dans l'échantillon. Par la suite, si l'on généralise à toute la population l'information partielle de l'échantillon, on risque d'introduire une certaine erreur. L'importance de cette erreur dépendra de la taille de l'échantillon et de la façon dont l'échantillon a été obtenu. Il existe plusieurs raisons justifiant le recours à un échantillon plutôt qu'à un recensement et il existe plusieurs méthodes pour obtenir de "bons" échantillons: ces raisons et ces méthodes seront abordées au chapitre 5 de ce volume.

L'analyse statistique sera fondamentalement différente selon que les données que l'on possède sur une population proviennent d'un recensement ou d'un échantillon. Si l'on a observé chaque unité de la population, on possède une information complète sur cette population (pour les traits considérés); l'analyse statistique est alors essentiellement de type descriptif: il s'agit de faire ressortir toute l'information contenue dans les données que l'on possède sur cette population. Par contre si l'on a procédé par échantillonnage, on ne possède qu'une information partielle sur la population. Dans ce dernier cas, il y aura une première partie de l'analyse statistique qui sera de nature descriptive (il faut mettre en lumière toute l'information contenue dans l'échantillon), mais la partie principale de l'analyse sera de type inférentiel ou décisionnel: il faut généraliser à toute la population l'information partielle fournie par l'échantillon; cette généralisation constitue l'essence même des méthodes d'inférence statistique traitées en détail à partir du chapitre 6 de ce volume.

2.2 LES SOURCES DE DONNEES STATISTIQUES

Après avoir précisé ce en quoi consiste les données statistiques et ce sur quoi elles portent (population ou échantillon), il importe de préciser comment on peut obtenir de telles données relativement à un problème ou à un phénomène que l'on veut étudier. Il existe essentiellement deux façons d'obtenir des données statistiques: ou bien on recueille des données qui sont déjà disponibles quelque part, ou bien on procède à une collecte de données originales.

2.2.1 Cueillette de données disponibles

Si l'on juge qu'un phénomène peut faire l'objet d'une étude statistique, la première étape à effectuer consiste à faire une recherche pour rassembler toute l'information et toutes les données statistiques qui peuvent être disponibles relativement à ce phénomène. En effet, selon la nature du phénomène envisagé, il peut y avoir plus ou moins d'information disponible. Si, par exemple, pour définir sa politique salariale, une compagnie doit au préalable comparer le coût de la vie à Montréal avec celui à Chicoutimi, cette compagnie n'aura probablement pas à procéder à une étude spéciale pour recueillir des données sur le coût de la vie dans ces deux villes: en effet, des données sur ce sujet sont publiées régulièrement par divers organismes gouvernementaux et, en particulier, par Statistique Canada (un organisme du gouvernement fédéral). Par contre, si une compagnie de produits alimentaires envisage la possibilité de changer l'emballage de son "déjeuner instantané", il est possible qu'elle ne trouve aucune information sur ce type de produits, et qu'en conséquence elle doive aller chercher elle-même des données sur cette question par échantillonnage (ou expérimentation).

Il y a plusieurs sources de données possibles. Concernant les données reliées au domaine de la gestion des affaires, on peut les diviser selon leurs sources en deux grandes catégories: les données internes qui sont disponibles à l'intérieur même d'une organisation particulière, et les données externes que l'on peut retrouver à l'extérieur de cette organisation. Evidemment cette classification n'a de signification que pour une entreprise déterminée: des données internes pour une entreprise spécifique peuvent devenir des données externes pour une autre entreprise. Les **données internes** sont habituellement celles qui sont les plus faciles à obtenir puisqu'on les retrouve à l'intérieur même de l'entreprise et que c'est généralement cette dernière qui les a recueillies; pour que de telles données soient disponibles, il suffit que les divers registres de la compagnie aient été tenus d'une façon appropriée, et que ces registres soient accessibles lorsqu'on en a besoin. Parfois l'information nécessaire pour une étude statistique peut s'avérer difficile à ramasser même si elle existe à l'intérieur de l'entreprise: par exemple, il est possible que cette information soit éparpillée dans plusieurs départements d'une grande entreprise. Les données que l'on peut retrouver à l'intérieur d'une entreprise peuvent être de nature très diversifiée: données sur les ventes, les achats, le personnel, la production, la machinerie, etc. La somme d'information disponible à l'intérieur d'une entreprise ainsi que la facilité d'accès à cette information peuvent avoir un impact considérable sur la marche générale de l'entreprise, en particulier au moment des prises de décision. C'est pourquoi il importe que les registres soient tenus à jour; pour une grande entreprise, un système d'information informatisé peut s'avérer un atout précieux.

Par **données externes** on entend toutes les données qui ont été recueillies et possiblement publiées par des organismes autres que l'entreprise concernée. Les principales sources de données externes sont les gouvernements et leurs divers ministères ou organismes. Au Canada et au Québec, Statistique Canada (organisme fédéral) et le Bureau de la statistique du Québec (organisme provincial) publient régulièrement des statistiques sur un nombre considérable de sujets. A côté de ces deux organismes spécialement destinés à la collecte et à l'analyse de données statistiques, il y a beaucoup de ministères ou de départements qui publient des statistiques sur des secteurs d'activité particuliers. Il y a aussi une quantité substantielle de données qui sont publiées soit par des organismes à but non lucratif telles les associations commerciales, les associations de consommateurs et les universités, soit par des entreprises privées qui se spécialisent justement dans la collecte d'information et la vente de ces informations aux hommes d'affaires (par exemple, les firmes de marketing qui possèdent des panels de consommateurs). Il y a aussi des banques, des journaux, des périodiques reliés à la gestion et des entreprises d'utilité publique qui recueillent et publient des données comme service à leurs clients ou à leurs lecteurs. Un dirigeant d'entreprise a grand avantage à tirer le maximum de ces diverses données externes disponibles, d'autant plus que fréquemment, il peut avoir accès gratuitement à cette information.

Précautions à prendre avec les données disponibles

On doit être très prudent lorsqu'on utilise comme information de base pour une étude statistique des données déjà disponibles. La première précaution à prendre consiste à examiner soigneusement les données pour détecter toutes les anomalies qui auraient pu s'y glisser. Ces anomalies peuvent être le résultat d'un changement d'unité, d'un changement dans la façon de définir une variable, d'erreurs typographiques, etc. Par exemple, si l'on utilise des données de Statistique Canada sur le chômage au Québec, il est très important de savoir qu'à partir de telle date, il y a eu un changement majeur dans la façon de calculer les taux de chômage de telle sorte que les taux de chômage obtenus après cette date ne sont pas directement comparables avec ceux obtenus avant cette date. Lorsque des données statistiques portant sur le même sujet sont publiées par plusieurs organismes différents, une bonne façon de découvrir des anomalies consiste à comparer les données de ces divers organismes.

Particulièrement lorsqu'on utilise des données externes, on n'a pas de contrôle sur la façon dont ces données ont été recueillies et l'utilisation que l'on voudrait en faire peut être passablement différente de celle pour laquelle elles avaient initialement été obtenues. Il faut aussi essayer de vérifier si les données utilisées ne contiennent pas un biais; il est possible, par exemple, que les données recueillies par un organisme privé aient été choisies consciemment de façon à soutenir une thèse bien précise. Si les données que l'on veut utiliser proviennent d'un échantillon, il faut pouvoir connaître les modalités du processus d'échantillonnage utilisé pour juger de la valeur de ces données: si les principes de base d'un échantillonnage aléatoire n'ont pas été respectés (voir chapitre 5), les données obtenues peuvent n'avoir aucune valeur.

2.2.2 Collecte de données originales

Relativement à un problème que l'on veut résoudre ou à un phénomène que l'on veut étudier, ce problème ou ce phénomène se prêtant à une étude statistique, il peut arriver qu'il n'y ait aucune donnée disponible. Ainsi, par exemple, un industriel se demande s'il devrait se lancer dans la production en série d'un nouveau produit qui vient d'être mis au point par son équipe de recherche. Pour prendre cette décision, il doit estimer avec assez de précision la demande potentielle pour ce produit. Puisqu'il s'agit d'un produit tout à fait nouveau, il n'y a pas de données disponibles sur la demande relative à un tel produit, et l'industriel doit alors entreprendre une étude de marché pour obtenir l'information désirée.

Pour obtenir de l'information originale sur une population, on peut observer toute la population ou seulement une partie de cette population; autrement dit, on peut procéder soit à un recensement soit à un échantillonnage. Il y a plusieurs raisons pour lesquelles on peut opter pour l'échantillonnage plutôt que pour le recensement. En général, il est plus simple et plus facile d'observer une partie de la population plutôt que toute la population, et cela permet d'économiser beaucoup de temps et d'argent. Parfois, un recensement s'avère impossible à réaliser: c'est le cas lorsque la population est infinie, ou encore lorsque le processus d'observation entraîne la destruction des unités observées. Malgré l'erreur d'échantillonnage, il peut aussi arriver que l'information obtenue par échantillonnage soit plus précise que celle que l'on aurait obtenue par recensement. Les raisons pour justifier le recours à l'échantillonnage ainsi que le problème de tirer un échantillon représentatif d'une population seront traités plus en détail au chapitre 5 de ce volume.

Une fois que l'on a décidé de collecter des données sur un groupe restreint d'unités ou sur toutes les unités de la population, il faut déterminer de quelle façon on va obtenir ces données; autrement dit, les données statistiques étant des valeurs numériques associées à une variable statistique, de quelle façon va-t-on déterminer que la variable fait correspondre telle valeur ou telle modalité à telle unité de la population? Dans cette optique, le problème de recueillir des données partielles (échantillon) n'est pas significativement différent de celui d'obtenir des données complètes (recensement); c'est pourquoi, dans ce qui suit, on ne fera pas de distinction entre ces deux problèmes. Selon la nature de la population en cause et de la variable considérée, les principales méthodes de collecte de données sont la méthode d'observation scientifique et la méthode du questionnaire.

La méthode d'observation scientifique

Cette méthode consiste à observer certaines unités de la population pour savoir quelles sont les modalités ou valeurs prises par une variable statistique. Il faut ici faire une distinction entre un simple processus d'observation et une méthode d'observation scientifique (par exemple, l'expérimentation); on parle d'observation scientifique lorsqu'il s'agit d'une expérience planifiée à l'avance dont on contrôle les conditions d'observation. Par exemple, supposons que l'on veuille connaître les habitudes de consommation des clients d'un supermarché concernant le café. Une façon d'avoir des informations sur ce sujet consiste à poster un observateur devant le comptoir du café, et de lui demander d'enregistrer les achats de café des clients pendant une certaine période. Ce processus d'observation pourra peut-être fournir des renseignements intéressants mais il ne s'agit pas dans ce cas d'une méthode d'observation scientifique. Par ailleurs, pour obtenir des renseignements qui seront probablement plus révélateurs des habitudes de ces clients, on peut procéder à une expérience planifiée dont on contrôle les conditions (observation scientifique); dans ce cas, on planifiera à l'avance la disposition du comptoir de café dans le supermarché, de même que la disposition des différentes marques de café dans ce comptoir, on pourra faire des essais avec divers emballages pour une même marque, on pourra faire varier le prix des différentes marques, etc.

Cependant, pour des problèmes reliés au monde des affaires, il arrive souvent que l'on ne peut pas contrôler toutes les conditions de l'expérience. Ainsi, par exemple, dans des études sur le choix de sites pour de nouveaux magasins, il arrive souvent que l'on utilise des statistiques exprimant le nombre de personnes qui passent à un endroit donné aux diverses périodes d'une journée ou d'une semaine. De même, dans des études de planification de réseaux routiers, on utilise des données exprimant le nombre d'automobiles qui passent à une intersection donnée aux diverses périodes d'une semaine. Dans ces cas-là, il est évident que le statisticien ne contrôle pas toutes les conditions de l'expérience; cependant les données ainsi obtenues peuvent quand même fournir des informations utiles sur les phénomènes en question. Toutefois, dans d'autres occasions, l'utilisation d'une méthode d'observation non systématique peut conduire à des données qui n'auront que très peu de valeur. Supposons, par exemple, que l'on désire connaître certaines caractéristiques des consommateurs qui fréquentent tel centre d'achat; si, à cette fin, on décide d'aller observer les gens dans ce centre d'achat un mardi après-midi donné entre 13 h et 17 h, il est fort probable que les données ainsi obtenues ne seront pas tellement représentatives de la population: en effet, on n'aura observé que les caractéristiques des gens qui ne travaillent pas le mardi après-midi et qui sont disponibles pour aller magasiner.

Pour recueillir des données statistiques, la méthode d'observation scientifique s'avère en général adéquate lorsque la population étudiée est constituée d'objets inanimés. Cependant, spécialement lorsqu'on a affaire à une population humaine, la quantité et le type d'information que l'on peut recueillir par observation sont limités; en effet, plusieurs types d'information ne peuvent être obtenus qu'en interrogeant des individus, c'est-à-dire en utilisant une deuxième méthode de collecte de données appelée "méthode du questionnaire". Ainsi, pour un sondage politique par exemple, après avoir choisi certains individus dans une population, il faut leur demander d'une façon ou d'une autre quels partis ils favorisent. Lorsqu'on a le choix entre la méthode d'observation scientifique et la méthode du questionnaire pour obtenir des données sur un phénomène, il est préférable en général d'utiliser l'observation, car cette dernière méthode devrait fournir une information plus précise. Ainsi, par exemple, pour connaître les cotes d'écoute d'un programme de télévision donné, on peut choisir un échantillon aléatoire dans la population visée, et demander aux personnes choisies si elles ont écouté ou non le programme en question. Cependant, au lieu d'utiliser cette méthode du questionnaire, on peut aussi obtenir les données désirées par observation à l'aide d'audiomètres: il s'agit d'appareils qui sont fixés aux récepteurs de télévision des personnes choisies par échantillonnage et qui enregistrent automatiquement à quel moment le téléviseur est en fonction, et quel canal est alors syntonisé. Dans cet exemple précis, le recours à l'observation au moyen d'audiomètres fournit en général une information plus précise sur les cotes d'écoute que la méthode du questionnaire.

La méthode du questionnaire

A cause des limites de la méthode d'observation scientifique, la méthode du questionnaire (qui consiste à demander l'information désirée à quelqu'un) est la méthode de collecte de données qui est la plus utilisée, spécialement pour l'étude de phénomènes reliés aux sciences sociales. Parmi les méthodes pour questionner des individus, les plus utilisées sont le questionnaire postal (écrit) et l'interview (personnelle ou par téléphone). Les avantages de ces différents types de questionnaires varient selon les circonstances; la meilleure méthode à utiliser est celle qui permet d'obtenir l'information désirée avec la meilleure précision possible, au coût le plus bas et dans les meilleurs délais.

Le **questionnaire postal** est généralement la plus économique de ces méthodes. Cette économie est particulièrement importante lorsque les personnes de qui on veut obtenir de l'information sont dispersées sur un vaste territoire. Etant donné le faible coût d'envoi d'un questionnaire par la poste, on peut envoyer des questionnaires à beaucoup de personnes, donc prendre un échantillon relativement grand. De plus, l'utilisation de questionnaires postaux peut s'avérer préférable à celle d'interviews lorsque les répondants ont besoin de beaucoup de temps pour répondre aux questions, comme c'est le cas, par exemple, pour un questionnaire concernant les opérations des magasins de vente au détail pour lequel les données ne sont pas nécessairement disponibles immédiatement. Cependant, il est bien connu que le taux de réponse à des questionnaires postaux est beaucoup plus faible que le taux de réponse à des interviews. De plus la précision de l'information obtenue par questionnaire postal est souvent moins grande que celle obtenue par interview: il est difficile de s'assurer que ceux qui répondent sont représentatifs de tous ceux à qui le questionnaire avait été posté (ce sont souvent les plus "instruits" qui répondent), les questionnaires peuvent avoir été remplis par un employé ou par un adolescent plutôt que par le chef d'entreprise ou le chef de famille à qui il était destiné. A ces inconvénients du questionnaire postal s'ajoute le fait que, non seulement beaucoup de questionnaires ne sont pas retournés, mais dans ceux qui sont retournés, certaines questions ont été parfois mal interprétées, ou encore laissées sans réponse.

Pour pallier les inconvénients du questionnaire postal, une forme de questionnaire souvent utilisée dans la collecte de données est **l'interview personnelle**. Le principal avantage de l'interview personnelle repose sur le fait que, en recourant à cette méthode, on peut s'assurer que la presque totalité des personnes choisies dans l'échantillon vont répondre aux questions qu'on leur pose. De plus, l'interview personnelle permet habituellement d'obtenir une information beaucoup plus précise que le questionnaire postal: en effet, dans le cadre d'une interview, il est possible d'expliquer les questions, d'essayer de persuader la personne visée de fournir l'information désirée, de juger immédiatement de la validité d'une réponse et d'éliminer immédiatement celles qui semblent farfelues, etc. Cependant, le recours à des interviews s'avère en général une méthode de collecte de données beaucoup plus coûteuse que le recours aux questionnaires postaux. En effet, pour que l'interview puisse fournir de l'information fiable, il faut que l'interviewer ait été soigneusement choisi et spécialement entraîné, de manière à éviter d'introduire des biais personnels dans la façon de poser les questions et d'enregister les réponses; il est évident que le recours à un interviewer bien entraîné va en général coûter assez cher.

L'**interview téléphonique** est une méthode de questionnaire qui peut s'avérer un bon compromis entre le questionnaire postal et l'interview personnelle. Cette méthode permet en général d'entrer en contact avec un plus grand nombre de personnes plus rapidement et à un coût moindre que ne le permet l'interview personnelle. On a de nouveau l'avantage de pouvoir expliquer les questions et juger immédiatement de la validité des réponses. Cependant, la quantité d'information que l'on peut recueillir au cours d'une interview téléphonique est relativement plus restreinte que celle que permet de recueillir une interview personnelle. De plus, il y a plusieurs types d'information qui peuvent difficilement être obtenus avec précision par téléphone: il en est ainsi, par exemple, pour des informations concernant l'âge, les conditions économiques, la profession, etc.

Parfois, compte tenu des avantages et des inconvénients des différentes méthodes de questionnaire, on va utiliser au cours d'une même enquête deux ou plusieurs méthodes conjointement. Ainsi, par exemple, pour constituer un panel de consommateurs, un groupe de familles représentatives sera d'abord choisi au moyen d'interviews et, par la suite, on leur demandera de faire un rapport écrit de leurs achats mensuellement. A d'autres occasions, on commencera par envoyer un questionnaire par la poste aux personnes choisies par échantillonnage; par la suite, on essaiera de rejoindre par téléphone les personnes qui n'ont pas répondu au questionnaire postal; enfin, on procédera par interview personnelle pour les personnes n'ayant pu être rejointes ni par la poste ni par téléphone. Dans certains cas, on peut aussi utiliser l'interview pour les personnes qui sont plus facilement accessibles et envoyer un questionnaire postal à celles qui le sont moins. Une telle combinaison de plusieurs méthodes pour questionner permet souvent de minimiser les coûts sans diminuer la valeur de l'information obtenue.

La préparation du questionnaire

Quelle que soit la méthode de questionnaire utilisée (questionnaire postal, interview personnelle ou téléphonique), un facteur qui s'avère primordial est la façon même dont le questionnaire a été construit. Evidemment, le type de questions de même que la disposition et l'ordre de ces questions peuvent varier selon la méthode choisie, et selon le type d'information que l'on veut obtenir. Cependant, que ce soit dans un questionnaire écrit ou dans une interview, il y a certains principes généraux qui doivent être respectés dans la construction d'un questionnaire: dans ce qui suit, on va en souligner quelques-uns.

(a) Utiliser le **questionnaire le plus court possible.** On ne pose que les questions absolument essentielles et les questions posées doivent être formulées de façon à permettre une réponse rapide (autant que possible par oui ou non, par vrai ou faux ou par une marque dans le cas d'un choix multiple). On se limite aux questions auxquelles on peut raisonnablement s'attendre à une réponse.

(b) Poser des **questions claires.** Les questions doivent être formulées de façon à ce qu'il n'y ait pas de doute dans l'esprit du répondant sur ce qui est demandé. Dans cette optique, il faut éviter d'utiliser des mots qui pourraient prêter à interprétation. Par exemple, si l'on pose la question: "Avez-vous un emploi actuellement?", il se pourrait que certaines personnes telles que les maîtresses de maison, les étudiants et les gens temporairement sans emploi aient de la difficulté à y répondre: ils pourraient aussi bien répondre par oui que par non. Au lieu de poser cette question, il sera alors préférable d'utiliser une formulation proposant plusieurs possibilités, et de demander au répondant de cocher celles qui s'appliquent à lui. En effet, une technique simple pour rendre des questions claires est d'indiquer la forme de la réponse désirée. Par exemple,

Est-ce que vous possédez une auto? ______________
oui ou non

Si oui, quelle marque possédez-vous? ______________
la marque

On peut aussi indiquer toutes les réponses possibles et demander au répondant d'en cocher une. Par exemple,

Est-ce que vous lisez les réclames publicitaires sur
les automobiles dans les magazines?

Toujours ____ ; occasionnellement ____ ; rarement ____ ; jamais ____

(cocher s'il-vous-plaît)

(c) **Ordonner soigneusement les questions.** Il faut commencer par les questions qui identifient le répondant et passer ensuite aux questions les plus importantes. Les questions controversées ou faisant appel à des opinions personnelles doivent être reportées à la fin du questionnaire. Pour les points majeurs au sujet desquels on tient à obtenir une information précise, on peut poser deux questions différentes sur le même sujet, de façon à pouvoir vérifier la validité de la réponse obtenue.

(d) **Eviter les questions qui pourraient indisposer ou choquer.** Autant que possible, on évite les questions trop directes portant, par exemple, sur le revenu personnel, la moralité ou la religion. Ainsi, dans le cas d'une petite entreprise, il est possible que l'on ait des difficultés à obtenir une réponse à la question: "A combien s'est élevé votre chiffre de vente l'an dernier?". En général, il sera plus facile d'obtenir une réponse à une question formulée comme suit:

Dans quel intervalle se sont situées vos ventes
l'an dernier? (cocher la bonne réponse)

- moins de $100,000. __________
- entre $100,000. et $300,000. __________
- plus de $300,000. __________

(e) **Eviter de poser des questions dont la formulation pourrait influencer les réponses.** La question ne doit pas être formulée de façon à suggérer une certaine réponse. Par exemple, la question "Pourquoi préférez-vous la bière de marque X?" suggère déjà une réponse au répondant; il serait préférable de la remplacer par les deux questions "Quelle marque de bière préférez-vous?" et "Pourquoi préférez-vous cette marque?". Dans le même ordre d'idées, au moment d'une interview, il faut évidemment éviter d'influencer le répondant dans le but de le voir donner la réponse que l'on aimerait bien obtenir. L'interviewer doit essayer d'être le plus neutre possible.

Puisqu'il est relativement difficile de construire un bon questionnaire, il est souvent important de faire un **pré-test** du questionnaire une fois qu'il est établi: ce pré-test consiste à utiliser le questionnaire auprès d'un échantillon de petite taille, et à analyser les résultats de façon à pouvoir déceler le plus possible les faiblesses du questionnaire, avant de l'utiliser sur une grande échelle.

CHAPITRE 3

LE TRAITEMENT DES DONNÉES:

LA STATISTIQUE DESCRIPTIVE

Comme on l'a exposé au chapitre précédent, la démarche première, lorsque l'on se propose d'effectuer une étude statistique d'un phénomène, consiste à collecter une masse de données concernant ce phénomène. Il importe ensuite de procéder à la mise en ordre des données ainsi recueillies et de les résumer, afin d'en dégager quelques conclusions synthétiques; c'est l'objet du présent chapitre.

3.1 LA NATURE ET L'OBJET DE LA STATISTIQUE DESCRIPTIVE

Il est fréquent que l'administrateur, le gestionnaire, l'économiste, ..., aient à interpréter une masse de données concernant un phénomène spécifique. Par exemple, les études économiques nécessitent une grande masse d'informaton numérique sur les prix, les salaires, les revenus, la productivité, la consommation, etc. On se rend vite compte que la lecture de colonnes de chiffres non ordonnés, tels qu'obtenus dans la collecte origniale, n'apporte pas tellement d'information.

Exemple 3.1. Dans une étude portant sur 75 petites tabagies de la région, on a obtenu entre autres données, le chiffre d'affaires journalier (pour la journée qui a précédé le jour de l'étude). Ces données sur les ventes sont représentées dans le tableau 3.1

On voit que ces valeurs se situent aux environs de $300 mais on est incapable de les retenir toutes, et il est extrêmement difficile de se faire une idée précise du comportement de tout l'ensemble. Nos facultés d'observation et de mémorisation sont trop limitées pour nous permettre de percevoir et d'enregistrer toute l'information contenue dans cette série de chiffres, et c'est justement ce que va nous permettre la statistique descriptive. Pour rendre intelligible un ensemble de données numériques, il est nécessaire d'ordonner cet ensemble, de le répartir en classes et même de le représenter graphiquement.

La statistique descriptive est une **méthode** de description numérique ayant pour but de dégager d'un grand nombre de données quelques caractéristiques simples: histogramme de fréquence, moyenne, variance, indice de prix, etc. Cette méthode s'applique également à des ensembles restreints d'une dizaine d'observations. Les données que l'on se propose de décrire re-

TABLEAU 3.1: **Le chiffre d'affaires d'une journée dans 75 tabagies**

$255.50	$373.25	$242.11	$256.61	$305.02
285.32	358.21	279.44	261.12	311.74
287.52	297.01	302.60	289.73	282.90
215.23	299.42	275.21	259.72	283.91
310.52	216.76	294.55	260.13	315.72
313.98	289.62	293.65	280.17	352.62
248.92	257.92	276.31	292.44	286.43
341.81	267.94	278.22	291.03	288.06
333.12	274.05	250.27	295.43	318.12
291.71	282.62	274.08	336.22	325.41
290.41	308.62	272.01	296.21	345.79
245.19	235.72	268.03	298.65	351.62
334.27	251.43	366.54	309.37	314.78
228.42	259.12	354.83	282.79	306.43
233.91	258.14	365.42	281.34	312.04

Source: Hamburg [3], p. 142.

présentent soit des échantillons, soit des populations. Bien que les conclusions d'une étude statistique puissent être différentes suivant qu'elles sont fondées sur des données provenant d'un échantillon plutôt que d'une population, la méthode de description des données est fondamentalement la même; on ne fera donc pas de distinction entre ces deux cas.

La statistique descriptive n'est pas une théorie mais une méthode. Son but n'est pas d'expliquer un phénomène mais de le décrire avec les outils appropriés, d'en dégager l'information essentielle, et de le résumer. C'est une méthode de description quantitative (par opposition à description qualitative), utilisant le **nombre** comme support objectif plutôt que le langage des mots, plus riche et plus nuancé mais limité par son caractère imprécis et subjectif (Calot, [2], p. 1). Elle s'applique à tous les domaines d'investigation quantitative: recherche économique, industrielle, démographique, agronomique, etc.

Historiquement, la statistique a commencé par être descriptive. Il a fallu d'abord accumuler des données, critiquer ces données, les mettre en forme, les analyser, les synthétiser. Même si l'analyse statistique ne se limite pas à cette partie descriptive, comme en témoignent les autres chapitres de ce livre, c'est une étape préalable essentielle à cette analyse. La mise en oeuvre de techniques décisionnelles élaborées que l'on évoquera ultérieurement n'aura de valeur que si celles-ci s'exercent sur des données convenablement recueillies et traitées. Il ne faut pas perdre de vue également que l'information qui se dégage de la statistique descriptive peut être directement utile pour la décision. L'administrateur qui étudie soigneusement le bilan de son entreprise afin de formuler des politiques et de planifier des opérations, utilise constamment l'information de type descriptif provenant du processus comptable.

Un critère permettant de juger si un traitement statistique est descriptif consiste à vérifier si, dans le cadre de ce traitement, on fait une utilisation quelconque de la théorie des probabilités, en vue de généraliser l'information partielle obtenue à un ensemble plus vaste ou de projeter cette information dans le futur: le propre de la statistique descriptive est de ne faire aucune utilisation des probabilités.

3.2 LA PRESENTATION DES DONNEES

Les données brutes obtenues au moyen d'un recensement, d'un échantillon ou d'une expérience consistent en un ensemble de valeurs numériques non organisées, contenant une quantité définie d'information. Avant que ces données puissent être utilisées pour tirer des conclusions concernant le phénomène étudié, elles doivent être mises en ordre afin d'en extraire l'information pertinente. On va donc modifier et simplifier la structure des données pour faire ressortir toute cette information essentielle. Cette opération est effectuée au prix d'une certaine perte d'information brute, mais cette perte est en général plus que compensée par le gain d'information effectivement perceptible.

3.2.1 Les tableaux statistiques

Distribution de fréquence ou de fréquence relative

Un des concepts fondamentaux en statistique est celui de distribution de fréquence. Les distributions les plus simples comportent une seule variable et sont représentées sous forme de tableaux statistiques. Considérons un ensemble statistique (une population ou un échantillon) de n unités décrit suivant une variable (caractère) X dont les h modalités ou valeurs sont x_1 , x_2 ..., x_h . Désignons par n_i le nombre d'unités présentant la modalité ou valeur x_i : n_i est l'effectif ou la **fréquence** de la modalité ou valeur x_i, et la proportion

$f_i = \frac{n_i}{n}$ est la **fréquence relative** de x_i .

Distribution de fréquence (ou de **fréquence relative**) d'une variable statistique X. C'est une fonction qui, à chaque modalité ou valeur x_i de la variable, fait correspondre sa fréquence n_i (ou sa fréquence relative $f_i = \frac{n_i}{n}$).

Comme les modalités ou valeurs sont à la fois incompatibles et exhaustives, la somme des effectifs ou fréquences n_i est égale à l'effectif total n de l'ensemble, ou encore la somme des fréquences relatives f_i est égale à l'unité, c'est-à-dire:

$$\sum_{i=1}^{h} n_i = n \ , \qquad \sum_{i=1}^{h} f_i = 1 .$$

La forme générale du tableau statistique représentant la distribution de la variable X est la suivante:

Modalités ou valeurs	Fréquence de chaque modalité ou valeur	Fréquence relative de chaque modalité ou valeur
x_1	n_1	n_1 / n
x_2	n_2	n_2 / n
⋮	⋮	⋮
x_i	n_i	n_i / n
⋮	⋮	⋮
x_h	n_h	n_h / n
Total	n	1

Exemple 3.2 Au tableau 3.2 on a représenté la distribution de la variable qualitative "état matrimonial".

TABLEAU 3.2: **La distribution de l'état matrinomial au Québec selon le recensement de 1971.**

Etat matrimonial	Fréquence	Fréquence relative
célibataires de moins de 15 ans	1 785 535	0.296
célibataires de 15 ans ou plus	1 390 085	0.231
mariés	2 593 550	0.430
veufs	233 540	0.039
divorcés	25 050	0.004

Exemple 3.3. Le tableau 3.3 représente la distribution d'une variable quantitative discrète.

TABLEAU 3.3: **La distribution des pointures de souliers pour un échantillon de 84 hommes.**

Pointure	Fréquence	Fréquence relative
5	3	.036
6	1	.012
7	13	.155
8	16	.190
9	21	.250
10	19	.226
11	11	.131
Total	84	1

Distribution de fréquence pour valeurs groupées

Lorsque la variable est continue, ou que la variable peut prendre un grand nombre de valeurs, même si celles-ci sont des valeurs isolées, il convient de répartir ces valeurs en classes. A chaque classe on fait correspondre une fréquence ou une fréquence relative, et l'on obtient alors une distribution de fréquence ou de fréquence relative pour valeurs groupées.

Les classes peuvent avoir une amplitude constante ou variable, et l'amplitude des classes extrêmes peut même être indéterminée (classes ouvertes).

Exemple 3.4. Pour l'année d'imposition 1955, on a enregistré les revenus imposables d'un groupe de 3 014 contribuables. Ces données ont été regroupées dans le tableau 3.4.

TABLEAU 3.4: **Revenu imposable de 3 014 contribuables en 1955**

Revenu imposable (en dollars)	Nombre de contribuables
moins de $1000	261
$1000 - $1999	331
$2000 - 2999	359
$3000 - 3999	384
$4000 - $4999	407
$5000 - 7499	703
$7500 - 9999	277
$10000 et plus	292
Total	3 014

Source: Federal Reserve Bulletin

Le choix du nombre de classes dépend de la précision des mesures et de l'effectif total de l'ensemble statistique étudié. Un regroupement comportant un nombre élevé de classes fera apparaître des irrégularités provenant des faibles nombres d'unités par classe, alors qu'un nombre trop restreint de classes conduit à une perte d'information. Il n'y a pas de règle générale pour déterminer le nombre de classes. Ce choix est guidé par le souci d'obtenir une "bonne" représentation de l'ensemble statistique étudié. Le nombre de classes dépend du nombre de données traitées. Pour des ensembles de données relativement restreints ($n \leqslant 200$), il semble recommandable de choisir entre 7 et 15 classes; mais cette règle n'a rien d'absolu. En particulier, quelques règles plus précises ont été proposées pour déterminer le nombre de classes. Si l'on dispose de n observations ou données, on peut, par exemple, prendre comme nombre de classes $\sqrt{n}$ ou encore $1 + 3.3 \log n$ (règle de Sturges). Par souci de simplicité, il est fréquent de recourir à des classes d'égale amplitude et d'arrondir les valeurs extrêmes des classes. Pour illustrer la façon de construire une distribution de fréquence pour valeurs groupées, on va considérer l'exemple suivant:

Exemple 3.5. On utilise ici les données brutes du tableau 3.1 représentant les chiffres d'affaires d'une journée pour 75 tabagies. Il faut en premier lieu procéder au choix des classes, c'est-à-dire en fixer le nombre, l'amplitude et les valeurs extrêmes. Pour ce faire, on doit déterminer l'étendue R de la série statistique que l'on définit comme la différence entre la plus grande valeur et la plus petite valeur dans la série. A partir des données du tableau 3.1, on obtient:

$$R = \$373.25 - \$215.23 = \$158.02$$

Le nombre de classes peut être fixé à partir de l'une des règles mentionnées précédemment, ou d'une façon plus ou moins arbitraire (entre 7 et 15). En utilisant les règles précédentes, on obtient pour $n = 75$: $\sqrt{n} = \sqrt{75} \simeq 8.7$, $1 + 3.3 \log n = 1 + 3.3 \log_{10} 75 \cong 7.2$. Il semble convenable de fixer à 8 le nombre de classes. Si l'on désire des classes d'égale amplitude, la largeur de chaque classe sera environ égale à l'étendue R de la série, divisée par le nombre de classes. On obtient

$$\frac{\$158.02}{8} = \$19.76 \cong \$20.$$

La première classe doit contenir la plus petite valeur, \$215.23, et la dernière la plus grande valeur, \$373.25. Il est fréquent que l'on doive ajouter une classe pour arriver à couvrir la plus grande valeur, en particulier si on arrondit vers le bas la largeur des classes (20 plutôt que 20.92, par exemple). A partir des données du tableau 3.1, on pourrait définir les classes suivantes:

\$215.00 - 234.99
235.00 - 254.99
... - ...
... - ...
\$355.00 - 374.99

On pourrait utiliser les signes d'inégalité pour réécrire ces classes et l'on aurait

$$215 \leqslant x < 235$$
$$235 \leqslant x < 255$$
$$\ldots \qquad \ldots$$
$$\ldots \qquad \ldots$$
$$355 \leqslant x < 375$$

Il faut noter que ce n'est pas l'unique façon d'exprimer les classes. On aurait pu, par exemple, choisir comme classes

$215. - 234
235. - 254
. . .   . . .
. . .   . . .
$355. - 374

On subdiviserait alors l'ouverture entre deux classes en deux parties égales, et l'on attribuerait la moitié à chaque classe adjacente. Les frontières réelles de chaque classe seraient donc:

de $214.50 à moins de $234.50
de $234.50 à moins de $254.50
etc.

Une fois les limites des classes fixées, on dénombre la fréquence dans chaque classe. Pour l'exemple considéré, on est conduit à la distribution du tableau 3.5. Dans ce tableau, on a ajouté comme dernière colonne quelques valeurs de la distribution de fréquence relative cumulée, qui est introduite dans ce qui suit.

TABLEAU 3.5: **Distribution du chiffre d'affaires d'une journée dans 75 tabagies**

Chiffre d'affaires	fréquence	fréquence relative	fréquence relative cumulée (aux limites supérieures)
$215 - 234.99	4	.0533	.0533
235 - 254.99	6	.0800	.1333
255 - 274.99	13	.1734	.3067
275 - 294.99	22	.2933	.6000
295 - 314.99	15	.2000	.8000
315 - 334.99	6	.0800	.8800
335 - 354.99	5	.0667	.9467
355 - 374.99	4	.0533	1.0000
Total	75	1	

Même s'il n'est pas nécessaire que les classes soient d'égale amplitude, cela est souvent préférable pour les calculs qui vont suivre. Cependant, il existe des situations où l'on a de bonnes raisons de recourir à des classes d'amplitudes variables et à des classes ouvertes, tel qu'illustré dans le tableau 3.4. Par exemple, pour une série dont l'étendue est assez grande et pour laquelle un fort pourcentage de l'effectif total se trouve concentré à une extrémité, on choisira des classes plus étroites dans la région où les valeurs sont fréquentes, et des classes plus larges dans la région où les valeurs sont plus rares.

Exemple 3.6. Dans une étude sur les salaires des employés d'une grande entreprise, on peut observer que les salaires se distribuent entre $10,000 et $90,000 et que 95% de ces employés ont un salaire inférieur à $35,000. Dans ce cas, on pourrait retenir des classes assez étroites pour les valeurs inférieures à $25,000 ou $30,000, puis élargir progressivement les classes pour terminer avec une classe ouverte. Le recours à une classe ouverte n'est pas trop gênant si la fréquence correspondante représente une fraction négligeable de l'effectif total de la série.

Distribution de fréquence relative cumulée

Pour certaines analyses, il peut être souhaitable de connaître le nombre ou le pourcentage d'observations dont la valeur est "inférieure ou égale", ou "supérieure" à une valeur donnée. Ainsi, on peut vouloir connaître le nombre de contribuables dont le revenu imposable (parmi les 3 014 du tableau 3.4) est supérieur à $7,499, ou encore le pourcentage des tabagies (parmi les 75 observées dans l'exemple 3.1) dont le chiffre d'affaires quotidien est inférieur ou égal à $294.99. Par analogie avec la fonction de répartition utilisée en théorie des probabilités (Martel et Nadeau, [5]), on appelle fréquence relative cumulée (du type inférieur ou égal) que l'on note par F(x), la proportion des valeurs prises par la variable considérée qui sont inférieures ou égales à x.

On appelle distribution de fréquence relative cumulée la fonction qui à chaque valeur x de la variable statistique X fait correspondre la fréquence relative cumulée F(x).

Exemple 3.7. Pour la distribution de fréquence du tableau 3.3, on obtient comme distribution de fréquence relative cumulée de la variable discrète "pointure" la fonction F(x), définie comme suit:

$$F(x) = \begin{cases} 0 & , \text{ si } x < 5 \\ 0.036 & , \text{ si } 5 \leqslant x < 6 \\ 0.048 & , \text{ si } 6 \leqslant x < 7 \\ 0.203 & , \text{ si } 7 \leqslant x < 8 \\ 0.393 & , \text{ si } 8 \leqslant x < 9 \\ 0.643 & , \text{ si } 9 \leqslant x < 10 \\ 0.869 & , \text{ si } 10 \leqslant x < 11 \\ 1.0 & , \text{ si } x \geqslant 11 \end{cases}$$

La quatrième colonne du tableau 3.5 ne constitue pas la distribution de fréquence relative cumulée mais indique seulement quelques valeurs de la distribution de fréquence relative cumulée de la variable "chiffre d'affaires" pour des valeurs groupées. Elle donne les fréquences relatives cumulées correspondantes aux valeurs de la variable aux limites supérieures des classes; pour définir complètement la distribution de fréquence relative cumulée, il faudrait utiliser des intervalles de valeurs pour X, comme on l'a fait dans l'exemple précédent.

Analyse statistique à deux variables

Jusqu'à maintenant dans ce chapitre, on a cherché à décrire les unités d'une population uniquement en fonction d'un seul caractère ou d'une seule variable statistique. Cependant, comme on l'a souligné au chapitre précédent, une étude statistique peut porter sur plus d'un caractère de chacun des éléments de la population ou de l'échantillon. Considérons un ensemble statistique de n unités, décrit suivant deux variables X et Y dont les modalités ou valeurs sont respectivement $x_1, x_2, ..., x_h$ et $y_1, y_2, ..., y_k$. Désignons par n_{ij} le nombre d'unités présentant à la fois les modalités ou valeurs x_i et y_j. Compte tenu des deux variables, on aura h x k couples (x_i, y_i) différents de modalités ou valeurs. On désigne par n_{ij} la fréquence du couple (x_i, y_j), et par

$f_{ij} = \frac{n_{ij}}{n}$ la fréquence relative de (x_i, y_j).

Il est commode de représenter ces fréquences par le tableau suivant:

		Variable Y				fréquences marginales
		y_1	y_2	.... y_j	.... y_k	
	x_1	n_{11}	n_{12}	.... n_{1j}	.... n_{1k}	$n_{1.}$
	x_2	n_{21}	n_{22}	.... n_{2j}	.... n_{2k}	$n_{2.}$
	⋮	⋮	⋮	⋮	⋮	⋮
variable X	x_i	n_{i1}	n_{i2}	.... n_{ij}	.... n_{ik}	$n_{i.}$
	⋮	⋮	⋮	⋮	⋮	⋮
	x_h	n_{h1}	n_{h2}	.... n_{hj}	.... n_{hk}	$n_{h.}$
fréquences marginales		$n_{.1}$	$n_{.2}$	.... $n_{.j}$	.... $n_{.k}$	n

On donne le nom de fréquences marginales aux fréquences des modalités ou valeurs d'une seule des deux variables prise isolément. Par exemple, la fréquence de la modalité x_i est

$$n_{i.} = \sum_{j=1}^{k} n_{ij}, \quad i = 1, 2, ..., h;$$

de même la fréquence de y_j est

$$n_{.j} = \sum_{i=1}^{h} n_{ij}, \quad j = 1, 2, ..., k.$$

L'effectif total de l'ensemble est

$$n = \sum_{i} n_{i.} = \sum_{j} n_{.j} = \sum_{i,j} n_{ij}$$

Exemple 3.8. Pour chacun des 84 hommes dont la distribution de la variable "pointure" est donnée dans le tableau 3.3, on a également mesuré la variable "taille" (par classes de 5 cm). La distribution de fréquence de ces deux variables est présentée dans le tableau 3.6.

TABLEAU 3.6:

		"Taille"									
		150	155	160	165	170	175	180	185	190	fréquences marginales
"Pointure"	5	1	2								3
	6		1								1
	7		2	4	4	3					13
	8		3	5	5	2	1				16
	9			3	4	6	4	3	1		21
	10				2	3	6	4	2	2	19
	11						2	4	4	1	11
fréquences marginales		1	8	12	15	14	13	11	7	3	84

3.2.2 Représentation graphique

Bien qu'un tableau statistique renferme toute l'information disponible, il est parfois utile de le traduire ou de le compléter par un graphique. Le but du graphique est de fournir une image qui permette de voir rapidement la tendance générale du phénomène étudié et de mettre en évidence certains faits essentiels. La présentation graphique présente des dangers en raison du fait que le jugement immédiat se fonde sur des sensations visuelles, qui peuvent exagérer ou réduire l'importance de certaines caractéristiques de l'ensemble statistique étudié. Il importe de respecter quelques règles lors de la construction d'un graphique. En plus de contenir diverses identifications (titre du graphique, source des données, identification des échelles et des courbes), le graphique doit respecter certaines proportions (échelle verticale ≅ 2/3 échelle horizontale); le zéro doit apparaître sur l'échelle verticale (pour les graphiques arithmétiques); les courbes doivent être en traits forts, etc.

Suivant la nature de la variable étudiée et le but de l'étude, on utilise différents types de graphiques. On est tous assez familiers avec les présentations graphiques de pourcentages ou de fréquences. On en retrouve de nombreux exemples dans les magazines, les revues d'affaires, les publications commerciales, économiques, démographiques, etc. Les types de graphiques les plus fréquemment utilisés sont les diagrammes en barres (simples ou de composantes), les diagrammes circulaires et les diagrammes figuratifs.

Les diagrammes en barres. Ils consistent en des rectangles dont les longueurs sont proportionnelles aux grandeurs représentées. Les quatre figures qui suivent (figures 3.1 à 3.4) fournissent des exemples de différents diagrammes en barres pour représenter des données financières et économiques.

FIGURE 3.1: **Population active et emploi Québec/Evolution**

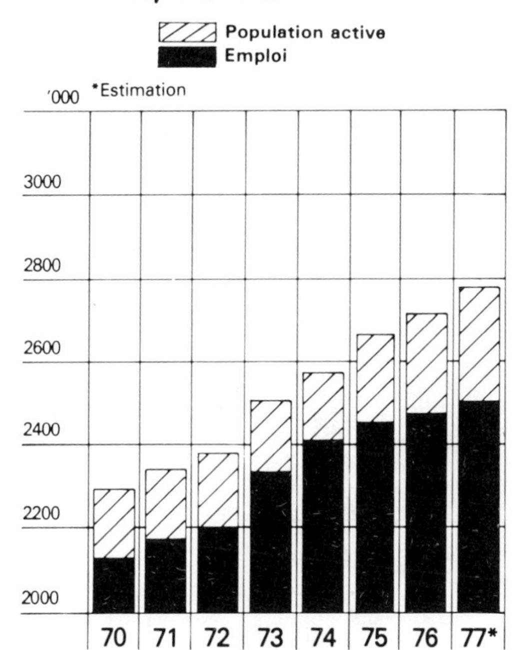

FIGURE 3.2: **Taux de chômage et d'activité - Québec**

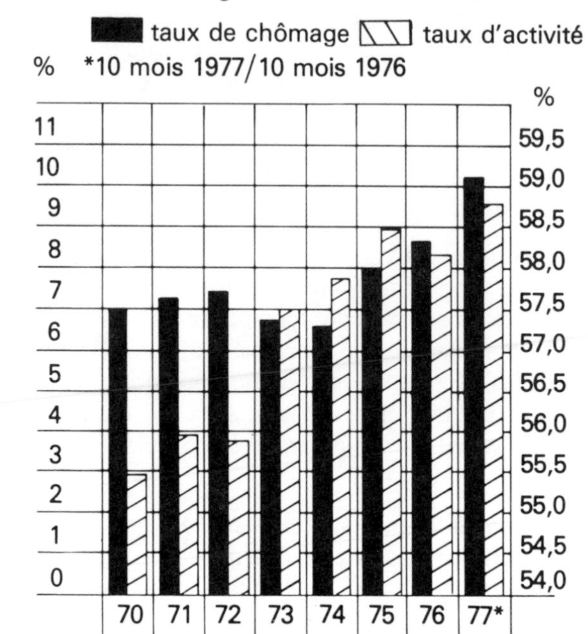

FIGURE 3.3: **Création d'emplois - Industries productrices de biens - Québec/Variations annuelles**

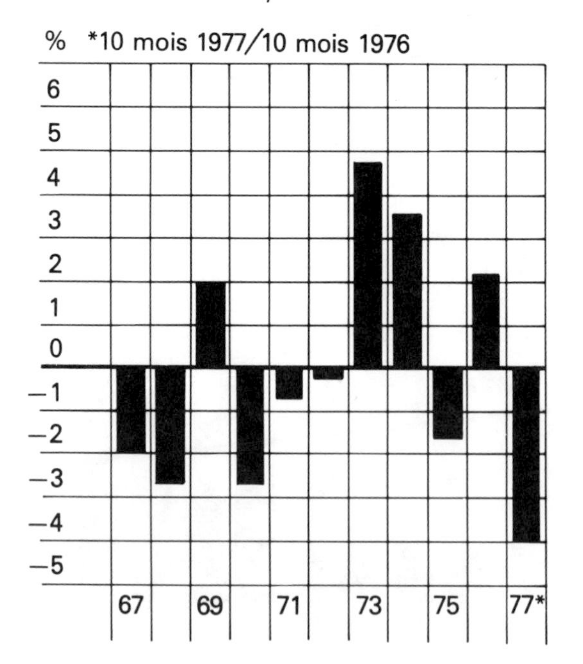

FIGURE 3.4: **Pourcentages moyens des gains annuels pour les dépôts réguliers, incluant les intérêts, dans les "Mutual Savings Banks" par états, 1968-1977**

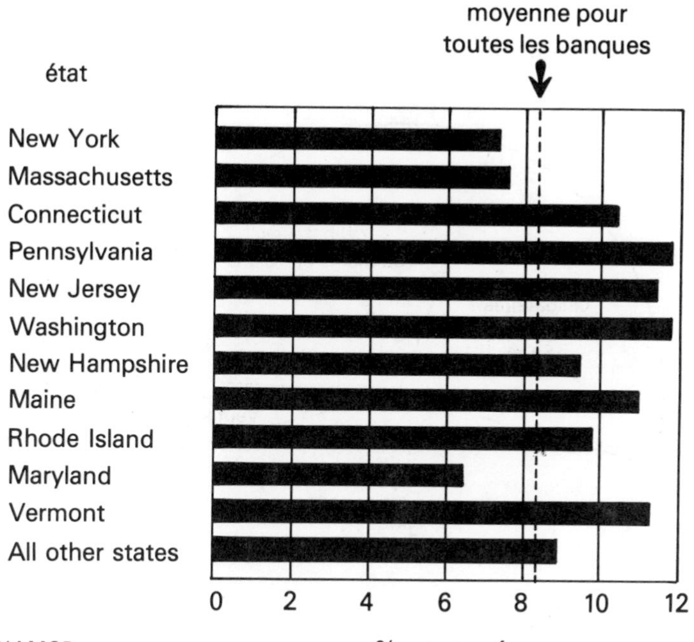

Source: NAMSB

Comme on peut le constater, ces diagrammes sont utilisés pour représenter des statistiques de mouvement (figures 3.1 à 3.3) ou des statistiques de structure (figure 3.4), et les barres peuvent être horizontales ou verticales. La figure 3.1 présente un diagramme en barres de composantes, mettant en relief les différentes parties d'un tout. Les figures 3.2 à 3.4 sont des diagrammes en barres simples: la figure 3.2 compare deux ensembles de données sur une période de plusieurs années et la figure 3.3 est un diagramme en barres simples à deux directions indiquant des augmentations et des diminutions en pourcentages.

Les diagrammes circulaires. Le diagramme circulaire est constitué par un cercle divisé en secteurs, chaque secteur ayant un angle au centre qui est proportionnel à la grandeur représentée. Ces diagrammes sont utilisés pour représenter les différentes parties d'un tout.

Exemple 3.9. Dans la figure 3.5, on utilise un diagramme circulaire pour représenter les données du tableau 3.2 portant sur l'état matrimonial au Québec suivant le recensement de 1971.

Les diagrammes figuratifs. Ils sont construits à l'aide de figures (bateaux, automobiles, sacs de blé...) de grandeurs variables proportionnelles aux grandeurs représentées, ou bien à l'aide de figures de même taille (une sorte d'étalon de mesure) que l'on reproduitun certain nombre de fois en proportion avec les grandeurs représentées.

FIGURE 3.5: **Etat matrimonial au Québec en 1971**

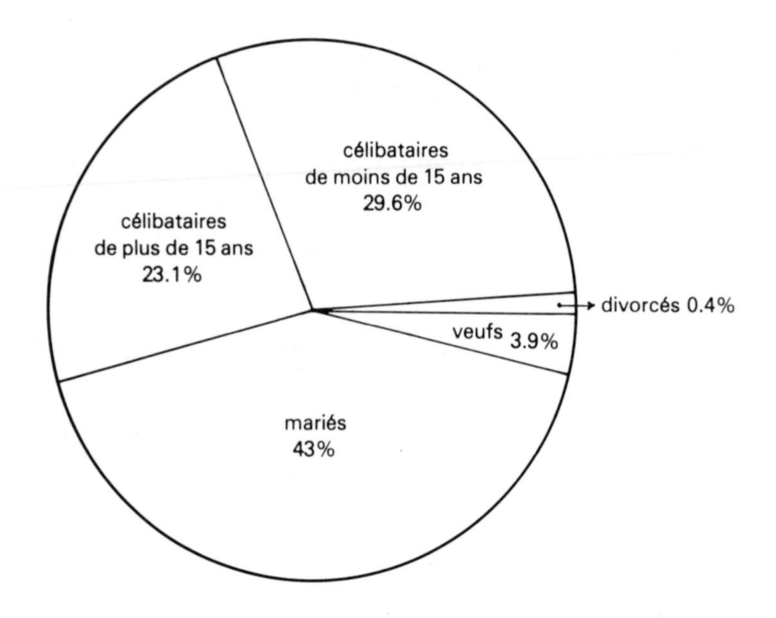

Exemple 3.10. La figure 3.6 compare à l'aide de diagrammes figuratifs les productions de blé de deux pays: la production du pays A est 650 000 quintaux et celle du pays B, 200 000 quintaux.

FIGURE 3.6: **Les productions de blé des pays A et B**

Un mode de représentation plus adéquat serait le suivant:

Source: Calot, [2], p. 17.

Les diagrammes figuratifs sont surtout employés dans les revues comme graphiques publicitaires pour fins de comparaison, et sont de peu d'intérêt en statistique car ils fournissent des approximations assez grossières.

Représentation graphique d'un distribution de fréquence (variable quantitative)

Plusieurs modes de représentation différents sont utilisés pour illustrer une distribution de fréquence ou une distribution de fréquence relative (non cumulée ou cumulée); les principaux sont le diagramme en bâtons, l'histogramme, le polygone de fréquence, le graphique en escalier et le polygone de fréquence relative cumulée.

Le diagramme en bâtons. Le diagramme en bâtons se prête bien à la représentation d'une distribution de fréquence d'une variable discrète. On place en abscisse les valeurs x_i de la variable. On élève ensuite sur chaque valeur x_i un bâton dont la hauteur est égale à la fréquence n_i (ou fréquence relative f_i) correspondante à cette valeur.

Exemple 3.11. La figure 3.7 représente, à l'aide d'un diagramme en bâtons, la distribution de fréquence relative de la variable discrète "pointure" du tableau 3.3.

FIGURE 3.7: **La distribution de la pointure des souliers de 84 hommes**

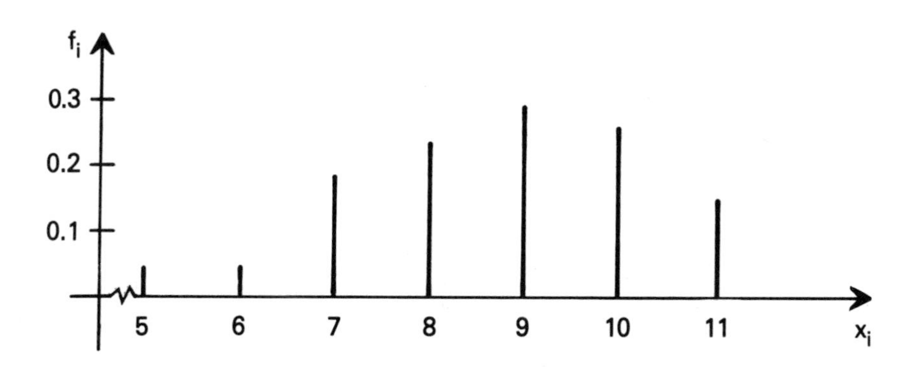

L'histogramme. La représentation graphique la plus fréquente d'une distribution de fréquence pour valeurs groupées est l'histogramme. On porte en abscisse les limites des différentes classes. Sur chacun des segments ainsi délimités en abscisse, on construit un rectangle dont la hauteur est égale (ou proportionnelle) à la fréquence (ou fréquence relative) de la classe, pour des classes d'égale amplitude. Pour une distribution de fréquence relative, on fait en sorte que l'aire de chaque rectangle soit égale à la fréquence relative de la classe correspondante.

Exemple 3.12. La figure 3.8 donne l'histogramme de la distribution de fréquence de la variable "chiffre d'affaires" du tableau 3.5.

FIGURE 3.8: **Histogramme de la distribution du chiffre d'affaires**

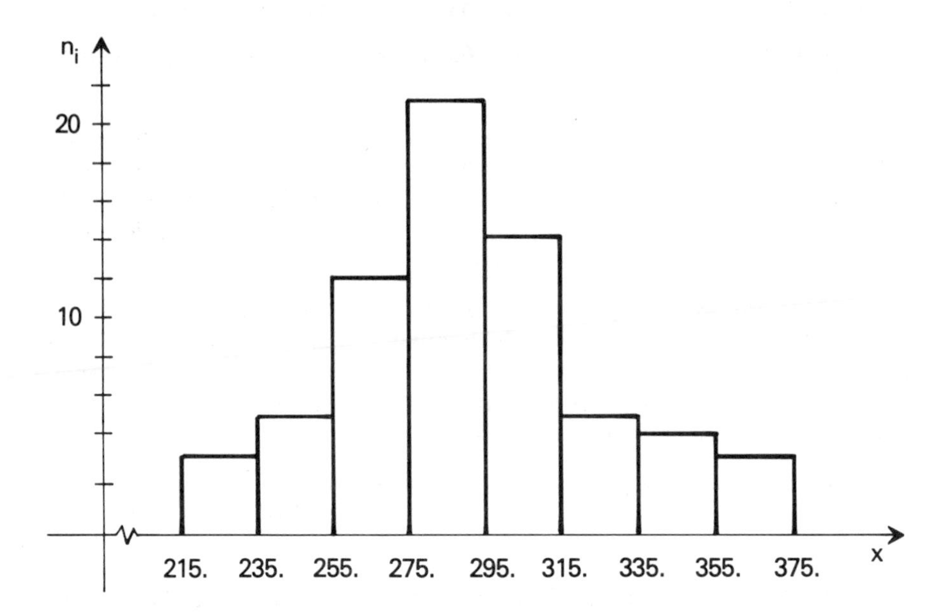

Dans le cas d'une distribution de fréquence relative, par analogie à la fonction de densité utilisée en théorie des probabilités, on peut déterminer la hauteur des rectangles de telle sorte que l'aire totale sous l'histogramme soit égale à 1. Alors la hauteur des rectangles est donnée par

$$\text{hauteur du } i^e \text{ rectangle} = \frac{\text{fréquence relative de la } i^e \text{ classe}}{\text{largeur de la } i^e \text{ classe}}$$

Si l'amplitude des classes est variable, on doit ajuster la hauteur des rectangles en conséquence. Par exemple, si l'amplitude d'une classe est le double des précédentes, on doit diviser la fréquence de cette classe par deux pour déterminer la hauteur du rectangle correspondant.

Le polygone de fréquence. Une autre façon de représenter une distribution de fréquence (ou fréquence relative) pour valeurs groupées consiste à utiliser le polygone de férquence. On place en abscisse les points milieux des différentes classes. Sur chacune de ces valeurs (points milieux), on porte en ordonnée une hauteur égale (ou proportionnelle) à la fréquence (ou fréquence relative) de la classe correspondante. On relie par des segments de droite les points ainsi déterminés. On ferme le polygone en ajoutant à chaque extrémité de la série une classe de fréquence nulle.

Exemple 3.13. La figure 3.9 donne le polygone de fréquence de la distribution de fréquence relative du chiffre d'affaires du tableau 3.5. Dans ce polygone les hauteurs ont été déterminées de telle sorte que l'aire sous le polygone soit égale à 1. Le polygone de fréquence peut être construit en partant de l'histogramme et en reliant les points milieux des côtés supérieurs des rectangles adjacents. On peut montrer que l'aire sous le polygone est la même que celle sous l'histogramme correspondant.

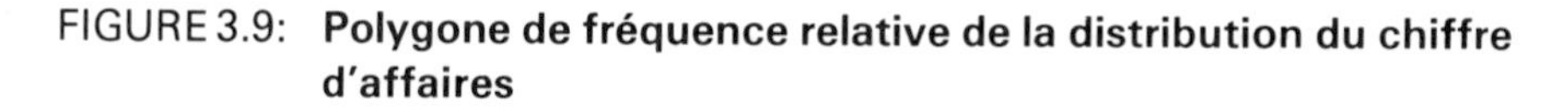

FIGURE 3.9: **Polygone de fréquence relative de la distribution du chiffre d'affaires**

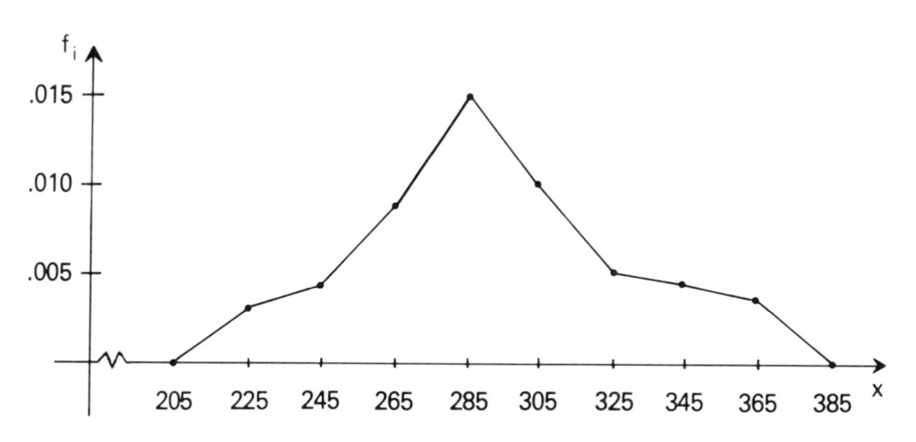

Si l'on fait subir à notre polygone une sorte de polissage, on obtient une courbe lisse que l'on appelle **courbe de fréquence** (figure 3.10). On peut effectuer ce type de polissage si le nombre n d'unités dans l'ensemble statistique devient de plus en plus grand, et si les classes deviennent de plus en plus étroites. Cette notion de courbe de fréquence est importante pour des comparaisons avec la courbe idéale appelée "courbe en cloche" caractérisant la distribution normale.

FIGURE 3.10:

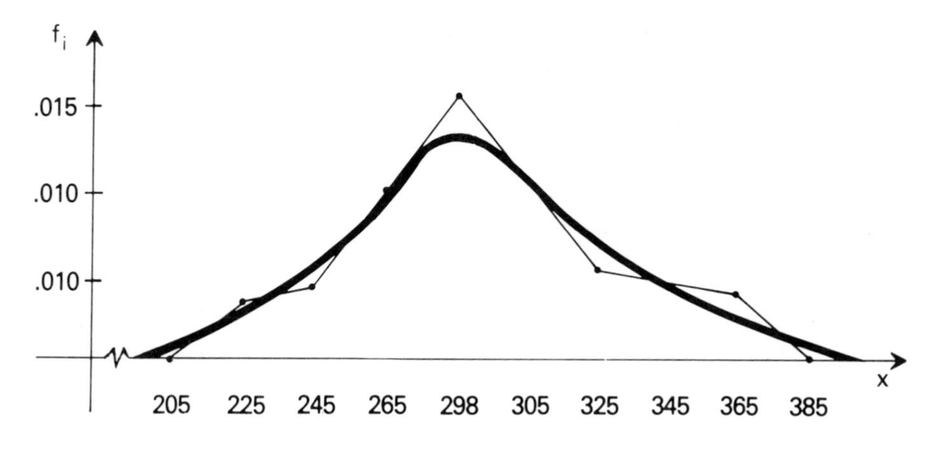

Le graphique en escalier. La distribution de fréquence relative cumulée F(x) pour une variable discrète avec des valeurs non groupées est une fonction étagée ayant la forme d'un escalier dont les marches sont de hauteurs variables.

Exemple 3.14. La figure 3.11 présente le graphique en escalier de la distribution de fréquence relative cumulée (du type inférieur ou égal) pour la variable discrète "pointure" de l'exemple 3.7.

FIGURE 3.11

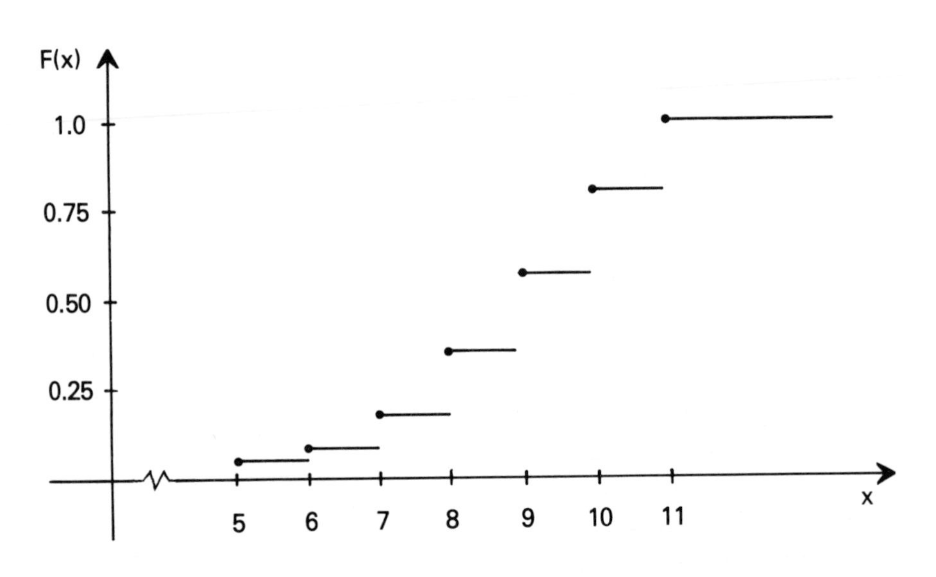

Le polygone de fréquence relative cumulée. La distribution de fréquence relative cumulée pour valeurs groupées conduit à une nouvelle représentation graphique que l'on appelle le polygone de fréquence relative cumulée. On place en abscisse les limites des différentes classes. Sur chacune de ces valeurs limites, on détermine en ordonnée une hauteur égale à la fréquence relative cumulée correspondante à cette valeur. En joignant par des segments de droite les points successifs ainsi déterminés, on obtient une ligne brisée appelée polygone de fréquence relative cumulée.

Ce polygone ainsi que le polygone de fréquence relative sont utilisés pour comparer deux ensembles statistiques dont les effectifs sont très différents.

Exemple 3.15. La figure 3.12 donne le polygone correspondant à la distribution de fréquence relative cumulée de la variable "chiffre d'affaires" du tableau 3.5.

FIGURE 3.12

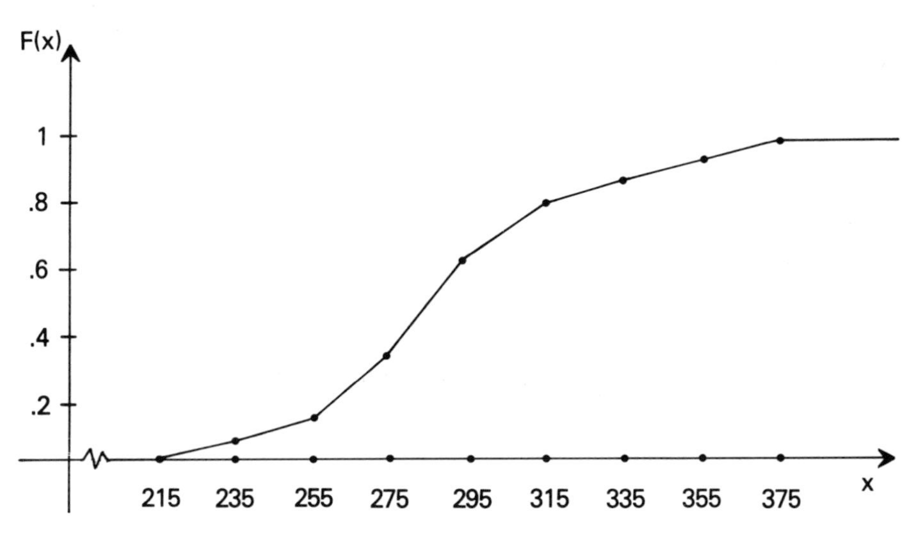

3.3 MESURES DESCRIPTIVES

La distribution de fréquence d'une variable statistique ainsi que sa représentation graphique permettent de se faire une certaine idée de quelques caractéristiques de la distribution de cette variable; elles permettent d'identifier approximativement le point autour duquel les valeurs sont concentrées, de voir si la distribution est symétrique ou non, de voir dans quelle mesure les données sont dispersées. Cependant, toute cette information reste encore imprécise et subjective. C'est pourquoi on veut définir des indices permettant de mesurer objectivement certaines caractéristiques de l'ensemble des données. On cherche donc à résumer l'ensemble statistique par quelques valeurs caractéristiques.

Cette section est consacrée à la définition des caractéristiques de position, de dispersion, de forme , et autres caractéristiques qui permettent de réduire une masse de données et d'en faciliter l'interprétation.

3.3.1 Caractéristiques de position

A) *Mesures de tendance centrale*

Les caractéristiques de position les plus populaires sont les mesures de tendance centrale. Comme les observations ont souvent tendance à se concentrer autour d'une certaine valeur, et que fréquemment cette valeur se situe au centre de la série statistique, il est intéressant de déterminer cette valeur centrale. Les mesures de tendance centrale les plus utilisées sont (a) la mcyenne arithmétique, (b) la médiane et (c) le mode (même si ce dernier ne caractérise pas nécessairement le centre de la série).

(a) *La moyenne arithmétique*

Nous sommes tous assez familiers avec la notion de moyenne arithmétique. On sait, par exemple, que la moyenne arithmétique d'un ensemble de n valeurs est obtenue en additionnant ces n valeurs (ce qui implique que les valeurs sont numériques) et en divisant cette somme par n. Comme les valeurs de la variable étudiée auront le plus souvent été regroupées sous la forme d'une distribution de fréquence, on peut définir la moyenne arithmétique de la façon suivante:

La moyenne arithmétique. Pour une variable statistique X prenant les valeurs x_i avec les fréquences n_i , $i = 1, 2, ..., h$, la moyenne arithmétique de X est un nombre réel que l'on note $\bar{x}$ et qui est défini comme

$$\bar{x} = \frac{1}{n} \sum_{i=1}^{h} n_i x_i \text{ , si l'on utilise les fréquences,}$$

ou qui est défini comme

$$\bar{x} = \sum_{i=1}^{h} f_i x_i \text{ , si l'on utilise les fréquences relatives.}$$

Evidemment, si toutes les fréquences n_i sont égales à l'unité, alors la première formule se réduit à

$$\bar{x} = \frac{1}{n} \sum_{i=1}^{n} x_i$$

Exemple 3.16. On peut calculer la moyenne arithmétique des pointures des souliers des 84 hommes dont la distribution est donnée au tableau 3.3. On obtient

x_i	n_i	$n_i x_i$
5	3	15
6	1	6
7	13	91
8	16	128
9	21	189
10	19	190
11	11	121
Total	84	740

d'où l'on a:

$$\bar{x} = \frac{1}{n} \sum_{i=1}^{h} n_i x_i = \frac{740}{84} = 8.8$$

Calcul de la moyenne arithmétique dans le cas où les valeurs de la variable sont groupées.

Lorsque, pour une variable, on dispose seulement d'une distribution de fréquence pour valeurs groupées, la façon de procéder pour calculer la moyenne consiste à utiliser pour chaque classe i une valeur x_i représentant l'ensemble des valeurs de cette classe. Si l'on pose l'hypothèse que l'ensemble des valeurs sont uniformément réparties à l'intérieur des classes, il est alors justifié d'utiliser le point milieu de la classe comme valeur x_i représentant la classe. En effet, si cette hypothèse est vérifiée, le centre de la classe correspond à la valeur moyenne des valeurs groupées dans cette classe. Si cette hypothèse n'est pas vérifiée, le centre de la classe ne représente pas bien l'ensemble des valeurs regroupées dans cette classe, et alors la valeur que l'on obtiendra pour $\bar{x}$ sera uniquement une valeur approximative. En général, lorsqu'on est en présence d'une distribution pour valeurs groupées, on ne connaît pas les valeurs individuelles dans les classes, et l'on n'est pas en mesure de vérifier la véracité de l'hypothèse de la répartition uniforme des données à l'intérieur des classes. Malgré cet inconvénient, on utilise en général le centre de la classe comme valeur x_i représentant les éléments de la classe et il faut alors être conscient que la valeur ainsi obtenue pour la moyenne $\bar{x}$ peut ne pas être exacte. Comme on le verra par la suite, lorsqu'on a affaire à des distributions pour valeurs groupées, on utilise cette même façon de procéder pour calculer d'autres caractéristiques d'une variable statistique telles la médiane, un fractile, la variance, etc.

Exemple 3.17. On veut calculer la moyenne arithmétique des chiffres d'affaires d'une journée pour les 75 tabagies dont la distribution de fréquence est donnée au tableau 3.5. On obtient:

classes	points milieux x_i	fréquence n_i	$n_i x_i$
\$215.00 - 234.99	(\$225.00)	4	900
235.00 - 254.99	(245.00)	6	1470
255.00 - 274.99	(265.00)	13	3445
275.00 - 294.99	(285.00)	22	6270
295.00 - 314.99	(305.00)	15	4575
315.00 - 334.99	(325.00)	6	1950
335.00 - 354.99	(345.00)	5	1725
355.00 - 374.99	(365.00)	4	1460
Total		75	21795

d'où

$$\bar{x} \cong \frac{\sum n_i x_i}{n} = \frac{21795}{75} = \$290.60$$

Comme on peut le constater, ces calculs peuvent devenir assez laborieux. Cependant, on n'a pas jugé nécessaire de présenter ici une méthode de transformation d'échelle permettant de simplifier ce travail, puisque le plus souvent ces calculs seront effectués à l'aide d'un calculateur numérique.

Propriétés de la moyenne arithmétique

Propriété 1. La moyenne des déviations entre chacune des valeurs d'un ensemble et la moyenne arithmétique de cet ensemble est égale à 0, c'est-à-dire:

$$\sum_{i=1}^{n} (x_i - \bar{x}) = 0$$

Démonstration. Elle est triviale.

Propriété 2. La somme des carrés des déviations entre chacune des valeurs d'un ensemble et une valeur x_o est minimum lorsque cette valeur x_o est la moyenne arithmétique de l'ensemble, c'est-à-dire:

$$\sum_i (x_i - \bar{x})^2 < \sum_i (x_i - x_o)^2 , \text{ si } x_o \neq \bar{x} .$$

Démonstration. On peut écrire

$$x_i - x_o = (x_i - \bar{x}) + (\bar{x} - x_o)$$

En élevant les deux membres de l'égalité aux carrés et en faisant la somme, on obtient:

$$\sum_{i=1}^{n} (x_i - x_o)^2 = \sum_{i=1}^{n} (x_i - \bar{x})^2 + n(\bar{x} - x_o)^2 .$$

Propriété 3. Soit un ensemble statistique de n unités subdivisé en m sous-ensembles ayant chacun pour moyenne arithmétique $\bar{x}_j$ et pour effectif n_j, $j = 1, 2, ..., m$; alors la moyenne arithmétique de l'ensemble est égale à la moyenne "pondérée" des moyennes arithmétiques des sous-ensembles, les poids étant les effectifs de chaque sous-ensemble, c'est-à-dire:

$$\bar{x} = \frac{\sum_{j=1}^{m} n_j \bar{x}_j}{\sum_{j=1}^{m} n_j}$$

Démonstration. On a:

$$\bar{x} = \frac{\sum_{i=1}^{n} x_i}{n} = \frac{\sum_{j=1}^{m} \sum_{\ell=1}^{n_j} x_{j\ell}}{n}$$

, où $x_{j\ell}$ est la ℓ ième valeur du j^{ième} sous-ensemble, lequel a un effectif égal à n_j.

alors,

$$\bar{x} = \frac{\sum_{j=1}^{m} n_j \left(\frac{1}{n_j} \sum_{\ell=1}^{n_j} x_{j\ell} \right)}{n}$$

$$\bar{x} = \frac{\sum_{j=1}^{m} n_j \bar{x}_j}{n} = \frac{\sum_{j=1}^{m} n_j \bar{x}_j}{\sum_{j=1}^{m} n_j}$$

La propriété 3 se trouve être implicitement utilisée dans le calcul de la moyenne arithmétique d'une distribution pour valeurs groupées, lorsqu'on pose l'hypothèse que le point milieu de la classe est la moyenne arithmétique de cette classe, cette hypothèse étant vraie si la répartition des valeurs à l'intérieur des classes est uniforme. Cette propriété confirme aussi le fait que la moyenne arithmétique se prête bien aux calculs algébriques.

(b) *La médiane*

Une autre mesure de tendance centrale bien connue et assez souvent utilisée comme mesure descriptive, c'est la médiane. Dans une série statistique rangée en ordre de grandeur croissante (ou décroissante), la médiane est la valeur qui occupe la "position centrale". Si le nombre n d'observations dans la série (ordonnée) est impair, alors la médiane est la $[(n + 1)/2]$ ième observation. Considérons, par exemple, la série ordonnée 208, 211, 212, 218, 220 où $n = 5$, alors la médiane est la $[(5 + 1)/2] = 3^{\text{ième}}$ observation, c'est-à-dire 212. Si le nombre n d'observations est pair, par convention on choisit pour médiane la moyenne arithmétique des valeurs centrales, c'est-à-dire:

$$\frac{1}{2} \left[\text{la} \left(\frac{n}{2} \right)^{\text{ième}} \text{observation} + \text{la} \left(\frac{n}{2} + 1 \right)^{\text{ième}} \text{observation} \right]$$

Considérons, par exemple, la série 208, 211, 212, 218, 220, 221 où n = 6, on choisit pour médiane la valeur

$$\frac{1}{2}\left[\text{la}\left(\frac{6}{2}\right) = 3^{\text{ième}}\text{ observation} + \text{la}\left(\frac{6}{2} + 1\right) = 4^{\text{ième}}\text{ observation}\right] =$$

$$\frac{1}{2}(212 + 218) = 215.$$

Comme les valeurs sont le plus souvent ordonnées sous la forme d'une distribution de fréquence, on peut définir la médiane de la façon suivante:

La médiane. La médiane d'une variable est une valeur numérique que l'on note Mé, telle qu'il y a au plus 50% des valeurs de la variable qui lui soient inférieures et au plus 50% des valeurs de la variable qui lui soient supérieures.

On remarque immédiatement que la distribution de fréquence relative cumulée sera d'une grande utilité pour déterminer la médiane.

Exemple 3.18. On peut déterminer la médiane de la variable "pointure des souliers de 84 hommes" dont la distribution de fréquence relative cumulée est donnée à l'exemple 3.7 et à la figure 3.11. De l'exemple 3.7, on trouve une fréquence relative de .393 que les pointures soient inférieures à 9 et une fréquence relative de .357 (= 1 — .643) que les pointures soient supérieures à 9. La médiane est donc de 9. On peut confirmer ce résultat par le graphique en escalier de la figure 3.11, si l'on trace une ligne horizontale passant par une ordonnée de 0.50.

Lorsque les valeurs de la variable sont groupées en classes, pour déterminer la médiane, on doit émettre une hypothèse sur la distribution des valeurs à l'intérieur des classes. L'hypothèse généralement admise est celle selon laquelle les valeurs sont uniformément réparties à l'intérieur de chaque classe. La détermination des valeurs individuelles revient alors à un partage de l'intervalle en parties proportionnelles, procédé connu sous le nom d'interpolation linéaire.

Exemple 3.19. On peut déterminer la médiane dans la distribution des chiffres d'affaires quotidiens pour 75 tabagies, cette distribution étant donnée au tableau 3.5 et à la figure 3.12. Du tableau 3.5, on observe que la médiane se situe dans la classe $275 — 294.99 puisqu'il y a 30.67% des valeurs qui sont inférieures à celles de cette classe et 40% qui leur sont supérieures. Les 22 valeurs de cette classe représentent 29.33% de l'effectif total. On cherche à déterminer une valeur telle qu'il y ait (au plus) 50% des valeurs qui lui soient inférieures et (au plus) 50% qui lui soient supérieures.

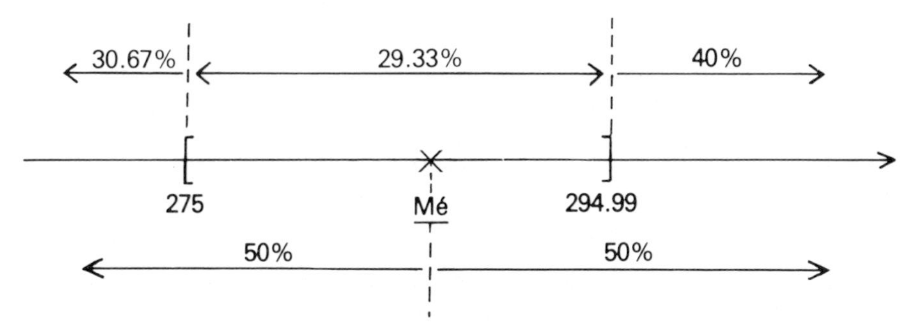

Selon l'hypothèse que les valeurs sont uniformément réparties à l'intérieur de chaque classe, on obtient pour la médiane:

$$Mé \simeq L_{Mé} + \left(\frac{.50 - F_{Mé}}{f_{Mé}} \right) C$$

où $L_{Mé}$ = limite inférieure de la classe médiane

$F_{Mé}$ = fréquence relative cumulée jusqu'à la classe médiane (excluant la fréquence de cette classe)

$f_{Mé}$ = fréquence relative de la classe médiane

C = largeur de la classe médiane

On obtient ainsi:

$$Mé = \$275. + \left(\frac{.50 - .3067}{.2933} \right) 20$$

$$= \$288.18$$

On retrouve ce résultat à partir de la figure 3.12 de l'exemple 3.15 sur laquelle on trace un trait horizontal à une hauteur de 0.5.

Propriété de la médiane: la somme des écarts (déviations en valeur absolue) entre chacune des valeurs d'un ensemble et une valeur x_o fixée est minimale lorsque cette valeur x_o est la médiane, c'est-à-dire:

$$\sum_i |x_i - Mé| \leqslant \sum_i |x_i - x_o| \text{ , si } x_o \neq Mé;$$

Démonstration. On peut construire une démonstration autour du fait que la somme de deux écarts

$$|x_1 - x_o| + |x_2 - x_o|$$

est plus faible si $x_o \in [x_1, x_2]$,quelle que soit sa position exacte,que si x_o est à l'extérieur de l'intervalle $[x_1, x_2]$.

(c) *Le mode.*

Bien que le mode soit essentiellement un concept associé aux distributions théoriques, il est défini pour un ensemble de données comme étant la valeur, si elle existe, qui a été observée le plus souvent, la valeur la plus fréquente ou la valeur dominante. Considérons la série 10, 11, 11, 12, 12, 12, 12, 13, 14, 14, 14, alors le mode que l'on note Mo, est 12 puisque c'est cette valeur qui a été observée le plus grand nombre de fois, soit quatre fois.

Exemple 3.20. Pour la distribution des pointures des souliers des 84 hommes, donnée à l'exemple 3.3, on voit immédiatement que le mode est 9 puisque cette pointure a été observée le plus souvent.

Il est facile d'imaginer des séries ayant plus d'un mode ou n'ayant aucun mode, toutes les valeurs étant observées le même nombre de fois.

Pour des distributions de valeurs groupées, on détermine dans un premier temps la classe modale (c'est-à-dire la classe qui a la plus grande fréquence), puis dans un deuxième temps, on utilise comme mode soit le point milieu de cette classe (distribution symétrique) soit une autre valeur qui tienne compte des différences dans les fréquences des classes adjacentes (distribution asymétrique).

Exemple 3.21. On peut déterminer le mode pour la distribution des chiffres d'affaires donnée au tableau 3.5. On voit immédiatement que la classe modale est \$275 — 294.99. Plutôt que d'utiliser le point milieu de cette classe comme mode, on prendra une valeur qui est attirée vers celles des classes adjacentes ayant la fréquence la plus élevée. Cette attraction du mode est illustrée dans la figure 3.13.

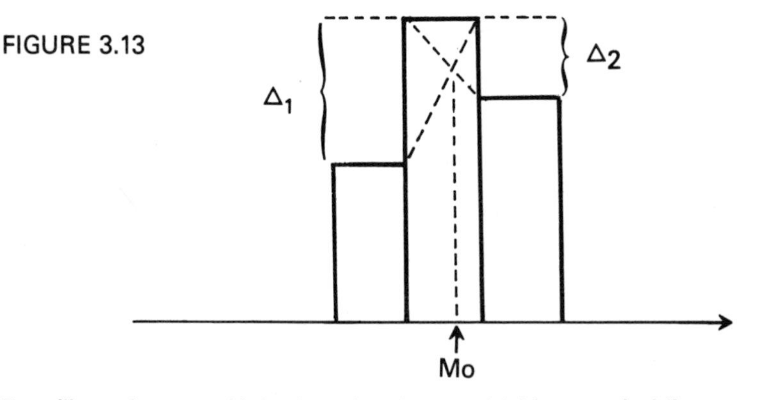

En utilisant les propriétés des triangles semblables, on établit que

$$M_o \cong L_{Mo} + \left(\frac{\Delta_1}{\Delta_1 + \Delta_2} \right) c$$

où L_{Mo} = limite inférieure de la classe modale,

Δ_1 = différence entre la fréquence de la classe modale et la fréquence de la classe précédente,

Δ_2 = différence entre la fréquence de la classe modale et la fréquence de la classe qui suit,

C = largeur de la classe modale.

A partir des données du tableau 3.5, on obtient

$$M_o = \$275 + \left(\frac{(22-13)}{(22-13) + (22-15)} \right) \$20$$

$$= \$275 + \left(\frac{9}{9+7} \right) \$20 = \$286.25$$

Comparaison entre la moyenne arithmétique, la médiane et le mode

Après avoir considéré de quelle façon on peut calculer ces mesures de tendance centrale, il peut être intéressant d'en souligner certaines caractéristiques particulières, ce qui permet d'établir des comparaisons entre ces différentes mesures (moyenne, médiane et mode). La moyenne arithmétique est sans aucun doute la plus utilisée. Elle possède l'avantage d'être bien définie mathématiquement et de se prêter facilement aux manipulations algébriques, ce qui n'est pas le cas pour les deux autres mesures introduites précédemment. En effet, par exemple, si l'on connaît les médianes M_1, M_2 et les fréquences n_1, n_2 de deux sous-ensembles de données, on est incapable de déterminer la médiane des deux sous-ensembles réunis. Principalement en raison de ses propriétés mathématiques, la moyenne arithmétique est la mesure de tendance centrale la plus utilisée en inférence statistique. De plus, elle est moins affectée par les fluctuations d'échantillonnage que la médiane et le mode.

On peut résumer les principales caractéristiques de ces trois mesures comme suit:

le mode: facile à déterminer, possède une signification concrète (par exemple pour le fabricant de chaussures), n'existe pas toujours et n'est pas toujours unique, ne dépend pas de toutes les valeurs observées, ne se prête pas aux calculs algébriques, est très sensible aux fluctuations d'échantillonnage;

la médiane: facile à calculer et à interpréter, ne dépend pas de toutes les valeurs observées, n'est pas affectée par les valeurs extrêmes (exagérément faibles ou élevées), ne se prête pas aux calculs algébriques;

la moyenne arithmétique: plus longue à calculer mais se prête bien aux calculs algébriques; dépend de toutes les valeurs observées, mais est affectée par les valeurs extrêmes.

Remarque: La moyenne arithmétique est plus affectée par les mouvements à la hausse que par les mouvements à la baisse. Pour remédier à cet inconvénient, on peut utiliser la **moyenne géométrique.** Pour un ensemble de n valeurs, la moyenne géométrique que l'on note $\bar{x}_g$ est donnée par la racine $n^{ième}$ du produit des n valeurs observées, c'est-à-dire:

$$x_g = \left[\prod_{i=1}^{n} x_i \right]^{1/n}$$

Par exemple, pour résumer une série de rapports où l'on s'intéresse aux variations relatives, il convient d'employer la moyenne géométrique.

(B) *Autres mesures de position*

Les fractiles (quantiles)

Ici on n'essaie pas nécessairement de déterminer le centre de la série, mais de décrire une position quelconque. Par exemple, on cherche une valeur telle qu'il y ait 25% des valeurs qui lui soient inférieures: on parle alors du fractile d'ordre 0.25 ou du premier quartile. La médiane (que l'on a introduite précédemment) est le fractile d'ordre 0.5, c'est-à-dire celui qui partage une série statistique en deux parties égales. On appelle **quartiles** (il y en a trois et on les désigne par Q_1, Q_2 et Q_3) les fractiles qui partagent une série en quatre parties égales, **déciles** ceux qui la partagent en dix parties égales, et **centiles** ceux qui la partagent en 100 parties égales. D'une façon générale, on a la définition suivante:

Le fractile d'ordre α (ou quantile d'ordre α) d'une variable X. C'est une valeur numérique que l'on note x_α, $0 \leqslant \alpha \leqslant 1$, telle qu'il y a au plus α% des valeurs de la variable qui lui soient inférieures, et au plus $(1-\alpha)$ % des valeurs de la variable qui lui soient supérieures.

Exemple 3.22. Déterminer les fractiles d'ordres 0.25 et 0.75 pour la distribution des chiffres d'affaires du tableau 3.5. On fait à nouveau l'hypothèse de la répartition uniforme des valeurs et l'on utilise le même procédé de l'interpolation linéaire que pour déterminer la médiane. Le fractile d'ordre 0.25 se trouve dans la classe \$255.-274.99, puisqu'il y a 13.33% des valeurs qui sont inférieures à celles de cette classe, et 69.33% qui leur sont supérieures. En utilisant la même procédure que celle employée pour déterminer la médiane, on obtient

$$x_{0.25} \simeq Q_1 = L_{Q_1} + \left(\frac{0.25 - F_{Q_1}}{f_{Q_1}} \right) c$$

$$= \$255. + \left(\frac{0.25 - .1333}{.1734} \right) \$20$$

$$= \$268.46$$

$$x_{0.75} \simeq Q_3 = L_{Q_3} + \left(\frac{0.75 - F_{Q_3}}{f_{Q_3}} \right) C$$

$$= \$295. + \left(\frac{0.75 - .600}{.200} \right) \$20$$

$$= \$310.00$$

3.3.2 Caractéristiques de dispersion

Considérons les deux séries suivantes:

48, 49, 49, 50, 50, 50, 51, 51, 52
et
10, 30, 30, 50, 50, 50, 70, 70, 90

on constate facilement qu'elles ont la même moyenne arithmétique (50), la même médiane (50) et la même mode (50). Cependant, elles diffèrent indiscutablement. Donc, les mesures de tendance centrale et, d'une façon plus générale, les mesures de position ne suffisent pas à bien caractériser une série statistique. On voit, par exemple, que les valeurs de la première série sont très concentrées autour des valeurs centrales, alors que, dans la deuxième série, elles sont plus dispersées. On sent alors le besoin de définir et de calculer des caractéristiques qui permettent de mesurer cette dispersion, et ainsi de pouvoir comparer des séries comme les précédentes. On conçoit facilement qu'une forte concentration des valeurs de la variable autour d'une valeur centrale (la moyenne arithmétique, par exemple) donne à cette valeur centrale (caractéristique de position) une signification accrue.

Il existe plusieurs mesures de dispersion. Celles que l'on retrouve le plus fréquemment dans la littérature sont (a) l'étendue, (b) le semi-interquartile, (c) l'écart moyen et (d) la variance et l'écart type.

(*a*) *L'étendue*

L'étendue d'une série, comme on l'a souligné précédemment, est notée R et est définie comme la différence entre la plus grande et la plus petite des valeurs dans la série. Pour les deux séries proposées au début de ce paragraphe, les étendues sont respectivement $R_1 = 52\text{-}48 = 4$ et $R_2 = 90\text{-}10 = 80$. Bien qu'elle soit intéressante et facile à obtenir, la caractéristique "étendue" n'est pas suffisante pour une étude approfondie de la dispersion.

(*b*) *Le semi-interquartile* [*écart probable*]

On définit l'interquartile comme la différence entre le troisième et le premier quartile, c'est-à-dire $Q_3 - Q_1$. C'est un intervalle qui contient la "moitié centrale'' des valeurs observées, une fois que ces valeurs ont été ordonnées. On appelle semi-interquartile la moitié de l'interquartile; il est donc défini par la formule suivante:

$$Q = \frac{Q_3 - Q_1}{2}$$

Exemple 3.23. Déterminer le semi-interquartile pour la distribution de la variable ''chiffre d'affaires'' du tableau 3.5. Dans l'exemple 3.22, on a obtenu $Q_3 = \$310.$ et $Q_1 = \$268.47$. Donc le semi-interquartile est

$$Q = \frac{Q_3 - Q_1}{2} = \frac{\$310. - \$268.47}{2} = \$20.77$$

En gros, on peut dire que 50% des chiffres d'affaires s'écartent (en moyenne) de la médiane de moins de $20.77.

(*c*) *L'écart moyen*

Les caractéristiques de dispersion ayant pour but de mesurer la concentration des valeurs observées autour d'une valeur centrale, il est logique de calculer pour chaque valeur de la variable sa distance par rapport à une valeur centrale. L'écart moyen, que l'on note Ecm, est la moyenne arithmétique des écarts (distance en valeur absolue) entre chacune des valeurs de la variable et la moyenne arithmétique, c'est-à-dire:

$$\text{Ecm} = \frac{1}{n} \sum_{i=1}^{n} |x_i - \bar{x}|$$

Lorsque l'on a affaire à une distribution de fréquence, on a alors

$$\text{Ecm} = \frac{1}{n} \sum_{i=1}^{h} n_i \, |x_i - \bar{x}| ,$$

et si l'on est en présence d'une distribution de fréquence pour valeurs groupées, x_i est le point milieu de la $i^{\text{ième}}$ classe.

Exemple 3.24. Déterminer l'écart moyen des valeurs de la variable ''chiffre d'affaires'' du tableau 3.5. On sait de l'exemple 3.17 que $\bar{x} = \$290.60$. On obtient alors le tableau suivant:

classes	x_i	n_i	$\lvert x_i - \bar{x} \rvert$	$n_i \lvert x_i - \bar{x} \rvert$
\$215.00 - 234.99	(\$225.00)	4	65.60	262.40
235.00 - 254.99	(245.00)	6	45.60	273.60
255.00 - 274.99	(265.00)	13	25.60	332.80
275.00 - 294.99	(285.00)	22	5.60	123.20
295.00 - 314.99	(305.00)	15	14.40	216.00
315.00 - 334.99	(325.00)	6	34.40	206.40
335.00 - 354.99	(345.00)	5	54.40	272.00
355.00 - 374.99	(365.00)	4	74.40	297.60
Total		75		1984.00

d'où l'on déduit:

$$\text{Ecm} = \frac{1}{n} \sum_{i=1}^{n} n_i \lvert x_i - \bar{x} \rvert$$

$$\frac{1}{75} \quad (1984.) = \$26.45$$

Il pourrait sembler plus approprié de calculer les écarts de la variable par rapport à la médiane plutôt que par rapport à la moyenne arithmétique, si l'on se fonde sur la propriété énoncée précédemment pour la médiane: en effet, la somme des écarts entre chacune des valeurs d'un ensemble et une valeur x_o est minimale lorsque cette valeur x_o est la médiane. Cependant, même si l'on remplaçait la moyenne par la médiane, il faudrait de nouveau utiliser la notion de valeur absolue dans le calcul de cet écart moyen. A cause des difficultés algébriques entraînées par l'utilisation des valeurs absolues, on utilise habituellement l'écart type (ou la variance) au lieu de l'écart moyen.

(d) La variance et l'écart type

Puisque la somme des déviations entre les valeurs d'une variable et leur moyenne arithmétique est nulle (propriété 1 de la moyenne arithmétique), et que l'utilisation de la valeur absolue entraîne des difficultés, il est naturel de considérer les carrés des déviations (ou distances). La variance est justement la moyenne arithmétique des carrés des déviations entre les valeurs d'une variable et sa moyenne arithmétique; l'écart type est simplement la racine carrée (positive) de la variance.

La variance. La variance d'une variable statistique X prenant les valeurs x_i avec les fréquences n_i, $i = 1, 2, ..., h$, est notée s^2 et est définie par

$$s^2 = \frac{1}{n} \sum_{i=1}^{h} n_i (x_i - \bar{x})^2 \quad . \quad (*)$$

(*) On utilise le symbole s pour désigner l'écart type de préférence à σ que l'on réserve pour l'écart type d'une distribution de probabilité ou comme paramètre d'une population.

En développant la formule définissant la variance, on peut l'exprimer sous une forme différente, souvent plus adéquate pour le calcul; on obtient

$$s^2 = \frac{1}{n}\left(\sum_{i=1}^{h} n_i x_i^2\right) - \bar{x}^2.$$

L'écart type est noté s et est donné par

$$s = \sqrt{s^2} = \sqrt{\frac{1}{n}\left(\sum_{i=1}^{h} n_i x_i^2\right) - \bar{x}^2}.$$

Pour une distribution de valeurs groupées, on prend comme valeur pour x_i dans la formule définissant la variance le point milieu de la $i^{ème}$ classe.

Exemple 3.25. Déterminer la variance et l'écart type des valeurs de la variable "chiffre d'affaires" du tableau 3.5. On sait que $\bar{x}$ = \$290.60. En utilisant la formule

$$s^2 = \frac{1}{n}\left(\sum_{i=1}^{h} n_i x_i^2\right) - \bar{x}^2,$$

on obtient le tableau suivant:

classes	x_i	n_i	$n_i x_i^2$
\$215.00 - 234.99	(\$225.00)	4	202500.
235.00 - 254.99	(245.00)	6	360150.
255.00 - 274.99	(265.00)	13	912925.
275.00 - 294.99	(285.00)	22	1786950.
295.00 - 314.99	(305.00)	15	1395375.
315.00 - 334.99	(325.00)	6	633750.
335.00 - 354.99	(345.00)	5	595125.
355.00 - 374.99	(365.00)	4	532900.
total		75	6419675.

d'où il s'ensuit que

$$s^2 = \frac{1}{n}\left(\sum_{i} n_i x_i^2\right) - \bar{x}^2$$

$$= \frac{1}{75}(6419675) - (290.60)^2$$

$$= 1147.30$$

$$s = \sqrt{1147.30} = \$33.88.$$

L'écart type s'exprime dans la même unité que la variable. Un écart type plus faible exprime une dispersion plus faible et une concentration plus grande autour de la moyenne arithmétique.

On sait que, si la distribution de fréquence de la variable statistique X étudiée suit approximativement une distribution normale (μ, σ), alors l'intervalle ($\mu - \sigma$, $\mu + \sigma$) contient 68% des valeurs de la variable, l'intervalle ($\mu - 2\sigma$, $\mu + 2\sigma$) en contient 95% et l'intervalle ($\mu - 3\sigma$, $\mu + 3\sigma$), 99.9%. De plus, on peut affirmer que, quelle que soit la distribution étudiée, l'intervalle ($\mu - 2\sigma$, $\mu + 2\sigma$) contient toujours au moins 75% des valeurs de la variable (cette propriété découlant de l'inégalité de Chebychev).

Dans le but de faciliter la comparaison entre deux variables statistiques, on peut rendre les valeurs de ces variables comparables en utilisant le changement de variable suivant:

$$z_i = \frac{x_i - \bar{x}}{s}$$

On obtient ainsi des valeurs indépendantes de l'unité de mesure. Une autre façon de faire cette comparaison consiste à calculer le **coefficient de variation** (c.v.) de la variable étudiée, qui est défini comme le rapport $\frac{s}{\bar{x}}$.

Exemple 3.26. Pour la variable "chiffre d'affaires" dont la distribution est donnée au tableau 3.5, en utilisant les résultats des exemples 3.17 et 3.25, on obtient comme coefficient de variation

$$\text{c.v.} = \frac{s}{\bar{x}} = \frac{\$\ 33.88}{\$290.60} = .11,$$

c'est-à-dire que l'écart type est 11% de la moyenne arithmétique.

3.3.3 Caractéristiques de forme

Outre les mesures de position et de dispersion, on peut chercher à caractériser la forme d'une distribution au moyen d'un indice approprié. Certaines distributions de fréquence se rapprochent de la distribution normale ("courbe en cloche"). Ces distributions (figure 3.14) peuvent aussi présenter une dissymétrie ou un aplatissement (ou les deux) par rapport à la courbe normale que l'on aimerait mesurer.

FIGURE 3.14

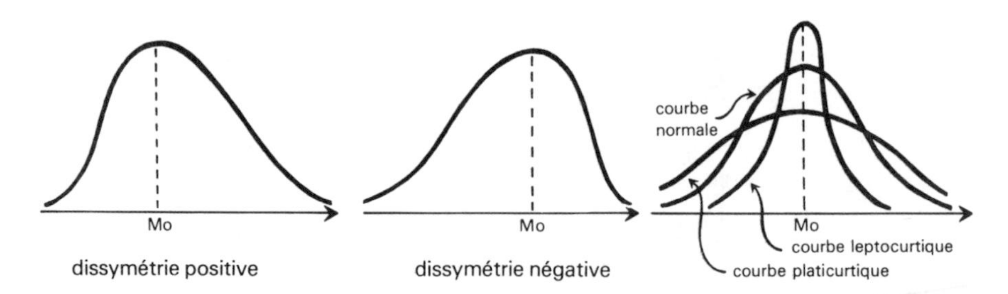

Coefficients de dissymétrie et d'aplatissement. Dans une distribution symétrique, la moyenne arithmétique, la médiane et le mode se confondent, et les fractiles d'ordre α et $1 - \alpha$ sont à égale distance de la médiane; c'est le cas en particulier pour les deux quartiles Q_1 et Q_3. Une première mesure de dissymétrie provient de la différence entre $(Q_3 - Q_2)$ et $(Q_2 - Q_1)$. Pour obtenir un coefficient de dissymétrie qui soit indépendant de l'unité de mesure, on calcule

$$C = \frac{(Q_3 - Q_2) - (Q_2 - Q_1)}{Q_3 - Q_1} = \frac{Q_1 + Q_3 - 2Q_2}{Q_3 - Q_1}$$

On peut montrer que C varie entre -1 et $+1$, et qu'il est égal à zéro pour une distribution symétrique.

Exemple 3.27. Calculer le coefficient de dissymétrie C pour la distribution des chiffres d'affaires du tableau 3.5, et dont le polygone des fréquences relatives est présenté à la figure 3.9. Des exemples 3.19 et 3.22 on sait que:

$$Q_1 = \$268.46, \quad Q_2 = 288.18 \text{ et } Q_3 = \$310.00.$$

Alors on obtient comme coefficient de dissymétrie

$$C = \frac{Q_1 + Q_3 - 2Q_2}{Q_3 - Q_1} = \frac{\$268.46 + \$310 - 2(\$288.18)}{\$310 - \$268.46}$$

$$= \frac{\$2.10}{\$41.53} = 0.05$$

Cette distribution étant très voisine d'une distribution symétrique, le coefficient C est voisin de zéro. Ce coefficient ne dépend pas de toutes les valeurs observées et, pour remédier à cet inconvénient, on peut utiliser le coefficient de dissymétrie de Pearson qui est donné par la formule

$$C_P = \frac{\bar{x} - Mo}{s}$$

Dans l'exemple déjà fréquemment rappelé du chiffre d'affaires, où $\bar{x}$ = \$290.60, Mo = \$286.25, et s = \$33.85, on a

$$C_P = \frac{\$290.60 - \$286.25}{\$33.88} = 0.128$$

Un coefficient de dissymétrie et un coefficient d'aplatissement (fondés sur les moments de la distribution) ont été proposés par Fisher. Considérons une variable statistique X prenant les valeurs x_i avec les fréquences n_i, i = 1, 2, ..., h; alors le moment d'ordre r par rapport à la moyenne arithmétique $\bar{x}$ est donnée par la formule

$$\mu_r = \frac{1}{n} \sum_{i=1}^{h} n_i (x_i - \bar{x})^r .$$

En particulier, pour r = 2, on retrouve la variance s^2.

Le coefficient de dissymétrie de Fisher est donné par la formule

$$C_F = \frac{\mu_3}{s^3}$$

et le coefficient d'aplatissement, par la formule

$$K = \frac{\mu_4}{s^4}$$

Ce coefficient d'aplatissement est égal à 3 pour une distribution normale centrée réduite, est plus petit que 3 pour une distribution platicurtique, et est plus grand que 3 pour une distribution leptocurtique.

Exemple 3.28. Calculer le coefficient de dissymétrie et le coefficient d'aplatissement de Fisher pour la distribution des chiffres d'affaires du tableau 3.5.

x_i	$x_i - \bar{x}$	n_i	$n_i (x_i - \bar{x})^3$	$n_i (x_i - \bar{x})^4$
\$225.	−65.60	4	−1129201.664	74,075,629.16
245	−45.60	6	−568912.896	25,942,428.00
265.	−25.60	13	− 218103.808	5,583,457.36
285.	− 5.60	22	− 3863.652	21,635.68
305.	14.40	15	44789.76	644,972.40
325.	34.40	6	244245.504	8,402,045.28
345.	54.40	5	804945.92	43,789,058.00
365.	74.40	4	1647323.136	122,560,841.28
			821222.41	281,020,067.15

On obtient comme coefficient de dissymétrie

$$C_F = \frac{\frac{1}{n} \sum n_i \ (x_i - \bar{x})^3}{s^3}$$

$$= \frac{\frac{1}{75} \ (821222.4)}{(33.88)^3} = \frac{10949.632}{38889.307}$$

$$= .282$$

et comme coefficient d'aplatissement

$$K = \frac{\frac{1}{n} \sum n_i \ (x_i - \bar{x})^4}{s^4}$$

$$= \frac{\frac{1}{75} \ (281\,010\,067.15)}{(33.88)^4} = \frac{3{,}746{,}534.22}{1{,}317{,}559.62} = 2.85$$

Puisque $K < 3$, on peut conclure que le polygone de la figure 3.9 est platicurtique, c'est-à-dire plus aplati que la courbe normale.

3.4 LES NOMBRES INDICES

Dans une société dynamique, une mesure adéquate du changement est préalable à l'analyse d'une décision. Une méthode usuelle pour décrire les changements dans des variables économiques consiste à recourir aux nombres indices. Dans sa forme la plus simple, un nombre indice n'est rien de plus qu'un "nombre relatif" exprimant le rapport de la valeur d'une variable à une date (ou un lieu) donnée, et de la valeur de cette même variable à une autre date (ou en un autre lieu); il est généralement exprimé en pourcentage. **Exemple**: si l'on compare les dépenses en construction au Québec qui ont été de $8.4 milliards en 1977, à celles de 1976 qui ont été de $7.45 milliards, on trouve que les dépenses en construction au Québec en 1977 ont été (8.4/7.45) x100 = 112.8% de ce quelles ont été en 1976. Dans cet exemple, 1976 est l'année de base ou année de référence, et l'indice calculé 112.8 est un **nombre indice simple.** On le qualifie ainsi parce qu'il décrit le changement relatif d'une seule variable.

Cependant, il y a des situations où le phénomène à décrire est un peu plus complexe et où une grande quantité de nombres relatifs est employée pour former un **nombre indice composé**; c'est le cas par exemple pour l'indice des prix à la consommation, l'indice des prix de gros, l'indice boursier

Dow-Jones, l'indice de production industrielle, etc. L'indice des prix à la consommation en particulier est d'un intérêt vital pour plusieurs travailleurs puisque leurs salaires s'y ajustent automatiquement pour refléter les changements dans le coût de la vie.

Les nombres indices ne concernent pas uniquement les prix, mais parfois également les quantités, les valeurs, la qualité, etc., et bien qu'ils soient communément associés au domaine des affaires et de l'économie, ils sont largement utilisés dans d'autres sphères d'activité. Quel que soit son type ou son domaine d'application, un nombre indice sert à mesurer les variations relatives d'un groupe de variables liées entre elles. L'objet de cette section est de présenter la construction de quelques nombres indices. La construction d'un nombre indice composé présente quelques difficultés dont les principales sont les suivantes:

- le choix des item à inclure,
- l'importance à accorder à chaque item,
- le choix du mode de calcul,
- le choix de la base de comparaison.

3.4.1 Quelques difficultés liées à la construction d'un nombre indice

Avant de construire un nombre indice, il faut au préalable préciser dans quel but on le fait, c'est-à-dire quel usage on en fera, car cela conditionne le choix de ses composantes ainsi que son mode de composition.

Les item à inclure. Cette difficulté est celle de la spécification des données de base qui seront utilisées. Les principaux points à considérer sont la comparabilité (homogénéité) et la disponibilité des données. Il n'est généralement pas possible, ni même souhaitable, de faire entrer dans le calcul d'un indice la totalité des item se rapportant au phénomène étudié. On se contente de suivre l'évolution des prix (quantités, valeurs,...) d'un ou de plusieurs item jugés représentatifs de l'ensemble des item. Par exemple, dans le calcul de l'indice des prix à la consommation, on considère un panier-type de consommation composé d'un échantillon de 400 item répartis entre des aliments, le logement, des vêtements, le transport, la santé et le loisir. Même si ce panier-type contient un grand nombre d'item, il ne contient pas la totalité des produits et services offerts sur le marché. Il contient les produits et services qui sont les plus susceptibles d'influencer le coût de la vie. Donc, l'indice des prix à la consommation mesure les changements dans les prix de détails d'une quantité fixe de produits et services achetés par des familles à revenu moyen. Un échantillon de 6,000 familles (homogènes) est utilisé pour calculer cet indice. Lorsque, pendant la durée de vie d'un indice, un item servant au calcul de cet indice disparaît du marché, on est amené à lui substituer un item analogue. L'indice Dow-Jones (indice boursier) est un indice de prix mesurant l'évolution du prix des actions de trente (30) compagnies industrielles importantes telles que DuPont, Chrysler, General Motors, Goodyear, American Tobacco, United Aircraft, Westinghouse El., I.T.T., etc. L'évolution de l'indice des prix à la consommation au Canada et de l'indice Dow-Jones au cours des dernières années est représentée aux figures 3.15 et 3.16.

FIGURE 3.15

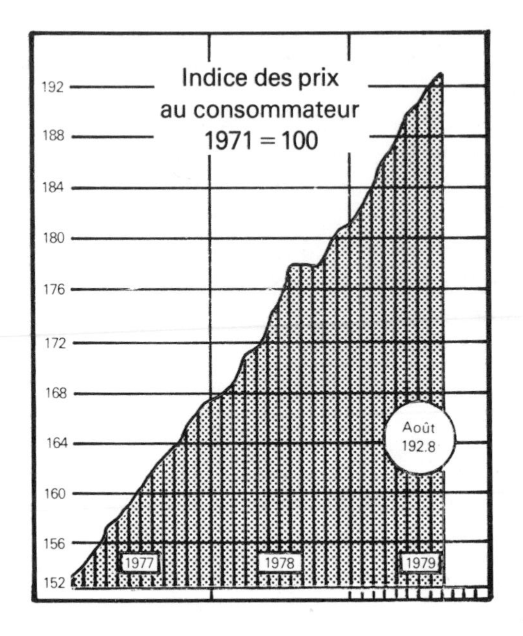

FIGURE 3.16

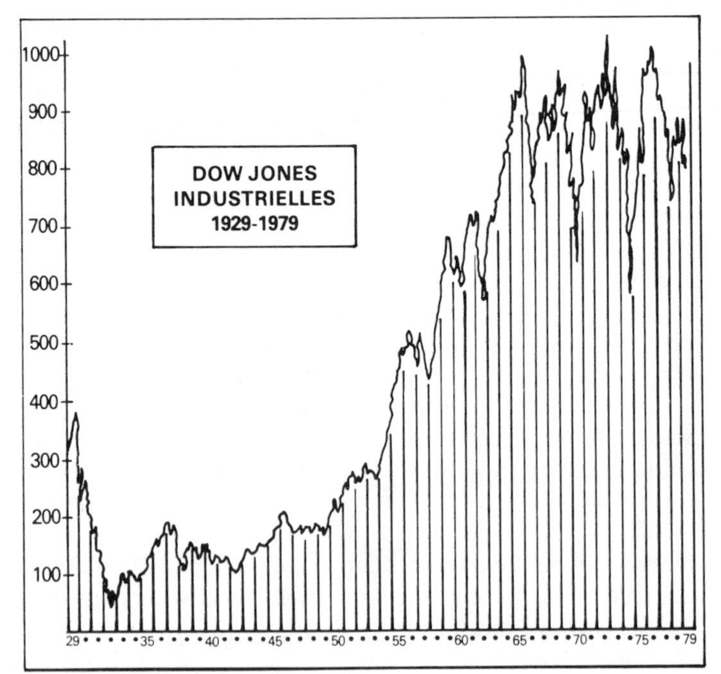

La base de comparaison. Une autre difficulté que l'on rencontre dans la construction d'un indice est celle de fixer une base permettant de comparer les changements dans le temps (ou dans le lieu). On utilise généralement une période de base (plutôt qu'une date), de façon à éliminer les mouvements accidentels ou saisonniers qui auraient pour conséquence de fausser la comparaison avec les autres périodes. Donc la période de base doit pouvoir être considérée comme une période "normale" dans le sens que les observations durant cette période ne sont ni trop élevées ni trop basses. Il est bon également de choisir une période de base qui soit assez récente; c'est pourquoi il est fréquent que l'on doive revoir la "date" de la période de base. Pour cette période de base, le nombre indice prend la valeur 100. Pour l'indice des prix à la consommation la période de base est pour le moment (en 1980) l'année 1971.

Le coefficient de pondération. On doit déterminer l'influence relative que joue chaque item dans la valeur de l'indice. En général, l'importance relative de chaque item dans le calcul d'un indice des prix est mesurée par les quantités vendues, produites ou importées. Par contre, dans la construction d'un indice de quantité, on utilise très souvent les prix comme coefficient de pondération. Par exemple, dans le calcul de l'indice des prix à la consommation, l'importance relative (en 1980) des aliments est de 22.5%, du logement 33.9%, des vêtements 10.4%, du transport 13.1%, de la santé et des loisirs 19.8% et 0.4% pour des item divers. Ces pondérations sont obtenues à partir des résultats d'enquêtes effectuées auprès des 6,000 familles à revenu moyen.

Le mode de calcul. Comme on l'a indiqué dans la section 3.3, il existe plusieurs mesures permettant de décrire un ensemble de données. La section suivante est réservée à la présentation de quelques formules de base permettant de calculer divers nombres indices.

3.4.2 Indices de prix

On subdivise les nombres indices en indice simple ou composé selon que l'on considère un ou plusieurs item et en indice composé pondéré ou non pondéré selon que l'on accorde ou non une importance relative aux divers item. Le mode de calcul diffère selon que l'on considère un rapport de moyennes ou une moyenne de rapports. On note par P^j_o le prix de l'item j à la période de base et par P^j_i le prix de l'item j à la période courante t_i. S'il y a un risque d'ambiguïté, on pourra écrire explicitement les "dates" correspondant à la période de base et à la période courante, par exemple P^j_{71} et P^j_{79} pour désigner les prix de l'item j en 1971 et en 1979. On utilisera les mêmes notations pour désigner les quantités en remplaçant P par Q.

Indice des prix simple (prix relatifs)

Cet indice compare les variations dans les prix d'un seul item à différentes périodes dans le temps. Si l'on note par I (i/o) le prix relatif (indice simple) de cet item pour la période i par rapport à la période zéro, on a

$$I(i/o) = \frac{P_i}{P_o} \times 100$$

Exemple 3.29. Si le prix moyen d'une livre de beurre est passé de $0.80 à $1.40 entre 1971 et 1978, alors en prenant 1971 comme année de base, on a

$$\text{prix relatif du beurre} = I(78/71) = \frac{\$1.40}{\$0.80} \times 100 = 175,$$

c'est-à-dire que le prix du beurre a augmenté de 75% durant cette période.

Indice des prix composé non pondéré

Ce nombre indice permet de comparer les variations dans les prix d'un groupe de n item à différentes périodes dans le temps. Un premier mode de calcul, que l'on qualifie de méthode agrégative simple, consiste à faire le rapport des moyennes des prix à la période courante et des prix à la période de base, multiplié par 100, c'est-à-dire que pour la période i par rapport à la période zéro

$$I(i/o) = \frac{\sum_{j=1}^{n} P_i^j}{\sum_{j=1}^{n} P_o^j} \times 100$$

Exemple 3.30. L'évolution des prix de détail de quatre (4) produits alimentaires de 1971 à 1978 est donnée au tableau suivant:

Produit	Unité de mesure	Prix 1971	Prix 1975	Prix 1978
Oeufs	douzaine	$0.75	$0.90	$1.05
Beurre	livre	0.80	1.05	1.40
Crème glacée	½ gallon	0.85	1.25	1.60
Boeuf	livre	1.20	1.60	2.60

On demande de calculer l'indice des prix composé non pondéré pour ces quatre produits avec 1971 comme année de base.

Solution

$$I(71/71) = \frac{\sum P_{71}^j}{\sum P_{71}^j} \times 100 = \frac{3.60}{3.60} \times 100 = 100$$

$$I(75/71) = \frac{\sum P^j_{75}}{\sum P^j_{71}} \times 100 = \frac{4.80}{3.60} \times 100 = 133$$

$$I(78/71) = \frac{\sum P^j_{78}}{\sum P^j_{71}} \times 100 = \frac{6.65}{3.60} \times 100 = 185.$$

Ce mode de calcul est très simple, mais il présente l'inconvénient d'accorder une pondération implicite reliée aux unités de mesure des différents produits. Par exemple, si l'on avait utilisé le prix d'un gallon de crème glacée au lieu du prix d'un ½ gallon, alors on aurait obtenu

$$I(75/71) = \frac{6.05}{4.45} \times 100 = 136$$

comme valeur de l'indice au lieu de 133. Un autre mode de calcul qui permet d'éliminer cet inconvénient est de calculer **la moyenne des prix relatifs**, c'est-à-dire que pour chaque item j on calcule le rapport P^j_i / P^j_o et l'on fait la moyenne de ces rapports. On est ainsi conduit, pour la période i par rapport à la période zéro, à l'indice

$$I(i/o) = \frac{\sum_{j=1}^{n} \frac{P^j_i}{P^j_o}}{n} \times 100.$$

Exemple 3.31. En reprenant les données de l'exemple 3.30, on demande de calculer l'indice des prix composé non pondéré par la méthode de la moyenne des prix relatifs. **Solution.** Le tableau suivant présente les prix relatifs des quatre produits pour les périodes considérées, en prenant 1971 comme année de base.

Produit	P_{71} / P_{71}	P_{75} / P_{71}	P_{78} / P_{71}
Oeufs	1	1.20	1.40
Beurre	1	1.3125	1.75
Crème glacée	1	1.4706	1.8824
Boeuf	1	1.3333	2.1667
Total	4	5.3164	7.1991

Donc, on a

$$I(71/71) = \frac{4}{4} \times 100 = 100$$

$$I(75/71) = \frac{5.3164}{4} \times 100 = 132.9$$

$$I(78/71) = \frac{7.1991}{4} \times 100 = 180.$$

Avec ce mode de calcul, on donne la même importance à chaque item. Il est bon de remarquer que l'on pourrait utiliser une autre mesure caractéristique pour décrire l'ensemble des prix relatifs. On pourrait utiliser par exemple la médiane ou la moyenne géométrique.

Indice des prix composé pondéré

Généralement, on veut tenir compte de l'importance relative des divers item inclus dans l'indice. Très souvent, dans le calcul d'un indice des prix, on utilise comme coefficients de pondération les quantités "consommées" de chaque item. Si on utilise les quantités à la période de base (indice zéro), on est conduit à l'**indice de Laspeyres** (I_L) pour l'année i qui est défini par

$$I_L(i/o) = \frac{\sum_{j=1}^{n} P_i^j \; Q_o^j}{\sum_{j=1}^{n} P_o^j \; Q_o^j} \times 100.$$

Par contre, si l'on utilise les quantités à la période courante, on obtient **l'indice de Paasche** (I_P) pour la période i indice qui est défini par

$$I_P(i/o) = \frac{\sum_{j=1}^{n} P_i^j \; Q_i^j}{\sum_{j=1}^{n} P_o^j \; Q_i^j} \times 100$$

Exemple 3.32. Si, aux prix des produits dans l'exemple 3.30, on ajoute les quantités, alors il est possible de calculer a) l'indice des prix selon la formule de Laspeyres et b) l'indice des prix selon la formule de Paasche. **Solution.** Le tableau suivant donne les quantités "consommées", ainsi que les produits (Prix x Quantité) pour les différentes périodes considérées.

Produit	P_{71}	P_{78}	Q_{71}	Q_{78}	$P_{71}Q_{71}$	$P_{78}Q_{71}$	$P_{71}Q_{78}$	$P_{78}Q_{78}$
Oeufs	0.75	1.05	150	170	112.50	157.50	127.50	178.50
Beurre	0.80	1.40	100	90	80	140	72	126
Crème glacée	0.85	1.60	50	50	42.50	80	42.50	80
Boeuf	1.20	2.60	200	180	240	520	216	468
					475	897.50	458	852.50

On a donc

a) $I_L(78/71) = \frac{897.50}{475} \times 100 = 188.9$

b) $I_P(78/71) = \frac{852.50}{458} \times 100 = 186.1$

On interprète ces valeurs de la façon suivante:

1) avec l'indice de Laspeyres (où l'on choisit les quantités de 1971 comme pondérations), on peut dire que la liste des quatre produits achetés en 1971 coûterait en 1978 88.9% de plus que ce qu'elle coûtait aux prix de 1971;

2) avec l'indice de Paasche (où l'on prend les quantités de 1978 comme pondérations), on peut dire que la liste des quatre produits achetés en 1978 coûte 86.1% de plus que la même liste aurait coûtée si elle avait été achetée aux prix de 1971.

L'avantage pratique de l'indice de Laspeyres sur celui de Paasche est de ne pas exiger que l'on connaisse à chaque période courante la structure des pondérations; il suffit de connaître les coefficients de pondération à la période de base. C'est pourquoi beaucoup d'indices pratiques sont du type de Laspeyres; c'est le cas par exemple pour l'indice des prix à la consommation, l'indice des prix de gros, l'indice de production industrielle, etc. On obtient les mêmes valeurs numériques pour l'indice de Laspeyres et pour l'indice de Paasche si l'on utilise comme mode de calcul la moyenne des prix relatifs pondérés respectivement par les valeurs des item à la période de base $(P^j_o Q^j_o)$ ou à la période courante $(P^j_o Q^j_i)$. En effet, avec ce mode de calcul, pour la période i, on obtient:

$$I_L(i/o) = \frac{\sum_{j=1}^{n} \frac{P^j_i}{P^j_o}(P^j_o Q^j_o)}{\sum_{j=1}^{n}(P^j_o Q^j_o)} \times 100 = \frac{\sum_j P^j_i Q^j_o}{\sum_j P^j_o Q^j_o} \times 100$$

et

$$I_P(i/o) = \frac{\sum_{j=1}^{n} \frac{P^j_i}{P^j_o}(P^j_o Q^j_i)}{\sum_{j=1}^{n}(P^j_o Q^j_i)} \times 100 = \frac{\sum_j P^j_i Q^j_i}{\sum_j P^j_o Q^j_i} \times 100.$$

De plus, il y a certains avantages à utiliser ce deuxième mode de calcul. Par exemple, le prix relatif de chaque item est lui-même un nombre indice simple qui peut fournir une information utile dans une analyse. Il est quelquefois intéressant de connaître les variations des prix des diverses composantes d'un indice composé. Par exemple, on a constaté que l'indice des prix de l'habitation (cet indice inclut toutes les dépenses qui sont affectées au logement), qui est la composante la plus importante de l'indice des prix à la consommation, a suivi une tendance nettement différente de celle des prix à la consommation et de l'alimentation entre 1976 et 1979 (voir tableau 3.7).

TABLEAU 3.7: **Indice des prix à la consommation au Canada, 1976-79**

(Variation annuelle en pourcentage)

	Indice total	Habitation	Alimentation
1976	7.5	11.1	1.7
1977	8.0	9.4	8.4
1978	9.0	7.5	15.5
1979 septembre*..........	9.6	6.9	12.9

* taux de variation de septembre 1979 par rapport à septembre 1978.
SOURCE: Statistique Canada.

3.4.3 Indices de quantité

Au lieu de s'intéresser à la variation des prix dans le temps, on s'intéresse à la variation des quantités dans le temps. Ici encore, on peut calculer des indices simples (quantités relatives) lorsqu'on considère un seul item, ou des indices composés pondérés ou non pondérés lorsqu'on considère plusieurs item. Maintenant, ce sont les prix qui seront utilisés comme poids (au lieu des quantités). Parmi les indices de quantité les plus connus et les plus utilisés, il y a l'indice de production industrielle qui est basé sur des poids qui ne sont pas les prix, mais les valeurs ajoutées par chaque entreprise manufacturière.

Les principaux indices de quantité pour la période i sont les suivants:

a) l'indice simple

$$I(i/o) = \frac{Q_i}{Q_o} \times 100;$$

b) l'indice de quantité composé non pondéré

$$I(i/o) = \frac{\sum_{j=1}^{n} Q_i^j}{\sum_{j=1}^{n} Q_o^j} \times 100$$

obtenu par la méthode agrégative simple (rapport de moyennes) et

$$I(i/o) = \frac{\sum_{j=1}^{n} \frac{Q_i^j}{Q_o^j}}{n} \times 100$$

obtenu par la méthode de la moyenne des quantités relatives (moyenne de rapports);

c) l'indice de quantité composé pondéré

$$I_L(i/o) = \frac{\sum_{j=1}^{n} Q_i^j P_o^j}{\sum_{j=1}^{n} Q_o^j P_o^j} \times 100$$

obtenu par la méthode de Laspeyres et

$$I_P(i/o) = \frac{\sum_{j=1}^{n} Q_i^j P_i^j}{\sum_{j=1}^{n} Q_o^j P_i^j} \times 100$$

obtenu par la méthode de Paasche.

Exemple 3.33. L'évolution des quantités vendues par un manufacturier de réfrigérateurs est donnée dans le tableau suivant:

Modèle de réfrigérateur	Quantités		Prix	
	1975	1979	1975	1979
A	1700	1750	$450	$ 550
B	1200	1600	600	700
C	1000	1200	800	1000

On demande de calculer: a) l'indice de quantité composé non pondéré par la méthode de la moyenne des quantités relatives et b) l'indice de quantité de Paasche en prenant 1975 comme année de base. **Solution**. En utilisant les formules données, on obtient:

a) $$I(79/75) = \frac{\sum_{j=1}^{3} \frac{Q_{79}^j}{Q_{75}^j}}{3} \times 100$$

$$= \frac{1}{3} \left[\frac{1750}{1700} + \frac{1600}{1200} + \frac{1200}{1000} \right] \times 100 = 118.8,$$

b) $$I_P(79/75) = \frac{\sum Q^j_{79} \; P^j_{79}}{\sum Q^j_{75} \; P^j_{79}} \times 100$$

$$= \left[\frac{1750 \times 550 + 1600 \times 700 + 1200 \times 1000}{1700 \times 550 + 1200 \times 700 + 1000 \times 1000}\right] \times 100 = 118.3.$$

On peut dire que les quantités de réfrigérateurs vendus ont augmenté de 18.3% de 1975 à 1979, si on utilise les prix de 1979 comme poids.

On peut également calculer des indices de valeur, de qualité, etc. Un indice de valeur qui est passablement utilisé est l'indice du produit national brut (PNB).

3.4.4 Considérations sur les nombres indices et leurs utilisations

Changement de base

Pour diverses raisons, il est fréquent que l'on doive changer la base de référence d'un nombre indice d'une période à une autre. Un tel changement peut être nécessaire si l'on désire comparer plusieurs séries d'indices qui n'ont pas la même base, ou pour un indice ayant une durée de vie assez longue et pour lequel on voudrait changer sa période de base, afin d'avoir une base plus récente et plus significative. La procédure pour effectuer un tel changement est simple, et elle sera illustrée à partir des données du tableau 3.8 pour lesquelles la période de base est 1965.

TABLEAU 3.8

année	Indice (1965 = 100)	Indice (1971 = 100)
1965	100	(100/110)x100 = 90.9
1966	101.7	(101.7/110) x 100 = 92.5
1967	103.9	94.5
1968	104.6	95.1
1969	106.8	97.1
1970	108.2	98.4
1971	110.0	(110/110) x 100 = 100
1972	112.1	101.9

Si l'on veut changer la base 1965 pour la base 1971, il suffit de diviser chaque nombre de la série originale (base 1965) par le nombre indice de la nouvelle base que l'on désire, et de multiplier le résultat par 100. Ce calcul est illustré dans la dernière colonne du tableau 3.8. S'il s'agit d'un indice pondéré, alors le système de poids n'a pas changé. Par exemple si l'indice est un indice de Laspeyres, où les poids sont déterminés en 1965 alors, avec la nouvelle base de 1971, les poids seront de nouveau ceux de 1965. Si l'on veut changer le système de poids, il faut recalculer toute la série des indices.

Le pouvoir d'achat d'un dollar

Pour déterminer le pouvoir d'achat d'un dollar, il suffit de diviser le dollar par un indice approprié. Par exemple, pour déterminer le pouvoir d'achat à la consommation d'un dollar en 1979, on divise un dollar par l'indice des prix à la consommation, et l'on multiplie le résultat par 100.

Exemple 3.34. A partir de l'indice des prix à la consommation donné à la figure 3.15, on demande de déterminer le pouvoir d'achat d'un dollar en août 1978 et en août 1979. **Solution.** De la figure 3.15 on trouve que l'indice des prix à la consommation en août 1978 était de 177.5, et qu'il est de 192.8 en août 1979. Alors le pouvoir d'achat d'un dollar

en août 1978: $\dfrac{\$1.00}{177.5} \times 100 \simeq \$0.56.$

en août 1979: $\dfrac{\$1.00}{192.8} \times 100 \simeq \$0.52.$

Donc, un dollar de 1971 a un pouvoir d'achat de $0.52 en août 1979.

Déflationner

Il s'agit d'une façon d'éliminer l'influence des prix ou des quantités dans une série statistique. Il suffit de diviser la valeur à déflationner par un indice approprié, et de multiplier le résultat par 100.

Exemple 3.35. On veut déterminer le revenu réel en dollars de 1971 d'un travailleur qui a un salaire nominal de $18,000 en août 1979, sachant que l'indice des prix à la consommation en août 1979 est de 192.8 (la période de base étant 1971). **Solution.** On divise simplement le salaire nominal $18,000 par l'indice, et l'on multiplie par 100, c'est-à-dire

$$\text{revenu réel} = \frac{18000}{192.8} \times 100 = \$9336.10.$$

Cette opération de déflation par un indice des prix permet d'exprimer les dollars originaux en "dollars constants".

3.5 EXERCICES

3.1 Un nouveau concessionnaire d'automobiles neuves a enregistré au cours de ses 40 premières semaines d'opération le nombre X d'automobiles qu'il a vendues hebdomadairement. Il a obtenu les résultats suivants:

5, 7, 2, 6, 3, 4, 8, 5, 4, 3, 9, 6, 5, 7, 6, 8, 3, 4, 4, 0, 8, 6, 7, 1, 5, 5, 4, 6, 6, 10, 9, 8, 1, 5, 5, 6, 7, 8, 5, 5.

Sans regrouper ces valeurs en classes,

a) déterminer la distribution de fréquence et la distribution de fréquence relative de cette variable X, et représenter la distribution de fréquence par un diagramme en bâtons;

b) déterminer la distribution de fréquence relative cumulée de X, et en faire une représentation graphique;

c) pour cette variable X, calculer

1° la moyenne arithmétique,
2° le mode,
3° la médiane,
4° les trois quartiles,
5° l'étendue,
6° l'écart moyen,
7° l'écart type.

3.2 Le tableau suivant est une liste des salaires (en dollars) des joueurs d'une certaine équipe de football.

23500	36000	37000	38000	38000
23000	36000	30000	37000	12000
23000	30000	51000	22500	13500
22500	34500	24000	24700	14200
20500	13000	25000	23300	12500

Construire une distribution de fréquence pour ces valeurs groupées en classes, et tracer l'histogramme correspondant.

3.3 Les membres du personnel d'une entreprise ont été classés d'après leur ancienneté dans l'établissement.

Le tableau statistique obtenu est le suivant:

Ancienneté en années	nombre de salariés
Moins d'un an...	22
1 an à moins de 3 ans	24
3 ans à moins de 5 ans	52
5 ans à moins de 10 ans	30
10 ans à moins de 20 ans	40
20 ans à moins de 30 ans	20
30 ans à 50 ans	12

a) Présenter l'histogramme, et le polygone de fréquence relative cumulée, pour la série statistique proposée.

b) Déterminer par calcul et par graphique le pourcentage de salariés dont l'ancienneté est:

- inférieure à 5 ans,
- supérieure à 20 ans,
- comprise entre 3 et 30 ans.

c) Calculer l'ancienneté moyenne des salariés de l'entreprise.

d) Déterminer l'ancienneté médiane du personnel de l'entreprise.

3.4 La table suivante donne la durée de vie de 200 ampoules de type A qui sont mises en marché par un certain manufacturier.

Durée (en heures)	Nombre d'ampoules
0 - 499.99	5
500 - 999.99	13
1000 - 1499.99	57
1500 - 1999.99	85
2000 - 2499.99	26
2500 - 2999.99	8
3000 - 3500	6
Total:	200

Calculer, pour cette distribution,

a) la moyenne;
b) la médiane;
c) le mode;
d) l'écart type;
e) le troisième quartile.

3.5 Au cours des olympiades de Montréal en 1976, les officiels ont fait la pesée des concurrentes au saut en hauteur; en voici les résultats (en livres):

126	132	121	149	130	139	127	136
138	129	121	134	139	135	128	123
133	136	124	130	127	136	132	126
145	139	131	133	142	131	134	130
141	144	136	124	136	136	133	128
123	125	139	145	148	141	126	145
138	139	133	147	136	134	132	142
149	122	131	139	130	139	136	148

132	147	121	124	148	133	139	127
147	124	148	135	142	142	133	142
121	146	145	148	127	136	130	144
143	124	148	140	136	136		

a) Justifier l'emploi de classes et le nombre de classes à utiliser pour construire la distribution de fréquence de cette variable "pesanteur" et construire cette distribution.

b) Pour cette variable, calculer

1° la moyenne;
2° la médiane;
3° le mode;
4° l'écart type;
5° les déciles d'ordre 0.20 et 0.80.

3.6 Le ratio prix/bénéfice d'un certain groupe d'actions au marché de New York se présente comme suit:

14.6	25.4	12.2	9.3	20.3	7.6
13.4	9.6	14.7	25.3	13.7	10.1
11.9	18.9	8.5	12.3	14.8	8.6
28.2	16.2	12.8	16.2	12.1	14.0
15.4	27.5	30.4	16.2	16.5	11.6
9.7	21.1	12.9	9.8	30.4	13.3
11.7	8.7	31.6	19.5	22.4	8.3

Pour cette variable

a) Construire une distribution de fréquence pour valeurs groupées et en tracer l'histogramme (prendre 7.5 comme limite inférieure de la classe inférieure et construire des classes de largeur 2).

b) Calculer (à partir de la distribution obtenue en a))

1° la moyenne,
2° la médiane,
3° le mode,
4° l'écart type,
5° les quartiles,
6° le semi-interquartile.

3.7 Dans une manufacture, le temps pendant lequel une machine n'est pas en opération est appelé le "temps mort". Le tableau suivant donne la distribution d'un échantillon de 100 "temps morts" pour une machine.

"Temps mort" (minute)	Fréquence
0 - 9.99	3
10 - 19.99	13
20 - 29.99	30
30 - 39.99	25
40 - 49.99	14
50 - 59.99	8
60 - 69.99	4
70 - 79.99	2
80 - 89.99	1

De cette distribution, on obtient $\Sigma n_i x_i^2 = 140300$, où x_i = le centre des classes.

Calculer le coefficient de dissymétrie de Pearson.

3.8 Un groupe de 12 étudiants a obtenu les résultats suivants à deux examens:

Examen 1: 72, 75, 75, 97, 54, 72, 86, 72, 63, 79, 82, 91
Examen 20: 78, 42, 72, 88, 86, 97, 91, 79, 82, 86, 91, 74

a) Calculer le mode, la médiane et la moyenne des deux examens.

b) Trouver le premier et le troisième quartile de chaque examen.

c) A quel fractile le résultat 88 correspond-il dans le deuxième examen?

3.9 Une compagnie achète quatre (4) types différents de matière première pour son processus manufacturier. Le tableau suivant donne l'évolution des prix et des quantités de ces item de l'année 1975 à 1977.

Item	Unité de mesure	Quantités en 1975	Prix		
			1975	1976	1977
A	tonne	80	$70.00	$75.00	$81.00
B	gallon	2000	2.00	2.10	2.40
C	livre	8000	0.70	0.75	0.78
D	tonne	65	50.00	58.00	65.00

En prenant 1975 comme année de base, calculer

a) l'indice des prix relatifs pour la matière première D;

b) l'indice des prix composé non pondéré (avec les deux modes de calcul) pour cette liste de produits;

c) l'indice des prix de Laspeyres pour cette liste de produits;

d) l'indice de quantité de Paasche pour 1976, si les quantités consommées en

1976 sont respectivement pour A, B, C et D de 85, 2000, 9000 et 70.

e) Est-il possible de calculer l'indice des prix de Paasche pour l'année 1977?

3.10 L'évolution de l'indice des prix à la consommation de 1971 à 1979 est donnée au tableau suivant:

Année	Indice
1971	100
:	:
1977 (janvier)	153
1978 (janvier)	167.5
1979 (janvier)	182
1979 (juillet)	191

a) Déterminer le pouvoir d'achat du dollar en juillet 1979.

b) Déterminer l'indice des prix à la consommation de juillet 1979 en prenant janvier 1977 comme période de base (janvier 1977 = 100).

CHAPITRE 4

LE MODÈLE BAYESIEN DE DÉCISION

On est loin du temps où le rôle presque exclusif de la statistique consistait à dénombrer des individus ou des objets. Bien que cette vocation ait revêtu quelque noblesse depuis que l'on a reconnu combien elle est essentielle à la bonne marche des systèmes économiques, on constate que la statistique a connu au cours des dernières décennies une évolution considérable; de plus en plus on la considère comme un ensemble de méthodes permettant de prendre des décisions raisonnables en présence d'incertitude. Ce rôle revêt d'autant plus d'importance que pratiquement toutes les décisions que l'on doit prendre doivent l'être dans un contexte d'incertitude. Le processus de prise de décision dans l'incertitude diffère assez fondamentalement selon que l'on recourt à l'approche statistique classique ou à l'approche bayesienne. En statistique classique, pour tirer des conclusions ou prendre des décisions dans un contexte d'incertitude, on ne fait intervenir que l'information objective obtenue d'un échantillon aléatoire. Par contre, en statistique bayesienne on considère que le jugement subjectif issu de l'expérience et de l'intuition peut apporter des informations tout aussi valables que les observations objectives obtenues par échantillonnage. On croit que le rôle bien compris de la statistique est justement d'aider à prendre des décisions dans l'incertitude, en enrichissant l'information subjective par des éléments d'information objective obtenue par expérimentation. Le modèle bayesien de décision constitue un outil permettant d'intégrer ces deux types d'information.

4.1 INTRODUCTION AU MODELE BAYESIEN DE DECISION

En général une analyse statistique n'est considérée comme complète que lorsqu'elle permet de prendre effectivement une décision. Ainsi, la tendance actuelle (surtout dans le domaine de la gestion) est de considérer l'inférence statistique comme une aide à la décision plutôt que simplement comme un moyen d'obtenir de l'information. L'analyse statistique bayesienne s'oriente dans cette voie, et c'est pourquoi elle est le plus souvent présentée comme un modèle d'analyse de décision dans l'incertitude; ce modèle est appelé modèle (ou processus) bayesien de décision, et Schlaifer en a été l'un des pionniers.

Les principales caractéristiques du modèle bayesien de décision sont les suivantes:

1) la prise en considération explicite d'éléments subjectifs exprimés par le décideur concernant son environnement de décision;
2) l'évaluation des conséquences possibles des diverses actions envisageables;
3) la reconnaissance de la possibilité d'obtenir, moyennant un certain coût, de l'information additionnelle concernant l'environnement de décision.

Globalement on peut représenter le modèle bayesien de décision par le schéma de la figure 4.1.

FIGURE 4.1: **Modèle bayesien de décision**

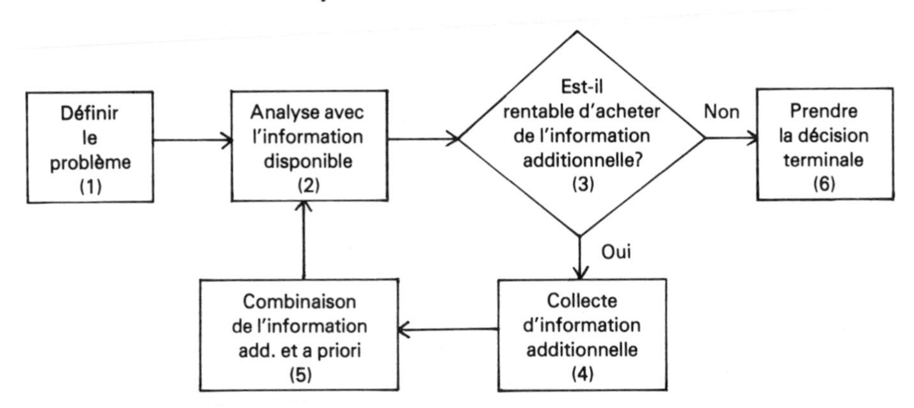

Ce qui distingue principalement l'approche bayesienne de l'approche classique, c'est qu'elle s'appuie sur l'utilisation de probabilités subjectives ou personnelles plutôt qu'uniquement sur une mesure objective des probabilités. En fait, dans la majorité des problèmes de décision, on dispose d'assez peu de "données objectives". Par contre, très souvent le décideur a beaucoup d'expérience (dans sa sphère d'activités), jouit d'une excellente intuition et aimerait bien pouvoir en tirer avantage. L'analyse bayesienne lui permet d'incorporer formellement ce second type d'information dans son modèle de décision. Cependant, il doit traduire cette information sous la forme d'une distribution de probabilité. Si de l'information additionnelle est obtenue subséquemment, les probabilités initiales sont révisées sur la base de cette nouvelle information, au moyen de la **règle de Bayes.** Les probabilités initiales sont qualifiées de **probabilités a priori,** car elles sont attribuées avant l'obtention d'information additionnelle. Les probabilités qui résultent du processus de révision sont appelées les **probabilités a posteriori.** Le plus souvent, l'information a priori est plutôt subjective, de sorte que les probabilités attribuées par un décideur à des événements futurs peuvent différer des probabilités attribuées par un autre décideur à ces mêmes événements. C'est pourquoi ces probabilités subjectives sont quelquefois qualifiées de **probabilités personnelles.**

La quantité d'information qui est pertinente à un environnement de décision, et dont dispose a priori un décideur, joue certainement un rôle essentiel dans la prise de décision. De plus, il est indéniable que certains éléments d'information de type subjectif interviennent dans presque n'importe quelle analyse statistique et que, par conséquent, une telle analyse relève autant de l'art que de la science. La statistique classique, pour sa part, tend à réduire au minimum le rôle de l'information subjective. Le plus souvent, elle met complètement de côté l'information subjective, ou encore elle n'en tient compte que d'une façon très informelle. Pour sa part, l'analyse bayesienne essaie de faire une utilisation optimale de l'information disponible, qu'elle soit subjective ou objective. Avec l'approche bayesienne, on reconnaît explicitement que l'expérience obtenue avec des problèmes similaires possède une valeur non négligeable. On reconnaît également la possibilité, voire même la nécessité, d'enrichir l'information obtenue par l'expérience au moyen d'information additionnelle de même nature, ou de préférence au moyen d'observations objectives.

On peut affirmer que la caractéristique essentielle de la statistique bayesienne n'est pas tellement l'utilisation de la règle de Bayes, mais plutôt l'interprétation "personnalisée" des probabilités. L'utilisation explicite d'information subjective a soulevé quelques protestations, et a même été qualifiée de "non scientifique". On croit cependant qu'une méthode subjectiviste peut être conforme à l'éthique scientifique, puisqu'il est permis d'avancer des hypothèses à condition d'avoir des raisons pour les justifier, et qu'il n'est pas interdit de reconnaître son ignorance. L'approche bayesienne se situe entre "l'anti-recherche" (approche selon laquelle les décisions devraient être prises uniquement sur la base de l'intuition) et "l'empirisme naïf" (approche selon laquelle les faits parlent toujours d'eux-mêmes).

Comme on le verra dans les chapitres ultérieurs, les approches classique et bayesienne conduisent en général à des résultats différents et, même lorsque leurs résultats seront les mêmes, il pourra y avoir des différences dans la façon de les interpréter. Il sera également possible de vérifier que la quantité d'information additionnelle requise pour obtenir un niveau de précision désiré tendra à être moindre lorsque l'information a priori est considérée plutôt qu'ignorée.

Une autre caractéristique importante du modèle bayesien de décision réside dans le fait que, dans la recherche d'une solution à un problème de décision, ce modèle tient compte explicitement des conséquences économiques de chacune des actions envisageables. A partir de ces considérations économiques, on est en mesure de déterminer la "meilleure" action sur la base de la seule information a priori, ainsi qu'un indicateur du risque relié à l'imperfection de cette information a priori (analyse a priori). On peut également, par une analyse a posteriori, déterminer la "meilleure" action en combinant l'information a priori et l'information additionnelle. Ce qui est encore plus intéressant c'est que, par une analyse prépostérieure, il est possible de juger à l'avance s'il est avantageux de faire tel échantillonnage (expérience, étude), compte tenu de l'information que cet échantillonnage est susceptible d'apporter et de son coût, et de déterminer la taille optimale de l'échantillon (quantité optimale d'information additionnelle que l'on devrait acheter). L'approche bayesienne permet donc de répondre entre autres aux questions suivantes:

1) Est-il rentable de tirer un échantillon pour obtenir de l'information additionnelle?

2) Puisque l'information obtenue d'un échantillon est imparfaite, quelle sera la "meilleure" action a posteriori?

3) Quelle est la taille optimale de l'échantillon que l'on devrait tirer?

Avant d'aborder la façon même d'intégrer les deux types d'information (information a priori et information additionnelle), on va présenter la structure générale du modèle bayesien de décision. Ensuite on abordera l'analyse bayesienne proprement dite, et on esquissera des réponses aux questions posées précédemment par l'intermédiaire de trois exemples choisis dans le domaine de la gestion. Ces exemples permettront d'illustrer le potentiel de l'approche bayesienne ainsi que ses difficultés.

4.2 LA STRUCTURE DU MODELE BAYESIEN DE DECISION

Du point de vue de la théorie de la décision statistique, un problème de décision dans l'incertitude peut être décrit formellement par un certain nombre d'éléments représentés soit par un tableau ou par arbre de décision. L'incertitude ambiante du monde de la gestion est composée de deux types d'aléas différents: les aléas "naturels" et les aléas "comportementaux". Un aléa naturel type est la température, ou encore l'occurence d'une pièce défectueuse dans une série. Un aléa comportemental type est la réaction d'un de nos concurrents à une de nos décisions.

On est ainsi amené à dégager deux catégories de situations que l'on appelle "décision contre la nature" (environnement indifférent), et "décision contre des concurrents" (environnement hostile). La première catégorie est l'objet de la théorie de la décision statistique (dans lequel s'inscrit le modèle bayesien de décision) alors que la deuxième est l'objet de la théorie des jeux formulée initialement par Von Neumann et Morgenstern. Les aléas naturels ne dépendent pas des décisions du décideur, et sont généralement assez faciles à probabiliser. Cependant, le plus souvent, dans les situations réelles, les deux types d'aléas sont présents, et l'usage des probabilités est quelquefois difficile. Dans cet ouvrage, on ne considère que des décisions du type décisions contre la nature, c'est-à-dire des situations d'incertitude dite naturelle.

Le modèle bayesien de décision partage certains éléments avec le modèle général de la théorie de la décision statistique. On va d'abord présenter ces éléments communs aux deux modèles de décision et, par la suite (section 4.2.2), on traitera des éléments spécifiques au modèle bayesien.

4.2.1 Les éléments de base du modèle général de décision

Le modèle général de la théorie de la décision statistique est construit à partir de trois notions fondamentales à savoir celles d'action, d'état et de conséquence, et ces trois éléments se retrouvent aussi à la base du modèle bayesien de décision. On va illustrer ces éléments de base par l'intermédiaire des trois exemples schématiques suivants:

I) Le directeur de la production chez Marco Inc. doit planifier la capacité de production future d'un produit particulier que la firme a développé récemment.

II) Le "Club du livre" vend à ses membres, exclusivement par correspondance, des réimpressions à bon marché d'ouvrages déjà parus. Le président du club vient d'apprendre qu'il peut obtenir les droits de réédition d'un certain livre. Le club compte 50 000 membres.

III) La compagnie de transport Fredet Ltée achète périodiquement une très grande quantité de pneus (1 000 pneus) chez Fristone Inc. La compagnie a constaté que, d'un lot à l'autre, le kilométrage moyen par pneu varie beaucoup, mais que l'écart type reste relativement constant ($\sigma = 4{,}000$ km). La compagnie aurait besoin d'un nouveau lot de pneus. L'entreprise "Loue-Tout Inc." vient d'être mise sur pied et offre aux compagnies de transport des pneus en location.

L'ensemble A des actions envisageables

Comme un problème de décision implique un choix, il faut définir l'objet de ce choix. On a l'habitude de le définir comme un ensemble exhaustif d'actions qui s'excluent mutuellement. On veut dire par là que le décideur doit dresser une liste de toutes les options qui s'offrent à lui, options qui peuvent contribuer à la solution de son problème, et dont la réalisation dépend entièrement et uniquement de sa volonté. L'esprit créateur, les capacités d'innovation et d'imagination du décideur sont indispensables s'il veut obtenir une liste exhaustive. On se réserve le droit de retrancher les actions qui, après étude, s'avèrent moins profitables. Cet ensemble peut être fini ou infini. Dans la majorité des exemples et exercices proposés dans ce chapitre, il sera fini et assez restreint.

Exemple 4.1. Dans l'exemple I, le directeur de la production peut, compte tenu des ressources disponibles et de la demande potentielle, envisager les actions suivantes:

a_1 = des installations permettant une capacité de production de 500 unités par mois,

a_2 = des installations permettant une capacité de production de 800 unités par mois,

a_3 = des installations permettant une capacité de production de 1 200 unités par mois,

a_4 = des installations permettant une capacité de production de 2 000 unités par mois.

Donc l'ensemble des actions est

$A = \{ a_1, a_2, a_3, a_4 \}$.

Exemple 4.2. Dans l'exemple II, le président du "Club du livre" a le choix entre

a_1 = accepter de rééditer le livre, et

a_2 = refuser de rééditer le livre,

c'est-à-dire $A = \{ a_1, a_2 \}$.

Exemple 4.3. Dans l'exemple III, la compagnie Fredet Ltée peut soit

a_1 = acheter un nouveau lot de 1 000 pneus chez Fristone, ou

a_2 = louer des pneus chez "Loue-Tout Inc.".

L'ensemble A est, comme dans l'exemple 4.2, composé de seulement deux actions.

Plusieurs problèmes de décision impliquent uniquement deux actions. C'est le cas en particulier pour tous les problèmes de type "go" ou "no go". Exemples: lancer ou non un nouveau produit, acheter ou non une nouvelle pièce d'équipement, accepter ou rejeter un lot ou une hypothèse, faire ou non telle étude de marché, etc.

Dans l'approche bayesienne, on fait toujours face à une décision du type faire ou non une expérimentation. Ceci implique que l'on peut adjoindre à A l'action a_o, qui consiste à faire une étude afin d'obtenir de l'information additionnelle. Ce n'est que si a_o n'est pas profitable que les actions a_j, $j = 1, 2, \ldots, m$, deviennent envisageables. On peut donc définir A par extension comme étant l'ensemble

$$A = \{ a_o, a_1, \ldots, a_m \}$$

où le choix est à deux niveaux: on choisit d'abord a_o ou non, et ce n'est qu'ensuite que le choix entre $a_1, a_2, \ldots, a_m$ s'impose.

L'ensemble Ⓔ des états possibles de la nature

Un état de la nature est un fait qui concerne le problème étudié, et dont la réalisation est totalement indépendante (théoriquement du moins pour que l'incertitude soit dite naturelle) de la volonté du décideur, étant due au hasard. Il correspond à une description conjecturale du milieu à un moment donné, description qui est généralement limitée à l'information utile au regard des objectifs spécifiés. Il faut veiller à ce que cet ensemble d'états soit exhaustif, et que les états soient mutuellement exclusifs. Il faut envisager même les états les moins probables, car c'est souvent une source d'erreur de négliger certains états qui semblent presque impossibles, mais qui peuvent avoir une grande influence sur la situation. Cet ensemble est d'autant plus vaste que la connaissance concernant l'environnement du problème est plus incomplète. Si l'ensemble est réduit à un seul élément, la connaissance est considérée comme parfaite.

Exemple 4.4. Dans l'exemple I, le directeur de la production doit envisager plusieurs niveaux possibles de la demande pour le produit considéré. Ces différents niveaux peuvent varier passablement, et cela est fonction de la précision de ses prévisions de la demande future. Dans son analyse, il peut ne retenir que quelques hypothèses qui lui semblent les plus pertinentes; par exemple:

- une hypothèse pessimiste e_1 selon laquelle la demande sera faible,
- une hypothèse plus vraisemblable e_2 selon laquelle la demande sera moyenne,
- une hypothèse optimiste e_3 selon laquelle la demande sera élevée.

Dans ce cas l'ensemble est Ⓔ $= \{ e_1 , e_2 , e_3 \}$.

Exemple 4.5. Dans l'exemple II, comme le profit de la publication et de la vente du volume dépend du nombre d'exemplaires vendus, on pourrait considérer que l'ensemble Ⓔ est constitué des valeurs 0 à 50 000. On peut préférer utiliser le paramètre p, la fraction des 50 000 membres qui font une commande, $p \in [0, 1]$. Le président du Club du livre peut trouver plus réaliste de ne retenir que quelques fractions comme .01, .02, .03, ..., .08; alors

$$Ⓔ = \{ e_1 = .01, \ e_2 = .02, ..., e_8 = .08\} .$$

Exemple 4.6. Dans l'exemple III, la variable importante sur laquelle la compagnie Fredet Ltée n'a pas trop de contrôle est le kilométrage moyen par pneu. On peut désigner par μ ce paramètre et dire que Ⓔ $= \{ \mu : \mu > 0 \}$. Dans ce problème, on arrive, sur la base de considération économique, à déterminer une valeur critique μ^o (point mort) telle que si $\mu \leqslant \mu^o$, il est plus profitable de louer des pneus chez "Loue-Tout Inc.", et si $\mu > \mu^o$, il est plus profitable d'acheter chez Fristone Inc. On réduit ainsi l'ensemble d'états à

$$Ⓔ = \{ e_1 : \mu \leqslant \mu^o , e_2 : \mu > \mu^o \}$$

L'ensemble V des conséquences

Les conséquences représentent ce qui résulte pour le décideur des diverses actions envisageables. Or ces conséquences ne sont pas liées uniquement aux actions prises, mais également aux états de l'environnement dans lequel elles s'inscrivent. Donc, à tout couple constitué d'une action particulière a du décideur et d'un état particulier e de la nature est associée une conséquence, notée V (e,a), qui est une valeur numérique mesurant la portée réelle de cette conjonction (e,a) pour le décideur. La conséquence V (e,a) est une fonction numérique, c'est-à-dire à valeur dans l'ensemble des réels $\mathbb{R}$, définie sur l'ensemble produit Ⓔ X A.

Lorsque Ⓔ $= \{ e_1, e_2, \ldots, e_n \}$ et $A = \{ a_1, a_2, \ldots, a_m \}$ sont deux ensembles finis, les conséquences peuvent être représentées dans un tableau à double entrée, que l'on qualifie parfois de **matrice de décision**, et qui a la forme suivante:

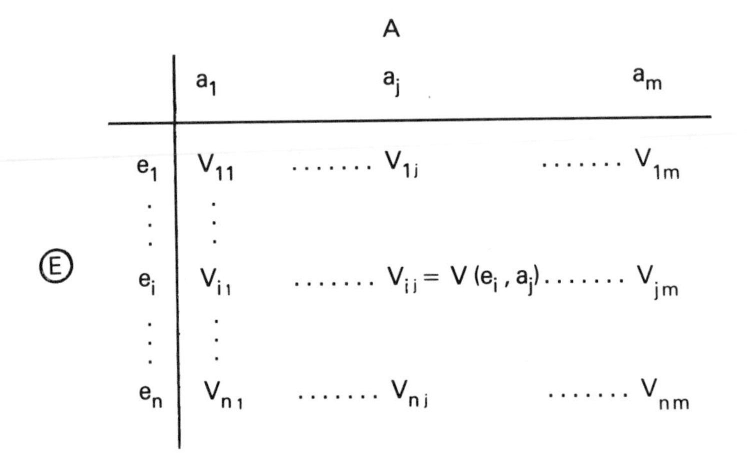

		A		
		a_1	a_j	a_m
Ⓔ	e_1	V_{11}	.... V_{1j}	.... V_{1m}
	⋮	⋮		
	e_i	V_{i1}	.... $V_{ij} = V(e_i, a_j)$	.... V_{jm}
	⋮	⋮		
	e_n	V_{n1}	.... V_{nj}	.... V_{nm}

Exemple 4.7. Dans l'exemple I, la conséquence $V_{ij} = V(e_i, a_j)$ peut représenter en termes de valeur présente (sur l'horizon fixé) l'estimation des profits futurs totaux associés avec le niveau de capacité de production a_j, alors que la demande future correspond à l'hypothèse e_i. Le directeur de la production a évalué que selon lui les conséquences possibles sont les suivantes (tableau 4.1):

TABLEAU 4.1 (en milliers de dollars)

		A			
		a_1	a_2	a_3	a_4
Ⓔ	e_1	20	15	8	− 1
	e_2	30	35	40	38
	e_3	35	45	60	70

Exemple 4.8. Dans l'exemple II, le président se livre à un calcul qui lui indique que la réédition de cet ouvrage impliquerait les coûts suivants:

$3 000 de frais fixes (les droits, la composition, mise en route des presses, ...),

$3.75 de frais variables supplémentaires par livre imprimé (papier, encre, main-d'oeuvre, ...).

Selon la politique de prix du club, le prix de vente du livre est fixé à $4.95 l'exemplaire, plus les frais d'envoi, de telle sorte que la marge brute par livre imprimé et vendu est $1.20.

Si l'on désigne par p la fraction des membres du club qui commandent le livre, alors la conséquence (en terme de marge nette ou profit) de l'action de rééditer (a_1), conditionnellement à la valeur de p, est

$$V(p, a_1) \equiv \pi(p, a_1) = \$1.20 \times 50\,000 \times p - \$3\,000.$$

La conséquence de l'action de ne pas rééditer (a_2) est

$$V(p, a_2) \equiv \pi(p, a_2) = 0 \text{ pour tout } p.$$

Exemple 4.9. Dans l'exemple III, le prix d'achat unitaire est de $120 (pour l'achat d'un lot de 1 000 pneus), et l'entreprise "Loue-Tout Inc." demande $0.004 du kilomètre pour des pneus de la catégorie requise par Fredet Ltée. En évaluant les conséquences en termes des coûts, conditionnellement au kilométrage moyen μ réalisé avec 1 000 pneus, on obtient:

$$V(\mu, a_1) \equiv C(\mu, a_1) = \$120\,000, \text{ pour l'action d'acheter}$$

et

$$V(\mu, a_2) \equiv C(\mu, a_2) = \$0.004 \times 1\,000 \times \mu, \text{ pour l'action de louer.}$$

Les regrets ou pertes conditionnelles. On trouve souvent plus convenable d'exprimer les conséquences en termes de regrets ou pertes conditionnelles (ou simplement "pertes"), notés $R(e_i, a_j)$, plutôt qu'en termes de profits ou de coûts. Le regret mesure en quelque sorte jusqu'à quel point l'action a_j est inappropriée pour l'état de la nature e_i. On définit le regret pour le couple (e_i, a_j) comme étant

$$R(e_i, a_j) = |V^*(e_i) - V(e_i, a_j)|$$

où $V^*(e_i)$ est la conséquence la plus favorable qui puisse être obtenue si l'état de la nature e_i se réalise.

Exemple 4.10. Dans l'exemple I, avec les conséquences définies dans le tableau 4.1 en termes des profits, on obtient comme regrets ceux donnés dans le tableau 4.2.

TABLEAU 4.2

	profits					regrets			
	a_1	a_2	a_3	a_4	$V^*(e_i)$	a_1	a_2	a_3	a_4
e_1	20	15	8	-1	20	0	5	12	21
e_2	30	35	40	38	40	10	5	0	2
e_3	35	45	60	70	70	35	25	10	0

Exemple 4.11. Dans l'exemple III, on voit immédiatement (par une analyse du point-mort, par exemple) que, si $\mu \leqslant \mu^\circ = 30\,000 \left(= \dfrac{120\,000}{.004 \times 1\,000}\right)$, il est plus profitable de louer des pneus (a_2) que d'en acheter (a_1), et l'inverse est vrai si $\mu > \mu^\circ$. Alors la fonction de regret est de la forme

$$R(\mu, a_1) = \begin{cases} 0, & \text{si } \mu > 30\,000 \\ 120\,000 - .004 \times 1\,000 \times \mu, & \text{si } \mu \leqslant 30\,000 \end{cases}$$

pour l'action d'acheter et

$$R(\mu, a_2) = \begin{cases} .004 \times 1\,000 \times \mu - \$120\,000, & \text{si } \mu > 30\,000 \\ 0, & \text{si } \mu \leqslant 30\,000 \end{cases}$$

pour l'action de louer.

On obtiendrait des résultats du même type pour l'exemple II.

Comme on le verra dans la section suivante, si l'on veut prendre en considération des facteurs qui ne sont pas d'ordre économique, ou si l'on veut prendre en considération le comportement du décideur face au risque, on peut aussi définir la fonction de conséquence comme une fonction d'utilité ou de préférence.

La recherche de l'action optimale dans le contexte du modèle général de décision

Le triplet (A, Ⓔ, V) constitue la structure de base du modèle général de la décision statistique. Une fois ces trois éléments de base définis, le problème qui se pose est celui de déterminer la meilleure action parmi toutes les actions envisageables. Globalement, la meilleure action est celle qui entraîne la meilleure conséquence. Malheureusement, dans la majorité des problèmes de décision, il est impossible d'établir un ordre total dans l'ensemble des actions par rapport aux conséquences. Ainsi dans l'exemple 4.10, il n'existe pas d'action a^* qui entraîne un profit plus grand que celui de tout autre action pour tous les états e_i: a_1 est la meilleure si e_1 arrive, a_3 est là meilleure si e_2 arrive, et a_4 est la meilleure si e_3 arrive. Mais ne sachant pas quel état de la nature va se réaliser, on ne peut pas affirmer a priori quelle action se révélera la meilleure a posteriori. Le décideur doit donc déterminer un critère en fonction duquel il fera un choix entre les actions. Il cherche à utiliser le critère de décision qui lui offre le plus de chances d'atteindre le but fixé.

Le choix d'un critère de décision dépend en grande partie du niveau d'incertitude du décideur face aux états de la nature. Dans le contexte de l'approche classique, on considère essentiellement deux niveaux d'incertitude possibles, à savoir l'incertitude totale et le risque. Dans une situation d'incertitude totale, le décideur ne connaît rien au sujet des états de la nature; il lui est alors possible de recourir à plusieurs critères de décision qui ont été proposés dans la littérature statistique. Les principaux critères de décision dans l'incertitude totale sont ceux de Wald, de Hurwicz, de Savage (minimax des regrets) et de Laplace, qui ont été présentés dans notre volume **Probabilités en gestion et en économie**. Si le décideur est plutôt placé dans une situation de risque face aux états, c'est qu'il possède assez d'information sur ces états pour leur assigner une distribution de probabilité objective. En situation de risque, on utilise habituellement le critère de l'espérance mathématique (ou de la valeur espérée) qui conduit à choisir l'action a^* qui optimise les conséquences espérées: ce critère, qui a été présenté en détail dans notre volume de probabilités, sera traité de nouveau brièvement plus loin dans le présent chapitre, car on en fait une large utilisation dans le modèle bayesien de décision.

4.2.2 Les éléments spécifiques du modèle bayesien de décision

Face à un problème de décision dans l'incertitude, le fait de ne considérer comme probables que deux niveaux d'incertitude (le risque et l'incertitude totale) limite les possibilités du décideur de trouver une solution satisfaisante à son problème. En effet, en pratique, il est assez rare qu'un décideur ne connaisse absolument rien des états de la nature, c'est-à-dire qu'il soit dans l'incertitude totale. Il possède en général une certaine information sur les états de la nature; cependant, souvent cette information n'est pas suffisante pour lui permettre d'assigner une distribution de probabilité objective sur les états. Le décideur se trouve alors dans une situation d'incertitude intermédiaire entre l'incertitude totale et le risque, situation que l'on qualifie d'**incertitude partielle**. Comme hypothèse de base du modèle bayesien de décision, on suppose que le décideur est placé dans cette situation d'incertitude partielle. Le modèle bayesien de décision est d'abord construit à partir des trois éléments de base (A,Ⓔ,V) du modèle général de décision, éléments auxquels il intègre les facteurs spécifiques suivants: une distribution de probabilité a priori sur les états, un ensemble d'expérimentations possibles, un ensemble d'observations et les vraisemblances des résultats de ces expérimentations. On présente maintenant ces éléments spécifiques.

La distribution de probabilité a priori $P_0(e_i)$

Dans l'approche bayesienne, on suppose que le décideur est placé dans une situation d'incertitude partielle face aux états de la nature, et l'on suppose que cette incertitude partielle lui permet d'assigner à ces états une distribution de probabilité plus ou moins subjective appelée "distribution de probabilité a priori" et notée $P_o(e_i)$. L'idée sous-jacente est la suivante: on pense que toute information, même subjective, que le décideur peut avoir sur les états devrait l'aider à faire un meilleur choix entre les actions; c'est pourquoi un modèle de décision doit intégrer cette information subjective. Par la suite, le décideur se donnera la possibilité d'aller chercher de l'information objective additionnelle, s'il considère que sa situation d'incertitude est trop "risquée". Evidemment, en pratique, il peut être difficile d'exprimer une information partielle sous la forme d'une distribution de probabilité a priori. On reviendra sur cette question à la fin de ce chapitre.

Exemple 4.12. A l'exemple I, sur la base de son expérience passée, le directeur de la production peut être amené à assigner a priori les probabilités suivantes aux états énumérés à l'exemple 4.4:

e_i	e_1	e_2	e_3
$P_o(e_i)$	0.20	0.40	0.40

Exemple 4.13. Dans l'exemple II, le président du club soumet l'ouvrage au jugement de deux de ses principaux collaborateurs, afin de connaître leur avis sur ce que pourrait être la demande (parmi les membres du club) pour un tel ouvrage. Chacun des deux collaborateurs A et B exprime son jugement sous la forme de diverses valeurs de la fraction p des membres du club qui commanderont l'ouvrage s'il est réédité, attribuant à chacune d'elle une probabilité. L'information ainsi recueillie est donnée au tableau 4.3 ($P_A(p)$ ou $P_B(p)$ suivant qu'il s'agit de probabilités attribuées par le collaborateur A ou B).

TABLEAU 4.3

$e \equiv p$	$P_A(p)$	$P_B(p)$
.01	—	.02
.02	—	.08
.03	.09	.11
.04	.15	.23
.05	.22	.26
.06	.25	.19
.07	.19	.11
.08	.10	—

Les collaborateurs sont arrivés à ces probabilités en comparant cet ouvrage à d'autres déjà réédités, en tenant compte de facteurs saisonniers, de facteurs conjoncturels, etc.

Le président peut condenser l'information de ses collaborateurs sous la forme d'une seule distribution. Il peut également y adjoindre son jugement, et construire ainsi la distribution a priori des états de la nature. S'il s'en remet entièrement au jugement de ses deux collaborateurs, et s'il les juge également compétents en la matière, on obtient comme probabilité a priori pour p

$$P_o(p) = \frac{1}{2} P_A(p) + \frac{1}{2} P_B(p), \quad \text{pour tout p.}$$

Le tableau 4.4 donne la distribution a priori ainsi obtenue

TABLEAU 4.4

$e \equiv p$	$P_o(p)$
.01	.01
.02	.04
.03	.10
.04	.19
.05	.24
.06	.22
.07	.15
.08	.05
	1.00

Exemple 4.14. Dans l'exemple III, la compagnie Fredet Ltée attribue a priori (en se basant sur les statistiques antérieures, et en se disant qu'il n'y a pas d'indication qui porte à croire que le prochain lot sera très différent des précédents) au paramètre μ (kilométrage moyen), considéré comme une variable aléatoire, une distribution normale. A partir de ces statistiques, elle établit que les paramètres de cette normale sont $\mu_0 = 34\,000$ km et $\sigma_0 = 6\,000$ km, donc a priori

$$\tilde{\mu} \in N\ (34\,000,\ 36\,000\,000).$$

L'ensemble W des expérimentations possibles

Il s'agit de l'ensemble des façons d'obtenir de l'information objective additionnelle. Cet ensemble peut être composé de plusieurs plans d'expérience (ou d'échantillonage) différents, de plusieurs plans d'échantillonnage aléatoires simples de différentes tailles (plans étudiés au chapitre 5), de différents tests de laboratoire, etc. La décision de procéder ou non à une expérimentation constitue une décision particulière dans le processus de décision. Si W est un ensemble fini comprenant r expérimentations possibles, alors

$$W = \{\Omega_1, ..., \Omega_k, ..., \Omega_r\},$$

où Ω_k est l'ensemble des résultats de la k-ième expérimentation, k = 1, ..., r.

Exemple 4.15. Dans l'exemple I, si le directeur de la production considère que le risque est trop grand de fixer la capacité de production future en se basant uniquement sur ses idées préalables, il peut procéder à une étude de marché plus ou moins sophistiquée, ou consulter une ou plusieurs maisons spécialisées pour une telle étude. Très souvent, dans un cas comme celui-là, on ne considère qu'une seule étude, c'est-à-dire une seule expérimentation possible, et alors l'ensemble W se réduit à un seul élément Ω.

Exemple 4.16. Dans l'exemple II, si le président n'est pas satisfait de l'information fournie par ses collaborateurs, il peut procéder à une expérimentation statistique. Par exemple, il ferait préparer un projet de prospectus qu'il enverrait à un échantillon de n noms pris au hasard dans la liste des 50 000 noms, comme s'il avait décidé de rééditer effectivement le livre. Un certain nombre de ces membres lui ferait parvenir une commande, ce qui lui donnerait une information additionnelle sur les ventes probables.

De nouveau l'ensemble W est composé des échantillons aléatoires de taille n, que l'on peut tirer de la liste des 50 000 membres, c'est-à-dire

$$W = \{\Omega(1), ..., \Omega(n), ..., \Omega(50\,000)\}$$

où $\Omega(n)$ désigne l'expérimentation consistant à tirer un échantillon aléatoire de n noms dans la liste.

Exemple 4.17. Dans l'exemple III, la compagnie Fredet Ltée pourrait demander à Fristone Inc. de faire un test en laboratoire sur n pneus pris au hasard dans la série de production d'où proviendrait le lot qu'il envisage d'acheter.

De nouveau l'ensemble W est composé des échantillons aléatoires de taille n que l'on peut tirer dans la série de production spécifiée, c'est-à-dire

$$W = \{\Omega(1), ..., \Omega(n), ..., \Omega(N)\}$$

où N est le nombre total de pneus produits dans cette série. Comme le test est probablement destructif, ce qui implique que le coût de l'expérimentation sera assez élevé, il est raisonnable de penser que la taille maximale de l'échantillon (dans les expérimentations envisagées) sera relativement faible, en tout cas inférieur à N, ce qui réduira l'ensemble W.

L'ensemble $\mathcal{X}$ des observations

Il s'agit de l'ensemble des résultats possibles d'une expérimentation. En effet, chaque expérience Ω_k livre une information que l'on peut le plus souvent exprimer sous la forme de valeurs prises par une ou plusieurs variables aléatoires associées. Ces valeurs constituent les éléments de l'ensemble $\mathcal{X}$.

Exemple 4.18. Dans l'exemple I, le résultat d'une étude de marché particulière Ω pourra être un indice x_ℓ relié à ce que sera la demande pour ce produit. On pourra avoir, par exemple,

$$\mathcal{X} = \{x_1, x_2, x_3\}$$

où

$x_1 =$ la demande sera faible

$x_2 =$ la demande sera modérée

$x_3 =$ la demande sera élevée.

Exemple 4.19. Dans l'exemple II, l'échantillon aléatoire auprès des n membres (Ω (n)) va conduire à un nombre de commandes se situant entre 0 et n (on fait l'hypothèse qu'un membre commandera au plus un exemplaire), c'est-à-dire

$$\mathcal{X} = \{0, 1, 2, ..., n\}.$$

Exemple 4.20. Dans l'exemple III, les résultats des tests en laboratoire sur n pneus (Ω (n)) vont permettre de calculer un kilométrage moyen $\bar{x}$ et un écart type s, alors

$$\mathcal{X} = \{(\bar{x}, s) : \bar{x} > 0 \text{ et } s > 0\}.$$

Les vraisemblances $P(x / \Omega_k, e_i)$ ***des résultats possibles de chaque expérimentation*** Ω_k

Pour un problème de décision spécifique, une fois que l'on a précisé les expériences possibles ainsi que les résultats qui leur sont associés, il faut définir la probabilité conditionnelle $P(x_\ell / \Omega_k, e_i)$ d'obtenir le résultat x_ℓ, étant donné que l'on a effectué la k^e expérience et que l'état de la nature est e_i. Cette fonction de probabilité est appelée **fonction de vraisemblance** de l'expérience.

Exemple 4.21. Dans l'exemple II, les fractions p des membres du club pouvant commander l'ouvrage représentent les états e_i de la nature. Si le président du club décide de procéder à un échantillonnage de 100 noms parmi les 50 000 membres, c'est-à-dire à l'expérimentation Ω (100), alors il peut définir les probabilités conditionnelles

$$P\left(X = x \,/\, \Omega(100), p = .04\right)$$

où X est la variable aléatoire correspondante au nombre de commandes reçues des membres choisis dans l'échantillon. Cette v.a. X se distribue selon une distribution hypergéométrique de paramètres N = 50 000, n = 100 et p = .04.

En utilisant l'approximation fournie par la binômiale, on peut calculer, par exemple, la probabilité de recevoir 6 commandes:

$$P\left(X = 6 \,/\, N = 50\,000,\ n = 100\ ,\ p = .04\right) \cong .106$$

Exemple 4.22. Dans l'exemple III, les états de la nature sont exprimés par les diverses valeurs du paramètre (considéré comme une variable aléatoire) "kilométrage moyen par pneu". Si l'on accepte que cette variable suive une distribution normale de paramètres μ et σ^2, alors le kilométrage moyen $\overline{X}$ qui exprime les résultats de l'expérimentation se distribue également selon une normale de paramètres μ et σ^2 / n. On peut utiliser la valeur observée s pour estimer σ lorsque ce dernier n'est pas connu (cet usage sera clarifié au chapitre 6 où l'on traite les problèmes d'estimation).

En ce qui concerne l'exemple I, où le plan d'expérimentation pour l'étude de marché n'a pas été spécifié, il est plus difficile de donner les probabilités conditionnelles $P(x / \Omega, e)$,car on ne les retrouve généralement pas dans une table ou par une formule mathématique, et il est fréquent que l'expression de ces probabilités renferme une bonne dose de subjectivité.

4.2.3 Le critère de la valeur espérée

Le but de l'analyse d'un problème de décision est de choisir une action qui soit au moins aussi bonne que toutes les autres. Ayant présenté les différents éléments du modèle bayesien de décision, il faut leur adjoindre un critère de choix de l'action optimale. On a souligné précédemment que le choix d'un critère de décision dépend d'abord du niveau d'incertitude du décideur face aux états de la nature. Ainsi, dans une situation d'incertitude totale, on a le choix entre les critères de Wald, de Hurwicz, de Savage (minimax des regrets), de Laplace, etc.

Dans le contexte de l'approche bayesienne, on suppose que le décideur possède une certaine quantité d'information lui permettant d'évaluer quantitativement les chances de réalisation des divers états possibles de la nature. En adoptant ce point de vue, on se retrouve dans une situation de décision avec risque où les états de la nature sont probabilisés. Le choix du décideur sera influencé d'une part par ces probabilités associées aux états de la nature, et d'autre part par les conséquences possibles des diverses actions envisageables. Le critère de décision proposé (et celui que l'on utilise dans le modèle bayesien) pour des décisions dans une situation de risque est le critère de l'espérance mathématique ou de la valeur espérée. Selon ce critère, la "meilleure" action (l'action "optimale") est celle qui conduit à la conséquence espérée la plus favorable. Par exemple, si les conséquences sont mesurées en termes des profits, alors le critère se traduit par le choix de l'action qui maximise le profit espéré; inversement, si les conséquences sont des coûts ou des regrets, alors l'action optimale est celle qui minimise les coûts espérés ou les regrets espérés.

Le critère de la valeur espérée. Selon ce critère, l'action optimale, que l'on note a*, est celle qui conduit à la conséquence espérée optimale, c'est-à-dire l'action a* telle que

$$\bar{V}(a^*) = \underset{a_j}{\text{opt}}\, \bar{V}(a_j)$$

où, par exemple, si Ⓔ est un ensemble fini contenant n états, on a

$$\bar{V}(a_j) = \sum_{i=1}^{n} V(e_i, a_j)\, P(e_i)$$

Dans un problème de décision il importe avant tout de préciser le but poursuivi. Dans l'entreprise, certaines décisions se réduisent à des choix purement économiques, mais beaucoup d'autres, en plus des valeurs économiques impliquent explicitement ou implicitement des valeurs sociales, morales, politiques, ... Ainsi, une entreprise ayant calculé le profit qu'elle tirerait d'une automatisation de sa production, pourra cependant hésiter devant l'ampleur du problème social soulevé par la mise en chômage d'une partie de son personnel. Néanmoins, de telles décisions aux aspects multiples sont facilitées si on commence par les considérer d'abord comme purement économiques. Si on se limite à l'aspect purement économique des décisions, l'échelle de valeur naturelle pour mesurer les conséquences des décisions est l'échelle des valeurs monétaires, et alors on est conduit au critère de la valeur monétaire espérée.

Exemple 4.23. Dans l'exemple I, où le directeur de la production a exprimé les conséquences en termes de valeurs présentes des profits futurs (cf. exemple 4.7), et attribué une distribution de probabilité a priori aux états de la nature (cf. exemple 4.12), l'action optimale selon le critère de la valeur monétaire espérée est $a^* = a_4$, puisque les conséquences espérées

$$\bar{V}(a_j) = \sum_{i=1}^{n} P(e_i)\, V(e_i, a_j)$$

sont respectivement pour les actions a_1, a_2, a_3, et a_4 de

$$\bar{V}(a_1) = .20(20) + .40(30) + .40(35) = 30$$
$$\bar{V}(a_2) = .20(15) + .40(35) + .40(45) = 35$$
$$\bar{V}(a_3) = .20(8) + .40(40) + .40(60) = 41.6$$
$$\bar{V}(a_4) = .20(-1) + .40(38) + .40(70) = 43.$$

Exemple 4.24. On procède de même dans l'exemple II pour lequel les profits et les probabilités a priori sont donnés aux exemples 4.8 et 4.13. En calculant le profit espéré de chaque action, on trouve (tableau 4.5):

TABLEAU 4.5

p	$\pi(p, a_1)$	$\pi(p, a_2)$	$P_o(p)$	$P_o(p) \times \pi(p, a_1)$	$P_o(p) \times \pi(p, a_2)$
.01	- $2 400	0	.01	- 24	0
.02	- 1 800	0	.04	- 72	0
.03	- 1 200	0	.10	- 120	0
.04	- 600	0	.19	- 114	0
.05	0	0	.24	0	0
.06	600	0	.22	132	0
.07	1 200	0	.15	180	0
.08	1 800	0	.05	90	0
			1.00	$\bar{\pi}(a_1) = \$72$	$\bar{\pi}(a_2) = 0$

Donc, selon le critère de la valeur monétaire espérée, l'action optimale est a_1, c'est-à-dire accepter de rééditer l'ouvrage.

Exemple 4.25. Dans l'exemple III, les coûts sont respectivement pour l'action a_1 (acheter) et a_2 (louer) (cf. exemple 4.9)

$$C(\mu, a_1) = \$120\,000$$

et $$C(\mu, a_2) = \$.004 \times 1\,000 \times \mu .$$

A priori, la compagnie Fredet Ltée exprime son état de connaissance concernant le paramètre μ (traité comme une variable aléatoire) en disant qu'il se distribue selon une normale de paramètres $\mu_o = 34\,000$ km et $\sigma_o = 6\,000$ km. Les coûts espérés de chaque action sont

$$\bar{C}(\mu, a_1) = \$120\,000$$

$$\bar{C}(\mu, a_2) = E[C(\tilde{\mu}, a_2)] = .004 \times 1\,000 \times E_0(\tilde{\mu})$$

$$= .004 \times 1\,000 \times \mu_o = .004 \times 1\,000 \times 34\,000$$

$$= \$136\,000 ;$$

autrement dit, on a $\mu_o \equiv E_0(\tilde{\mu})$, l'espérance mathématique de la variable aléatoire $\tilde{\mu}$ calculée à partir des probabilités a priori.

Donc l'action optimale est celle d'acheter un nouveau lot de pneus chez Fristone Inc.

Ces exemples utilisant le critère de la valeur monétaire espérée peuvent susciter quelques remarques ou questions.

1) On aurait été conduit aux mêmes actions optimales si l'on avait utilisé la fonction de regret comme fonction de conséquence à la place des profits et des coûts.

2) Le profit espéré (ou le coût espéré) ne donne aucune indication sur le risque entourant l'action optimale.

3) Est-ce que le décideur accepte toujours de jouer la moyenne? Est-ce que la valeur monétaire est toujours appropriée pour évaluer les conséquences dans le critère de la valeur espérée?

En ce qui concerne la deuxième remarque, on verra dans la section suivante que l'utilisation de la fonction de regret conduit à une indication du risque entourant l'action optimale. Les réponses aux interrogatoires de la troisième remarque sont négatives, autrement dit le décideur n'accepte pas toujours de jouer la moyenne et la valeur monétaire n'est pas toujours appropriée, même si l'on ne considère que l'aspect économique. Pour s'en convaincre, il suffit de penser aux phénomènes de l'assurance ou des loteries. Plus simplement, on peut se placer dans une situation de jeu de hasard; par exemple, vous possédez un jeton vous permettant de participer à un jeu dans lequel vous auriez 50% de chances de gagner $10,000, et 50% de chances de ne rien gagner. Pour quel prix accepteriez-vous de vendre votre jeton? Il est très probable que vous accepteriez de le vendre pour moins que $5,000, ce montant de $5,000 représentant la valeur monétaire espérée de ce jeu.

Si l'on veut utiliser le critère de la valeur espérée, il faut choisir une échelle de valeur pour exprimer les conséquences qui tienne compte de l'attitude du décideur face au risque, et qui permette de considérer en plus des valeurs monétaires, des éléments plus subjectifs tels que le prestige personnel, les aspects sociaux et politiques, etc. C'est dans ce contexte que l'on introduit le concept de **fonction d'utilité**. L'utilisation de cette fonction permet de construire une échelle de valeur subjective (échelle cardinale), qui permet de mesurer de façon plus adéquate (que le fait l'échelle des valeurs monétaires) l'attrait ou la gravité des différents résultats possibles (c'est-à-dire des conséquences) pour les actions envisagées. Le critère de la valeur espérée devient alors celui de l'utilité espérée. Bien que cette théorie de l'utilité espérée ait été solidement établie sur une base axiomatique, elle demeure difficile d'application, puisque l'utilité est une valeur subjective valable uniquement pour un décideur donné et dans des circonstances données.

On peut dire cependant que la valeur monétaire est une mesure adéquate des conséquences, lorsque les sommes impliquées ne sont pas trop importantes, et lorsque le même genre de décision doit être pris un grand nombre de fois dans des conditions similaires (par exemple, dans les problèmes de gestion de stock). Bien que conscient de ses lacunes, on utilisera tout de même l'échelle des valeurs monétaires dans la suite de cet ouvrage.

4.3 L'APPROCHE BAYESIENNE

Après avoir présenté les éléments du modèle bayesien de décision, on a souligné que l'analyse bayesienne utilise comme critère de décision le critère de la valeur espérée. Il faut maintenant préciser de quelle façon les divers éléments du modèle interviennent dans cette analyse. Dans l'approche bayesienne, on suppose que le décideur est placé dans une situation d'incertitude partielle. L'information plus ou moins subjective qu'il possède sur les états de la nature lui permet de leur assigner une distribution de probabilité a priori. Dans une première partie de l'analyse bayesienne appelée **analyse a priori**, grâce au critère de la valeur espérée on peut calculer l'action de Bayes a priori, c'est-à-dire l'action qui maximise les profits espérés, calculés par l'intermédiaire des probabilités a priori. L'information du décideur pouvant être assez limitée, il y a un risque plus ou moins grand qui est associé à cette action de Bayes a priori, et l'on définit une mesure pour ce risque. Si le risque de l'action a priori s'avère trop grand, on s'interroge sur la rentabilité d'aller chercher de l'information objective additionnelle: cette partie de l'analyse est appelée **analyse prépostérieure** ou pré-a posteriori. Par la suite, s'il s'avère rentable d'aller chercher de l'information additionnelle en effectuant une certaine expérience, on procède à cette expérience; le résultat de cette expérience permet au décideur de reviser sa distribution a priori, et d'obtenir une nouvelle distribution de probabilité dite "distribution a posteriori". Sur la base de la distribution de probabilité a posteriori, on calcule, par l'intermédiaire du critère de la valeur espérée, une nouvelle action optimale dite "action de Bayes a posteriori". Le calcul de la distribution de probabilité a posteriori et de l'action de Bayes a posteriori relève de la dernière partie de l'approche bayesienne, appelée analyse **a posteriori.**

Ainsi, l'approche bayesienne se divise en trois étapes: l'analyse a priori, l'analyse prépostérieure et l'analyse a posteriori. Avant de présenter ces étapes d'une façon plus élaborée, on va faire un rappel sur une formule de probabilité conditionnelle qui est au coeur de l'approche bayesienne, à savoir la formule de Bayes. En effet, l'approche bayesienne tire son nom du Révérend Thomas Bayes, religieux anglican, mort en 1763. Il est l'auteur d'une règle (théorème) célèbre qui porte son nom, et sur laquelle repose l'analyse bayesienne. Cette règle permet de modifier les probabilités a priori (très souvent subjectives) par des observations découlant d'une expérimentation, pour obtenir de nouvelles probabilités que l'on appelle probabilités a posteriori. En effet, avec l'approche bayesienne, même si l'on accepte de recourir aux probabilités subjectives, on ne renonce pas pour autant à essayer d'obtenir les probabilités les plus objectives possibles. On va d'abord illustrer la formule de Bayes par un exemple.

Exemple 4.26. On reprend l'exemple II du Club du livre. Le président du club peut hésiter à rééditer l'ouvrage en question en se basant uniquement sur les jugements de ses deux collaborateurs. Il décide, avant de prendre une décision terminale, de faire une expérimentation auprès de 100 membres du club. Il fait donc parvenir le prospectus à 100 noms tirés au hasard de la liste des 50,000 membres, c'est-à-dire qu'il procède à l'expérimentation désignée par Ω (100) (cf. exemple 4.16). S'il reçoit 6 commandes dans cette expérience, comment cela modifie-t-il la distribution a priori P_o (p) attribuée aux états p de la nature (cf. tableau 4.4)? **Solution**. Le problème est de déterminer les probabilités conditionnelles

$$P\left(p / \Omega(100), X = 6\right), \quad p \in Ⓔ,$$

que l'on qualifie de probabilités a posteriori, et que l'on note quelquefois par P_1 (p). On peut obtenir ces probabilités par l'intermédiaire des formules de probabilité conditionnelle, et en particulier par celle de Bayes. Soit $(\Omega, \mathcal{E}, P)$ un espace probabilisé, E et F deux événements de $\mathcal{E}$ tels que $P(E) > 0$ et $P(F) > 0$, alors on a

$$P(E/F) = \frac{P(E \cap F)}{P(F)} \qquad \text{et} \qquad P(E \cap F) = P(E)\ P(F/E).$$

De plus, si $\{E_1, \ldots, E_n\}$ forme une partition de Ω telle que $P(E_i) > 0$ pour tout $i = 1, \ldots, n$, et si E est un événement quelconque de $\mathcal{E}$, alors on a

$$P(E) = \sum_{i=1}^{n} P(E_i)\, P(E/E_i) .$$

Si l'on applique ces formules, on obtient:

$$P\left(p_i / \Omega(100), X = 6\right) = \frac{P\left(p_i \cap (X = 6) / \Omega(100)\right)}{P\left(X = 6 / \Omega(100)\right)}$$

d'où il s'ensuit

$$(4.1) \qquad P\left(p_i / \Omega(100), X = 6\right) = \frac{P(p_i).P\left(X = 6 / \Omega(100), p_i\right)}{\sum_{j=1}^{n} P(p_j).P\left(X = 6 / \Omega(100), p_j\right)}$$

où $P(p_i) \equiv P_o(p_i)$, la probabilité a priori, et $P(X = 6/\Omega(100), p_i)$ est la vraisemblance. Quand on remplace ces probabilités par leurs valeurs, on trouve comme probabilité a posteriori les probabilités données dans la colonne de droite du tableau 4.6.

TABLEAU 4.6

Etat de la nature p	Prob. a priori $P_0(p)$	Vraisemblance $P(X = 6 / \Omega(100), p)$ (1)	Prob. jointe $P(p \cap X = 6 / \Omega(100))$	Prob. a posteriori $P(p/\Omega(100), X = 6)$
.01	.01	.001	.00001	0
.02	.04	.012	.00044	.004
.03	.10	.050	.00500	.039
.04	.19	.106	.02014	.159
.05	.24	.150	.03600	.283
.06	.22	.165	.03630	.286
.07	.15	.153	.02295	.181
.08	.05	.123	.00615	.048
	1		.12699	1

(1) Les vraisemblances ont été déterminées en utilisant la binomiale comme approximation de l'hypergéométrique.

L'équation 4.1 est l'expression de la formule de Bayes dans le contexte de l'exemple II. Dans le contexte général du modèle bayesien, on peut, dans le cas où l'ensemble des états est discret, la formuler comme suit:

La formule de Bayes. Soit $\{e_1, ..., e_n\}$ une partition de E, l'ensemble des états de la nature, et x une valeur quelconque observée suite à une expérimentation telle que $P(x) > 0$, alors

$$P(e_i / x) = \frac{P(e_i) P(x/e_i)}{\sum_{j=1}^{n} P(e_j) P(x/e_j)} .$$

Dans l'analyse d'un problème de décision, l'approche bayesienne préconise une approche séquentielle. Après chaque expérimentation, on acquiert une information additionnelle qui vient renforcer et préciser ce que l'on savait antérieurement. La distribution a priori des états de la nature peut ainsi être modifiée, et elle devient la distribution a posteriori, c'est-à-dire la nouvelle distribution revue et corrigée suite aux résultats de l'expérimentation. Cette nouvelle distribution peut servir à son tour de distribution a priori pour le cycle suivant d'expérimentation et d'analyse, si l'on juge profitable de continuer le processus. Ce processus de révision des probabilités est illustré à la figure 4.2.

Il est intéressant de noter à ce stade que la distribution obtenue après plusieurs révisions successives, à la suite de plusieurs expérimentations indépendantes, est la même que celle obtenue si l'on fait d'un seul coup toutes ces expérimentations. Par exemple, si le président du Club du livre avait tiré deux

FIGURE 4.2

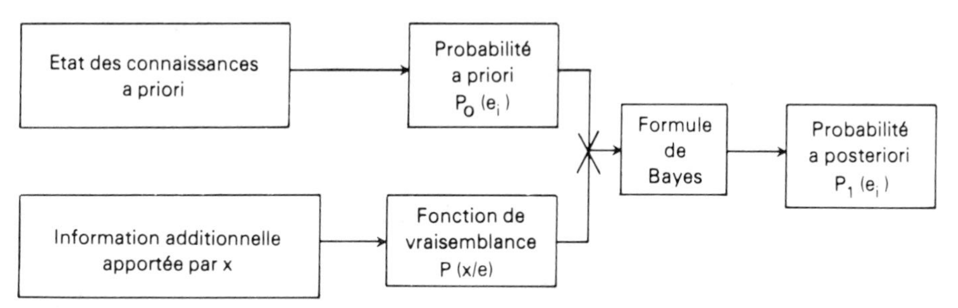

échantillons aléatoires de 50 noms (plutôt qu'un seul de 100) et reçu, par exemple, 4 et 2 commandes (soit un total de 6 commandes), alors révisant successivement sa distribution de probabilités des états de la nature, il aurait obtenu la distribution donnée à la dernière colonne du tableau 4.6. Ce résultat milite en faveur d'une approche séquentielle.

4.3.1 Analyse a priori

La première étape dans l'approche bayesienne à la décision consiste à déterminer la conséquence espérée de chaque action, sur la base des probabilités a priori. On peut ainsi d'une part déterminer l'action de Bayes a priori, et d'autre part calculer un indice du "risque" entourant cette action. On sait très bien qu'une conséquence espérée n'est pas une conséquence certaine. Ainsi, dans l'exemple II, le profit espéré de l'action a1 (rééditer l'ouvrage) est $72. (cf. exemple 4.24) mais en réalité le profit du club, s'il réédite l'ouvrage et l'offre à ses membres, sera l'un des profits donnés dans le tableau 4.5 c'est-à-dire l'une des valeurs suivantes: – $2,400, – $1,800, – $1, 200, – $600, $0, $600, $1200, $1800. Les conséquences possibles d'une action, exprimées en fonction des probabilités d'obtenir ces conséquences si l'on choisit cette action, peuvent être illustrées par un graphique appelé "le profil du risque" de cette action. La figure 4.3 donne le profil du risque a priori de l'action "rééditer l'ouvrage" dans l'exemple II.

FIGURE 4.3

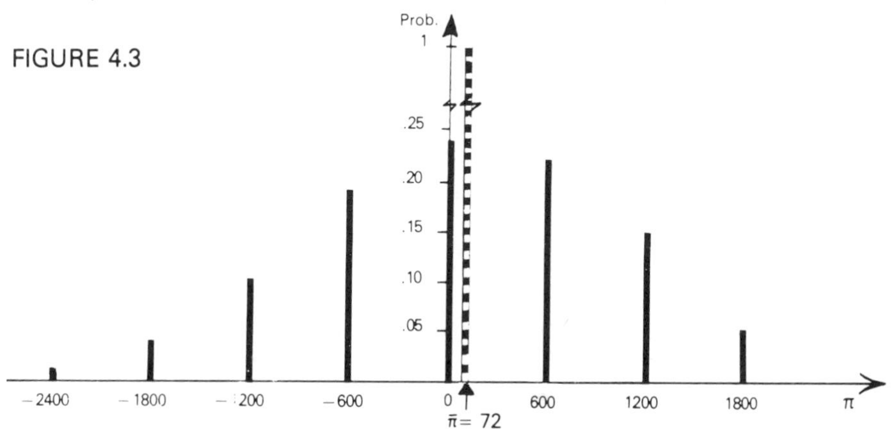

Le risque associé est attribuable à l'incertitude ou la connaissance imparfaite du président du club (le décideur) quant à l'état de la nature. Dans une approche bayesienne, où l'on reconnaît la valeur d'une information additionnelle que peut apporter une expérimentation, on cherche à quantifier le coût de cette incertitude, ou (ce qui est équivalent) la valeur (espérée) d'une information qui serait parfaite. C'est pourquoi on définit:

La valeur espérée de l'information parfaite (V.E.I.P.) On appelle valeur espérée de l'information parfaite, que l'on note V.E.I.P., le regret espéré de l'action de Bayes (action optimale), c'est-à-dire

$$\boxed{\text{V.E.I.P.} = \bar{R}(a^*)},$$

où

$$\bar{R}(a^*) = \min_{a_j} \bar{R}(a_j)$$

et, si Ⓔ est un ensemble fini contenant n états, alors

$$\bar{R}(a_j) = \sum_{i=1}^{n} R(e_i, a_j)\, P(e_i)\,.$$

Exemple 4.27. Pour l'exemple II, la matrice des regrets conditionnels ainsi que les regrets espérés des deux actions envisagés sont donnés au tableau 4.7.

TABLEAU 4.7

p	$R(a_1, p)$	$R(a_2, p)$	$P_o(p)$	$R(a_1, p) \times P_o(p)$	$R(a_2, p) \times P_o(p)$
01	2400	0	.01	24	0
02	1800	0	.04	72	0
03	1200	0	.10	120	0
04	600	0	.19	114	0
05	0	0	.24	0	0
06	0	600	.22	0	132
07	0	1200	.15	0	180
08	0	1800	.05	0	90
			1	$\bar{R}(a_1) = \$330.$	$\bar{R}(a_2) = \$402.$

Comme on l'a indiqué dans l'exemple 4.24, l'action optimale est $a^* = a_1$; c'est elle qui minimise le regret espéré, et le regret espéré de l'action optimale est \$330. Donc, dans cet exemple, la V.E.I.P. ou le coût de l'incertitude est de \$330.

La V.E.I.P. est le gain additionnel réalisé (en moyenne) si l'on disposait d'une information parfaite plutôt que d'une information imparfaite, au moment de prendre la décision terminale. Alors pour déterminer la V.E.I.P., on peut calculer ce que l'on qualifie de "profit espéré dans la certitude", et qui est le profit moyen si l'on disposait d'une information parfaite au moment de prendre la décision. On fait ensuite la différence entre ce profit espéré dans la certitude et le profit espéré ($\bar{\pi}(a^*)$) correspondant à l'action optimale. Le profit espéré dans la certitude est la valeur espérée des profits maximums $\pi^*(e_i)$ pour chaque état de la nature, c'est-à-dire que, pour chaque état possible de la nature, on choisit l'action qui conduit au profit le plus élevé; donc, si Ⓔ **est** un ensemble fini contenant n états de la nature, on a

$$\text{profit espéré dans la certitude} = \sum_{i=1}^{n} \pi^*(e_i)P_o(e_i)$$

et, par la suite,

$$\text{VEIP} = \text{profit espéré dans la certitude} - \bar{\pi}(a^*).$$

Exemple 4.28. Pour l'exemple II, à partir des profits conditionnels donnés au tableau 4.5, on détermine les profits maximums π^* (p)., et l'on calcule le profit espéré dans la certitude (tableau 4.8) qui est de $402.

TABLEAU 4.8

p	$\pi^*(p)$	$P_o(p)$	$\pi^*(p) \times P_o(p)$
.01	0	.01	0
.02	0	.04	0
.03	0	.10	0
.04	0	.19	0
.05	0	.24	0
.06	600	.22	132
.07	1200	.15	180
.08	1800	.05	90
			$402

Par exemple, si le président du club sait avec certitude que la fraction des membres qui commanderont le livre sera de .04, il est plus profitable de ne pas le rééditer (a_2), et le profit correspondant est π^* (p = .04) = 0. Puisque le profit espéré dans l'incertitude est de $72. (cf. exemple 4.24), on obtient comme valeur espérée de l'information parfaite

$$\text{V.E.I.P.} = \$402 - \$72 = \$330,$$

ce qui correspond bien au regret espéré trouvé à l'exemple 4.27.

Dans une analyse avec les coûts, il faut modifier légèrement les énoncés précédents: on parle de coût espéré dans la certitude, que l'on calcule en prenant les coûts minimums pour chaque état de la nature, et l'on obtient

$$\text{V.E.I.P.} = \bar{C}(a^*) - \text{coût espéré dans la certitude.}$$

On peut donc déterminer la VEIP soit à partir des profits (ou coûts) espérés ou encore à partir des regrets espérés.

Exemple 4.29. Pour l'exemple 1, le profit espéré dans la certitude est donné au tableau 4.9. Les profits conditionnels proviennent du tableau 4.1, et les probabilités a priori sont données dans l'exemple 4.12.

TABLEAU 4.9

e_i	$\pi^*(e_i)$	$P_o(e_i)$	$\pi^*(e_i) \times P_o(e_i)$
e_1	20	.20	4
e_2	40	.40	16
e_3	70	.40	28
		1	48

Donc le profit espéré dans la certitude est de \$48 000, et comme le profit espéré dans l'incertitude n'est que de \$43 000 (cf. exemple 4.23), ceci implique une V.E.I.P. = \$5 000.

Exemple 4.30. Pour l'exemple III, les regrets conditionnels sont donnés à l'exemple 4.11, et les probabilités a priori à l'exemple 4.14. Le regret espéré de l'action optimale, qui consiste à acheter un nouveau lot de pneus chez Fristone Inc. ($a^* = a_1$, cf. exemple 4.23), est

$$\bar{R}(a_1) = \int_{-\infty}^{30\,000} R(\mu, a_1)\, f_o(\mu)\, d\mu = \int_{-\infty}^{30\,000} [120\,000 - .004(1000)\mu] f_o(\mu) d\mu ,$$

où $f_o(\mu)$ est la fonction de densité d'une normale de paramètres $\mu_o = 34\,000$ et $\sigma_o = 6\,000$. En utilisant la valeur du point mort $\mu^o = 30\,000$ (cf. exemple 4.11), on peut écrire cette équation sous la forme

$$\bar{R}(a^*) = \int_{-\infty}^{\mu^o} .004 \times 1\,000\, [\mu^o - \mu] f_o(\mu) d\mu .$$

En transformant la variable μ, posant $z = \dfrac{\mu - \mu_o}{\sigma_o}$, on se ramène à une variable normale centrée réduite, et on a

$$\bar{R}(a^*) = 0.004(1000)\sigma_o \int_{-\infty}^{z^o} [z^o - z] f(z) dz$$

La valeur de l'intégrale $\int_{-\infty}^{z_o} (z^o - z)\, f(z)\, dz$, que l'on note $L_n\,(z^o)$ et que l'on qualifie de "fonction de perte pour la normale centrée réduite", est donnée dans la table 5 de l'annexe 2. On a illustré à la figure 4.4 des éléments intervenant dans l'intégrale en question, la valeur z^o représentant le point mort standardisé, c'est-à-dire que $z^o = (\mu^o - \mu) / \sigma$, où μ et σ sont les paramètres de la distribution normale.

FIGURE 4.4

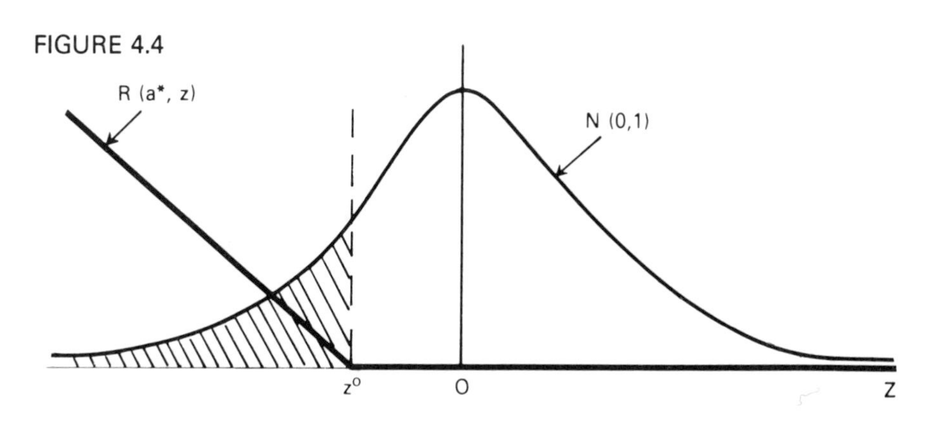

Dans la table 5, on ne considère que les valeurs positives de z^o, ce qui est justifié par la symétrie de la courbe normale, l'intégrale sous la normale, qui est représentée dans la figure 4.4 étant équivalente à celle représentée dans la figure 4.5.

FIGURE 4.5

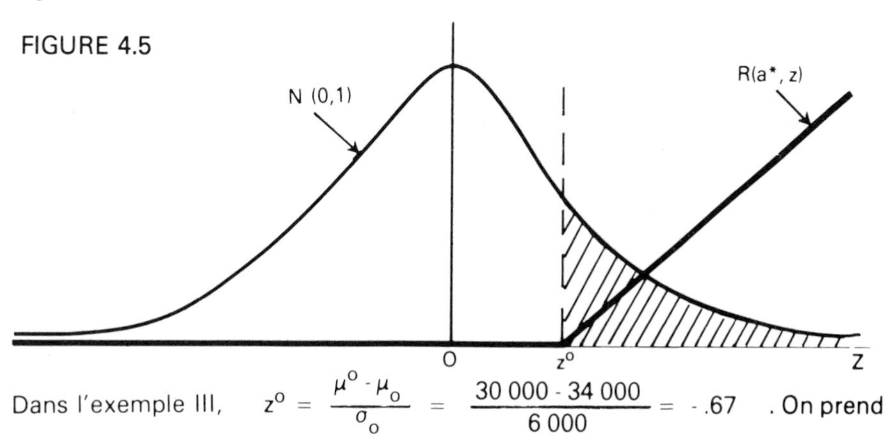

Dans l'exemple III, $z^o = \frac{\mu^o - \mu_o}{\sigma_o} = \frac{30\,000 - 34\,000}{6\,000} = -.67$. On prend donc dans la table 5 la valeur de $L_n(z^o)$ pour $z^o = .67$, ce qui donne $L_n(.67) = .150$ La V.E.I.P. est

$$\text{V.E.I.P.} = \bar{R}(a^*) = .004 \times 1\,000 \times \sigma_o \times L_n(z^o)$$

$$= .004 \times 1\,000 \times 6\,000 \times .150 = \$3\,600.$$

En général, on a $\boxed{\text{V.E.I.P.} = k\ \sigma_o\ L_n(z^o)}$ où k est la valeur absolue de la pente de la fonction de regret de a* (par exemple, k = .004 x 1000 dans l'exemple III).

Cette analyse a priori indique au décideur non seulement la "meilleure" action sur la base de son état de connaissance a priori, mais également le risque entourant une telle décision. Il se peut qu'alors le décideur opte pour une expérimentation, afin d'obtenir de l'information additionnelle avant de prendre une décision terminale.

4.3.2 Analyse a posteriori

Chronologiquement, dans l'analyse bayesienne, l'analyse prépostérieure se place avant l'analyse a posteriori. Cependant, comme on le verra plus loin, l'analyse prépostérieure incluant implicitement l'analyse a posteriori, on va d'abord présenter l'analyse a posteriori. On suppose donc que le décideur a vérifié la rentabilité d'aller chercher de l'information additionnelle par expérimentation, qu'il a procédé à cette expérimentation, et que cette dernière lui a fourni une information x. Comme cette information additionnelle n'est généralement pas parfaite, il a encore à résoudre un problème de décision dans l'incertitude. L'information obtenue est combinée à l'information a priori, en suivant la règle de Bayes, ce qui conduit aux probabilités a posteriori. On utilise ces nouvelles probabilités dans le critère de la valeur espérée pour déterminer l'action optimale a posteriori. De façon schématique, on a

$$P_o(e_i) \oplus x \longrightarrow P(e_i/x) \equiv P_1(e_i) ,$$

où x représente l'information additionnelle fournie par l'expérimentation, et $\oplus$ représente l'opération régie par la règle de Bayes. Par la suite, l'action optimale a posteriori, que l'on note a_x^*, est celle qui optimise (maximise ou minimise) les conséquences espérées de chaque action, calculées par l'intermédiaire des probabilités a posteriori, c'est-à-dire l'action a_x^* telle que

$$\overline{V}(a_x^*) = \underset{a_j}{\text{opt}} \sum_{i=1}^{n} V(e_i, a_j) P_1(e_i)$$

Exemple 4.31. Dans l'exemple I, le directeur de la production chez Marco Inc. considère qu'un risque de $5,000 (cf. exemple 4.29) est suffisamment élevé pour justifier une étude de marché lui permettant de mieux connaître l'évolution future de la demande pour le produit considéré. Il a donc confié cette étude à M. Pierre, le responsable du marketing. L'équipe de M. Pierre a utilisé un plan d'expérience qui, sans être des plus élaborés, est suffisamment bien structuré pour lui permettre de prétendre que l'information obtenue d'une telle étude est précise à 80%; autrement dit, si les résultats de l'étude sont

x_1 = une indication selon laquelle la demande sera faible,
x_2 = une indication selon laquelle la demande sera modérée,
x_3 = une indication selon laquelle la demande sera élevée,

et si les hypothèses retenues pour les fins de l'analyse (états de la nature) sont

e_1 = une hypothèse pessimiste selon laquelle la demande sera faible,
e_2 = une hypothèse "neutre", selon laquelle la demande sera modérée,
e_3 = une hypothèse optimiste selon laquelle la demande sera élevée,

alors la fonction de vraisemblance $P(x/e_i)$ est donnée par

$P(x_\ell/e_i)$

	x_1	x_2	x_3	
e_1	.80	.20	0	1
e_2	.10	.80	.10	1
e_3	0	.20	.80	1

Si cette étude a donné la valeur x_2, quelle est l'action que devrait choisir le directeur de la production a posteriori?

Solution. Pour répondre à cette question, le directeur calcule

1) la distribution a posteriori des états de la nature (tableau 4.10)

TABLEAU 4.10

e_i	$P_o(e_i)$	$P(x_2/e_i)$	$P(x_2 \cap e_i)$	$P(e_i/x_2)$
e_1	.20	.20	.04	.09
e_2	.40	.80	.32	.73
e_3	.40	.20	.08	.18
			$P(x_2) = .44$	1

2) la valeur espérée de chaque action sur la base de ces nouvelles probabilités

$$\overline{V}(a_1 / x_2) = .09(20) + .73(30) + .18(35) = 30$$

$$\overline{V}(a_2 / x_2) = .09(15) + .73(35) + .18(45) = 35$$

$$\overline{V}(a_3 / x_2) = .09(8) + .73(40) + .18(60) = \underline{\underline{40.72}}$$

$$\overline{V}(a_4 / x_2) = .09(-1) + .73(38) + .18(70) = 40.25$$

Le directeur devrait donc choisir des installations permettant une capacité de production de 1,200 unités par mois, c'est-à-dire $a^*_{x_2} = a_3$, avec une valeur présente espérée pour les profits futurs $\overline{V}(a^*_{x_2}) = \$40{,}720$. Cette valeur est inférieure à celle correspondant à l'action optimale a priori qui était $\overline{V}(a^*) = \$43\ 000$ (cf. exemple 4.23), mais le risque (regret espéré ou la V.E.I.P. a posteriori) a été réduit de $5 000 à $2 880. Ce $2 880 est obtenu à partir des regrets conditionnels $R(e_i, a_3)$ (cf. exemple 4.10) et des probabilités a posteriori, c'est-à-dire

$$\overline{R}(a^*_{x_2} = a_3) = .09(12) + .73(0) + .18(10) = 2.88$$

Exemple 4.32. Dans l'exemple II, si le président du club a fait un sondage auprès de 100 membres choisis au hasard dans la liste des 50 000, et a reçu 6 commandes, quelle action devrait-il choisir compte tenu de cette information additionnelle? **Solution.** Comme les probabilités a posteriori ont déjà été calculées pour cet exemple (tableau 4.6), il reste à calculer le profit espéré a posteriori de chaque action. Ces profits espérés sont donnés au tableau 4.11.

TABLEAU 4.11

p	$\pi(p,a_1)$	$\pi(p,a_2)$	$P_1(p)$	$\pi(p,a_1) \times P_1(p)$	$\pi(p,a_1) \times P_1(p)$
.01	−2400	0	0	0	0
.02	−1800	0	.004	−7.20	0
.03	−1200	0	.039	−46.80	0
.04	−600	0	.159	−95.40	0
.05	0	0	.283	0	0
.06	600	0	.286	171.60	0
.07	1200	0	.181	217.20	0
.08	1800	0	.048	86.40	0
			1	325.80	0
				$\bar{\pi}(a_1/X = 6)$	$\bar{\pi}(a_2/X = 6)$

L'action optimale a posteriori est de rééditer l'ouvrage (a_1). Ce résultat n'est pas tellement surprenant puisque a priori l'action optimale était de rééditer, et que le résultat du sondage renforce ce choix. En effet, on peut vérifier (par une analyse du point mort, par exemple) que si la fraction p des membres du club qui achèteront l'ouvrage est supérieure à $p^o = .05$ (fraction obtenue en faisant $\pi(p^o,a_1) = \pi(p^o,a_2)$, c'est-à-dire $\$1.20 \times 50\,000 \times p^o - \$3\,000 = 0$), il est alors profitable de rééditer; puisque le sondage a donné 6/100 = .06, l'action optimale a posteriori était prévisible. Le résultat du sondage ne modifie pas l'action optimale, mais il a certainement pour effet de rassurer le président dans son choix. On peut d'ailleurs vérifier que le risque a posteriori est réduit à $149.40.

Revision d'une distribution normale

Dans les exemples traités précédemment, on a considéré uniquement des cas où la distribution de probabilité a priori $P_0(e_i)$ était une distribution discrète. Cependant, il est possible de reviser aussi une distribution a priori continue. Dans ce qui suit, on va illustrer, par l'intermédiaire d'un exemple, de quelle façon on peut reviser une distribution de probabilité a priori normale de façon à obtenir par la suite l'action a posteriori.

Exemple 4.33. Dans l'exemple III, étant donné la variabilité assez importante dans le kilométrage moyen par pneu d'un lot à l'autre, la compagnie Fredet Ltée se croit justifiée de demander à Fristone Inc. de faire un test sur un échantillon de 25 pneus tiré au hasard de la nouvelle production d'où proviendra le lot de 1 000 pneus. Si Fristone Inc. accède à cette demande, et si le test indique un kilométrage moyen par pneu $\bar{x} = 28\,000$ km, quelle est l'action optimale pour Fredet Ltée?

Solution. A priori, on considère que le kilométrage moyen par pneu (pour un lot) se distribue selon une normale de paramètres $\mu_o = 34{,}000$ km et $\sigma_o = 6{,}000$ km. De plus, on suppose que les pneus ayant servi au test proviennent d'une population de pneus dont le kilométrage se distribue selon une normale de paramètre μ inconnu et $\sigma = 4{,}000$ km; le paramètre μ est celui sur lequel on essaie d'obtenir plus d'information. Dans ces conditions, le kilométrage moyen $\bar{X}$ obtenu d'un test de n pneus tirés de cette population se distribue comme une normale de paramètres μ et $\frac{\sigma^2}{n}$. Alors, si l'on utilise la règle de Bayes pour combiner l'information a priori $\tilde{\mu} \in N(\mu_o, \sigma_o^2)$ et l'information $\bar{x}$ provenant du test où $X \in N(\mu, \sigma^2/n)$, **on peut montrer** que a posteriori, le paramètre "kilométrage moyen par pneu" (considéré comme une variable aléatoire) se distribue également selon une normale de paramètres μ_1 et σ_1, où μ_1 est la moyenne pondérée de μ_o et de $\bar{x}$, et σ_1, la somme de la quantité d'information a priori et de la quantité d'information provenant du test. Dans ce contexte, on utilise l'inverse de la variance comme mesure de la quantité d'information; par exemple, $\frac{1}{\sigma_o^2}$ mesure la quantité d'information a priori I_o résumé par μ_o, et $\frac{1}{\sigma^2/n}$, la quantité d'information dans l'échantillon de taille n résumée par la moyenne $\bar{x}$, notée $I_{\bar{x}}$. La quantité d'information a posteriori I_1 est alors égale à la somme de ces deux informations,

$$I_1 = I_o + I_{\bar{x}}$$

et

$$\frac{1}{\sigma_1^2} = \frac{1}{\sigma_o^2} + \frac{1}{\sigma^2/n};$$

de cette dernière équation, on a

$$\sigma_1^2 = \frac{\sigma_o^2 \; \sigma_{\bar{X}}^2}{\sigma_o^2 + \sigma_{\bar{X}}^2} \qquad \text{où } \sigma_{\bar{x}}^2 = \frac{\sigma^2}{n}$$

Les poids que l'on attribue à μ_o et à $\bar{x}$ pour calculer la moyenne a posteriori μ_1 sont respectivement I_o et $I_{\bar{x}}$, les quantités d'information résumées par chacune de ces deux valeurs, d'où l'on a

$$\mu_1 = \frac{\frac{1}{\sigma_o^2}\mu_o + \frac{1}{\sigma^2/n}\bar{x}}{\frac{1}{\sigma_o^2} + \frac{1}{\sigma^2/n}}$$

Dans l'exemple III, on a $\sigma = 4\,000, \mu_o = 34\,000, \sigma_o = 6\,000, n = 25$ et $\bar{x} = 28\,000$, ce qui donne

$$\mu_1 = \frac{\frac{1}{(6000)^2}(34\,000) + \frac{25}{(4000)^2}(28\,000)}{\frac{1}{(6000)^2} + \frac{25}{(4000)^2}}$$

$$\mu_1 = 0.02\,(34\,000) + 0.98\,(28\,000) = 28\,105 \text{ km}$$

et

$$\sigma_1 = \sqrt{\frac{(6000)^2\,(4000)^2}{(4000)^2 + 25(6000)^2}} = 794 \text{ km.}$$

On remarque que le poids accordé à l'information a priori est assez faible (.02), et cela est dû à la valeur relativement grande de σ_o. Plus notre information a priori est bonne, plus σ_o est petit. Les coûts espérés a posteriori sont (cf. exemple 4.25)

$$\bar{C}(a_1/x) = \$120\,000$$

$$\bar{C}(a_2/x) = .004 \times 1\,000 \times \mu_1 = .004 \times 1\,000 \times 28\,105$$

$$= \$112\,420.$$

L'action optimale (celle qui minimise les coûts espérés) a posteriori est donc de louer des pneus chez Loue-Tout Inc., $a^*_{\underline{x}} = a_2$, et le risque correspondant est

$$\text{V.E.I.P.} = \bar{R}\,(a^*_{\underline{x}}) = .004 \times 1\,000 \times \sigma_1 \times L_n(z^o)$$
$$= .004 \times 1\,000 \times 794 \times .003$$
$$= \$9.53$$

puisque $z^o = \frac{\mu^o - \mu_1}{\sigma_1} = \frac{30\,000 - 28\,105}{794} = 2.39$ et, selon la table de la fonction de perte pour une N (0,1), on a $L_n(2.39) = .003$. On voit ici qu'il ne serait pas tellement justifié d'aller de nouveau chercher de l'information additionnelle, puisque la V.E.I.P. n'est que de \$9.53.

On peut aussi noter que, si la valeur de l'écart type $\sigma = 4{,}000$ n'avait pas été connue, on aurait pu l'estimer par la valeur de l'écart type dans l'échantillon (ce problème sera clarifié dans le chapitre 6 où l'on traite d'estimation). On peut enfin noter que, même si le kilométrage des pneus dans la population ne se distribue pas exactement selon une normale, le théorème central limite affirme, pourvu que l'échantillon soit suffisamment grand, que la moyenne $\bar{X}$ de l'échantillon se distribue approximativement selon une normale (cette question sera étudiée au chapitre 5, lorsque l'on traitera les distributions d'échantillonnage).

4.3.3 Analyse prépostérieure

Dans l'étape précédente, on a supposé que l'expérimentation avait été faite, et que l'on avait obtenu l'information additionnelle. Comme cette information n'est généralement pas parfaite, la question à laquelle on a répondu était celle de savoir comment utiliser cette information pour choisir la "meilleure" action. Mais la question préalable est de déterminer s'il est profitable de faire l'expérimentation: en d'autres termes, est-ce que la valeur de l'information que l'on peut en retirer excède son coût? On doit répondre à cette question avant d'entreprendre l'expérimentation, et cette partie de l'analyse est appelée "analyse prépostérieure". Cette analyse prépostérieure peut se faire sous forme extensive ou sous forme normale.

Analyse prépostérieure sous forme extensive. Dans l'analyse sous forme extensive, on commence par déterminer la valeur espérée de l'information pouvant être obtenue d'une expérimentation Ω, que l'on note V.E.I.(Ω), cette valeur permettant subséquemment de déterminer le gain net espéré de l'expérimentation, que l'on note G.N.E. (Ω). Une façon d'obtenir la valeur espérée de l'information provenant d'une expérimentation Ω est de considérer tous les résultats possibles x_ℓ de Ω et d'effectuer pour chacun d'eux une analyse a posteriori, c'est-à-dire de déterminer pour chaque x_ℓ les probabilités a posteriori $P(e_i \mid x_\ell)$, l'action optimale a posteriori $a^*_{x_\ell}$ et sa conséquence espérée a posteriori $\bar{V}(a^*_{x_\ell})$. Par la suite, on calcule une moyenne pondérée des conséquences espérées des actions optimales a posteriori, définie comme

$$\sum_\ell \bar{V}(a^*_{x_\ell})\ P(x_\ell)$$

Par la suite, on peut définir

> **La valeur espérée de l'information provenant d'une expérimentation** Ω, notée V.E.I. (Ω), est la différence en valeur absolue entre la moyenne pondérée des conséquences espérées des actions optimales a posteriori et la conséquence espérée de l'action optimale a priori, c'est-à-dire
>
> $$\text{V.E.I. }(\Omega) = \left| \sum_\ell \bar{V}(a^*_{x_\ell})\ P(x_\ell) - \bar{V}(a^*) \right|$$

A partir de la V.E.I. (Ω), on peut calculer le gain net espéré de l'information provenant de Ω. Le G.N.E. (Ω) est simplement défini comme la différence entre la V.E.I. (Ω) et le coût de l'expérimentation Ω, c'est-à-dire

$$\text{G.N.E. }(\Omega) = \text{V.E.I. }(\Omega) - \text{coût de } \Omega$$

La conclusion de l'analyse prépostérieure est la suivante: si l'on a **G.N.E. (Ω) > 0, il est rentable de faire l'étude; dans le cas contraire, ce n'est pas rentable.**

Il peut arriver que l'on ait le choix entre plusieurs expérimentations possibles ($\Omega_1, \Omega_2, ..., \Omega_k, ...$). Dans ce cas, il faut déterminer pour chaque Ω_k le gain net espéré; alors, l'expérimentation optimale Ω^* est celle qui maximise ces gains nets espérés, c'est-à-dire

$$\text{G.N.E.}(\Omega^*) = \max_{\Omega_k} \text{G.N.E.}(\Omega_k)$$

Exemple 4.34. Dans l'exemple I, les dirigeants de l'entreprise Marco Inc. doivent décider si l'étude telle qu'élaborée par l'équipe de M. Pierre (cf. exemple 4.31) devrait être effectuée, compte tenu de la "qualité" de l'information que l'on pourrait en retirer (qualité exprimée par la fonction de vraisemblance), et du coût de cette étude. Pour prendre cette décision, on considère les trois résultats possibles de l'étude, qui sont x_1, x_2 et x_3. Pour chacun de ces résultats x_ℓ, on calcule la distribution de probabilité a posteriori des états de la nature $P(e_i / x_\ell)$ et les conséquences espérées de chaque action $\overline{V}(a_j / x_\ell)$. Les distributions de probabilités a posteriori sont données au tableau 4.12.

TABLEAU 4.12

	$P(e_i \cap x_\ell)$				Prob. a posteriori			
	e_1	e_2	e_3	$P(x_\ell)$	$P(e_1 / x_\ell)$	$P(e_2 / x_\ell)$	$P(e_3 / x_\ell)$	
x_1	.16	.04	0	.20	.80	.20	0	1
x_2	.04	.32	.08	.44	.09	.73	.18	1
x_3	0	.04	.32	.36	0	.11	.89	1
	.20	.40	.40					

Les conséquences espérées a posteriori si le résultat de l'étude est x_1, une indication selon laquelle la demande sera faible, sont:

$$\overline{V}(a_1 / x_1) = .80(20) + .20(30) + 0(35) = \underline{\underline{22}}$$

$$\overline{V}(a_2 / x_1) = .80(15) + .20(35) + 0(45) = 19$$

$$\overline{V}(a_3 / x_1) = .80(8) + .20(40) + 0(60) = 14.4$$

$$\overline{V}(a_4 / x_1) = .80(-1) + .20(38) + 0(70) = 6.8$$

L'action optimale si l'étude donne la valeur x_1 est a_1 (choisir des installations permettant une capacité de production de 500 unités par mois), donc

$$a^*_{x_1} = a_1 \text{ et } \overline{V}(a^*_{x_1}) = \$22{,}000.$$

A l'exemple 4.31, on a fait l'analyse a posteriori pour le résultat x_2, et l'on a obtenu $a^*_{x_2} = a_3$ et $\overline{V}(a^*_{x_2}) = \$40{,}720$.

Les conséquences espérées si le résultat de l'étude est x_3, une indication selon laquelle la demande sera élevée, sont:

$$\overline{V}(a_1 / x_3) = 0(20) + .11(30) + .89(35) = 34.45$$

$$\overline{V}(a_2 / x_3) = 0(15) + .11(35) + .89(45) = 43.90$$

$$\overline{V}(a_3 / x_3) = 0(8) + .11(40) + .89(60) = 57.80$$

$$\overline{V}(a_4 / x_3) = 0(-1) + .11(38) + .89(70) = \underline{\underline{66.48}}$$

L'action optimale est alors de choisir des installations permettant une capacité de production de 2 000 unités par mois, c'est-à-dire $a^*_{x_3} = a_4$ et $\overline{V}(a^*_{x_3}) = \$66,480$.

La "moyenne" des conséquences espérées a posteriori est

$$\sum_{\ell=1}^{3} \overline{V}(a^*_{x_\ell} / x_\ell).\ P(x_\ell) = .20\ (22\ 000) + .44\ (40\ 720) + .36\ (66\ 480)$$
$$= \$46\ 249.60$$

pour une valeur espérée de l'information pouvant être fournie par cette étude de

$$\text{V.E.I. } (\Omega) = \$46\ 249.60 - \overline{V}(a^*)$$
$$= \$46\ 249.60 - \$43\ 000 = \$3\ 249.60$$

Donc si le coût de l'étude est inférieur à $3 249.60, il est rentable de la faire puisque le G.N.E. est positif. Les déboursés encourus par l'étude sont généralement faciles à évaluer, mais ce ne sont pas nécessairement les seuls coûts à considérer. Par exemple, l'étude peut avoir pour effet de retarder la décision terminale, et de modifier ainsi la fonction de conséquence des diverses actions.

L'arbre de décision. L'arbre de décision est un outil tout indiqué pour représenter l'analyse prépostérieure, particulièrement si l'on envisage des décisions séquentielles comportant plusieurs expérimentations successives. Dans une séquence de décisions, la décision que l'on prend aujourd'hui aura une influence sur celle que l'on prendra demain. L'utilisation de l'arbre de décision permet de mettre en évidence les interactions entre les diverses actions envisageables actuellement, les états ou résultats incertains, les décisions futures et leurs conséquences. L'arbre se compose d'un ensemble de noeuds reliés entre eux par des segments de droites appelés **branches**. Parmi les noeuds, on distingue d'abord des **noeuds de décision** qui représentent des points dans le temps où le décideur doit faire un choix entre plusieurs actions; de chaque noeud de décision partent autant de branches qu'il y a d'actions envisagées à ce point dans le temps. Il y a, en outre, les **noeuds d'incertitude** qui expriment les divers états ou résultats qui conditionnent la conséquence d'une décision à un moment donné; de chaque noeud d'incertitude partent autant de branches qu'il y a d'états ou résultats possibles, à ce point dans le temps. Par convention, on note les noeuds de décision par des carrés (□) et les noeuds d'incertitude par des cercles (O). A chaque branche émanant d'un noeud d'incertitude est associée la **probabilité** attribuée à l'occurrence de l'état ou du résultat qui lui correspond. Enfin, à chaque trajectoire de l'arbre (une trajectoire étant une ligne brisée reliant une suite de noeuds allant de l'extrémité gauche de l'arbre à son extrémité droite) est associée l'évaluation de la "conséquence" de cet enchaînement action-état-action ... A l'extrémité gauche de l'arbre, on retrouve toujours un noeud de décision, qui représente la première décision qui devra effectivement être prise. Par la suite, si l'arbre est construit sous une forme standard, les deux types de noeuds alternent sur une même trajectoire: noeud de décision-noeud d'incertitude-noeud de décision, etc.

L'analyse de l'arbre s'effectue en partant des branches situées à l'extrême droite, et en parcourant l'arbre à reculons ("backward analysis") pour atteindre le point de décision initiale qui se trouve à l'extrême gauche. A chaque noeud d'incertitude, on calcule la valeur espérée en utilisant les probabilités d'occurrence des divers résultats-états. Aux noeuds de décision, on choisit l'action procurant la valeur espérée "optimale".

Exemple 4.35. L'arbre de décision pour l'analyse prépostérieure de l'exemple I (cf. exemple 4.34) est représenté à la figure 4.6. A chacun des noeuds de décision (noeuds carrés) on fait un choix. Par exemple, au noeud [A] on a le choix entre cinq possibilités a_1, a_2, a_3, a_4 et a_o (l'étude). La conséquence espérée résultant de a_o est $46,249.60 moins le coût de l'étude. Si ce coût est inférieur à $3,249.60, on doit faire l'étude et choisir ensuite en fonction du résultat x_ℓ observé; sinon, on doit choisir l'action a_4.

Dans l'analyse prépostérieure, on détermine le "plan de réaction optimal" aux divers résultats possibles d'une expérimentation. Ce plan de réaction optimal est qualifié de stratégie de Bayes ou de règle de décision optimale. Pour l'exemple I, cette règle est $(a^*_{x_1} = a_1 , a^*_{x_2} = a_3 , a^*_{x_3} = a_4)$, c'est-à-dire si le résultat de l'étude est x_1, on doit choisir a_1, si le résultat est x_2, on doit choisir a_3 et, si le résultat est x_3, on doit choisir a_4. On définit quelquefois l'ensemble Δ des règles de décision possibles comme l'ensemble des applications de $\mathfrak{X}$ dans A (probabilisées ou non, bien que dans la majorité des cas pratiques, les stratégies de Bayes se trouvent dans l'ensemble des règles de décision simples, c'est-à-dire non probabilisées). Un élément δ de Δ est donc une règle conduisant au choix d'une action $a \in A$, à la suite du résultat x d'une expérience Ω . Cela se traduit par l'écriture $a = \delta(x, \Omega)$, où $\delta \in \Delta$, $a \in A$, $x \in \mathfrak{X}$ et $\Omega \in W$.

L'analyse prépostérieure sous forme normale. Dans certains cas il peut être plus approprié de procéder à une analyse prépostérieure sous une autre

FIGURE 4.6

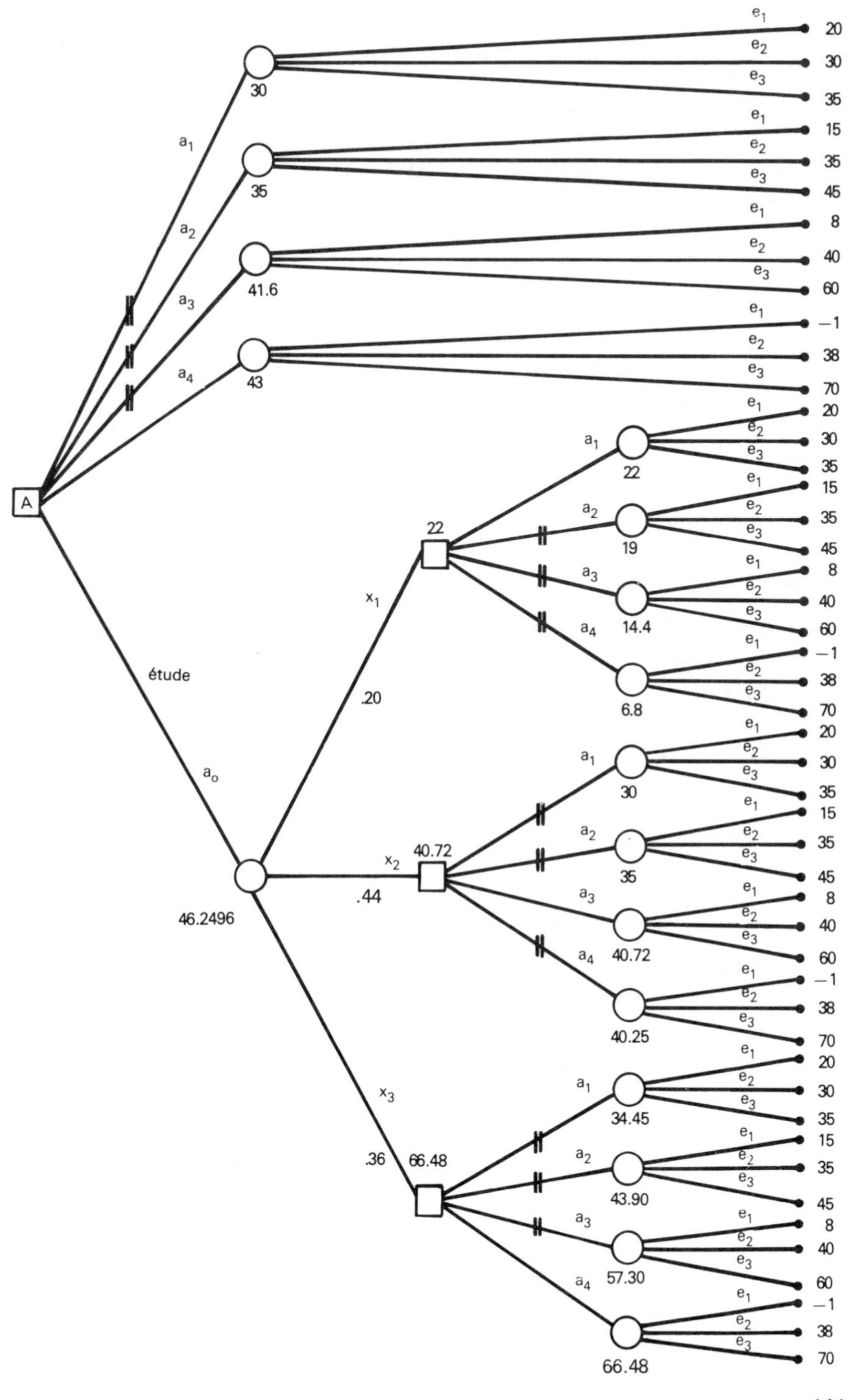
A
a1
a2
a3
a4
30
35
41.6
43
e1
e2
e3
20
30
35
15
35
45
8
40
60
−1
38
70
étude
a0
46.2496
x1
.20
22
x2
.44
40.72
x3
.36
66.48
22
19
14.4
6.8
30
35
40.72
40.25
34.45
43.90
57.30
66.48

forme, à savoir une analyse prépostérieure sous forme normale. Dans une telle analyse, on commence par énumérer toutes les règles de décision possibles δ_j, et ensuite on calcule les conséquences conditionnelles espérées (conditionnelles aux états de la nature), que l'on note $\overline{V}(e_i, \delta_j)$. Pour un problème donné, le nombre de règles peut être assez grand, car il est égal au nombre d'actions élevé à la puissance du nombre de résultats possibles. Dans l'exemple I, le nombre de règles est $4^3 = 64$, et quelques-unes de ces règles sont illustrées au tableau 4.13.

TABLEAU 4.13

	δ_1	δ_2	...	δ_8	...	δ_{16}	...	δ_{24}	...	δ_{64}
x_1	a_1	a_1		a_1		a_1		a_2		a_4
x_2	a_1	a_1		a_2		a_4		a_2		a_4
x_3	a_1	a_2		a_4		a_4		a_4		a_4

Souvent, plusieurs de ces règles peuvent être éliminées, car elles sont non admissibles ou dominées par une ou plusieurs autres. Dans l'exemple suivant, on illustre l'analyse de forme normale et des règles non admissibles.

Exemple 4.36. Dans l'exemple II, il n'y a que deux actions envisagées. La décision du président du club dépendra du nombre x de commandes qu'il recevra suite à l'envoi du prospectus à un échantillon de n membres. Si la valeur de x est suffisamment grande, il rééditera, et si elle est trop petite, il ne rééditera pas. Donc, selon ce raisonnement, si la valeur de x est $\geqslant$ c (valeur à déterminer), on réédite (a_1), et si elle est $<$ c, on ne réédite pas (a_2) ; autrement dit, dans cet exemple, il y a $(n + 1)$ règles de décision admissibles et elles sont de la forme illustrée à la figure 4.7.

FIGURE 4.7

x	δ_{o_c}
0	a_2
1	a_2
.	.
.	.
.	.
c - 1	a_2
c	a_1
.	.
.	.
.	.
n	a_1

On parle alors de règle de décision du type (n, c), et la règle optimale est notée (n*, c*). On peut commencer par supposer n fixe et égal à 100 (par exemple), c'est-à-dire considérer l'expérimentation $\Omega(100)$, pour déterminer le c* correspondant et le G.N.E.($\Omega(100)$). Ensuite on optimisera sur n. Pour chaque règle de décision admissible δ_c, on calcule les regrets conditionnels espérés, c'est-à-dire les regrets espérés pour chaque valeur de p. Ensuite, en utilisant les probabilités a priori, on calcule les regrets espérés de chaque règle. On a déjà indiqué dans l'exemple 4.32 que le point mort se situe à $p^o = .05$, c'est-à-dire que si $p < p^o = .05$, on ne doit pas rééditer, et si $p > p^o = .05$, il est profitable de le faire. En effet, puisque l'on a

$$\pi(p_1\, a_1) = \$60{,}000\, p - \$3{,}000,$$

$$\pi(p_1\, a_2) = 0,$$

on obtient $p^o = .05$ (voir la figure 4.8)

FIGURE 4.8

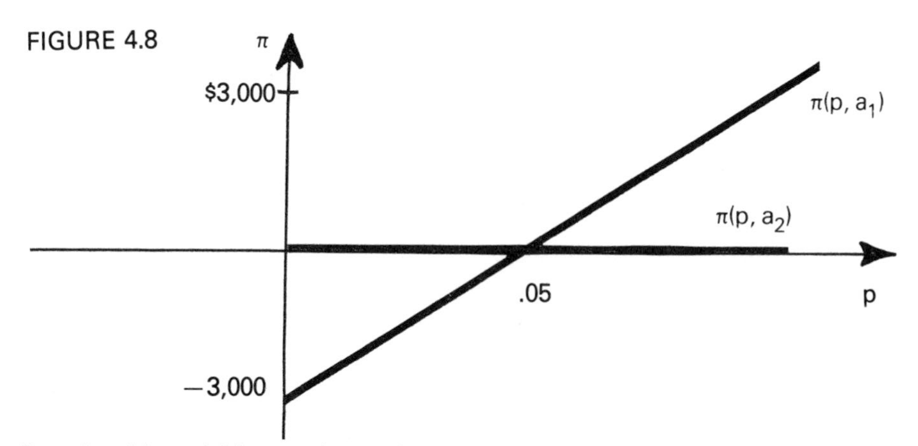

Dans le tableau 4.14, on présente les calculs des regrets conditionnels espérés et regrets espérés pour la règle de décision (n = 100, c = 4).

TABLEAU 4.14

p (1)	m.d. (2)	P(m.d./p) (3)	R(p, m.d.) (4)	$\bar{R}$ (p, m.d.) (5)	P_o (p) (6)	$\bar{R}$ (p, m.d.) x P_o (p) (7)
.01	a_1	.018	2400	43.20	.01	0.432
.02	a_1	.141	1800	253.80	.04	10.152
.03	a_1	.353	1200	423.60	.10	42.36
.04	a_1	.571	600	342.60	.19	65.094
.05	--	--	0	0	.24	0
.06	a_2	.143	600	85.80	.22	18.876
.07	a_2	.074	1200	88.80	.15	13.32
.08	a_2	.037	1800	66.60	.05	3.33
					1	\$153.564

$= \bar{\bar{R}}\,(\delta_{c\,=\,4})$

Explications du tableau 4.14

- La colonne (2) indique la mauvaise décision pour chaque état de la nature; par exemple, si $p = .03 < p^o = .05$, on ne doit pas rééditer; donc l'action de rééditer (a_1) serait une mauvaise décision.
- La colonne (3) donne la probabilité que l'on soit conduit à la mauvaise décision indiquée en (2), en suivant la règle de décision qui consiste à choisir a_1 si $x \geqslant c$ et a_2 si $x < c$; par exemple, pour $c = 4$ et $p = .03$, alors $P(m.d./p) \cong P(X \geqslant 4)/n = 100, p = .03) = .353$, en utilisant l'approximation donnée par la binômiale.
- La colonne (4) donne les regrets conditionnels accompagnant les m.d. indiquées en (2), et que l'on trouve au tableau 4.7.
- La colonne (5) résulte du produit des valeurs inscrites aux colonnes (3) et (4), et représente les regrets conditionnels espérés.

Pour déterminer la valeur optimale de c (pour n = 100), on doit refaire des calculs équivalents à ceux du tableau 4.14 pour d'autres valeurs de c. On trouve

$$\text{pour } c = 3, \quad \bar{\bar{R}}(\delta_{c=3}) = \$195.50$$
$$\text{pour } c = 5, \quad \bar{\bar{R}}(\delta_{c=5}) = \$141.95$$
$$\text{pour } c = 6, \quad \bar{\bar{R}}(\delta_{c=6}) = \$161.78 ;$$

et l'on pourrait prouver que la valeur optimale de c pour n = 100 est $c^* = 5$ avec un regret de $141.95. On peut maintenant calculer la valeur espérée de l'information qui peut être obtenue de ce sondage:

$$\text{V.E.I.}(\Omega(100)) = \bar{R}(a^*) - \bar{\bar{R}}(\delta_{c^*})$$
$$= \$330. - 141.95 = \$188.05$$

Le coût du sondage est évalué à $50 de frais fixes, et à $0.75 de frais variables (en moyenne) par membre faisant partie de l'échantillon, c'est-à-dire

$$\text{coût } (\Omega(n)) = \$50 + \$0.75\, n.$$

Donc le gain net espéré pour un échantillon de taille 100 est

$$\text{GNE}(\Omega(100)) = \text{V.E.I.}(\Omega(100)) - \text{coût}(\Omega(100))$$
$$= \$188.05 - \$125. = \$63.05 ,$$

ce qui veut dire qu'il est profitable de faire un sondage auprès de 100 membres avant de prendre une décision terminale. La question qui se pose maintenant est celle de savoir si 100 est la taille optimale de l'échantillon. C'est le problème du choix de l'expérimentation optimale dans l'ensemble W.

On peut reprendre l'analyse prépostérieure pour d'autres valeurs de n. Les tableaux 4.15 et 4.16 donnent respectivement les gains nets espérés pour les valeurs de n allant de 5 à 120 par pas de 5, et de 95 à 105 par pas de 1. Les valeurs ont été obtenues à l'aide d'un programme APL: les figures 4.9 et 4.10

présentent les courbes correspondantes à ces GNE. Comme on peut le voir, la règle de décision optimale est ($n^* = 102$, $c^* = 5$), et le gain net espéré correspondant, $63.29. Donc le président devrait prendre un échantillon aléatoire de 102 membres et décider de rééditer si le nombre de commandes reçues est $\geqslant 5$, mais de ne pas rééditer si $x < 5$.

TABLEAU 4.15

PROBLEME DU CLUB.

VALEUR DE n	GAIN NET ESPERE.
5	¯51.259945
10	¯9.992744
15	11.804927
20	20.901718
25	21.860133
30	28.869131
35	40.454477
40	46.170283
45	47.106358
50	45.738593
55	53.715086
60	57.774730
65	58.430845
70	56.232852
75	59.574401
80	62.511736
85	62.827636
90	60.862559
95	60.969797
100	63.056729
105	63.033122
110	61.132908
115	59.354219
120	60.761485

TABLEAU 4.16

PROBLEME DU CLUB.

VALEUR DE n	GAIN NET ESPERE.
95	60.969797
96	61.566640
97	62.072073
98	62.487751
99	62.815385
100	63.056729
101	63.213582
102	63.287774
103	63.281168
104	63.195648
105	63.033122

Pour tous les exemples donnés dans ce chapitre la V.E.I. est positive (> 0). La valeur espérée de l'information contenue dans une expérimentation Ω peut être nulle si aucun des résultats x de cette expérimentation ne conduit à modifier l'action optimale a^* a priori, c'est-à-dire que V.E.I. $(\Omega) = 0$ si $a^*_{x_\ell} = a^*$ pour tout x_ℓ. On doit remarquer que cela n'empêche pas que l'information x puisse modifier les probabilités a priori. Donc cette information peut avoir une valeur intrinsèque, même si on ne lui reconnaît pas de valeur dans le cadre du problème de décision considéré.

FIGURE 4.9

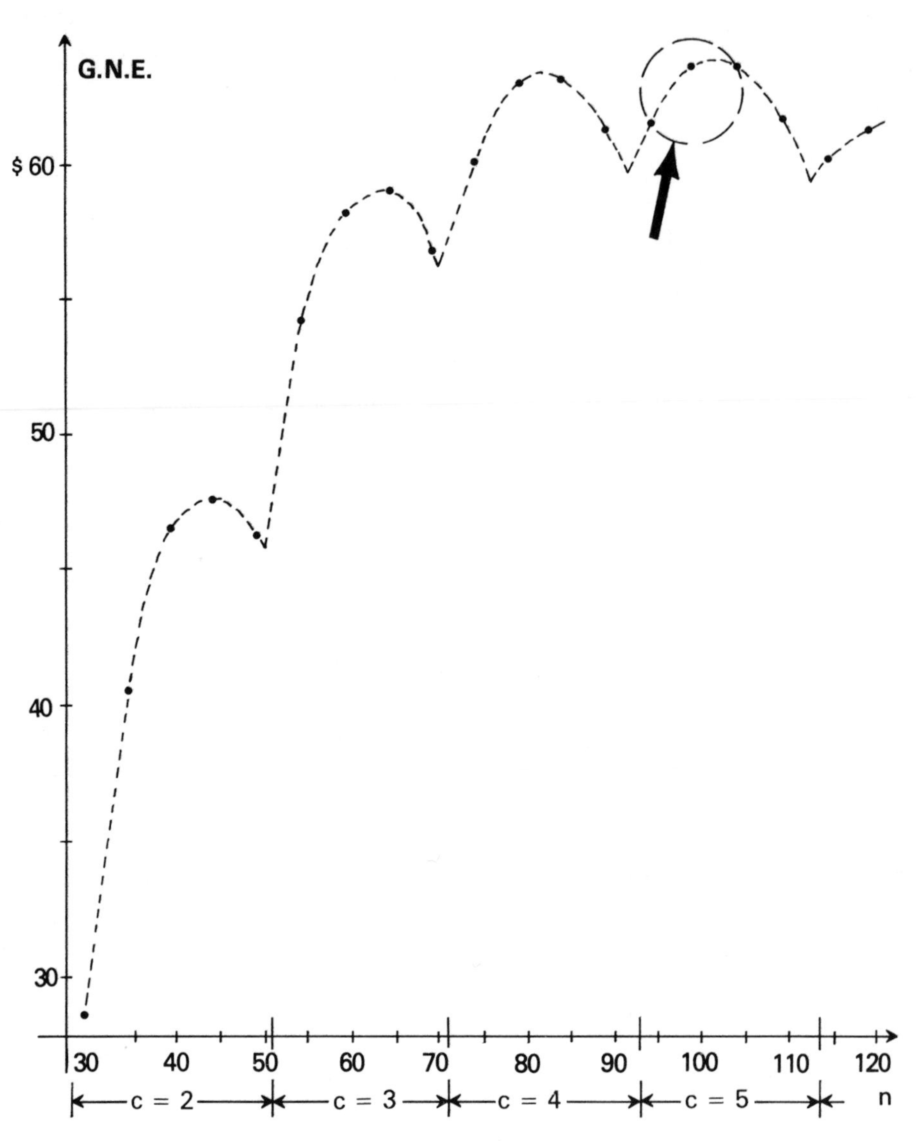

4.4 Les limites de l'analyse bayesienne

Les limites du modèle bayesien de décision résident essentiellement dans les difficultés d'ordre pratique que l'on rencontre lors de sa mise en application. Plusieurs de ces difficultés d'implantation sont communes à tous les modèles de la "science du management". Elles sont dues en partie à un manque d'entraînement à formuler les problèmes et à les traduire sous forme de modèles, et en partie aux exigences de ces modèles en termes "d'input" (souvent d'ordre économique). Les exigences particulières de l'analyse

FIGURE 4.10

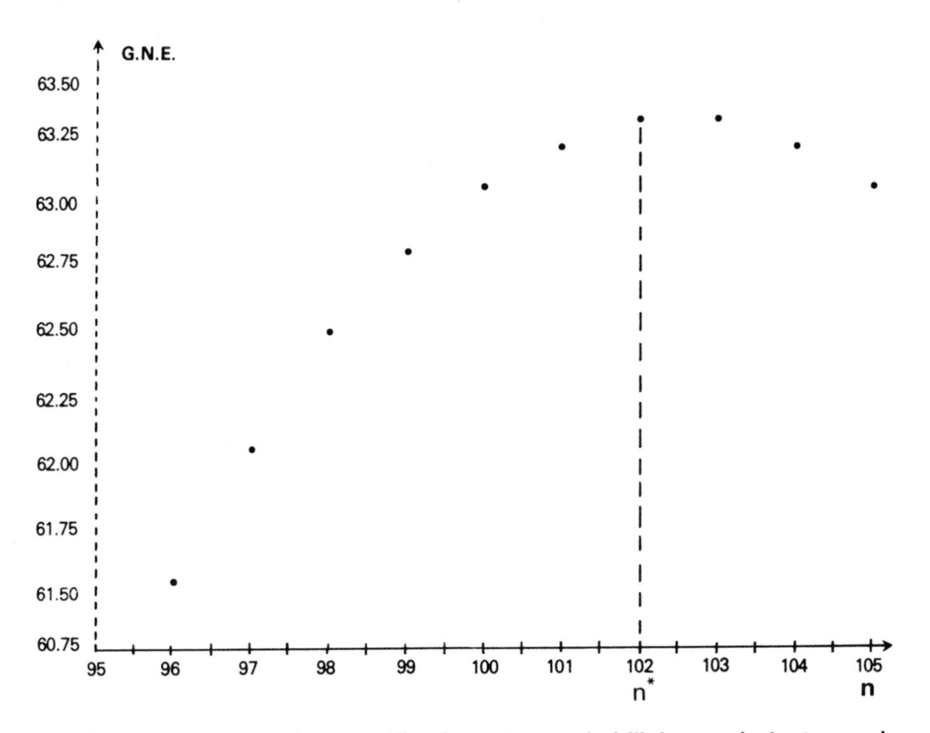

bayesienne concernent la quantification des probabilités a priori, des vraisemblances et de la fonction de préférence.

Même si l'on se plaît à dire que l'homme est un "statisticien intuitif", il y a suffisamment d'évidence empirique pour que l'on admette qu'il a une capacité limitée de traiter l'information, et qu'il éprouve de la difficulté à définir une distribution de probabilité. Ainsi, par exemple, on observe chez l'individu une tendance à attribuer une probabilité plus élevée à un événement qui n'est pas survenu depuis un certain temps; de même, sous la pression d'une décision à prendre, on a tendance à attribuer une probabilité plus élevée aux événements défavorables; parfois, on imagine avoir une meilleure image de la réalité qu'elle ne l'est; souvent on a tendance à surestimer les petites probabilités et à sous-estimer les grandes; on est davantage influencé par les événements récents (par exemple, on aura tendance à attribuer une probabilité plus faible aux chances de succès d'un nouveau produit, si l'on vient d'apprendre l'échec d'un autre produit); la méthode du questionnaire peut influencer les probabilités attribuées à des événements, car elle a un effet sur notre façon de percevoir le problème; etc. Il y a deux dimensions à considérer chez la personne qui doit attribuer des probabilités:

1) ses connaissances concernant le phénomène étudié, et
2) son habilité à exprimer son opinion sous forme de probabilités.

Si les connaissances d'un manager concernant le problème étudié sont uniques et supérieures à n'importe quelles sources "objectives", il serait dommage qu'il ne puisse en profiter. C'est pourquoi, dans la littérature sur la décision statistique, on a suggéré diverses méthodes pour amener le décideur à exprimer correctement ses probabilités subjectives. Les travaux de Winkler ont marqué le pas dans cette direction. Quelques-unes de ces méthodes ont été présentées dans notre livre **Probabilités en gestion et en économie**. Les théoriciens de la décision soutiennent que l'on peut amener progressivement toute personne réfléchie à exprimer sous forme quantitative les chances d'occurrence qu'elle accorde aux événements qui relèvent de son expérience quotidienne, exactement comme l'architecte peut évaluer, par simple inspection visuelle et avec une précision suffisante pour les besoins de la pratique, la dimension d'une pièce, le cubage d'un bâtiment, la durée de vie d'une construction,... Dans cette optique, la probabilité est à l'incertitude ce que le kilogramme est à la masse, et le mètre à la distance. Les chances d'occurrence d'un événement peuvent être appréciées, comme une distance peut l'être "au coup d'oeil", avec, dans les deux cas, un degré de précision satisfaisant. Ce n'est là que question d'habitude. Si l'on n'est pas tout à fait certain des probabilités exprimées, on peut procéder à une analyse de sensibilité, afin de déterminer si les probabilités sont des valeurs critiques dans le modèle.

On doit également mentionner que certaines études montrent que le décideur n'est pas toujours bayesien dans sa façon de réviser son niveau d'information, c'est-à-dire qu'il n'apporte pas toujours une modification équivalente à celle prescrite par la règle de Bayes. De plus, dans le modèle bayesien, on suppose que l'information additionnelle aura un impact uniquement sur les probabilités. Or, cette information peut conduire, par exemple, à la découverte de nouvelles alternatives d'actions ou à de nouveaux états de la nature. A cela, si l'on ajoute les difficultés de calculs qui surgissent lorsque l'on considère plusieurs phases successives d'expérimentation, on voit que l'on est en présence d'un modèle de décision qui, tout en ayant un potentiel certain, est quelquefois difficile d'application.

4.5 EXERCICES

4.1 Le directeur du marketing chez "Tom" croit qu'il y a 80% de chances que leur nouveau produit soit considéré comme supérieur à ceux de leurs compétiteurs. Pour confirmer cela, il projette une étude de marché. Selon le plan d'étude élaboré, cette recherche aurait la "fiabilité" suivante: si le produit est réellement supérieur, il y a 90% de chances que l'étude le révèle, et si le produit n'est pas réellement supérieur, il y a 40% de chances que l'étude trouve le produit supérieur.

Si l'on effectue l'étude, et si elle indique que le produit est supérieur, comment ce résultat devrait-il modifier les croyances du directeur?

4.2 Une compagnie désire introduire un nouveau produit dans une région, mais elle aimerait préalablement déterminer ses chances de profit. Elle sait que ce type de région peut se diviser en trois catégories bien distinctes: la catégorie A où le produit se vendra très bien, la catégorie B où la vente sera moyenne, et la catégorie C où la vente sera assez faible. De plus, sur la base de son expérience passée dans de telles régions, elle croit qu'il y a 50% de chances que la région désignée soit de la catégorie A, 30% qu'elle soit de la catégorie B, et 20% qu'elle soit de la catégorie C.

La compagnie n'est pas tout à fait certaine de ces probabilités (.50, .30, .20), mais elle sait qu'une caractéristique particulière X de la région peut être mesurée, et que ce facteur donnera une indication sur la catégorie de la région. Cette indication ne sera pas une information parfaite, mais l'on donne la probabilité conditionnelle pour chacune des deux valeurs possibles de la caractéristique X, étant donné chacune des trois catégories A, B et C.

$$P(X = 1 / A) = 0.2; P(X = 2 / A) = 0.8;$$

$$P(X = 1 / B) = 0.4; P(X = 2 / B) = 0.6;$$

$$P(X = 1 / C) = 0.7; P(X = 2 / C) = 0.3;$$

Si la compagnie mesure cette caractéristique X dans la région désignée et si elle trouve $X = 1$, indiquer comment cela modifie ses probabilités a priori pour les trois types de catégories.

4.3 Le premier ministre L'Archevêque se demande quelles sont ses chances d'être réélu aux prochaines élections provinciales. Son opinion a priori en ce qui concerne le pourcentage des voix qu'il obtiendrait peut être résumée de la manière suivante:

p_i	$P_o(p_i)$
.45	0.25
.50	0.50
.55	0.25
	1

Il décide de procéder à un sondage d'opinions éclair:

100 personnes sont interrogées et 45 personnes se déclarent favorables au premier ministre.

a) Quelle était la probabilité d'obtenir ce résultat?
b) Comment ce résultat va-t-il modifier les opinions a priori de M. L'Archevêque?

4.4 Le directeur d'une firme productrice de disques hésite à lancer sur le marché le nouveau "tube" de l'été. Le directeur estime que l'opération ne sera rentable que si au moins 40% des discophiles l'achètent.

Il demande l'avis de ses deux collaborateurs, MM. Paul et Claude (qu'il juge également compétents en la matière) sur les différentes proportions (p_i) de discophiles qui seraient prêts à acheter le nouveau disque. Les opinions de ses deux collaborateurs sont résumées par les tableaux suivants:

Opinion de M. Paul

p_i	$P(p_i)$
0.3	0.4
0.4	0.4
0.5	0.2

Opinion de M. Claude

p_i	$P(p_i)$
0.4	0.5
0.5	0.4
0.6	0.1

Le directeur décide de compléter son information en procédant à une enquête. La vente du disque est proposée à vingt discophiles choisis au hasard: sept disques seulement sont vendus.

Sur la base de tous les renseignements dont il dispose, quelle probabilité le directeur accordera-t-il au fait que le lancement du nouveau disque soit rentable?

4.5 Un mensuel lance une campagne de publicité pour susciter de nouveaux abonnements en envoyant plusieurs numéros en spécimen à des personnes susceptibles de s'abonner. Des expériences analogues ont permis d'évaluer la proportion "p" du nombre d'abonnements nouveaux par rapport au nombre de personnes touchées, et de lui assigner les probabilités suivantes:

p	$P_o(p)$
.20	.3
.25	.6
.30	.1
	1.0

a) Si le coût publicitaire par personne est de $0.40, et si le gain brut escompté est de $2.50 par abonnement individuel, calculer le profit net espéré pour un envoi de 10,000 spécimens.

b) Avant de lancer la campagne, on décide de faire un test en envoyant 200 spécimens à autant de personnes, que l'on croit représentatives des 10,000.

Si des 200 envois l'on reçoit 44 demandes d'abonnement, de combien cela modifie-t-il les probabilités a priori pour la proportion p?

4.6 Un distributeur d'ampoules électriques pour arbre de Noël considère la possibilité d'acheter sa provision d'ampoules pour la prochaine saison (100,000 ampoules) d'un manufacturier étranger.

Ce manufacturier prétend que ses ampoules sont aussi bonnes que celles que l'on peut se procurer dans les marques les plus connues. Le distributeur sait par expérience que pour les marques connues, il y a en moyenne 2% de défectueuses. Le distributeur doute un peu de la qualité du produit étranger. Ces nouvelles ampoules lui coûteraient $0.01 de moins l'unité et seraient vendues au même prix que les ampoules habituelles. La maison de distribution étant une maison responsable, elle évalue que chaque ampoule défectueuse lui implique un coût supplémentaire de $0.50 pour son remplacement, l'insatisfaction du client, etc.

a) Etablir les formules permettant de calculer les regrets conditionnels pour chacune des deux actions.

b) Si, a priori, le distributeur assigne la distribution de probabilités suivante au % de défecteuses parmi les ampoules du manufacturier étranger

%	P (%)
.01	.1
.02	.4
.05	.5
	1.0

déterminer l'action optimale et la V.E.I.P.

c) Si, avant de prendre une décision finale, le distributeur prend un échantillon de 100 de ces nouvelles ampoules, et s'il en trouve 6 défectueuses, déterminer son action optimale a posteriori.

4.7 Une compagnie produisant des céréales et approvisionnant 50,000 épiciers détaillants, considère la possibilité d'introduire une nouvelle céréale pour enfant.

Il en coûterait $250,000 pour introduire cette nouvelle céréale (organiser la fabrication, publicité, ...). La compagnie sait que cette céréale peut être commercialisée avec succès pendant une période limitée (un horizon d'un an, par exemple).

Le directeur de la compagnie espère que les ventes moyennes annuelles pour l'ensemble des 50,000 détaillants seront de 6.6 millions de boîtes, avec un profit marginal de $0.05 la boîte. De plus, il estime qu'il a deux chances sur trois que ces ventes soient dans l'intervalle [3.0, 10.2] millions de boîtes.

a) Recommanderiez-vous l'introduction de cette nouvelle céréale?
b) Calculer la valeur espérée de l'information parfaite.

c) Si un test d'une durée d'un mois est fait dans 100 épiceries et si les ventes moyennes sont de 10 boîtes par magasin avec un écart type de 6 boîtes (valeur que l'on peut utiliser comme estimation de σ), est-ce que la nouvelle céréale devrait être introduite? Expliquer.

4.8 Une agence s'occupant de spectacles envisage la possibilité de faire venir une très grande troupe de théâtre dans une ville comptant 30,000 familles. Le coût total espéré, incluant la location du théâtre, est de $100,000.

Le responsable pense que s'il fixe le prix du billet d'admission à $4.00, il pourra vendre en moyenne un billet par famille. Cependant, il n'est pas tout à fait certain de cette estimation, et il croit qu'il y a autant de chances que les ventes se situent entre 0.6 et 1.4 billet par famille qu'en dehors de cet intervalle.

a) Sur la base de cette information, recommanderiez-vous de faire venir la troupe de théâtre?

b) Calculer la valeur espérée de l'information parfaite.

c) Supposer que l'agence décide de faire un sondage auprès de 100 familles choisies au hasard parmi les 30,000, et qu'elle relève une intention d'achat de 1.2 billet par famille, avec un écart type de 0.4 (valeur que l'on peut utiliser comme estimation de σ); devrait-elle faire venir la troupe?

4.9 Une compagnie de fonds mutuels projette la mise en vente d'actions ordinaires. On peut faire une étude afin de prévoir la fluctuation du prix des actions. L'étude peut donner le résultat x_1 (le prix va monter) ou x_2 (le prix va baisser ou rester stable). De plus, on a les informations suivantes:

états de la nature	$P_o(e_i)$	$P(x_1/e_i)$	$P(x_2/e_i)$
e_1 : prix monte	0.4	0.6	0.4
e_2 : prix baisse ou reste stable	0.6	0.1	0.9

Table des regrets conditionnels

	a_1 = vendre	a_2 = ne pas vendre
e_1	$50,000	0
e_2	0	$50,000

a) Déterminer l'action optimale si l'on ne fait pas d'étude.

b) Déterminer la règle de décision optimale, et indiquer s'il est profitable de faire l'étude si elle coûte $2,000.

c) Construire l'arbre de décision.

4.10 Un prospecteur doit prendre une décision au sujet d'un terrain qu'il a loué à bail, terrain situé dans une région pétrolière. Ce bail l'autorise à opérer des forages, en vue d'extraire du pétrole, à n'importe quel moment avant que n'expire son option sur ce site. La date d'expiration approche et il n'a toujours pas pris de décision.

Le prospecteur hésite avant de prendre la décision d'opérer ou non un forage, car il n'est pas certain que celui-ci sera fructueux. Il lui est possible de procéder à une expérience en effectuant un sondage sismique, afin de mieux connaître la structure du sol. Bien que ce test lui fournisse de l'information supplémentaire, il subsistera tout de même un doute quant à la présence de pétrole en quantité suffisante pour que l'exploitation soit rentable.

Dans le but de présenter une analyse détaillée (bien que simplifiée) du problème, supposons que l'on dispose des données suivantes:

1) Le coût de forage = $70,000, et le coût d'un sondage sismique = $10,000.

2) Les recettes brutes pour les deux possibilités (forer (a_1), ne pas forer (a_2)), selon les différents états du site (sec (e_1), humide (e_2) ou suintant (e_3)) sont données au tableau suivant:

recettes brutes

	a_1	a_2
e_1	0	0
e_2	$120,000	0
e_3	$270,000	0

3) Ce prospecteur n'en est pas à ses premières armes. Il jouit d'une vaste expérience et dispose d'information concernant les divers états possibles du site. Par exemple, il croit avoir raison de prétendre qu'il y a 50% de chances que l'état du site soit e_1, 30% qu'il soit e_2 et 20% qu'il soit e_3. De plus, il estime les résultats du sondage sismique de la façon suivante:

   a) il y a 40% de chances que le sondage indique que le sol "n'a pas de structure géologique particulière" (x_1). A la suite d'une telle information, les chances qu'il attribuerait aux divers états du site seraient: 75% pour e_1, 23% pour e_2 et 2% pour e_3;

   b) il y a 35% de chances que le sondage montre une "structure ouverte" (x_2). Avec une telle information, les chances que le site soit dans l'un ou l'autre des divers états seraient: 43% pour e_1, 34% pour e_2 et 23% pour e_3.

   c) il y a 25% de chances d'observer une "structure fermée" (x_3), auquel cas ses prévisions sur les chances des divers états du site seraient: 20% pour e_1, 36% pour e_2 et 44% pour e_3.

Même si le prospecteur est habitué à prendre des décisions dans un tel contexte d'incertitude, il est toujours un peu embarrassé devant le risque relié à ces décisions. Que lui suggéreriez-vous?

4.11 "International Laboratories" est une grande entreprise de produits pharmaceutiques. Le service "Recherche et développement" a récemment mis au point un nouvel analgésique qui présente une certaine supériorité sur l'aspirine et sur les autres produits concurrents. Les tests effectués en laboratoire ont été très concluants. La direction hésite à lancer le produit sur le marché, en raison du prix de vente qui devra être adopté, les coûts de production étant nettement plus élevés que ceux des produits similaires.

Une étude de marché réalisée par le département "recherche commerciale" donne des statistiques de vente de tous les analgésiques, ainsi que leurs parts de marché respectives. On dispose également de prévisions de vente.

L'étude a permis d'estimer la part de marché escomptée en cas d'introduction du produit. Si l'accueil est particulièrement favorable, la part du marché pourrait être de 20% environ (événement e_1); toutefois, la part la plus probable est de 10% (événement e_2); enfin, en cas d'accueil défavorable, la part de marché ne serait que de 3% (événement e_3). La probabilité attribuée à chacun de ces événements, ainsi que leurs implications financières pour l'entreprise sont présentées au tableau A: ces données constituent les meilleures estimations disponibles, et ont été élaborées en accord avec la direction.

De plus, l'entreprise envisage la possibilité d'organiser un test de vente. Compte tenu des conditions de réalisation de cette expérimentation-ventes, il a semblé opportun d'en caractériser sommairement les résultats de la façon suivante:

x_1 = l'enquête révèle une part de marché de plus de 15%
x_2 = l'enquête révèle une part de marché comprise entre 5 et 15%
x_3 = l'enquête révèle une part de marché inférieure à 5%

Les probabilités attribuées à ces résultats, en fonction de l'état réel du marché, sont présentées au tableau B.

TABLEAU A Profits conditionnels (millions)

	a_1 : introduire	a_2 : ne pas introduire	$P_o(e_i)$
e_1	25	0	0.2
e_2	10	0	0.6
e_3	−20	0	0.2

TABLEAU B Vraisemblances: $P(x_\ell / e_i)$

	x_1	x_2	x_3
e_1	.70	.20	.10
e_2	.20	.50	.30
e_3	.10	.30	.60

Sachant que le coût du test de vente est de $100,000,

a) Quelle est la V.E.I. de ce test?
b) Faut-il ou non le réaliser?
c) Faut-il ou non introduire le produit?

4.12 M. Duclos fait face à un problème de décision assez épineux. Son équipe d'analystes et lui ont fait les estimations suivantes:

	Bénéfices a_1	a_2	$P_0(e_1)$
e_1	140,000	0	0.5
e_2	−60,000	0	0.5

Comme l'indique la distribution a priori, ils sont assez incertains des états de la nature. Cependant, ils ont rencontré les représentants de deux maisons de recherche en gestion.

La maison A est prête à faire un travail de recherche, afin de prédire l'état de la nature, au coût de $15,000. La maison B est prête à faire ce même travail au coût de $10,000.

M. Duclos et son équipe estiment, en se basant sur leur expérience et sur les plans de recherche élaborés par les deux maisons, la précision (probabilités conditionnelles ou vraisemblances) de l'information provenant de chacune des deux expérimentations comme suit:

	Maison A		Maison B	
	x_1	x_2	x_1	x_2
e_1	.9	.1	.6	.4
e_2	.2	.8	.3	.7

Faire une analyse complète du problème (analyse a priori, prépostérieure, indiquer la stratégie de Bayes et la V.E.I. pour chaque étude, construire l'arbre de décision).

4.13 Le président d'une maison de produits envisage la possibilité de lancer sur le marché un nouveau produit.

Il estime que si le produit est lancé avec succès, sa compagnie peut espérer un bénéfice de 10 millions sur une période de 5 ans. Cependant, si le lancement du produit est un échec, il peut s'attendre à un bénéfice de −3 millions sur cette même période (valeurs actualisées).

Le président de la compagnie estime que, selon son expérience passée sur des produits semblables, le nouveau produit a à peu près quatre (4) chances sur dix (10) d'être une réussite commerciale.

Le conseiller en marketing lui fait part d'un plan d'enquête auprès des ménagères, lequel permettrait de savoir avec une certitude de 80% si le produit sera un succès ou non, c'est-à-dire que P (enquête indique succès / état réel succès) = P (enquête indique échec / état réel échec) = 0.80, et P(enquête indique succès / échec) = P (enquête indique échec / succès) = 0.20.

Cependant, cette étude retarderait la décision du lancement, et aurait pour effet de réduire les bénéfices de 20% en cas de succès, sans influencer les bénéfices en cas d'échec.

a) Faire l'analyse a priori
b) Doit-il faire cette étude si elle coûte $50,000?

4.14 La firme "Mérican Motors" vient d'installer une usine de montage de voitures. La chaîne qui assemble les moteurs permet de sortir, par jour, **40 séries de deux moteurs.** Lorsqu'elle est bien réglée sur toute sa longueur, 90% des moteurs assemblés sont prêts à être utilisés, et directement acheminés vers les chaînes de montagne des véhicules. Quand la chaîne est mal réglée en un point quelconque, on enregistre un taux moyen de moteurs défectueux de 40%. Les moteurs défectueux doivent alors être revus par les techniciens, et cela coûte $150 par moteur. L'ingénieur qui surveille la chaîne estime à 0,8 la probabilité que celle-ci soit bien réglée.

On peut s'assurer que la chaîne fonctionnera correctement pendant toute la journée (c'est-à-dire 40 séries), en faisant effectuer toutes les nuits un réglage par des spécialistes. Étant donné le coût des heures supplémentaires de travail, le réglage complet de la chaîne revient à $1,500. Le directeur de la production se demande s'il est profitable pour la firme de faire ce réglage tous les jours, systématiquement.

Le directeur pourrait obtenir de l'information additionnelle sur l'état réel de la chaîne, en faisant examiner chaque soir par des techniciens une série de deux moteurs. Le coût de cet examen serait de $50. Suite à cet examen, il déciderait de faire effectuer ou non le réglage par les spécialistes.

a) Quelle est la décision optimale sur la base de la seule information a priori?

b) Conseillez-vous au directeur de faire faire, chaque soir, la vérification d'une série de 2 moteurs? Calculer la V.E.I. de cette vérification.

c) Si, chaque soir, on examinait cinq (5) moteurs plutôt que deux, quel serait le c^* (dans le contexte d'une analyse sous forme normale)?

4.15 Considérons une machine automatique utilisée pour la production d'une certaine pièce. Cette machine doit être arrêtée périodiquement pour y remplacer des pièces défectueuses et peut alors être ajustée soit par l'opérateur régulier de la machine soit par un expert mécanicien. Après un bon ajustement par l'expert, la machine produit une pièce défectueuse avec une probabilité p = 0.01 (c'est la valeur minimum de "p"), et cela pendant la fabrication de tout un lot. De plus, on affirme que le processus de fabrication se comporte comme un processus de Bernoulli.

Cependant, si c'est l'opérateur qui fait l'ajustement, alors la valeur de p pourra être plus grande que 0.01, c'est-à-dire que l'ajustement pourra ne pas être tout à fait au point. Les pièces défectueuses sont reprises au coût de $0.80 l'unité avant d'être utilisées dans le montage, et l'on produit 500 pièces par lot. Donc, si l'on accepte l'ajustement de l'opérateur, le nombre de pièces défectueuses sera 500 p, et le coût $0.80 x 500 p = $400 p. On peut espérer réduire le coût en faisant appel à l'expert mécanicien, qui demande $16 pour son ajustement mais assure une valeur de p égale à .01. Si l'ajustement de l'opérateur donne une valeur de p voisine de 0.01, il ne sera pas justifié de retenir les services de l'expert, mais si elle est relativement élevée, il sera avantageux de retenir les services de cet expert.

Le problème est donc d'estimer la valeur de p, afin de décider si l'on doit accepter ou rejeter l'ajustement de l'opérateur. On peut faire cette estimation en tirant un échantillon de taille n, c'est-à-dire en produisant n pièces et en les examinant.

Il en coûte $0.50 pour prendre un échantillon et 0.05 par pièce inspectée. Calculer le c*, la V.E.I. et le gain net espéré pour n = 20, si on dispose de l'information a priori suivante:

p	$P_o(p)$
.01	0.7
.05	0.1
.15	0.1
.25	0.1
	1.0

CHAPITRE 5

L'ÉCHANTILLONNAGE

5.1 INTRODUCTION: L'ECHANTILLONNAGE ET L'INFERENCE STATISTIQUE

Comme on l'a souligné dans l'introduction de ce volume, le but de l'analyse statistique est d'apporter de l'information sur des phénomènes insuffisamment connus, afin de permettre de tirer des conclusions ou de prendre des décisions plus éclairées relativement à ces phénomènes. Cette analyse statistique s'effectue sur une masse de données numériques (concernant le phénomène étudié) qu'il faut collecter d'une façon adéquate (cf. chapitre 2). Le plus souvent, cette masse de données numériques résulte de l'observation d'une partie seulement de la population concernée, c'est-à-dire que l'analyste ne dispose que d'une information partielle sur le phénomène étudié. D'une façon générale, **l'inférence statistique** est constituée de l'ensemble des méthodes statistiques qui ont pour but de tirer des conclusions, ou d'aider à prendre des décisions au sujet d'une population à partir d'une information partielle. Cependant, on réserve souvent l'expression "inférence statistique" à une classe de méthodes statistiques plus spécifiques. En effet, lorsqu'on s'intéresse à une population, on l'étudie en fonction d'un (ou de plusieurs) caractère commun à chaque unité de la population et appelé "variable statistique". Chacune de ces variables suit une certaine distribution et possède certaines caractéristiques. On appelle **paramètre** toute caractéristique d'une variable statistique ou de sa distribution (il peut s'agir, par exemple, d'une moyenne, d'un écart-type, d'un mode, etc.). Face à une population, on considère que la situation d'incertitude dans laquelle on est placé vient du fait que l'on ne connaît ni la distribution de la variable statistique considérée, ni l'un ou plusieurs paramètres de cette variable. Par la suite, on réserve l'expression "inférence statistique" à la classe des méthodes statistiques qui, à partir d'un échantillon aléatoire prélevé de la population, permettent de tirer des conclusions soit sur la distribution d'une variable étudiée dans cette population, soit sur un paramètre de cette variable, ou encore sur tout autre aspect de cette variable. L'inférence portant sur un paramètre est appelée **inférence paramétrique**, et l'inférence portant sur tout autre aspect de la variable est appelée **inférence non paramétrique**. La très grande majorité des méthodes traitées dans ce volume relève de l'inférence paramétrique. Un problème d'inférence peut être considéré comme un problème de décision de nature particulière; on verra, à partir du prochain chapitre, de quelle façon les problèmes d'inférence peuvent être traités à partir du modèle Bayesien de décision présenté au chapitre précédent.

Rôle de l'échantillonnage dans l'inférence

Avant d'aborder les méthodes d'inférence, il importe de préciser le rôle de l'échantillonnage dans l'analyse statistique (et en particulier dans l'inférence statistique), ainsi que les principales notions reliées à celle d'échantillon. A cette fin, il faut d'abord faire une distinction entre l'analyse bayesienne et l'analyse classique. Comme on l'a vu au chapitre précédent, dans **l'analyse bayesienne**, on suppose toujours que le décideur ou l'analyste possède une information a priori au sujet du phénomène ou de la population étudiés. Cette information peut être plus ou moins subjective, car elle peut être basée non seulement sur des données objectives accessibles à l'analyste, mais aussi sur le jugement, l'opinion et l'intuition de ce dernier. Mais puisque cette information est parfois assez fragile et qu'il serait trop risqué de tirer une conclusion à partir de cette information a priori uniquement, on envisage alors la possibilité d'aller chercher de l'information additionnelle sur la population par échantillonnage, et à l'aide de cette information supplémentaire, de compléter et reviser s'il y a lieu l'information a priori. Subséquemment, on peut tirer un nouvel échantillon dans la population pour en obtenir plus d'information autant de fois que cela s'avère rentable, et après chaque nouvelle collecte d'information, reviser son information a priori. Par contre, dans **l'analyse classique**, la procédure utilisée est passablement différente de celle que l'on vient de résumer. La différence fondamentale entre ces deux types d'analyse provient du fait que, dans l'analyse classique, on ne tient pas explicitement compte des informations subjectives que l'on peut avoir a priori sur le phénomène étudié. Dans le contexte de l'inférence classique, l'information qui est à la base de l'analyse est uniquement de type objectif, et est généralement obtenue en tirant un échantillon dans la population. Les diverses méthodes proposées visent essentiellement à généraliser cette information partielle à toute la population. Ainsi, aussi bien dans l'analyse bayesienne que dans l'analyse classique, l'échantillonnage est une étape essentielle dans la procédure qui permet de tirer des conclusions sur une population, et dans celle qui conduit au choix d'une action.

Exemple 5.1. Dans une usine d'équipements électroniques, on vient d'installer une nouvelle machine qui fabrique des transistors en série. Pour que les transistors produits soient jugés acceptables, ils doivent satisfaire certaines normes (par exemple, leur durée de vie doit être d'au moins 1000 heures). Ce processus de production peut être considéré comme un phénomène impliquant de l'incertitude, puisque la machine produit éventuellement des transistors inacceptables. Il se pose alors le problème de contrôle de la qualité des transistors produits, qui peut être résolu par une analyse statistique. Il s'agit donc d'estimer la proportion p des transistors inacceptables produits par cette machine. Dans le contexte d'une **analyse bayesienne**, on suppose que l'on possède une certaine information plus ou moins subjective sur le phénomène, information permettant par exemple d'assigner une distribution de probabilité a priori au paramètre p. Le paramètre p est ainsi traité comme une variable aléatoire, dont l'ensemble des valeurs possibles est [0, 1], ou bien $[p_1, p_2]$ avec $0 \leqslant p_1, p_2 \leqslant 1$, ou encore quelques valeurs discrètes comprises entre 0 et 1 (cf. exemple 4.18). Si, après l'expression de cette information a priori par une distribution de probabilité des valeurs possibles du paramètre p, il subsiste un doute suffisamment élevé quant à la valeur de la proportion p, on envisage la possibilité de réduire ce doute en allant chercher de l'information supplémentaire. Cette collecte d'information revient ici à tirer un échantillon de transistors dans la production. A l'aide de l'information supplémentaire fournie par l'échantillon, on révise la distribution de probabilité a priori, et l'on obtient une distribution de probabilité a posteriori pour les valeurs possibles du paramètre p. En tenant compte des coûts associés à l'obtention d'information supplémentaire, on peut répéter cette procédure de collecte d'information nouvelle et de revision de la distribution de p autant de fois que cela s'avérera rentable. Par contre, dans le contexte d'une **analyse classique**, la procédure utilisée pour estimer la proportion p est passablement différente. On ne tient pas explicitement compte de l'information a priori que l'on peut posséder au sujet de cette proportion. On commence par tirer un échantillon aléatoire de n transistors dans la production. On calcule la proportion des transistors inacceptables dans cet échantillon. A partir de cette proportion observée dans l'échantillon, l'inférence classique permet de tirer une conclusion sur la proportion des transistors inacceptables dans toute la production. Par exemple, si on a observé 5% de transistors inacceptables dans l'échantillon, on pourra conclure qu'avec un niveau de confiance d'au moins 95%, la proportion des transistors inacceptables dans toute la production se situe entre 4% et 6% (c'est l'idée de l'estimation par intervalles de confiance que l'on traitera au prochain chapitre). On pourrait aussi conclure qu'avec un "risque" d'erreur d'au plus 5%, on doit continuer la production avec cette machine, alors qu'en réalité on devrait arrêter la production et régler la machine (c'est le type de conclusion auquel on est conduit avec les tests d'hypothèses qui seront étudiés au chapitre 7). De plus, on doit ajouter que, contrairement à ce qui est fait en inférence classique, dans l'approche bayesienne on fait généralement intervenir explicitement les conséquences économiques des diverses conclusions auxquelles on peut être amené.

Erreur échantillonnale. On est conscient du fait qu'en généralisant à toute la population l'information partielle obtenue d'un échantillon, on peut introduire une erreur plus ou moins grande appelée "erreur échantillonnale". La grandeur de cette erreur dépend évidemment de la taille de l'échantillon mais aussi de la façon dont il est tiré. Plus l'échantillon en question sera ***représentatif*** de la population, c'est-à-dire meilleure sera l'image qu'il en donnera, plus l'erreur sera faible. Il existe plusieurs méthodes pour obtenir un échantillon représentatif d'une population. Avant de traiter de ces méthodes, il y a une question qui peut venir à l'esprit: puisqu'un échantillon ne fournit qu'une information partielle sur une population, et qu'il peut ne pas être représentatif, pourquoi alors ne pas toujours procéder par recensement plutôt que par échantillonnage, le recensement permettant d'obtenir une information complète sur la population, et éliminant par le fait même tout risque d'erreur échantillonnale? Ainsi, dans l'exemple 5.1, au lieu d'estimer la proportion p de transistors inacceptables par l'intermédiaire d'un échantillon, on observerait toute la production (si cela était possible) et l'on obtiendrait de cette façon la valeur exacte de cette proportion p.

Raisons pour lesquelles il faut échantillonner

Il y a de nombreuses raisons qui peuvent justifier le recours à un échantillonnage plutôt qu'à un recensement; nous allons en souligner quelques-unes dans ce qui suit.

(a) Lorsque la population est infinie, on ne peut évidemment en observer qu'une partie; autrement dit, la seule possibilité consiste alors à procéder par échantillonnage. C'est le cas pour l'exemple 5.1, dans lequel la population des transistors produits est virtuellement infinie.

(b) Choisir un échantillon requiert moins d'efforts, donc coûte moins cher que de procéder à un recensement. Parfois, s'il est très important d'obtenir des informations précises et complètes sur une population, il peut être justifié d'observer toute la population même si elle est grande: c'est le cas pour les recensements périodiques des habitants d'un pays. Cependant, dans la majorité des cas, le coût d'un recensement est disproportionné par rapport à la valeur de l'information qu'il peut fournir. Par exemple, si l'on veut connaître l'opinion des citoyens de Montréal au sujet de la construction d'une nouvelle autoroute dans leur ville, il serait vraiment trop compliqué et trop coûteux d'aller interviewer chaque citoyen montréalais adulte pour obtenir cette information.

(c) Le recours à l'échantillonnage s'impose lorsque le fait d'observer une unité de la population entraîne la destruction de cette unité. Par exemple, lorsqu'on veut connaître la durée de vie moyenne d'un certain lot d'ampoules électriques, chaque ampoule choisie est observée jusqu'au moment où elle ne fonctionne plus, de telle sorte que le fait d'observer tout le lot entraînerait la destruction de ce dernier.

(d) Souvent, on a besoin d'obtenir rapidement de l'information en vue d'une prise de décision qui ne peut être retardée, et une information partielle s'avère suffisante pour prendre cette décision. Dans ces cas-là, l'échantillonnage permet d'obtenir une information adéquate beaucoup plus rapidement que le recensement.

(e) Si le recensement est effectué correctement, il devrait fournir une information parfaite sur la population, puisqu'il élimine toute erreur échantillonnale. Cependant, dans le cas de grandes populations, il peut arriver que le fait d'observer toute la population entraîne plus d'erreurs que celui de n'en observer qu'une partie. En effet, le recensement d'une grande population requiert beaucoup de travail, et cette tâche qui nécessite le concours de plusieurs personnes est souvent de caractère répétitif et assez fastidieuse. De plus, lorsque la nature de l'information désirée nécessite qu'on interviewe des gens, il peut facilement se glisser des erreurs d'interprétation dans les questions et les réponses. La quantité des données impliquées dans un recensement pouvant être très considérable, les chances qu'il se glisse des erreurs dans leur enregistrement et leur compilation sont grandes. Pour toutes ces raisons, il peut arriver que l'information obtenue d'un échantillon soit beaucoup plus fiable que celle obtenue d'un recensement.

5.2 METHODES D'ECHANTILLONNAGE

Il existe plusieurs méthodes pour choisir un échantillon d'une population. Ces méthodes peuvent être regroupées en deux grandes catégories: échantillonnage non aléatoire et échantillonnage aléatoire. Dans un **échantillonnage non aléatoire** (appelé aussi échantillonnage sur la base du jugement), l'analyste utilise son expérience et ses connaissances personnelles pour choisir parmi les unités de la population celles qui feront partie de l'échantillon et qui, à son avis, représentent adéquatement la population. Ainsi, par exemple, pour déterminer de quelle façon est distribuée la taille des étudiants d'une université, on pourrait décider de choisir plus ou moins arbitrairement quelques étudiants plutôt petits, quelques étudiants plutôt grands et un plus grand nombre d'étudiants de taille moyenne. De même, le politicien qui, pour se faire une idée de l'opinion de ses électeurs sur un sujet précis, se base sur les opinions émises par certains de ses électeurs qui lui écrivent, utilise un échantillon non aléatoire. Ce type d'échantillonnage peut fournir des renseignements utiles sur la population, mais il a de grandes chances de ne pas en être représentatif.

Pour obtenir un échantillon représentatif de la population, il faut procéder par **échantillonnage aléatoire.** Un échantillon aléatoire est obtenu par l'intermédiaire d'un mécanisme probabiliste, de telle sorte que l'on connaît à l'avance la probabilité qu'une unité donnée de la population soit incluse dans l'échantillon. Contrairement à l'échantillon non aléatoire, l'échantillon aléatoire permet de calculer précisément l'erreur due à l'échantillonnage et, par conséquent, de juger de la valeur de l'information partielle ainsi obtenue. Les techniques utilisées en inférence statistique reposant sur des concepts probabilistes, l'information que ces techniques utilisent comme élément de base doit absolument provenir d'un échantillon aléatoire. C'est pourquoi lorsqu'on parlera d'échantillon dans le reste de ce volume, il s'agira toujours d'échantillon aléatoire. Parmi les diverses méthodes utilisées pour obtenir un échantillon aléatoire, les principales sont les suivantes: l'échantillonnage aléatoire simple, l'échantillonnage stratifié, l'échantillonnage systématique et l'échantillonnage par grappes. Dans ce qui suit, nous décrirons très brièvement chacune de ces méthodes en insistant particulièrement sur la première.

5.2.1 Echantillonnage aléatoire simple

La méthode appelée "échantillonnage aléatoire simple" est, comme on le précisera plus loin, celle qui sert de fondement à l'inférence statistique. Par l'intermédiaire de cette méthode, un échantillon est choisi sur une base purement aléatoire; ainsi:

> **Echantillon aléatoire simple.** C'est un échantillon choisi de telle sorte que **chaque unité de la population ait la même probabilité d'être sélectionnée** dans l'échantillon et que **chaque échantillon de même taille tiré de la population ait la même probabilité d'être choisi.**

Exemple 5.2. Supposons que l'on désire choisir au hasard deux personnes dans une population constituée des quatre personnes A, B, C et D. Si l'on ne tient pas compte de l'ordre dans lequel les individus sont choisis, il existe $6 = \binom{4}{2}$ échantillons de taille 2 possibles, à savoir (A, B), (A, C), (A, D), (B, C), (B, D) et (C, D). Si le mécanisme aléatoire permettant d'obtenir un échantillon particulier de taille 2 est tel que chacun des 6 échantillons a une probabilité 1/6 d'être choisi, alors chaque individu de la population a une probabilité $3/6 = 1/2$ d'être sélectionné dans cet échantillon particulier; dans ce cas, l'échantillon de taille 2 ainsi obtenu est aléatoire simple.

Un échantillon aléatoire simple peut être tiré avec ou sans remise. Dans l'échantillonnage aléatoire simple **avec remise** (ASAR), chaque unité est remise dans la population après avoir été observée et avant qu'une autre unité soit choisie. La même unité peut donc apparaître plusieurs fois dans un même échantillon. Si l'échantillon est choisi dans une population finie constituée de N unités, à tout moment au cours de la procédure chaque unité a une probabilité 1/N d'être sélectionnée. Le fait qu'une unité particulière soit sélectionnée à un tirage n'affecte en rien les résultats des autres tirages. Il y a donc indépendance entre les résultats d'un tirage à l'autre.

Dans l'échantillonnage aléatoire simple **sans remise** (ASSR), après avoir choisi une unité, on ne la remet pas dans l'échantillon avant d'en tirer une autre. Au tirage de la première unité, toutes les unités ont des chances égales d'être sélectionnées. Par la suite, si l'échantillon est choisi dans une population finie constituée de N unités, la probabilité pour une unité particulière d'être choisie varie d'un tirage à l'autre; cependant, à tout moment au cours de la procédure d'échantillonnage, chaque unité restante dans la population a la même probabilité d'être choisie. Ainsi chaque unité a une probabilité 1/N d'être choisie au premier tirage, chaque unité restante, une probabilité 1/N—1) d'être choisie au deuxième tirage, etc. Il est évident que le résultat d'un tirage donné influence les tirages subséquents, d'où il n'y a pas indépendance d'un tirage à l'autre. Si une population est infinie, le fait que l'échantillonnage s'effectue avec ou sans remise n'a pas d'importance, puisque d'un tirage à l'autre, la probabilité de sélectionner une unité particulière reste à peu près inchangée (la composition de la population n'étant pas modifiée d'une façon significative par le tirage d'une unité).

Comment obtenir un échantillon aléatoire simple?

Lorsque la population est finie, une première façon d'obtenir un échantillon aléatoire simple consiste à placer toutes les unités de la population dans un récipient (une identification ou un jeton pouvant représenter chaque unité), à bien les brasser, et à procéder au tirage au hasard de n unités dans ce récipient (avec ou sans remise). Evidemment, on est bien conscient du fait que cette "méthode du récipient" est souvent difficilement praticable et un peu artisanale, en particulier lorsque la population est assez grande. Par exemple il est difficile de savoir à quel moment on peut affirmer que les unités ont été bien brassées, et aussi de s'assurer que la façon de sélectionner les unités dans le récipient est vraiment aléatoire.

Une façon plus pratique d'obtenir un échantillon aléatoire simple consiste à recourir à une **table de nombres aléatoires**. L'annexe 1 donne un exemple d'une telle table. Avant d'expliquer comment on peut utiliser cette table, voyons brièvement comment on peut la construire. La table est composée de nombres entiers compris entre 0 et 9. Pour obtenir chacun de ces nombres, on pourrait utiliser la méthode du récipient décrite au paragraphe précédent. Supposons que l'on dispose de 10 jetons numérotés de 0 jusqu'à 9 et qu'on les place dans un récipient. Après avoir bien brassé les jetons, on en tire un premier: si le nombre 1 est tiré, alors le nombre 1 est inscrit comme premier chiffre dans la table. On remet le jeton 1 dans le récipient, on brasse bien et on tire un deuxième jeton: si 5 est tiré, 5 devient le deuxième nombre de la table. On peut continuer de cette façon aussi longtemps qu'on le désire. On pourrait ainsi obtenir successivement les nombres 1, 5, 8, 1, 9, 2, 2, 3, 9, 6, 2, 0, 6, etc. La table de l'annexe 1 contient 2 500 nombres aléatoires. Par souci de commodité, on a regroupé dans cette table ces 2 500 nombres aléatoires par groupes de 10 chiffres, répartis sur 5 colonnes et sur 10 blocs de 5 lignes. Il faut souligner qu'il existe des méthodes plus efficaces que la méthode du récipient pour obtenir des nombres aléatoires; le plus souvent on obtient ces nombres à l'aide d'un ordinateur, par l'intermédiaire d'un certain algorithme.

Voyons maintenant de quelle façon on peut utiliser une table de nombres aléatoires pour tirer un échantillon. Il faut d'abord donner un numéro à chaque unité de la population. Par la suite, pour obtenir un échantillon de taille n, il s'agit de choisir n nombres aléatoires dans la table: les unités dont le numéro a été obtenu dans la table de nombres aléatoires constituent l'échantillon. Les tables de nombres aléatoires peuvent fournir plusieurs fois le même nombre (le choix de ces nombres aléatoires ayant été effectué avec remise). En conséquence, si l'on désire obtenir un échantillon sans remise, il faut rejeter au cours de la procédure tout nombre aléatoire qui a déjà été obtenu une fois, et choisir dans la table autant de nombres qu'il faut pour en obtenir n différents.

Exemple 5.3. On veut choisir un échantillon aléatoire simple de 12 étudiants parmi les 100 étudiants inscrits à un cours donné. On numérote d'abord les étudiants de 00 jusqu'à 99. Il s'agit alors d'obtenir dans la table de nombres aléatoires de l'annexe 1, 12 nombres aléatoires de 2 chiffres. Il est préférable d'utiliser une procédure systématique pour choisir des nombres aléatoires dans cette table. Comme on ne désire que des nombres de 2 chiffres, on ne va, par exemple, retenir que les 2 premiers chiffres de chaque groupe de dix chiffres; de plus, la lecture des groupes de 10 chiffres se fera de haut en bas et de gauche à droite. Puisqu'il s'agit nécessairement ici d'un échantillon sans remise, on ne retiendra pas un nombre qui aura déjà été choisi. En procédant de cette façon, on obtiendrait successivement les nombres 15, 09, 41, 74, 00, 72, 67, 55, 71, 35, 96 et 20. Par la suite, les étudiants dont les numéros correspondent à ces 12 nombres aléatoires constitueront l'échantillon désiré. Au lieu de commencer à lire en haut et à gauche de la table, on peut aussi utiliser un mécanisme aléatoire pour choisir la colonne et le bloc de 5 lignes où l'on va commencer à lire; si ce mécanisme aléatoire indique la 3ème colonne et le 6ème bloc de 5 lignes, les 12 nombres aléatoires seraient alors 96, 84, 87, 95, 47, 94, 34, 68, 85, 11, 58 et 92.

5.2.2 Autres méthodes d'échantillonnage

La méthode d'échantillonnage aléatoire simple peut être utilisée si les unités de la population peuvent être facilement identifiées, et si cette population est relativement petite et homogène. Cependant, spécialement si la population est très grande, cette méthode prend beaucoup de temps, et peut s'avérer onéreuse du fait qu'il faut absolument numéroter chaque unité de la population. De plus, lorsqu'on étudie une certaine caractéristique dans une population, il arrive souvent que cette caractéristique n'est pas distribuée uniformément dans toute la population. Ainsi, par exemple sur le plan politique au Canada, en général les francophones n'ont pas le même comportement que les anglophones; alors, au moment d'un sondage politique, si l'on utilise l'échantillonnage aléatoire simple, il se pourrait que l'échantillon obtenu (surtout si la taille de l'échantillon est petite) contienne très peu de francophones, et fournisse en conséquence une image biaisée de l'opinion politique des Canadiens. Lorsque l'échantillonnage aléatoire simple ne s'avère pas approprié pour obtenir un échantillon représentatif de la population, il faut recourir à une autre méthode d'échantillonnage; on peut recourir entre autres à l'échantillonnage stratifié, à l'échantillonnage systématique, ou à l'échantillonnage par grappes (ou par amas).

L'échantillonnage stratifié

L'échantillonnage stratifié consiste d'abord à subdiviser la population en sous-groupes relativement homogènes appelés "strates". Par la suite, on tire dans chaque strate un échantillon aléatoire simple; le regroupement de tous ces échantillons partiels constitue l'échantillon de taille n désiré. En ce qui concerne le nombre d'unités à choisir dans chaque strate, il y a principalement deux approches: ou bien on tire dans chaque strate un nombre d'unités proportionnel à la taille de la strate, ou alors on tire le même nombre d'unités dans chaque strate, et l'on assigne un poids spécifique aux résultats de chaque strate (ce poids étant proportionnel à la taille de la strate).

Il peut exister plusieurs raisons pour justifier le recours à l'échantillonnage stratifié. (a) Si la population est trop hétérogène, il est préférable de regrouper les unités en strates plus homogènes pour en obtenir une meilleure image. Ainsi, par exemple, au moment d'un sondage politique au Québec, il peut s'avérer passablement important de stratifier la population en fonction de la langue (anglophone et francophone), de l'âge (par exemple, entre 18 et 25 ans, entre 25 et 40 ans, 40 ans et plus), de la région (par exemple, la région de Montréal et le reste de la province), etc. De même, si l'on veut obtenir de l'information sur les ventes au détail, il peut s'avérer important de stratifier selon les régions géographiques, selon l'âge, selon le revenu, etc. (b) La stratification peut aussi s'imposer justement parce que l'on désire obtenir des renseignements spécifiques sur des portions bien identifiées de la population. Par exemple, si l'on désire obtenir des renseignements sur le chômage au pays, on voudra connaître non seulement le taux de chômage global, mais aussi le taux de chômage individuel de chaque région. (c) Il peut aussi arriver que la stratification s'impose naturellement pour des raisons administratives. Par exemple, pour une grande compagnie qui aurait un bureau dans chacune des grandes régions du pays, il peut s'avérer plus facile de considérer chacune de ces régions comme une strate.

Comme on a pu le constater précédemment, une population peut être subdivisée en strates en fonction d'une ou de plusieurs caractéristiques, compte tenu du type d'information que l'on veut obtenir. La construction de ces strates peut en pratique être assez difficile, car elle suppose une connaissance préalable de la population. Il existe des règles pour fixer le nombre de strates à retenir, ainsi que pour fixer le nombre d'unités à tirer dans chaque strate, règles que l'on peut retrouver dans un volume traitant spécifiquement d'échantillonnage (voir, par exemple, W.G. Cochran, **Sampling Techniques**, 1977).

L'échantillonnage systématique

Une autre méthode d'échantillonnage qui, dans certains cas, peut s'avérer plus commode et plus efficace que l'échantillonnage aléatoire simple est l'échantillonnage systématique. Selon cette méthode, on choisit les unités dans la population à des intervalles fixes en termes de temps, d'espace ou d'ordre d'occurrence. Ainsi, par exemple, si l'on veut choisir 10 étudiants dans une liste de 110 étudiants, on pourra choisir le 10ième, le 20ième, ..., le 90ième et le 100ième sur cette liste. De même, si l'on veut contrôler la qualité des boulons produits par une machine, on peut choisir, par exemple, un boulon après chaque lot de 100 boulons produits. Le recours à l'échantillonnage systématique est possible seulement si les unités de la population sont déjà arrangées dans un certain ordre. Le principal avantage de cette méthode est sa simplicité, ce qui en fait une méthode peu dispendieuse. Ainsi, par exemple, si l'on veut obtenir de l'information des abonnés du téléphone d'une certaine région, il n'y aura simplement qu'à choisir d'une façon systématique des noms dans l'annuaire des abonnés de cette région. Si la population n'est pas homogène, il peut arriver que l'échantillonnage systématique fournisse un échantillon plus représentatif de la population que l'échantillonnage aléatoire simple. Dans l'échantillonnage systématique, si le premier élément de l'échantillon est choisi d'une façon aléatoire, chaque élément de la population a la même probabilité d'être choisi dans l'échantillon; cependant, contrairement à ce qui se produit dans l'échantillonnage aléatoire simple, chaque échantillon de taille n n'a pas la même probabilité d'être tiré. Le principal désavantage de l'échantillonnage systématique est de ne pas tenir compte des phénomènes de périodicité qu'il peut y avoir dans la population. Ainsi, dans un processus de sélection d'ampoules électriques produites par une machine, il peut arriver que systématiquement la machine produise une ampoule défectueuse après quatre bonnes; dans ce cas, si l'on choisit une ampoule après chaque série de 9 ampoules produites (on choisit la 10ième, la 20ième, ...), l'échantillon ne sera pas du tout représentatif de la population.

L'échantillonnage par grappes (ou par amas)

Pour obtenir un échantillon soit par échantillonnage aléatoire simple, soit par échantillonnage stratifié, il faut pouvoir lister toutes les unités de la population. Dans certains problèmes d'échantillonnage, cette liste peut être difficile et même impossible à obtenir pour diverses raisons. Si, par exemple, il n'existe pas de listes à jour de toutes les familles de la région de Montréal, il serait difficile et onéreux de construire une telle liste. Pour contourner cette difficulté, on peut alors recourir à l'échantillonnage par grappes. A cette fin, il faut d'abord subdiviser la population en sous-groupes appelés "grappes"; il faut tirer ensuite un échantillon aléatoire de grappes dans l'ensemble de ces grappes (l'unité échantillonnale devenant alors la grappe); enfin, on observe tous les individus faisant partie des grappes sélectionnées. Ainsi, pour obtenir un échantillon aléatoire de familles dans la région de Montréal, on commence par diviser la ville en quartiers (un quartier pouvant être défini de plusieurs façons). Une fois cette subdivision effectuée, on choisit un échantillon aléatoire de quartiers selon l'échantillonnage aléatoire simple; enfin, dans les quartiers ainsi choisis, on observe chacune des familles qui y résident.

En général, pour une taille d'échantillonnage donnée, l'échantillonnage par grappes fournit une information moins précise que l'échantillonnage aléatoire simple, mais cette diminution de l'information peut être compensée par un coût beaucoup moins élevé. Même si dans le cadre de l'échantillonnage stratifié et de l'échantillonnage par grappes, on subdivise la population en sous-groupes bien définis, il faut bien réaliser que ces deux méthodes ne s'appliquent pas dans les mêmes circonstances. On utilise l'échantillonnage stratifié lorsqu'il y a peu de variation à l'intérieur de chaque sous-groupe ou strate, mais beaucoup de variation d'une strate à l'autre; par contre, on recourt à l'échantillonnage par grappes lorsqu'il y a beaucoup de variation à l'intérieur de chaque sous-groupe ou grappe, mais peu de variation d'une grappe à l'autre.

5.3 DEFINITION ET CARACTERISTIQUES D'UN ECHANTILLON

5.3.1 Définition mathématique d'un échantillon aléatoire simple

Pour obtenir un échantillon représentatif d'une population, on peut recourir soit à l'échantillonnage aléatoire simple, soit à l'une des trois autres méthodes présentées précédemment (cette liste de méthodes d'échantillonnage n'étant pas exhaustive). Cependant, dans la suite de ce volume, on va toujours supposer que les échantillons utilisés sont des échantillons aléatoires simples; cette hypothèse s'avère justifiée, car **les principes de l'échantillonnage aléatoire simple servent de fondement aux méthodes d'inférence statistique.** En effet, toutes les méthodes d'inférence statistique ont d'abord été développées pour des échantillons aléatoires simples. Mais il est possible d'étendre ces méthodes à d'autres types d'échantillons. D'une façon générale, si l'on comprend les concepts fondamentaux impliqués dans l'inférence basée sur l'échantillonnage aléatoire simple, on a une bonne idée des concepts d'inférence basée sur d'autres types d'échantillonnage. Ces extensions à d'autres types d'échantillonnage entraînent quelquefois des difficultés dépassant le niveau d'un volume d'introduction, et ne seront donc pas abordées ici.

Le but de l'inférence statistique est d'étudier le comportement d'une population ou d'un caractère X des membres d'une population à partir d'un échantillon aléatoire simple de taille n prélevé dans cette population. Ce prélèvement revient à répéter n fois l'épreuve aléatoire consistant à choisir une unité au hasard dans la population. Pour cette épreuve aléatoire, l'ensemble fondamental ou l'espace échantillonnal est la population, que l'on va noter Ω. Le caractère X considéré dans cette population est une variable statistique. Cependant, par l'intermédiaire du mécanisme aléatoire consistant à prélever une unité dans la population, cette variable statistique devient une variable dont les valeurs sont aléatoires. Par la suite, nous supposerons que la variable statistique considérée est quantitative, de telle sorte qu'elle devient réellement une variable aléatoire définie sur la population Ω, c'est-à-dire une fonction de Ω dans $\mathbb{R}$, ou schématiquement

$$\begin{aligned} X:\ \Omega &\longrightarrow \mathbb{R} \\ \omega &\longrightarrow x \end{aligned}$$

Cette variable aléatoire X suit une distribution de probabilité f(x) (masse ou densité de probabilité) qui correspond à la distribution de fréquence relative du caractère X dans la population. D'ailleurs, souvent au lieu de parler de f(x) comme de la distribution de probabilité de la variable X que l'on étudie dans la population, on parle de f(x) comme de la **distribution de la population.**

Par la suite, l'épreuve aléatoire consistant à choisir une unité au hasard dans la population est répétée n fois. Si l'on a affaire à une population infinie, la probabilité pour une unité particulière d'être sélectionnée est la même d'un tirage à l'autre, que les tirages soient effectués avec ou sans remise (il y a indépendance entre les résultats des différents tirages). Par contre, pour une population finie constituée de N unités, afin de conserver l'indépendance entre les résultats, on doit supposer que les tirages sont effectués avec remise, de telle sorte que, à n'importe quel tirage, la probabilité pour une unité d'être sélectionnée soit égale à 1/N. De la même façon, si N est suffisamment grand, et si la taille n de l'échantillon est relativement petite par rapport à N, on peut supposer qu'il y a indépendance d'une épreuve à l'autre, même si les tirages sont effectués sans remise. Comme c'est le même caractère X qui est observé pour chaque unité tirée dans la population, on peut désigner par X_1 ce caractère considéré pour la première unité sélectionnée, par X_2 ce caractère considéré pour la deuxième unité sélectionnée, par X_3 ce caractère considéré pour la troisième unité sélectionnée, et ainsi de suite. Comme il y a indépendance d'une épreuve à l'autre, ces variables aléatoires $X_1, X_2, X_3, \ldots$ sont indépendantes, et ont toutes comme distribution de probabilité la distribution f(x) de la variable X étudiée dans la population. En résumé, si l'on émet l'hypothèse que l'on procède par échantillonnage aléatoire simple avec remise (population finie ou infinie) ou sans remise (population infinie ou très grande), on a la définition suivante:

Echantillon aléatoire simple (indépendant). Prélever un échantillon aléatoire simple de taille n dans une population où l'on considère une certaine variable X de distribution f(x) revient à définir une variable aléatoire $(X_1, X_2, \ldots, X_n)$ à n dimensions telle que les variables aléatoires composantes X_1, X_2, ..., et X_n soient indépendantes et identiquement distribuées (i.i.d.), et aient f(x) comme distribution de probabilité.

Un échantillon aléatoire simple de taille n est donc une fonction de Ω^n dans $\mathbb{R}^n$ qui permet de faire correspondre à n unités de la population n nombres réels, c'est-à-dire

$$\Omega^n \xrightarrow{(X_1, \ldots, X_n)} \mathbb{R}^n$$

$$(\omega_1, \ldots, \omega_n) \longrightarrow (x_1, \ldots, x_n) ,$$

et cette variable aléatoire doit satisfaire les deux conditions suivantes:

1° $f_{X_1, X_2, \ldots, X_n}(x_1, \ldots, x_n) = f_{X_1}(x_1) \cdot f_{X_2}(x_2) \cdot \ldots \cdot f_{X_n}(x_n)$,

c'est-à-dire que la distribution jointe est égale au produit des distributions marginales (les X_i sont indépendantes);

2° $f_{X_1}(x) = f_{X_2}(x) = \ldots = f_{X_n}(x) = f(x)$,

c'est-à-dire que chacune des variables X_i a comme distribution de probabilité la distribution f(x) de la population.

Dans le contexte de cette définition d'un échantillon aléatoire, tout n-uplet $(x_1, ..., x_n)$ de nombres réels (qui constitue une valeur prise par l'échantillon aléatoire) est appelé une **réalisation de l'échantillon**. Ainsi, par exemple, supposons que l'on désire connaître l'âge des personnes qui achètent tel produit particulier; pour cela on décide de tirer un échantillon aléatoire de 5 individus dans l'ensemble de ceux qui ont acheté ce produit. Cet échantillon aléatoire est une variable aléatoire $(X_1, X_2, ..., X_5)$ qui va permettre d'associer à chacun des 5 individus choisis parmi les acheteurs de ce produit leur âge respectif. Ainsi, pour un échantillon particulier, on pourra obtenir le quintuplet de nombres réels (17, 28, 23, 31, 20); ce quintuplet n'est pas un échantillon aléatoire, mais une réalisation de l'échantillon aléatoire $(X_1, ..., X_5)$. Souvent, par la suite, on utilisera le terme "échantillon" pour désigner une réalisation particulière $(x_1, x_2, ..., x_n)$ de l'échantillon aléatoire, l'expression "échantillon aléatoire" désignant le n-uplet $(X_1, X_2, ..., X_n)$ de variables aléatoires.

Comme un échantillon aléatoire simple $(X_1, X_2, ..., X_n)$ est une variable aléatoire à n dimensions, on peut parler de la distribution de probabilité jointe de $(X_1, X_2, ..., X_n)$; cette distribution est appelée **vraisemblance de l'échantillon** (likelihood), et elle est notée par $L(x_1, x_2, ..., x_n)$. Cette notion de vraisemblance est tout à fait la même que celle qui a été introduite au chapitre 4. On reviendra sur la signification de cette expression quand on traitera du problème de l'estimation. Comme les variables $X_1, ..., X_n$ constituant un échantillon aléatoire sont indépendantes et ont comme distribution de probabilité la distribution f(x) de la population, la fonction de vraisemblance $L(x_1, ... x_n)$ est donc égale au produit de la distribution f(x) multipliée n fois par elle-même, c'est-à-dire:

$$L(x_1, x_2, ..., x_n) = f(x_1).f(x_2). ... f(x_n) = \prod_{i=1}^{n} f(x_i).$$

Pour illustrer ces notions, on va considérer l'exemple suivant, qui est un peu artificiel mais qui est commode.

Exemple 5.4. Considérons une population composée de 10 étudiants désignée par $\Omega = \{\omega_1, \omega_2, \omega_3, \omega_4, \omega_5, \omega_6, \omega_7, \omega_8, \omega_9, \omega_{10}\}$. Dans cette population on s'intéresse à la variable X donnant l'âge de chacun de ces étudiants à leur dernier anniversaire. Supposons pour le moment que l'on connaisse les âges de ces étudiants et que ces âges soient 19, 18, 21, 22, 20, 20, 21, 20, 20 et 18, pour $\omega_1, \omega_2, ..., \omega_9$ et ω_{10} respectivement. On définit l'expérience aléatoire qui consiste à choisir un échantillon aléatoire simple de taille 2 dans cette population; cette expérience aléatoire est constituée de deux épreuves aléatoires, chaque épreuve consistant à choisir un étudiant au hasard dans Ω et à lui associer son âge. Puisque l'on procède par échantillonnage aléatoire simple, chacun des 10 étudiants a autant de chances d'être choisi dans l'échantillon, alors la distribution de probabilité de X est définie par le tableau suivant:

x	18	19	20	21	22
f(x)	.2	.1	.4	.2	.1

Il s'agit là de la distribution de la variable X (âge) étudiée dans la population, ou plus simplement de la distribution de la population. Le fait de choisir un échantillon aléatoire simple de taille 2 dans la population revient à définir une variable aléatoire (X_1, X_2) à deux dimensions. Pour que X_1 et X_2 soient indépendantes, les tirages dans la population doivent être effectués avec remise; on peut donc choisir dans la population 10 x 10 = 100 couples (ω_i, ω_j), i, j = 1, 2, ..., 10, différents. A chacun de ces 100 couples (ω_i, ω_j), la variable (X_1, X_2) fait correspondre un couple (x_i, x_j) de nombres réels désignant les âges des deux étudiants sélectionnés (ce peut être le même étudiant)

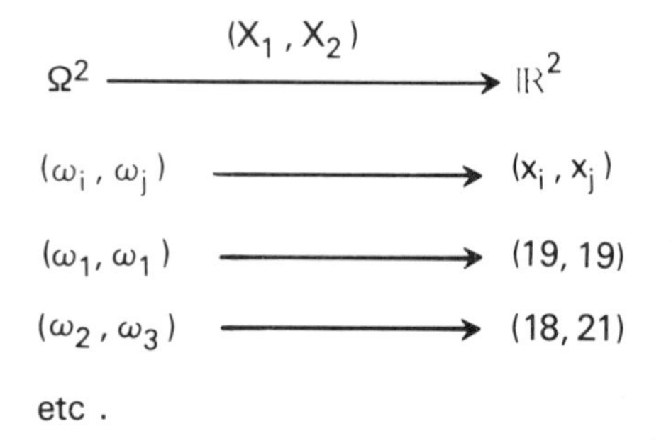

Comme cet échantillon aléatoire de taille 2 est une variable aléatoire (X_1, X_2) à deux dimensions, on peut parler de la distribution de probabilité jointe de cette variable, c'est-à-dire de la **vraisemblance** $L(x_1, x_2)$ que la réalisation de cet échantillon aléatoire conduise au couple (x_1, x_2). A cause de l'indépendance de X_1 et X_2, on a simplement

$$L(x_1, x_2) = f(x_1) . f(x_2),$$

pour toutes valeurs x_1 et x_2, et cette vraisemblance peut être représentée par le tableau suivant:

x_2 \ x_1	18	19	20	21	22
18	.04	.02	.08	.04	.02
19	.02	.01	.04	.02	.01
20	.08	.04	.16	.08	.04
21	.04	.02	.08	.04	.02
22	.02	.01	.04	.02	.01

Par exemple, la probabilité que la réalisation de cet échantillon aléatoire simple soit (21, 20) est donnée par

$$L(21,20) = f(21).\ f(20) = (.4).\ (.2) = 0.08$$

5.3.2 Caractéristiques d'un échantillon aléatoire

Le recours à l'échantillon permet à l'analyste d'obtenir de l'information sur une population insuffisamment connue. La distribution de probabilité ou vraisemblance de l'échantillon renferme toute l'information contenue dans l'échantillon. Cependant, cette vraisemblance étant une distribution de probabilité à n dimensions, elle n'est pas du tout pratique à utiliser; c'est pourquoi, le plus souvent, au lieu de travailler directement avec tout l'échantillon et sa vraisemblance, on utilise des fonctions de l'échantillon qui simplifient et résument l'information contenue dans cet échantillon.

Dans le cadre d'une analyse statistique, on utilise l'expression "statistique" dans un sens plus particulier.

Une statistique. On appelle ainsi n'importe quelle fonction d'un échantillon aléatoire.

On peut, à partir d'un échantillon aléatoire $(X_1, ..., X_n)$, définir pratiquement une infinité de statistiques différentes; on peut considérer entre autres les statistiques

$$\sum_{i=1}^{n} X_i, \quad \bar{X} = \frac{1}{n}\sum_{i=1}^{n} X_i, \quad \frac{1}{n}\sum_{i=1}^{n} (X_i - \bar{X})^2, \text{ etc.}$$

Puisqu'elle est une fonction de plusieurs variables aléatoires, une statistique est nécessairement une variable aléatoire, et comme telle elle aura sa propre distribution de probabilité. Il faut bien faire la distinction entre une statistique et un paramètre.

Un paramètre. On appelle ainsi n'importe quelle caractéristique de la variable statistique X que l'on étudie dans la population.

Un paramètre est nécessairement un nombre réel et il sera habituellement désigné par une lettre grecque minuscule; on parlera, par exemple, de la moyenne μ et de la variance σ^2 de la population. Dans le cadre de la théorie de l'estimation, on utilisera une statistique pour estimer un paramètre:par exemple, la statistique

$$\bar{X} = \frac{1}{n}\sum_{i=1}^{n} X_i$$

(la moyenne de l'échantillon) sert à estimer la moyenne μ de la population.

Évidemment, pour une réalisation particulière de l'échantillon, la statistique $\overline{X}$ prend une valeur réelle particulière $\overline{x}$. On utilise habituellement une lettre romaine majuscule pour désigner une statistique, et la lettre romaine minuscule correspondante pour désigner une valeur de cette statistique. Bien que théoriquement il soit possible de définir une infinité de statistiques différentes, le nombre de statistiques fréquemment utilisées en inférence est relativement limité. Les deux statistiques les plus utilisées en inférence sont (a) la moyenne, et (b) la variance d'un échantillon aléatoire. D'autres statistiques seront introduites subséquemment.

(a) **La moyenne $\overline{X}$ d'un échantillon aléatoire**

On a la définition suivante:

> **La moyenne d'échantillon aléatoire.** Soit $(X_1, ..., X_n)$ un échantillon aléatoire simple de taille n; alors on appelle "moyenne" de cet échantillon la statistique que l'on note $\overline{X}$, et qui est définie comme
>
> $$\overline{X} = \frac{1}{n} \sum_{i=1}^{n} X_i$$

Pour une réalisation particulière $(x_1, ..., x_n)$ de l'échantillon aléatoire, la statistique $\overline{X}$ prend la valeur $\overline{x} = \frac{1}{n} \sum_{i=1}^{n} x_i$; cette valeur $\overline{x}$ coïncide exactement avec la moyenne arithmétique d'une variable statistique telle que définie au chapitre 3.

Exemple 5.5 En se référant à l'exemple 5.4, supposons que l'on choisisse un échantillon aléatoire de taille 5 dans la population de dix étudiants considérée. Les cinq étudiants choisis peuvent être, par exemple, $\omega_2, \omega_4, \omega_5, \omega_5$, et ω_7 ; dans ce cas, l'échantillon aléatoire $(X_1, ..., X_5)$ prend la valeur (18, 22, 20, 20, 21), et la moyenne $\overline{X}$, de l'échantillon, la valeur $\overline{x} = \frac{1}{5} \sum_{i=1}^{5} x_i = 20.2$.

Si l'on tire un autre échantillon aléatoire de taille 5 dans la même population, cet échantillon prendra probablement une autre valeur $(x_1, ..., x_5)$, et en conséquence, $\overline{X}$ prendra une autre valeur réelle $\overline{x}$.

Caractéristiques de $\overline{X}$

La moyenne $\overline{X}$ d'un échantillon aléatoire étant une variable aléatoire, on peut parler de la distribution de probabilité et des valeurs caractéristiques de cette variable aléatoire. Pour ce qui est de la distribution de $\overline{X}$, elle sera traitée dans la section suivante (section 5.4). Les deux valeurs caractéristiques les plus utilisées de $\bar{X}$ sont son espérance mathématique (ou sa moyenne) et sa variance.

L'espérance mathématique de $\bar{X}$. L'espérance mathématique de $\bar{X}$ est égale à la moyenne μ de la population, c'est-à-dire:

$$\mu_{\bar{X}} = E(\bar{X}) = \mu$$

En effet, on a:

$$\begin{aligned} \mu_{\bar{X}} = E(\bar{X}) &= E[\frac{1}{n}(X_1 + X_2 + ... + X_n)] = \\ &= \frac{1}{n} E(X_1 + X_2 + ... + X_n) = \\ &= \frac{1}{n} [E(X_1) + E(X_2) + ... + E(X_n)] = \\ &= \frac{1}{n} [\mu + \mu + ... + \mu] = \\ &= \frac{1}{n} [n\mu] = \mu \end{aligned}$$

D'autre part, on a

La variance de $\bar{X}$. La variance de $\bar{X}$ est égale à la variance σ^2 de la population, divisée par la taille n de l'échantillon, c'est-à-dire:

$$\sigma^2_{\bar{X}} = Var(\bar{X}) = \frac{\sigma^2}{n}$$

En effet, on a les égalités suivantes:

$$\begin{aligned} \sigma^2_{\bar{X}} = Var(\bar{X}) &= Var[\frac{1}{n}(X_1 + X_2 + ... + X_n)] \\ &= \frac{1}{n^2} Var(X_1 + X_2 + ... + X_n) \\ &= \frac{1}{n^2} [Var(X_1) + Var(X_2) + ... + Var(X_n)] \\ &= \frac{1}{n^2} [\sigma^2 + \sigma^2 + ... + \sigma^2] \\ &= \frac{1}{n^2} [n\sigma^2] = \frac{\sigma^2}{n}. \end{aligned}$$

On voit donc que la variance du $\bar{X}$ diminue lorsque la taille de l'échantillon augmente.

Exemple 5.6. A l'exemple 5.4, pour une population de 10 étudiants, on s'est intéressé à la variable "âge". Cette variable X suit la distribution de fréquence suivante:

x_i	18	19	20	21	22
f_i	.2	.1	.4	.2	.1

En conséquence, la moyenne μ de la population est donnée par

$$\mu = \sum_i f_i x_i = 19.9$$

et la variance σ^2 de la population, par

$$\sigma^2 = \sum_i f_i x_i^2 - \mu^2 = 397.5 - 396.01 = 1.49$$

A partir de μ et de σ^2 , on peut calculer les caractéristiques de la moyenne échantillonnale $\overline{X}$ lorsqu'on tire un échantillon aléatoire simple de taille $n = 5$ dans cette population de 10 étudiants. On obtient

$$\mu_{\overline{X}} = \mu = 19.9$$

et

$$\sigma^2_{\overline{X}} = \frac{\sigma^2}{n} = \frac{1.49}{5} = 0.298$$

La moyenne et la variance de $\overline{X}$ telles que calculées précédemment valent dans le cas d'un échantillon aléatoire simple indépendant, c'est-à-dire d'un échantillon constitué de variables aléatoires indépendantes et identiquement distribuées (échantillon avec ou sans remise d'une population infinie ou très grande, ou encore échantillon avec remise d'une population finie). Dans le cas d'un **échantillon aléatoire sans remise d'une population finie** (plutôt petite), il n'y a plus indépendance entre les variables constituant l'échantillon. Aussi, on peut prouver facilement que la moyenne de $\overline{X}$ est de nouveau égale à la moyenne μ de la population, c'est-à-dire $E(\overline{X}) = \mu$, mais que la variance de $\overline{X}$ est maintenant modifiée. Si, par exemple, on considère un échantillon aléatoire de taille 2, on a

$$\text{Var}(\overline{X}) = \text{Var}\left[\frac{1}{2}(X_1 + X_2)\right] = \frac{1}{4}\left[\text{Var}(X_1) + \text{Var}(X_2) + 2\,\text{Covar}(X_1, X_2)\right]$$

Par rapport au cas où les variables X_i sont indépendantes, dans le cas où on n'a pas cette indépendance, la variance de $\overline{X}$ est légèrement réduite car la covariance entre les variables est négative. D'une façon générale, pour un échantillon aléatoire sans remise de taille n tiré d'une population finie de N unités, la variance de $\overline{X}$ est réduite par un facteur qui s'exprime comme $(N-n)/(N-1)$. Autrement dit, la variance de $\overline{X}$ est maintenant donnée par l'expression

$$\text{Var}(\overline{X}) = \frac{\sigma^2}{n}\left(\frac{N-n}{N-1}\right)$$

Certaines tailles particulières d'échantillon permettent de bien faire ressortir l'impact de l'utilisation d'un échantillon sans remise. Si $n = 1$, le facteur de réduction est égal à 1, et la variance de $\overline{X}$ pour un échantillon de taille 1 sans remise est égale à la variance de $\overline{X}$ pour un échantillon de taille 1 avec remise. D'autre part, si $n = N$, l'échantillon coïncide avec toute la population (on fait alors un recensement); dans ce cas, la moyenne $\overline{X}$ de la population prend toujours la même valeur, à savoir la moyenne μ de la population, et en conséquence, la variance de $\overline{X}$ devient égale à zéro. Enfin, si n est beaucoup plus petit que N (par exemple, un échantillon de 100 personnes tiré d'une population d'un million), alors le facteur de réduction $(N-n)/(N-1)$ est pratiquement égal à 1; il importe alors assez peu que l'échantillon soit tiré avec ou sans remise.

(b) La variance S^2 d'un échantillon aléatoire

Une deuxième statistique ou caractéristique de l'échantillon qui est très utilisée est sa variance; elle est définie comme suit:

La variance d'un échantillon aléatoire. Soit $(X_1, ..., X_n)$ un échantillon aléatoire simple de taille n; alors on appelle "variance" de cet échantillon la statistique que l'on note S^2, et qui est définie comme

$$S^2 = \frac{1}{n-1}\sum_{i=1}^{n}(X_i - \overline{X})^2$$

Pour une réalisation particulière $(x_1, ..., x_n)$ de l'échantillon aléatoire, la statistique S^2 va prendre la valeur numérique $s^2 = \frac{1}{n-1}\sum_{i=1}^{n}(x_i - \overline{x})^2$,

où $\overline{x}$ est la valeur prise par $\overline{X}$ pour cette réalisation. Il est à noter que cette valeur s^2 diffère légèrement de la variance s^2 que l'on a définie au chapitre 3 pour une variable statistique; en effet, pour une variable statistique, on a défini la variance par

$$s^2 = \frac{1}{n}\sum_{i=1}^{n}(x_i - \overline{x})^2.$$

Dans cette perspective, on aurait dû définir la variance d'un échantillon aléatoire par

$$\overline{S}^2 = \frac{1}{n}\sum_{i=1}^{n}(X_i - \overline{X})^2;$$

cette expression $\bar{S}^2$ est parfois appelée l'**écart quadratique moyen.** En général, on utilise plutôt l'expression

$$\frac{1}{n-1} \sum_{i=1}^{n} (X_i - \bar{X})^2$$

pour définir la variance de l'échantillon. La raison pour laquelle on divise par (n-1) au lieu de n réside dans le fait que les propriétés de la variance ainsi définie sont plus intéressantes que celles de $\bar{S}^2$: en particulier, on a $E(S^2) = \sigma^2$, de telle sorte que, si l'on utilise S^2 pour estimer σ^2, on aura un estimateur non biaisé de σ^2 (cf. chapitre 6).

On peut facilement vérifier que la variance S^2, telle que définie précédemment, peut s'écrire sous la forme équivalente suivante:

$$S^2 = \frac{1}{n-1} \left[\sum_{i=1}^{n} X_i^2 - n\bar{X}^2 \right]$$

Cette dernière formulation se prête mieux aux calculs manuels, mais évidemment, en pratique, comme on recourt la plupart du temps à l'ordinateur pour calculer de telles statistiques, il importe peu de prendre l'une ou l'autre expression comme définition de S^2.

Caractéristiques de S^2

Tout comme la moyenne $\bar{X}$ d'un échantillon aléatoire, il faut bien réaliser que la variance S^2 est aussi une variable aléatoire. On traitera de la distribution de probabilité de S^2 dans la section 5.4 de ce chapitre. On peut immédiatement exprimer l'espérance mathématique (ou la moyenne) et la variance de la variable aléatoire S^2.

L'espérance mathématique de S^2. L'espérance mathématique de S^2 est égale à la variance σ^2 de la population, c'est-à-dire

$$E(S^2) = \sigma^2$$

En effet, on peut vérifier l'égalité suivante:

$$(n-1)S^2 = \sum_{i=1}^{n} (X_i - \mu)^2 - n(\bar{X} - \mu)^2$$

d'où il s'ensuit que

$$(n-1)E(S^2) = \sum_{i=1}^{n} E\left[(X_i - \mu)^2\right] - n\,E(\bar{X} - \mu)^2$$

$$= \sum_{i=1}^{n} \sigma^2 - n\frac{\sigma^2}{n} = (n-1)\sigma^2$$

on a donc finalement $\boxed{E(S^2) = \sigma^2}$

Cette propriété de la variance échantillonnale sera utilisée lorsqu'on voudra estimer σ^2 par S^2 (cf. chapitre 6). Par ailleurs, on peut prouver que l'écart quadratique moyen défini précédemment par

$$\bar{S}^2 = \frac{1}{n} \sum_{i=1}^{n} (X_i - \bar{X})^2$$

a comme espérance mathématique

$$E(\bar{S}^2) = \frac{n-1}{n} \sigma^2 ,$$

ce qui fait de $\bar{S}^2$ une statistique moins adéquate que S^2 pour estimer σ^2.

La variance de S^2 est une caractéristique qui est beaucoup moins utilisée que sa moyenne. L'expression de cette variance est plus complexe que celle de $E(S^2)$, et elle ne sera pas développée ici. On pourrait cependant montrer que

$$\operatorname{Var}(S^2) = \frac{1}{n} \left(\mu_4 - \frac{n-3}{n-1} \sigma^4 \right),$$

où μ_4 est le moment centré d'ordre quatre, c'est-à-dire $E\left[(X - \mu)^4 \right]$, et σ^4 la variance de la population au carré, soit $(\sigma^2)^2$. Si la variable X étudiée dans la population suit une distribution normale, alors on pourrait vérifier que

$$\operatorname{Var}(S^2) = \frac{2\sigma^4}{n-1}$$

Exemple 5.7. Tout comme à l'exemple 5.5, supposons que l'on choisisse un échantillon aléatoire de taille 5 dans la population des 10 étudiants de l'exemple 5.4. Si les 5 étudiants choisis sont $\omega_2, \omega_4, \omega_5, \omega_5$ et ω_7, l'échantillon aléatoire $(X_1, ..., X_5)$ prend la valeur (18,22,20,20,21); pour cette réalisation particulière la variance S^2 de l'échantillon prend la valeur

$$s^2 = \frac{1}{n-1} \left[\sum_{i=1}^{n} x_i^2 - n\bar{x}^2 \right]$$

$$= \frac{1}{4} \left[\sum_{i=1}^{5} x_i^2 - 5 \ (20.2)^2 \right]$$

$$= \frac{1}{4} \left[2049 - 2040.2 \right] = 2.2$$

Evidemment, pour une autre réalisation de l'échantillon aléatoire, la variance S^2 pourra prendre une autre valeur. De plus, à l'exemple 5.6, on a obtenu comme variance de la population $\sigma^2 = 1.49$. Se référant aux caractéristiques de S^2 que l'on a présentées précédemment, on doit avoir ici

$$E(S^2) = \sigma^2 = 1.49$$

5.4 DISTRIBUTIONS D'ECHANTILLONNAGE

Au paragraphe précédent, on a pu parler des caractéristiques de la moyenne $\overline{X}$ et de la variance S^2 d'un échantillon aléatoire, sans avoir calculé au préalable la distribution de probabilité de ces statistiques. Cela s'est avéré possible parce qu'on peut exprimer l'espérance mathématique et la variance de ces deux statistiques directement en fonction de l'espérance μ et de la variance σ^2 de la population. D'une façon générale, lorsqu'on utilise une statistique en inférence, on s'intéresse non seulement à ses caractéristiques, mais aussi à sa distribution. C'est pourquoi, on introduit

> **Distribution d'échantillonnage.** On appelle ainsi la distribution de probabilité de n'importe quelle statistique.

Autrement dit, une distribution de probabilité est appelée distribution d'échantillonnage si elle est utilisée comme distribution d'une statistique. Dans ce qui suit, on va présenter les principales distributions d'échantillonnage que l'on utilise en inférence statistique. Il est à noter que, dans tous les cas, on réfère à un échantillon aléatoire simple indépendant.

5.4.1 La distribution normale comme distribution d'échantillonnage

La distribution normale est la distribution de probabilité utilisée le plus fréquemment comme distribution d'échantillonnage; elle est utilisée comme distribution de la moyenne $\overline{X}$ de l'échantillon dans diverses situations.

(a) La distribution de $\overline{X}$

Cas 1: population normale

Lorsque la variable X que l'on étudie dans la population suit une distribution normale de moyenne μ et de variance σ^2, alors la moyenne $\overline{X}$ d'un échantillon aléatoire de taille n tiré de cette population suit une distribution normale de moyenne μ et de variance σ^2 / n ; autrement dit

> si $X \in N(\mu, \sigma^2)$, alors $\overline{X} \in N(\mu, \sigma^2/n)$

Ce résultat découle du fait que toute combinaison linéaire de variables aléatoires normales indépendantes suit une distribution normale, ou plus précisément: si $X_1, X_2, \ldots, X_n$ sont des v.a. $Y = c_1 X_1 + c_2 X_2 + \ldots + c_n X_n$ moyennes $\upsilon_1, \mu_2, \ldots, \mu_n$ et de variances $\sigma_1^2, \sigma_2^2, \ldots, \sigma_n^2$ respectivement, et $c_1, c_2, \ldots, c_n$ des constantes réelles, alors la v.a. $Y = c_1 X_1 + c_2 X_2 + \ldots + c_n X_n$ est une v.a. normale de moyenne $\mu_Y = c_1\mu_1 + \ldots + c_n\mu_n$ et de variance $\sigma_Y^2 = c_1^2\sigma_1^2 + \ldots + c_n^2\sigma_n^2$. Cette propriété s'applique directement pour calculer la distribution de $\overline{X}$, lorsque X est normale, puisque

$$\overline{X} = \frac{1}{n} \sum_{i=1} X_i = \frac{1}{n} X_1 + \frac{1}{n} X_2 + \ldots + \frac{1}{n} X_n ,$$

et que toutes les autres conditions pour appliquer la propriété sont satisfaites.

Cas 2: population non normale, n grand

On va maintenant supposer que la variable X que l'on étudie dans la population ne suit pas une distribution normale (elle peut suivre n'importe quelle autre distribution) et que cette variable a de nouveau μ et σ^2 comme moyenne et comme variance. Si l'on tire un échantillon aléatoire simple de taille n de cette population, et si n est assez grand, alors la moyenne $\overline{X}$ de cet échantillon suit approximativement une distribution normale de moyenne μ et de variance σ^2 / n ; autrement dit

si n est grand (quelle que soit la distribution de X), alors on a approximativement $\overline{X} \in N(\mu, \sigma^2/n)$

Ce résultat découle d'un théorème célèbre appelé **théorème central limite**, que l'on peut énoncer comme suit: si $X_1, ..., X_n$ sont des v.a. indépendantes, de même distribution, d'espérance $\mu_1, ..., \mu_n$ et de variances $\sigma_1^2, ..., \sigma_n^2$ respectivement, alors, si n est suffisamment grand, la v.a. $Y = X_1 + ... + X_n$ suit approximativement une distribution normale de moyenne $\mu_Y = \mu_1 + ... + \mu_n$ et de variance $\sigma_Y^2 = \sigma_1^2 + ... + \sigma_n^2$. Ce théorème est vrai quelle que soit la distribution des v.a. impliquées,pourvu qu'elles aient toutes la même distribution. Souvent on suppose que l'approximation est bonne quand la taille n de l'échantillon est supérieure ou égale à 30,mais cette règle n'a rien d'absolu.

Exemple 5.8. Dans une usine, on utilise une machine automatique pour couper des tiges métalliques. Lorsque la machine est correctement ajustée, la longueur des tiges coupées est en moyenne de 30,cm avec un écart type de 0.5 cm. Pour contrôler la longueur des tiges produites, on tire dans la production d'une journée un échantillon aléatoire de 100 tiges.

a) Si l'on suppose que la longueur X des tiges produites est distribuée normalement, calculer la probabilité que la moyenne $\overline{X}$ de cet échantillon soit au plus égale à 29.9 cm.

b) Calculer de nouveau la probabilité demandée en a) sans faire l'hypothèse que X est normale.

Solution. a) Puisque la moyenne μ de la population est égale à 30 cm et que son écart type est égal à 0.5 cm, la moyenne de $\overline{X}$ est donc égale à 30 cm, et son écart type est égal à $0.5/\sqrt{100} = 0.05$ cm. De plus, X étant normale, $\overline{X}$ l'est également. On a donc $\overline{X} \in N(30, (0.05)^2)$. On cherche la probabilité que $\overline{X}$ soit au plus égal à 29.9 cm. On obtient

$$
\begin{aligned}
P(\overline{X} \leqslant 29.9) &= P\left(\frac{\overline{X} - \mu}{\sigma/\sqrt{n}} \leqslant \frac{29.9 - 30}{0.05}\right) \\
&= P(Z \leqslant -2), \text{ où } Z \in N(0,1) \\
&= P(Z \geqslant 2) = 0.023
\end{aligned}
$$

b) Même si l'on ne fait plus l'hypothèse que X est normale, puisque la taille n de l'échantillon est grande (100 est passablement plus grand que 30), le théorème central limite permet d'affirmer que la moyenne $\bar{X}$ de cet échantillon sera à peu près une variable normale de moyenne 30, et d'écart type 0.05, c'est-à-dire $\bar{X} \in N(30, (0.05)^2)$. On a donc de nouveau

$$P(\bar{X} \leqslant 29.9) \simeq P(Z \geqslant 2) = 0.023$$

Cas particulier du cas 2: X est une variable de Bernoulli

En statistique, face à une certaine population, il arrive souvent que l'on désire savoir si les membres de cette population possèdent ou non une certaine caractéristique, si un groupe d'individus favorise ou non tel parti politique, ou encore si dans un lot de pièces mécaniques donné, toutes les pièces sont bonnes ou non. En général, on peut alors considérer que la variable X étudiée dans la population est une variable de Bernoulli, c'est-à-dire une variable définie par

$$X = \begin{cases} 1, \text{ si l'unité possède la caractéristique désirée,} \\ 0, \text{ si l'unité ne possède pas la caractéristique désirée,} \end{cases}$$

avec la distribution de probabilité f(x) donnée par

x	1	0
f(x)	p	1 - p

où p est la proportion des membres dans la population possédant la caractéristique considérée. Autrement dit, on a $X \in Bi(1,p)$. On tire un échantillon aléatoire simple de taille n de cette population, et l'on s'intéresse à la distribution de la moyenne échantillonnale

$$\bar{X} = \frac{1}{n} \sum_{i=1}^{n} X_i$$

qui représente la proportion des unités de l'échantillon possédant la caractéristique considérée.

Considérons d'abord la distribution de la statistique

$$\boxed{n\bar{X} = \sum_{i=1}^{n} X_i}$$

Puisque les v.a. $X_1, \ldots, X_n$ sont indépendantes et sont toutes des v.a. de Bernoulli de paramètre p, on peut prouver que la statistique $n\bar{X}$ suit une distribution binômiale de paramètres n et p, c'est-à-dire $(n\bar{X}) \in Bi(n,p)$. De là, on pourrait être tenté de conclure que la statistique $\bar{X}$ va aussi suivre une distribution binômiale. Cependant cette conclusion serait tout à fait erronée, puisque $\bar{X}$ ne prend pas nécessairement des valeurs entières, alors qu'une v.a. binômiale ne prend nécessairement que des valeurs entières. Si n est grand, on peut tout de même tirer des conclusions sur la distribution de $\bar{X}$; en effet, on a $(n\bar{X}) \in Bi(n,p)$ et, si n est suffisamment grand, cette distribution binômiale de paramètres n et p peut, grâce au théorème central limite, être approximée par une distribution normale de moyenne np et de variance npq, où $q = 1 - p$. La moyenne $\bar{X}$ de l'échantillon suit alors approximativement une distribution normale de moyenne p et de variance $[pq] / n$. En résumé, on a:

> si $X \in Bi(1,p)$, et si n est grand ($n \geqslant 30$), alors on a approximativement
>
> $$\bar{X} \in N\left(p, \frac{pq}{n}\right)$$

Exemple 5.9. Supposons qu'il y ait environ 40% des citoyens du Québec qui soient en fabeur de l'avortement libre. Si l'on choisit au hasard 100 citoyens du Québec, quelle est la probabilité qu'au moins 50 d'entre eux soient en faveur de l'avortement libre?

Solution. Définissons la variable de Bernoulli suivante:

$$X = \begin{cases} 1 \text{ , si le citoyen choisi est en faveur de l'avortement,} \\ 0 \text{ , si le citoyen choisi est contre l'avortement.} \end{cases}$$

On a alors $X \in Bi(1, p)$ où $p = .40$. Si l'on tire un échantillon aléatoire de 100 individus dans cette population, la proportion des individus en faveur de l'avortement dans cet échantillon sera donné par la moyenne $\bar{X}$ de l'échantillon; autrement dit on a:

la moyenne échantillonnale $\bar{X}$ = la proportion échantillonnale.

D'autre part, au niveau de la population on a:

la moyenne μ de la population = la proportion p de la population.

Alors puisque n est grand, $\bar{X}$ suit approximativement une distribution normale de moyenne p et de variance$[pq] / n$ .On cherche la probabilité que la proportion échantillonnale $\bar{X}$ soit au moins égale à 0.5; on obtient

$$P(\bar{X} \geqslant 0.5) = P\left(\frac{\bar{X} - p}{\sqrt{\frac{pq}{n}}} \geqslant \frac{0.5 - 0.4}{\sqrt{\frac{0.4(0.6)}{100}}}\right)$$

$$\simeq P(Z \geqslant 2.04), \text{ où } Z \in N(0,1)$$

$$= 0.021$$

(b). La distribution de $[\bar{X}_1 - \bar{X}_2]$ (2 populations)

Il arrive souvent en statistique que l'on désire comparer deux populations relativement à une certaine caractéristique. Cette caractéristique X lorsqu'elle est considérée dans la première population est notée X_1, et elle est notée X_2 dans la deuxième population. On va supposer que les moyennes et les variances de ces deux populations sont μ_1 , σ_1^2 et μ_2 , σ_2^2 respectivement. Pour comparer ces deux populations, on tire indépendamment un échantillon aléatoire de taille n_1 dans la première, et un échantillon aléatoire de taille n_2 dans la deuxième,et on est alors amené à considérer la distribution de la différence ($\overline{X}_1 - \overline{X}_2$) entre les deux moyennes échantillonnales.

Cas 1 : populations normales de variances connues

Si les variables X_1 et X_2 étudiées dans chacune de ces populations sont normales, alors la différence($\overline{X}_1 - \overline{X}_2$)suit une distribution normale de moyenne $(\mu_1 - \mu_2)$ et de variances $\sigma_1^2 / n_1 + \sigma_2^2 / n_2$; autrement dit

si $X_1 \in N(\mu_1, \sigma_1^2)$ et $X_2 \in N(\mu_2, \sigma_2^2)$, alors $$\left(\overline{X}_1 - \overline{X}_2\right) \in N\left(\mu_1 - \mu_2, \frac{\sigma_1^2}{n_1} + \frac{\sigma_2^2}{n_2}\right)$$

Cas 2 : populations non normales de variances connues avec n_1 et n_2 grands

On va maintenant supposer que les variables X_1 et X_2 que l'on étudie dans chacune des populations ne suivent pas des distributions normales (elles peuvent suivre n'importe quelle autre distribution). Dans ce cas, si les tailles n_1 et n_2 des deux échantillons aléatoires simples sont suffisamment grandes, alors, grâce au théorème central limite, la différence($\overline{X}_1 - \overline{X}_2$)des moyennes échantillonnales suit approximativement une distribution normale de moyenne $(\mu_1 - \mu_2)$ et de variance $\sigma_1^2 / n_1 + \sigma_2^2 / n_2$; autrement dit

si n_1 et n_2 sont grands (quelles que soient les distributions de X_1 et de X_2), alors on a approximativement $$(\overline{X}_1 - \overline{X}_2) \in N\left(\mu_1 - \mu_2, \frac{\sigma_1^2}{n_1} + \frac{\sigma_2^2)}{n_2}\right)$$

Cas particulier du cas 2 : X_1 et X_2 sont des variables de Bernoulli

On va maintenant supposer que les variables X_1 et X_2 étudiées dans chacune des deux populations sont des variables de Bernoulli de paramètres p_1 et p_2 respectivement. Comme dans le cas d'une seule population, p_1 et p_2 désignent les proportions des unités possédant une certaine caractéristique dans chacune des populations,et $\overline{X}_1$ et $\overline{X}_2$ désignent ces mêmes proportions dans chacun des deux échantillons. Si les tailles n_1 et n_2 des échantillons sont suffisamment grandes, alors, grâce au théorème central limite, la différence ($\overline{X}_1 - \overline{X}_2$)des deux moyennes échantillonnales suit approximativement une distribution normale de moyenne ($p_1 - p_2$) et de variance ($p_1 q_1$) / n_1 + ($p_2 q_2$) / n_2. En résumé, on a:

si $X_1 \in Bi(1,p_1)$, $X_2 \in Bi(1,p_2)$, et si n_1 et n_2 sont grands, alors on a approximativement

$$(\bar{X}_1 - \bar{X}_2) \in N\left(p_1 - p_2,\ \frac{p_1 q_1}{n_1} + \frac{p_2 q_2}{n_2}\right)$$

Exemple 5.10. Deux manufacturiers, Goodway (G) et Firerock (F), produisent des pneus radiaux. Les pneus radiaux Goodway ont une durée de vie moyenne de 50,000 km, avec un écart type de 8,000 km, et les pneus radiaux Firerock, une durée de vie moyenne de 40,000 km, avec un écart type de 5,000 km. Quelle est la probabilité que la durée de vie moyenne d'un échantillon aléatoire simple de 50 pneus Goodway soit d'au moins 12,000 km de plus que la durée de vie moyenne d'un échantillon aléatoire simple de 75 pneus Firerock?

Solution. Désignons la durée de vie des pneus Goodway par X_1 et celle des pneus Firerock par X_2. Relativement à la première population (les pneus G), on a $\mu_1 = 50{,}000$ km et $\sigma_1 = 8{,}000$ km. Pour la deuxième population (les pneus F), on a $\mu_2 = 40{,}000$ km et $\sigma_2 = 5{,}000$ km.

On ne connaît pas les distributions de X_1 et X_2 ; cependant, comme les tailles n_1 et n_2 des deux échantillons sont grandes ($n_1 = 50$ et $n_2 = 75$), la différence $(\bar{X}_1 - \bar{X}_2)$ suivra approximativement une distribution normale (cas 2), c'est-à-dire

$$(\bar{X}_1 - \bar{X}_2) \in N\left(50{,}000 - 40{,}000,\ \frac{(8{,}000)^2}{50} + \frac{(5{,}000)^2}{75}\right)$$

$$\begin{aligned} P(\bar{X}_1 - \bar{X}_2 \geq 12{,}000) &= P\left(\frac{(\bar{X}_1 - \bar{X}_2) - \mu_{(\bar{X}_1 - \bar{X}_2)}}{\sigma_{(\bar{X}_1 - \bar{X}_2)}} \geq \frac{12{,}000 - 10{,}000}{1270.17}\right) \\ &\simeq P(Z \geq 1.57),\ \text{où } Z \in N(0,1) \\ &= 0.058 \end{aligned}$$

5.4.2 La distribution du χ^2 (Chi-carré)

Il y a un certain nombre de distributions de probabilité qui sont utilisées presque exclusivement comme distributions d'échantillonnage; c'est le cas en particulier des distributions du χ^2, du t et du F que nous allons maintenant présenter. Nous allons d'abord définir, d'une façon générale, chacune de ces distributions et en préciser les propriétés, et par la suite, nous verrons de quelle façon cette distribution est utilisée comme distribution d'échantillonnage. Abordons à présent la première distribution, celle du χ^2.

(a) Nature de la distribution

On appelle variable aléatoire du χ^2 (Chi-carré) à m degrés de liberté une v.a. continue qui prend des valeurs réelles non négatives, et dont la densité est

$$f(\chi^2) = k(m)\ (\chi^2)^{\left(\frac{m}{2}\right) - 1}\ e^{-\left(\frac{\chi^2}{2}\right)},\ \text{pour } \chi^2 \geq 0,$$

où m est un entier positif et k (m) est une certaine fonction de m. Par la suite, on désignera par χ^2 (m) la famille des v.a. du χ^2 à m degrés de liberté, de telle sorte que pour une v.a. X, on pourra écrire $X \in \chi^2$ (m).

Caractéristiques d'une v.a. du χ^2

Il est possible de prouver que l'espérance et la variance d'une v.a. du χ^2 à m degrés de liberté sont données par

$$E(\chi^2) = m, \quad Var(\chi^2) = 2m$$

Représentation graphique et utilisation des tables

Lorsqu'on veut calculer des probabilités relatives à une v.a. des χ^2 à m degrés de liberté, il importe de savoir que la courbe représentant cette variable n'est pas symétrique comme celle de la v.a. normale. En effet, les courbes représentant la densité de la v.a. du χ^2 à m degrés de liberté, pour m = 4, 6 et 10, ont la forme montrée à la figure 5.1.

FIGURE 5.1

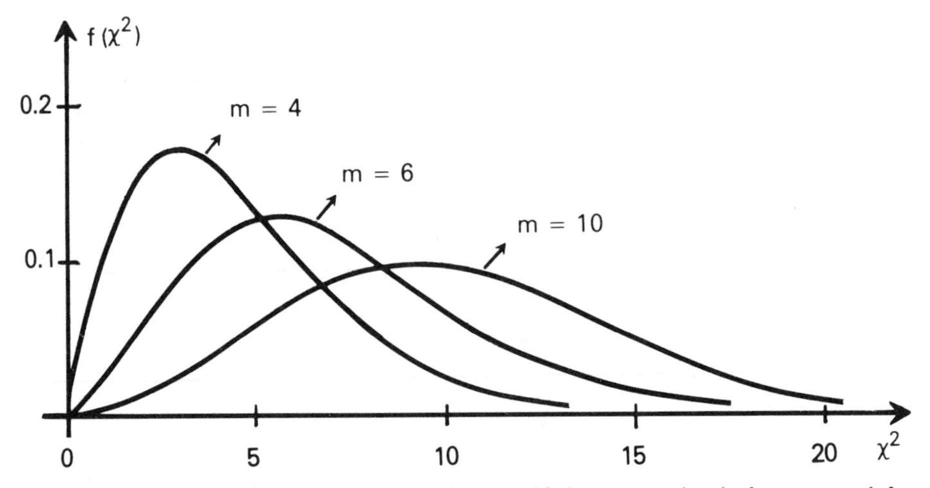

A mesure que m augmente, la courbe se déplace vers la droite et tend à devenir symétrique. On pourrait d'ailleurs montrer que, lorsque m tend vers l'infini, la distribution de χ^2 à m degrés de liberté converge vers la distribution normale de moyenne m et de variance 2 m. Pour calculer les probabilités relatives à une v.a. du χ^2 à m degrés de liberté, on utilise habituellement une table donnant les probabilités cumulées de la forme "plus grand ou égal". Dans ce texte, on utilise la notation χ^2_α pour désigner une valeur particulière de la v.a. du χ^2 à m degrés de liberté, telle que la probabilité que la v.a. prenne une valeur plus grande ou égale à cette valeur particulière est égale à α, c'est-à-dire

$$P(\chi^2 \geqslant \chi^2_\alpha / m) = \alpha .$$

La table 2 de l'annexe 2 donne les valeurs χ^2_α pour diverses valeurs de m et de α. La probabilité α correspond à la partie hachurée dans la figure 5.2

FIGURE 5.2

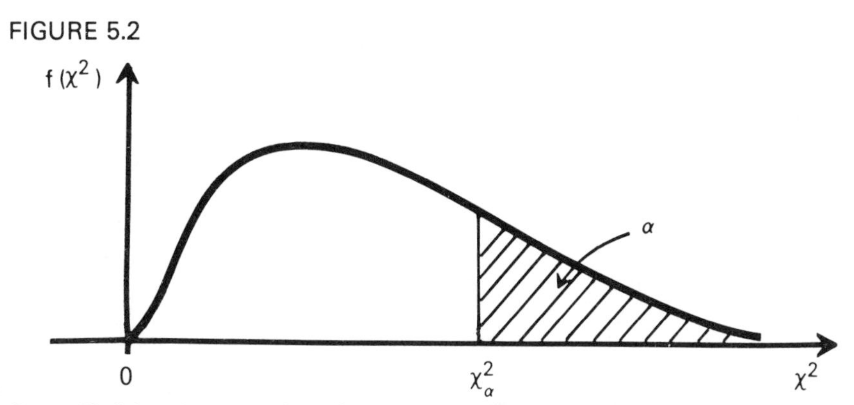

Propriété fondamentale. Si $X_1, ..., X_m$ sont des v.a. indépendantes de distribution normale centrée réduite, c'est-à-dire que $X_i \in N(0,1)$, $i = 1,...,m$, alors la v.a. $Y = X_1^2 + ... + X_m^2$ est une v.a. du χ^2 à m degrés de liberté.

Autrement dit, la distribution du χ^2 est la distribution de probabilité d'une somme de v.a. normales centrées réduites élevées au carré. Le paramètre m d'une distribution du χ^2 est donc en relation directe avec le nombre de v.a. indépendantes qui composent la variable du χ^2.

Additivité de la distribution du χ^2. Supposons que X_1 et X_2 soient deux v.a. indépendantes telles que $X_1 \in \chi^2(m_1)$, et $X_2 \in \chi^2(m_2)$; alors $Y = X_1 + X_2$ est une v.a. du χ^2 à $(m_1 + m_2)$ degrés de liberté.

(b) Utilisation comme distribution d'échantillonnage

Une statistique utilisée fréquemment en inférence est la variance S^2 de l'échantillon; par exemple, on utilise S^2 pour estimer la variance σ^2 de la population. Il importe donc de connaître la distribution de S^2, cette distribution dépendant évidemment de celle de la population. Il est difficile en général d'expliciter la distribution de S^2. Cependant si la distribution de la population est normale, alors on peut expliciter la distribution d'une fonction de S^2. On a en effet:

La distribution de $[(n-1)S^2]/\sigma^2$. Soit $(X_1, ..., X_n)$ un échantillon aléatoire simple de taille n tiré d'une **population normale** de moyenne μ et de variance σ^2, et soit S^2 la variance de cet échantillon; alors la statistique $[(n-1)S^2]/\sigma^2$ suit une distribution du χ^2 à (n - 1) degrés de liberté, c'est-à-dire

$$\frac{(n-1)S^2}{\sigma^2} \in \chi^2(n-1)$$

Il est à remarquer que, même si la taille de l'échantillon est n, le nombre de degrés de liberté de la statistique $[(n-1)S^2]/\sigma^2$ est égal à (n - 1). En effet, en utilisant l'additivité de la distribution du χ^2, on a:

$$\frac{(n-1)S^2}{\sigma^2} = \sum_{i=1}^{n} \left(\frac{X_i - \mu}{\sigma}\right)^2 - n\left(\frac{\bar{X} - \mu}{\sigma}\right)^2$$

$$= \underbrace{\sum_{i=1}^{n} \left(\frac{X_i - \mu}{\sigma}\right)^2}_{\in \chi^2(n)} - \underbrace{\left(\frac{\bar{X} - \mu}{\sigma / \sqrt{n}}\right)^2}_{\in \chi^2(1)}$$

d'où $[(n-1)\, S^2] / \sigma^2$ suit une distribution du χ^2 à (n-1) degrés de liberté.

Exemple 5.11. La longueur des tiges métalliques (cf. exemple 5.8) coupées par une machine automatique est une v.a. distribuée normalement avec une moyenne de 30 cm et un écart type de 0.5 cm. Si l'on tire un échantillon aléatoire de 25 tiges dans la production de cette machine, quelle est la probabilité que la variance de l'échantillon soit supérieure ou égale à 0.38?

Solution. On cherche $P(S^2 \geqslant 0.38)$. Pour pouvoir utiliser la distribution du χ^2, on va écrire la probabilité en termes de la statistique $[(n-1)\, S^2]/\sigma^2$, sachant que cette statistique suit ici une distribution du χ^2 à 24 degrés de liberté.

On a

$$P(S^2 \geqslant 0.38) = P\left(\frac{(n-1)\, S^2}{\sigma^2} \geqslant \frac{24\,(0.38)}{(0.5)^2}\right)$$

$$= P\ (\chi^2 \geqslant 36.48)$$

Comme le nombre de degrés de liberté de la v.a. du χ^2 est 24, en lisant dans la table de l'annexe 2, on obtient

$$P(\chi^2 \geqslant 36.48) \simeq 0.05$$

Notons que si l'on veut calculer une probabilité α pour une valeur χ^2_α passablement différente des valeurs incluses dans la table de l'annexe 2, il faut effectuer une interpolation à partir des valeurs fournies dans cette table (ou encore utiliser une table plus détaillée).

5.4.3 La distribution du t (Student)

(a) Nature de la distribution

On appelle variable aléatoire du t, ou v.a. de Student à m degrés de liberté, une v.a. continue qui prend des valeurs réelles, et dont la densité est

$$f(t) = K(m) \left[1 + \frac{t^2}{m}\right]^{-\frac{m+1}{2}}, \quad -\infty < t < \infty,$$

où m est un entier positif, et k (m) une certaine fonction de m. On désigne par $\tilde{t}$ (m) la famille des v.a. du t à m degrés de liberté de telle sorte que l'on pourra écrire, pour une v.a. X, $X \in \tilde{t}(m)$.

Caractéristiques d'une v.a. du t

Il est possible de prouver que l'espérance et la variance d'une v.a. du t à m degrés de liberté sont données par

$$E(\tilde{t}) = 0 \text{ , si } m > 1 \text{ ,}$$

$$Var(\tilde{t}) = \frac{m}{m-2} \text{ , si } m > 2$$

Représentation graphique et utilisation des tables

La courbe représentant la densité de la v.a. du t à m degrés de liberté est une courbe en forme de cloche, qui est symétrique par rapport à la droite t=0, tout comme celle de la densité normale centrée réduite. Cependant, la courbe est plus aplatie que celle de la normale centrée réduite, comme en témoigne la figure 5.3.

FIGURE 5.3

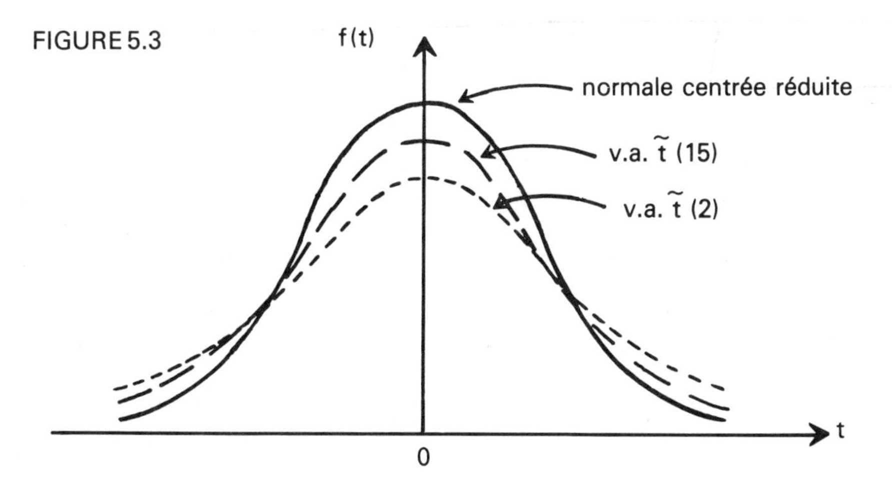

A mesure que m grandit, on constate que la forme de la courbe de la t converge vers celle de la normale. D'ailleurs, on peut prouver mathématiquement que, lorsque m tend vers l'infini, la densité de la v.a. du t à m degrés de liberté converge vers la densité normale centrée réduite.

Pour calculer les probabilités relatives à la v.a. du t à m degrés de liberté, on utilise la table 3 de l'annexe 2 qui donne les probabilités cumulées de la forme "plus grand ou égal". On note par t_α une valeur particulière de la v.a. du t à m degrés de liberté telle que la probabilité que la variable soit plus grande ou égale à cette valeur est égale à α , c'est-à-dire

$$P(\tilde{t} \geqslant t_\alpha \,/\, m) = \alpha \,.$$

La table 3 de l'annexe 2 donne les valeurs t_α pour différentes valeurs de m et de α . La probabilité α correspond à la partie hachurée de la figure 5.4.

FIGURE 5.4

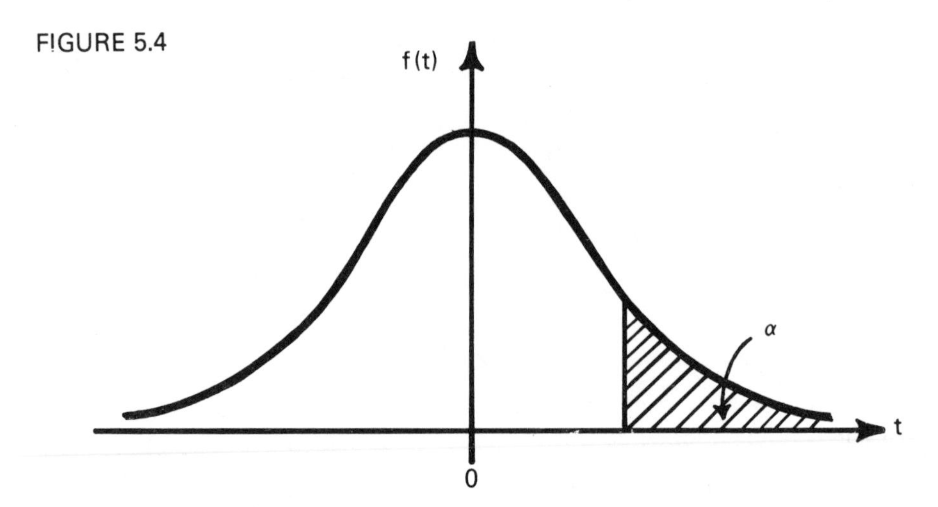

Propriété fondamentale. Soit X une v.a. normale centrée réduite, et Y une v.a. du χ^2 à m degrés de liberté; X et Y étant indépendantes, alors la v.a. $Z = X/\sqrt{Y/m}$ est une v.a. du t à m degrés de liberté.

[*b*] ***Utilisation comme distribution d'échantillonnage***

La statistique la plus utilisée en inférence est la moyenne $\overline{X}$ de l'échantillon. A la section 5.4.1, on a vu que, dans plusieurs cas, la statistique $\overline{X}$ est distribuée normalement avec une moyenne μ et une variance σ^2/n. Cependant, le plus souvent la variance σ^2 est inconnue, et alors on l'estime par S^2, la variance de l'échantillon. Dans ce cas, on est amené à utiliser la statistique $(\overline{X}-\mu)\Big/\frac{S}{\sqrt{n}}$

On ne peut pas expliciter la distribution de cette statistique pour une distribution quelconque de la population, mais dans le cas particulier où la population est normale, on a le résultat suivant:

La distribution de $(\overline{X}-\mu)\Big/\frac{S}{\sqrt{n}}$

Soit $(X_1, ..., X_n)$ un échantillon aléatoire de taille n tiré d'une **population normale** de moyenne μ, et soit S^2 la variance de cet échantillon (S son écart type); alors la statistique

$$(\overline{X}-\mu)/[S/\sqrt{n}]$$

suit une distribution du t à (n - 1) degrés de liberté, c'est-à-dire

$$\frac{\overline{X}-\mu}{S/\sqrt{n}} \in \tilde{t}(n-1)$$

Ce résultat découle de la propriété générale de la v.a. du t énoncée précédemment. En effet, si la population est normale, on sait que

$$\frac{\bar{X} - \mu}{\sigma / \sqrt{n}} \in N(0, 1),$$

$$\frac{(n-1) S^2}{\sigma^2} \in \chi^2 \ (n-1).$$

Par la suite, il suffit de remarquer que la statistique à laquelle on s'intéresse ici peut s'exprimer comme suit:

$$\frac{\bar{X} - \mu}{S / \sqrt{n}} = \frac{\dfrac{\bar{X} - \mu}{\sigma / \sqrt{n}}}{\sqrt{\dfrac{(n-1) S^2}{\sigma^2} \Big/ (n-1)}}$$

Puisque la distribution du t converge vers la distribution normale centrée réduite lorsque le nombre de degrés de liberté augmente, on utilise la distribution du t comme distribution de $(\bar{X} - \mu) / [S / \sqrt{n}]$ seulement si la taille n de l'échantillon est relativement petite (globalement $n < 30$) ; lorsque n est suffisamment grand ($n \geqslant 30$), on utilise la normale comme distribution de cette statistique.

Exemple 5.12. Pour estimer le montant hebdomadaire moyen dépensé par les familles de 4 personnes pour leur épicerie, on tire un échantillon aléatoire de 25 personnes (chaque personne représentant une famille). On suppose que les montants dépensés sont distribués normalement avec une moyenne $\mu = \$80$, et une variance inconnue. Si la variance de l'échantillon de taille 25 est $s^2 = \$36.00$, calculer la probabilité que la moyenne $\bar{X}$ de l'échantillon soit supérieure ou égale à \$83.00.

Solution. On cherche $P(\bar{X} \geqslant 83)$. Sachant que la statistique $(\bar{X} - \mu)/[S/\sqrt{n}]$ suit une distribution du t à 24 degrés de liberté, on peut écrire

$$P(\bar{X} \geqslant 83) = P\left(\frac{\bar{X} - \mu}{S/\sqrt{n}} \geqslant \frac{83 - 80}{6/\sqrt{25}}\right)$$

$$= P(\tilde{t} \geqslant 2.5) \simeq 0.01 \text{ (Table 3, Annexe 2)}$$

La distribution de $(\bar{X}_1 - \bar{X}_2)$ pour des populations normales de variances inconnues mais égales

Précédemment (section 5.4.1), on a vu que, pour comparer deux populations par rapport à une certaine caractéristique, on tire indépendamment un échantillon de taille n_1 dans la première population et un échantillon de taille

n_2 dans la deuxième, puis on considère la distribution de la différence $(\bar{X}_1 - \bar{X}_2)$ entre les deux moyennes échantillonnales. On va maintenant supposer que les deux populations sont normales de moyennes μ_1 et μ_2 connues, mais que les variances σ_1^2 et σ_2^2 sont inconnues. On va aussi supposer que ces variances inconnues sont égales $(\sigma_1^2 = \sigma_2^2)$. Alors on considère une statistique analogue à

$$(\bar{X} - \mu) \Big/ \frac{S}{\sqrt{n}}$$

mais adaptée aux cas de deux populations. On a le résultat suivant: si S_1^2 et S_2^2 sont les variances de chacun des deux échantillons, alors la statistique

$$\frac{(\bar{X}_1 - \bar{X}_2) - (\mu_1 - \mu_2)}{\sqrt{\left(\frac{1}{n_1} + \frac{1}{n_2}\right)\left(\frac{(n_1 - 1) S_1^2 + (n_2 - 1) S_2^2}{n_1 + n_2 - 2}\right)}}$$

suit une distribution du t à $(n_1 + n_2 - 2)$ degrés de liberté; autrement dit

Si $X_1 \in N(\mu_1, \sigma_1^2)$ et $X_2 \in N(\mu_2, \sigma_2^2)$, σ_1^2 et σ_2^2 inconnues mais égales,

$$\left[\frac{(\bar{X}_1 - \bar{X}_2) - (\mu_1 - \mu_2)}{\sqrt{\left(\frac{1}{n_1} + \frac{1}{n_2}\right)\left(\frac{(n_1 - 1) S_1^2 + (n_2 - 1) S_2^2}{n_1 + n_2 - 2}\right)}}\right] \in \tilde{t}(n_1 + n_2 - 2)$$

Ce résultat découle de la propriété fondamentale de la distribution du t. En effet, si les deux populations considérées sont normales, on sait que, grâce à l'additivité de la distribution du χ^2, on aura

$$\left[\frac{(n_1 - 1) S_1^2}{\sigma_1^2} + \frac{(n_2 - 1) S_2^2}{\sigma_2^2}\right] \in \chi^2 (n_1 + n_2 - 2)$$

de plus, comme on l'a vu précédemment,

$$\left[\frac{(\bar{X}_1 - \bar{X}_2) - (\mu_1 - \mu_2)}{\sqrt{\frac{\sigma_1^2}{n_1} + \frac{\sigma_2^2}{n_2}}}\right] \in N(0, 1)$$

En combinant ces deux dernières statistiques, comme l'indique la propriété générale, le résultat suit. Lorsque les variances sont inconnues mais égales $(\sigma_1^2 = \sigma_2^2 = \sigma^2)$, on utilise l'expression

$$\left(\frac{1}{n_1} + \frac{1}{n_2}\right)\left(\frac{(n_1 - 1) S_1^2 + (n_2 - 1) S_2^2}{n_1 + n_2 - 2}\right)$$ comme estimation de la variance de $(\bar{X}_1 - \bar{X}_2)$

Il faut noter que l'on utilise la distribution du t comme distribution de la statistique considérée précédemment seulement si le nombre $(n_1 + n_2 - 2)$ de degrés de liberté est plus petit que 30; si l'on a $(n_1 + n_2 - 2) \geqslant 30$, on peut considérer que la distribution du t est suffisamment proche de la distribution normale et l'on utilise alors la normale comme distribution de cette statistique.

Exemple 5.13. On va de nouveau essayer de comparer la durée de vie des pneus radiaux des deux manufacturiers Goodway et Firerock (cf. exemple 5.10). Supposons que les pneus Goodway aient une durée de vie moyenne de 50,000 km avec un écart type inconnu, et que ceux de Firerock aient une durée de vie moyenne de 40,000 km avec un écart type inconnu, ces deux durées de vie étant distribuées normalement, et les écarts types étant inconnus mais supposés égaux. Pour comparer les pneus de ces deux manufacturiers, on a tiré un échantillon de 10 pneus Goodway, et on a obtenu un écart type de 6,000 km; on a tiré un échantillon de 15 pneus Firerock, et l'on a obtenu un écart type de 4,000 km. Quelle est la probabilité que la durée de vie moyenne de ces 10 pneus Goodway soit d'au moins 15,000 km de plus que la durée de vie moyenne de ces 15 pneus Firerock?

Solution. Comme σ_1 et σ_2 sont inconnus mais égaux, on peut recourir à la statistique

$$\frac{(\overline{X}_1 - \overline{X}_2) - (\mu_1 - \mu_2)}{\sqrt{\left(\frac{1}{n_1} + \frac{1}{n_2}\right)\left(\frac{(n_1 - 1) S_1^2 + (n_2 - 1) S_2^2}{n_1 + n_2 - 2}\right)}}$$

qui suit une distribution du t à $n_1 + n_2 - 2 = 10 + 15 - 2 = 23$ degrés de liberté. On cherche $P((\overline{X}_1 - \overline{X}_2) \geqslant 15{,}000)$. On a

$$P((\overline{X}_1 - \overline{X}_2) \geqslant 15{,}000) =$$

$$= P\left(\frac{(\overline{X}_1 - \overline{X}_2) - (\mu_1 - \mu_2)}{\sqrt{\left(\frac{1}{n_1} + \frac{1}{n_2}\right)\left(\frac{(n_1 - 1) S_1^2 + (n_2 - 1) S_2^2}{n_1 + n_2 - 2}\right)}} \geqslant \frac{15{,}000 - 10{,}000}{\sqrt{\left(\frac{1}{10} + \frac{1}{15}\right)\left(\frac{9\,(6000)^2 + 14\,(4000)^2}{23}\right)}}\right)$$

$$= P(\tilde{t} \geqslant 2.5) \simeq 0.01$$

où la valeur 2.5 a été lue dans la table du t à 23 degrés de liberté.

5.4.4 La distribution du F (Fisher)

(a) Nature de la distribution

On appelle variable aléatoire du F, ou v.a. de Fisher à m_1 et m_2 degrés de liberté une v.a. continue qui prend des valeurs réelles non négatives, et dont la densité est

$$f(x) = k(m_1, m_2)\, x^{\left(\frac{m_1 - 1}{2}\right)} \left(1 + \frac{m_1}{m_2}\right)^{-\left(\frac{m_1 + m_2}{2}\right)}, \quad x \geqslant 0,$$

où m_1 et m_2 sont des entiers positifs, et $k(m_1, m_2)$ une certaine fonction de m_1 et m_2. On va par la suite désigner par $F(m_1, m_2)$ la famille de toutes les v.a. du F à m_1 et m_2 degrés de liberté de telle sorte que, pour une v.a. X, on pourra écrire $X \in F(m_1, m_2)$.

Il est possible de prouver que l'espérance et la variance d'une v.a. $X \in F(m_1, m_2)$ sont données par

$$E(X) = \frac{m_2}{m_2 - 2}, \quad \text{si } m_2 > 2,$$

$$\text{Var}(X) = \frac{2m_2^2(m_1 + m_2 - 2)}{m_1(m_2 - 2)^2(m_2 - 4)}, \quad \text{si } m_2 > 4.$$

Représentation graphique et utilisation des tables

Les courbes représentant la densité d'une variable $X \in F(m_1, m_2)$ pour les valeurs $(m_1, m_2) = (2,1)$, $(5,5)$ et $(25,25)$ ont la forme montrée à la figure 5.5. Tout comme la courbe de la χ^2, la courbe de la F est non symétrique, et elle est définie seulement pour des valeurs non négatives de la variable.

FIGURE 5.5

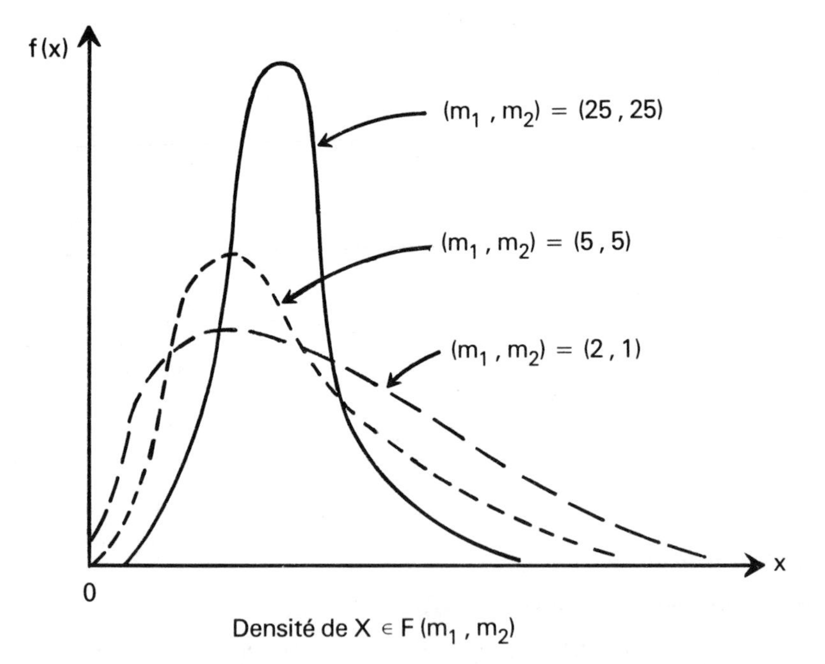

Densité de $X \in F(m_1, m_2)$

Pour calculer les probabilités relatives à la v.a. du F à m_1 et m_2 degrés de liberté, on utilise la table 4 de l'annexe 2 qui donne les probabilités cumulées de la forme "plus grand ou égal"; on note par F_α une valeur particulière de la v.a. du F à m_1 et m_2 degrés de liberté telle que la probabilité que la variable soit plus grande ou égale à cette valeur est égale à α, c'est-à-dire

$$P(F \geqslant F_\alpha / m_1, m_2) = \alpha .$$

La table 4 de l'annexe 2 donne les valeurs F_α pour $\alpha = 0.05$ et $\alpha = 0.01$, et pour différentes valeurs de m_1 et m_2. La probabilité α (0.05 ou 0.01) correspond à la partie hachurée dans la figure 5.6.

FIGURE 5.6

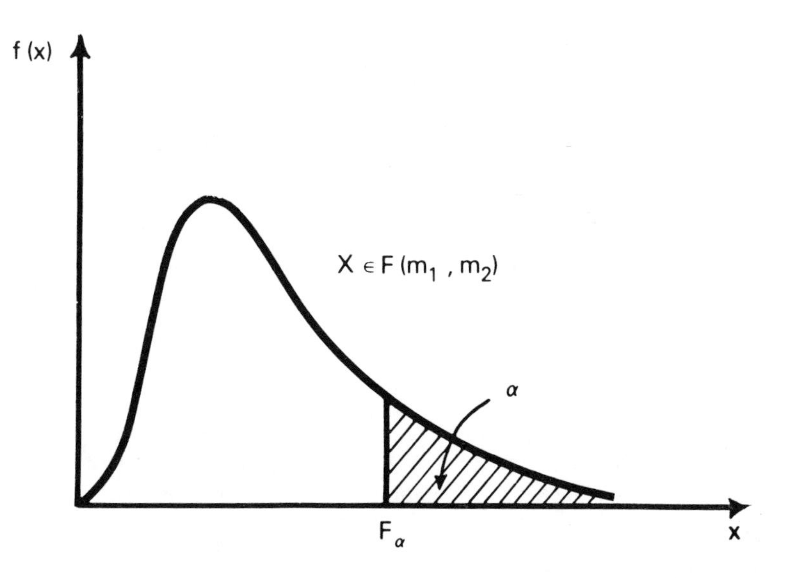

Propriété fondamentale. Soit X_1 et X_2 deux variables aléatoires indépendantes suivant toutes deux une distribution du χ^2 à m_1 et m_2 degrés de liberté respectivement, alors la v.a. $Y = (X_1 / m_1) / (X_2 / m_2)$ suit une distribution du F à m_1 et m_2 degrés de liberté.

(b) Utilisation comme distribution d'échantillonnage

Pour comparer deux populations par rapport à une certaine caractéristique, on peut comparer les moyennes; on peut aussi vouloir comparer les variances de ces populations. A cette fin, on tire indépendamment un échantillon de taille n_1 dans la première population et un échantillon de taille n_2 dans la deuxième. Pour comparer les variances σ_1^2 et σ_2^2 de ces deux populations, on se sert du rapport S_1^2 / S_2^2 des variances des deux échantillons tirés. Plus précisément, si les deux populations considérées sont normales, alors la statistique

$$\frac{S_1^2 / \sigma_1^2}{S_2^2 / \sigma_2^2}$$

suit une distribution du F à $(n_1 - 1)$ et $(n_2 - 1)$ degrés de liberté; autrement dit si $X_1 \in N(\mu_1, \sigma_1^2)$ et $X_2 \in N(\mu_2, \sigma_2^2)$,

$$\text{alors} \quad \frac{S_1^2 / \sigma_1^2}{S_2^2 / \sigma_2^2} \in F(n_1 - 1, n_2 - 1)$$

Ce résultat découle de la propriété fondamentale de la distribution du F. En effet, si les deux populations sont normales, les statistiques

$$\frac{(n_1 - 1)\, S_1^2}{\sigma_1^2} \quad \text{et} \quad \frac{(n_2 - 1)\, S_2^2}{\sigma_1^2}$$

suivent des distributions du χ^2 à $(n_1 - 1)$ et $(n_2 - 1)$ degrés de liberté respectivement. De plus, puisque

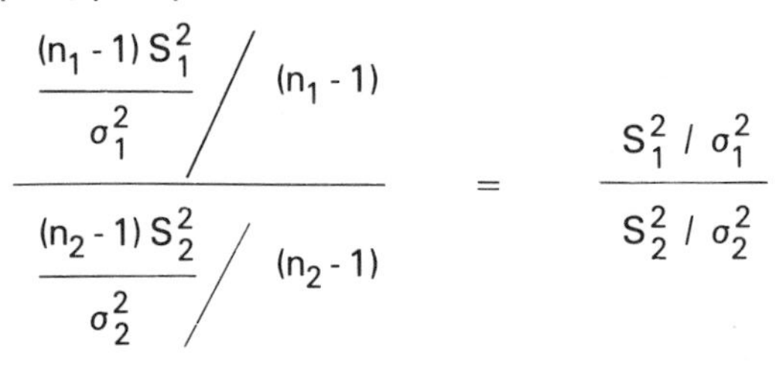

$$\frac{\dfrac{(n_1 - 1)\, S_1^2}{\sigma_1^2} \Big/ (n_1 - 1)}{\dfrac{(n_2 - 1)\, S_2^2}{\sigma_2^2} \Big/ (n_2 - 1)} = \frac{S_1^2 / \sigma_1^2}{S_2^2 / \sigma_2^2}$$

on retrouve le résultat énoncé précédemment. On peut aussi noter que, sous l'hypothèse $\sigma_1^2 = \sigma_2^2$ (les deux populations ont même variance), la statistique $(S_1^2/\sigma_1^2) / (S_2^2/\sigma_2^2)$ se réduit simplement au quotient S_1^2 / S_2^2 des deux variances échantillonnales.

Exemple 5.14 On désire maintenant comparer les variances des durées de vie des pneus radiaux des deux manufacturiers Goodway et Firerock (cf. exemple 5.10 et 5.13). Supposons que la durée de vie des pneus Goodway soit normale, de variance $\sigma_1^2 = (3015)^2$ km^2, et que celle des pneus Firerock soit normale, de variance $\sigma_2^2 = (4000)^2$ km^2. Si l'on tire un échantillon aléatoire de 10 pneus Goodway et de 20 pneus Firerock, calculer la probabilité que la variance S_1^2 du premier échantillon soit au moins 2 fois plus grande que la variance S_2^2 du deuxième échantillon.

Solution. On cherche la probabilité $P([S_1^2 / S_2^2] \geqslant 2)$. Sachant que la statistique $(S_1^2 / \sigma_1^2) / (S_2^2 / \sigma_2^2)$ suit une distribution du F à $(n_1 - 1) = 9$ et $(n_2 - 1) = 19$ degrés de liberté, on a

$$P\left(\frac{S_1^2}{S_2^2} \geqslant 2\right) = P\left(\frac{S_1^2 / \sigma_1^2}{S_2^2 / \sigma_2^2} \geqslant \frac{2\,(4000)^2}{(3015)^2}\right)$$

$$= P\,(F \geqslant 3.52) = 0.01$$

où la valeur $F_\alpha = 3.52$ a été lue dans la table du F à $m_1 = 9$ et $m_2 = 19$ degrés de liberté.

Il est à souligner que la table 4 de l'annexe 2 ne donne les valeurs F_α que pour $\alpha = 0.05$ et 0.01. Evidemment si l'on utilise cette table comme on l'a fait dans l'exemple précédent (pour calculer une valeur α correspondant à une valeur donnée du F), on sera très limité dans les calculs possibles. Cependant, la plupart du temps en inférence statistique, cette table (tout comme celles du χ^2 et du t) sera utilisée d'une façon différente: pour une valeur donnée de α, on cherchera la valeur F_α correspondante. Comme ce α représentera un niveau d'erreur, on pourra le prendre arbitrairement égal, par exemple, à 0.05 ou 0.01.

De plus, à partir des probabilités de la forme

$$P(F \geqslant F_\alpha / m_1, m_2) = \alpha$$

données par la table 4, on peut obtenir les probabilités de la forme

$$P(F \geqslant F_{1-\alpha} / m_2, m_1) = 1 - \alpha ,$$

pour $\alpha = 0.05$ et $\alpha = 0.01$. En effet, la première relation s'écrit

$$P\left(\frac{\chi_1^2 / m_1}{\chi_2^2 / m_2} \geqslant F_\alpha \middle/ m_1, m_2\right) = \alpha ;$$

en inversant les deux expressions définissant l'événement dont on calcule la probabilité, on obtient

$$P\left(\frac{\chi_2^2 / m_2}{\chi_1^2 / m_1} \leqslant \frac{1}{F_\alpha} \middle/ m_2, m_1\right) = \alpha$$

ou encore

$$P\left(\frac{\chi_2^2 / m_2}{\chi_1^2 / m_1} > \frac{1}{F_\alpha} \middle/ m_2, m_1\right) = 1 - \alpha$$

où le quotient $(\chi_2^2 / m_2) / (\chi_1^2 / m_1)$ est une v.a. du F à m_2 et m_1 degrés de liberté. En résumé, on a

$$F_{1-\alpha}(m_2, m_1) = \frac{1}{F_\alpha(m_1, m_2)}$$

$$F_\alpha(m_1, m_2) = \frac{1}{F_{1-\alpha}(m_2, m_1)}$$

Exemple 5.15. a) Déterminer la valeur F_α telle que $P(F \geqslant F_\alpha) = 0.05$, si $m_1 = 4$ et $m_2 = 12$.

b) Déterminer la valeur $F_{1-\alpha}$ telle que $P(F \geqslant F_{1-\alpha}) = 0.95$, si $m_1 = 12$ et $m_2 = 4$.

Solution. a) On a affaire à une v.a. du F à $m_1 = 4$ et $m_2 = 12$ degrés de liberté. La valeur F_α pour $\alpha = 0.05$ est donnée directement dans la table 4 de l'annexe 2, à savoir $F_\alpha = 3.26$, c'est-à-dire $P(F \geqslant 3.26 / 4, 12) = 0.05$.

b) On a affaire à une v.a. du F à $m_1 = 12$ et $m_2 = 4$ degrés de liberté. On n'a pas directement dans la table 4 de l'annexe 2 la probabilité $P(F \geqslant F_{1-\alpha}) = 0.95$. Mais on peut utiliser les probabilités relatives à la v.a. du F à $m_1 = 4$ et $m_2 = 12$ degrés de liberté, en disant

$$P\left(F \geqslant \frac{1}{F_\alpha} \Big/ 12, 4 \right) = 0.95$$

d'où $$F_{1-\alpha}(12, 4) = \frac{1}{F_\alpha(4, 12)} = \frac{1}{3.26} = 0.306, \text{ c'est-à-dire}$$

$$P(F \geqslant 0.306/12,4) = 0.95.$$

5.5 EXERCICES

5.1 Au cours d'un débat prolongé sur un important projet de loi à l'Assemblée nationale du Québec, le député X a reçu 200 lettres d'appui le félicitant pour sa position, et 100 lettres de blâme le réprimandant pour cette même position. Est-ce que le député X a raison de considérer ces 300 lettres comme étant représentatives de l'opinion de tous les citoyens du Québec? Commenter.

5.2 Vous êtes comptable pour la firme "Les Produits OZ". Vous devez faire une étude des comptes à recevoir de cette firme, et comme beaucoup de comptes sont impliqués, vous décidez de procéder par échantillonnage. Sachant par expérience que de nombreux comptes ont une balance de moins de $1 000, que certains comptes ont une balance se situant entre $1 000 et $4 000, et que quelques-uns seulement ont une balance de plus de $4 000, vous choisissez de procéder par échantillonnage stratifié, en définissant les 3 strates:

catégorie de comptes	balance du compte à recevoir
important	$4 000 et plus
moyen	entre $1 000 et $3 999
petit	moins de $1 000

Est-ce que le recours à l'échantillonnage stratifié vous semble approprié? Expliquer.

5.3 En réponse à une annonce publiée dans le journal concernant un emploi disponible, il y a six hommes qui se présentent le lendemain matin au bureau d'embauche. Il est fort probable que l'un des deux ou trois premiers candidats interviewés sera embauché. Pour être juste envers ces 6 candidats, comment pourrait-on utiliser la table des nombres aléatoires de l'annexe 1, de façon à définir un ordre dans les interviews?

5.4 Vous voulez procéder à un sondage politique dans la région métropolitaine de Québec. Vous décidez de former votre échantillon en choisissant de façon systématique des noms dans l'annuaire des abonnés du téléphone du Québec métropolitain (avec l'intention de communiquer ensuite par téléphone avec les personnes dont les noms auront été choisis). Est-ce que le recours à l'échantillonnage systématique vous semble approprié dans ce cas? Commenter.

5.5 Dans les registres d'une grande ville du Québec sont inscrits le nom, l'adresse, l'âge et le sexe de chaque résident, et comme ces données sont disponibles sur un système informatisé, chacun des résidents a aussi un numéro qui lui est assigné. De plus, on peut obtenir de l'information supplémentaire en questionnant les résidents. Quelle méthode d'échantillonnage (si une telle méthode est nécessaire) suggéreriez-vous pour estimer

a) la proportion des hommes et des femmes?
b) le nombre de personnes gagnant plus de $10 000?

c) la proportion des libéraux parmi ceux qui sont en âge de voter?

5.6 La taille des individus d'un certain groupe est une v.a. normale de moyenne 170 cm et d'écart type 5 cm. Si l'on tire un échantillon de 25 personnes dans ce groupe, calculer la probabilité que la moyenne $\overline{X}$ de l'échantillon prenne une valeur plus grande que 172 cm.

5.7 On désire estimer la moyenne μ d'une population normale en utilisant un échantillon de taille assez grande pour qu'avec une probabilité de 0.95, la moyenne $\overline{X}$ de l'échantillon diffère de la moyenne μ de moins du quart de l'écart type σ de cette population. Quelle taille n d'échantillon doit-on choisir?

5.8 Supposons que les hommes d'affaires qui prennent l'avion à partir d'une grande ville aient un poids moyen de 70 kg, avec un écart type de 5 kg, mais que l'on ne connaisse pas la distribution de ce poids. Calculer la probabilité qu'un avion qui vient de partir de cette ville avec 50 hommes d'affaires transporte un poids combiné de passagers plus grand ou égal à 3 600 kg.

5.9 Parmi les employés d'une grande compagnie d'assemblage en électronique où on utilise des hommes et des femmes, on prélève un échantillon aléatoire de 50 hommes et un échantillon aléatoire de 75 femmes, pour comparer le temps X_1 nécessaire à un homme pour faire un certain travail avec le temps X_2 nécessaire à une femme pour faire le même travail. Supposons que, dans la population, l'écart type de ces temps est égal à 15 minutes à la fois pour les hommes et les femmes ($\sigma_1^2 = \sigma_2^2 = \sigma^2 = (15)^2$).

a) Quel est l'écart type de la différence ($\overline{X}_1 - \overline{X}_2$) des deux moyennes échantillonnales?

b) Si l'on suppose $\mu_1 - \mu_2 = 5$, quelle est la probabilité que la différence ($\overline{X}_1 - \overline{X}_2$) soit plus grande ou égale à 8 minutes?

5.10 Les deux maisons de sondage POP et TOP vont bientôt publier des résultats sur la popularité d'un certain chef politique. POP a tiré un échantillon aléatoire de 1 000 personnes, et TOP en a tiré un de 700 afin d'estimer la proportion des citoyens qui appuient ce politicien. En se basant sur des échantillons de cette taille, quelle est la probabilité que la différence entre les deux proportions estimées soit plus grande ou égale à 0.05, si en réalité 50% des citoyens appuient ce politicien?

5.11 Soit S^2 la variance d'un échantillon aléatoire de taille 25 tiré d'une population normale de variance $\sigma^2 = 100$. Evaluer $P(51.66 < S^2 < 151.75)$.

5.12 On tire un échantillon aléatoire simple de taille 16 d'une population normale de moyenne 10, mais de variance σ^2 inconnue. Si la variance S^2 de l'échantillon prend la valeur 25, calculer la probabilité que la moyenne $\overline{X}$ de l'échantillon soit dans l'intervalle [11.08, 12.65].

5.13 Calculer les valeurs F_α telles que $P(F \geqslant F_\alpha / m_1, m_2) = \alpha$ dans les cas suivants:

a) $\alpha = 0.05$, $m_1 = 5$, $m_2 = 10$;
b) $\alpha = 0.99$, $m_1 = 8$, $m_2 = 6$.

5.14 On considère que 40% des familles québécoises dépensent entre $60 et $80 pour leur alimentation chaque semaine. Quelle taille d'échantillon devrait-on choisir pour que la proportion des familles de cet échantillon (dépensant entre $60 et $80 pour leur alimentation hebdomadaire) diffère d'au plus 4% de la proportion p (40%) de la population avec une probabilité de 95%?

5.15 Deux échantillons aléatoires indépendants de tailles $n_1 = 10$ et $n_2 = 15$ sont tirés de populations normales de moyennes $\mu_1 = 50$ et $\mu_2 = 48$, et de variances inconnues mais supposées égales. Quelle est la probabilité que la moyenne du premier échantillon dépasse celle du deuxième d'au moins 5, si les écarts types observés sont $s_1 = 10$ et $s_2 = 5$?

CHAPITRE 6

L'ESTIMATION

6.1 INTRODUCTION

Après avoir défini la nature d'un échantillon aléatoire ainsi que les notions connexes à celle d'échantillon, on est maintenant en mesure d'aborder l'inférence statistique. Comme on l'a souligné au début du chapitre 5, l'inférence statistique regroupe l'ensemble des méthodes qui, à partir d'un échantillon prélevé dans une population, permettent de tirer des conclusions soit sur les paramètres d'une variable étudiée dans cette population, soit sur la distribution ou tout autre aspect de cette variable. Dans **l'inférence paramétrique**, on pose l'hypothèse selon laquelle la forme dela distribution de la population est connue, et l'on essaie de tirer des conclusions sur certains paramètres inconnus de cette distribution. Par contre, dans **l'inférence non paramétrique**, on ne fait pas d'hypothèse sur la distribution de la population et l'on essaie de tirer des conclusions, non plus sur les paramètres, mais sur n'importe quel autre aspect de la population. Eventuellement, l'inférence non paramétrique permet de tirer des conclusions sur la distribution de la population, ou encore sur l'indépendance de deux variables étudiées dans cette population. Le présent chapitre ainsi que le suivant traitent d'inférence paramétrique, tandis que le chapitre 8 aborde brièvement l'inférence non paramétrique.

Traditionnellement l'inférence statistique a été divisée en deux grandes parties: l'**estimation** (traitée dans le présent chapitre) et les **tests d'hypothèses** (traités aux chapitres 7 et 8). Les problèmes d'estimation sont fréquents aussi bien dans la vie de tous les jours que dans le monde de la gestion, des sciences, etc. En effet, avant de traverser une rue, nous devons estimer la vitesse de l'auto qui arrive, la distance qui nous sépare de cette auto, et le temps qu'il nous faut pour traverser cette rue; sur la base de ces estimations, nous décidons de traverser la rue maintenant, ou d'attendre que l'auto soit passée. De même, dans le monde des affaires, l'administrateur doit constamment faire des estimations concernant divers aspects de son entreprise, et ces estimations peuvent avoir un impact considérable sur la bonne marche de ses affaires. Ainsi, un gérant des ventes doit pouvoir régulièrement prévoir les ventes des mois à venir pour pouvoir répondre à la demande; un gérant de crédit doit pouvoir estimer les chances qu'un acheteur acquitte effectivement sa dette; un financier doit pouvoir estimer l'évolution des taux d'intérêt dans l'avenir, etc.

Dans ce chapitre, on ne traitera que du problème de l'**estimation paramétrique**, c'est-à-dire du problème d'estimer le ou les paramètres d'une population. Comme on l'a déjà souligné précédemment, l'inférence statistique peut être abordée selon deux approches, à savoir l'**approche classique** et l'**approche bayesienne.** Les deux prochaines sections du présent chapitre (sections 6.2 et 6.3) sont réservées aux méthodes d'estimation classique, alors que l'estimation bayesienne sera présentée à la section 6.4.

En général, en estimation classique, on procède de la façon suivante: face à une population dans laquelle on étudie un certain caractère X, on suppose connue la forme de la distribution de X (il peut s'agir, par exemple, d'une distribution de Bernoulli ou normale), mais la (ou les) valeur (s) d'un (ou plusieurs) paramètre (s) de cette distribution est (sont) inconnue (s). On désigne par θ le paramètre inconnu; il peut s'agir, par exemple, du paramètre p d'une Bernoulli. Eventuellement, si la distribution renferme plusieurs paramètres inconnus, θ peut représenter un vecteur; ainsi, dans le cas d'une distribution normale, si μ et σ^2 sont inconnus, on a $\theta = (\mu, \sigma^2)$. Dans l'approche classique, on suppose que l'on ne connaît rien du paramètre θ (on n'en a pas même une connaissance subjective). Pour estimer θ, on tire un échantillon aléatoire dans la population, et à l'aide de l'information ainsi obtenue, on détermine la valeur qui servira comme estimation de la valeur du paramètre θ inconnu. Il importe de préciser ici que les méthodes d'estimation se divisent en deux grandes catégories: l'**estimation ponctuelle** et l'**estimation par intervalle de confiance**. De l'information fournie par l'échantillon, l'estimation ponctuelle permet d'obtenir une valeur numérique spécifique qui sera prise comme valeur du paramètre θ inconnu, tandis que l'estimation par intervalle de confiance permet de construire un intervalle à l'intérieur duquel le paramètre θ a de grandes chances de se trouver. Le diagramme de la figure 6.1 peut aider à comprendre les diverses subdivisions que l'on a introduites jusqu'à maintenant dans l'inférence statistique.

FIGURE 6.1

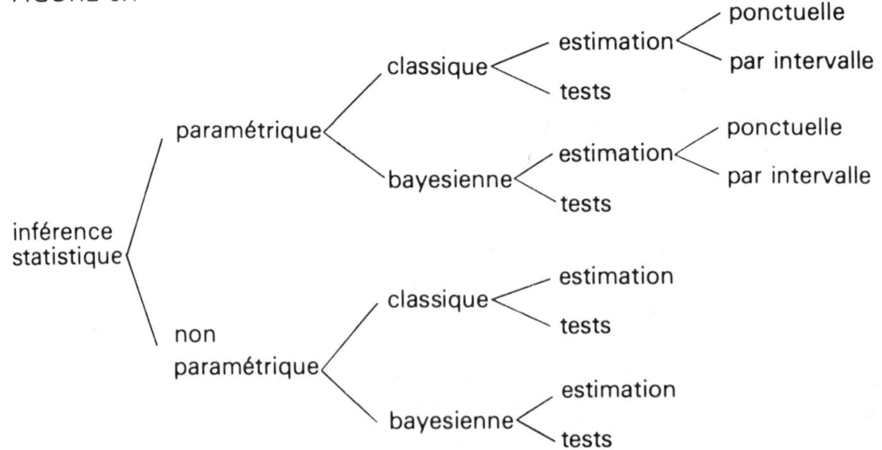

6.2 L'ESTIMATION PONCTUELLE (CLASSIQUE)

6.2.1 Nature de la méthode

L'estimation ponctuelle est une méthode d'estimation qui s'approche sensiblement de la façon de procéder de l'homme de la rue, quand il doit évaluer des paramètres inconnus de son environnement. Face à une population dans laquelle on étudie le caractère X, on suppose connue la forme de la distribution $f(x; \theta)$ de X, mais cette distribution dépend d'un paramètre inconnu (ce paramètre pouvant éventuellement être un vecteur). Pour estimer θ, on tire un échantillon aléatoire de taille n dans la population, et à partir de l'information obtenue de l'échantillon, on essaie de déterminer une valeur numérique précise qui sera prise comme valeur du paramètre θ inconnu. Comme l'information contenue dans l'échantillon $(X_1, \ldots, X_n)$ est véhiculée justement par ces variables $X_1, \ldots, X_n$, on cherche à construire une fonction $T = \Phi(X_1, \ldots, X_n)$ que l'on appelle statistique, et qui, pour une réalisation particulière $(x_1, \ldots, x_n)$, fournira une valeur numérique comme estimation de la valeur du paramètre θ inconnu. Par exemple, pour estimer la moyenne μ d'une population, il semble assez naturel d'utiliser la statistique $X = \Sigma X_i / n$, la moyenne de l'échantillon. Cette statistique X est une variable aléatoire, et pour une réalisation particulière $(x_1, \ldots, x_n)$ de l'échantillon aléatoire, elle prendra une valeur numérique $\bar{x}$ qui sera utilisée comme valeur du paramètre μ inconnu. Il faut dès maintenant noter que les termes "estimateur" et "estimation" sont utilisés dans un sens particulier.

> **Estimateur et estimation.** Etant donné un échantillon aléatoire simple $(X_1, \ldots, X_n)$ tiré d'une population de distribution $f(x; \theta)$ où θ est un paramètre inconnu, toute statistique $T = \Phi(X_1, \ldots, X_n)$ utilisée pour estimer θ est appelée "un estimateur" de θ, et sera notée $\hat{\theta}$; toute valeur $\Phi(x_1, \ldots, x_n)$ de cet estimateur $\hat{\theta}$ est appelée "une estimation".

Exemple 6.1. Pour décider du choix d'un fournisseur de matériel d'éclairage, on doit estimer la durée de vie moyenne des tubes fluorescents produits par la compagnie JI. On tire un échantillon aléatoire simple $(X_1, \ldots, X_n)$ de taille n dans la production de fluorescents de JI. On cherche alors à construire une statistique $T = \Phi(X_1, \ldots, X_n)$ que l'on va utiliser pour estimer θ. Comme on cherche à estimer la durée de vie moyenne, il semble naturel de prendre comme estimateur de $\theta = \mu$ la moyenne de cet échantillon, c'est-à-dire la statistique $T = \bar{X} = \sum_{i=1}^{n} X_i / n$. Cet estimateur $\bar{X}$ de μ est une variable aléatoire et, pour une réalisation particulière $(x_1, \ldots, x_n)$ de l'échantillon aléatoire, il prend une valeur numérique précise $\bar{x}$. Ainsi, par exemple, pour n = 5, on pourrait obtenir (852, 1077, 608, 920, 893) comme réalisation de l'échantillon, en supposant que la durée de vie X des fluorescents est mesurée en heures. Pour cette réalisation particulière de l'échantillon, l'estimateur $\overline{X}$ prend la valeur $\overline{x} = 4350/5 = 870$ heures: cette valeur 870 est une estimation de la durée de vie moyenne des fluorescents de JI. Evidemment, si l'on tire un autre échantillon de taille 5, on va probablement obtenir une estimation différente du paramètre μ.

L'erreur standard d'un estimateur

Puisqu'un estimateur est une variable aléatoire, ce n'est donc qu'exceptionnellement qu'un estimateur T fournira la vraie valeur du paramètre inconnu pour des réalisations différentes de l'échantillon aléatoire. En utilisant un estimateur T pour estimer θ, on fait donc en général une certaine erreur. Le fait d'introduire cette erreur n'est pas catastrophique en autant qu'on puisse la mesurer, et que l'on puisse choisir des estimateurs pour lesquels cette erreur est acceptable. En général, comme mesure de l'erreur attachée à un estimateur, on utilise son écart type (ou sa déviation standard). C'est pourquoi on a:

Erreur standard d'un estimateur. Etant donné un estimateur $T = \Phi(X_1, ..., X_n)$ utilisé pour estimer un paramètre inconnu θ, alors l'écart type (déviation standard) de T est appelé "l'erreur standard" de cet estimateur.

Exemple 6.2. A l'exemple 6.1, pour estimer μ, la durée de vie moyenne (en heures) des fluorescents de JI, on a utilisé la moyenne de l'échantillon comme estimateur de μ. Si l'on suppose que la variance σ^2 de la population est connue et que $\sigma^2 = (75)^2$, on peut alors calculer l'erreur standard de $\overline{X}$. En effet, comme on l'a vu au chapitre 5, on a $\mathrm{Var}(\overline{X}) = \sigma^2 / n$. Pour un échantillon de taille 5, l'erreur standard de $\overline{X}$ est

$$\sigma_{\overline{X}} = \frac{\sigma}{\sqrt{n}} = \frac{75}{\sqrt{5}} \simeq 33.48 \text{ heures .}$$

C'est donc dire que, en se basant sur un échantillon de taille 5, si l'on utilise $\overline{X}$ comme estimateur de μ, notre "erreur moyenne" va être de 33.48 heures.

6.2.2 Qualités d'un estimateur

En principe, pour estimer un paramètre θ inconnu dans une population, on peut choisir n'importe quelle statistique ou fonction de l'échantillon. Cependant, en pratique, il est bien évident que l'estimateur ne sera pas choisi de façon quelconque, car on veut avoir au moins la certitude morale qu'un estimateur T ne nous donnera pas des estimations $\hat{\theta}$ trop éloignées du paramètre θ. Pour qu'un estimateur puisse fournir de "bonnes estimations", il doit posséder certaines qualités. On est ainsi amené à définir un estimateur (a) non biaisé, (b) convergent, (c) efficace et (d) exhaustif.

a) **Estimateur non biaisé**

Comme un estimateur est une variable aléatoire, rien ne nous assure que, pour une réalisation particulière de l'échantillon, la valeur prise par cet estimateur corresponde à la valeur du paramètre θ inconnu. Ainsi, en référence à l'exemple 6.1 où l'on utilise $\bar{X}$ comme estimateur de μ, pour une réalisation donnée de l'échantillon aléatoire, $\bar{X}$ fournit 870 comme estimation de θ ; pour d'autres réalisations,on aurait pu obtenir comme estimations 925, 847, 826, 901, etc. Une qualité que l'on recherche chez un estimateur c'est que la moyenne de toutes les estimations possibles soit égale à la vraie valeur du paramètre inconnu, c'est-à-dire que, en moyenne, l'estimateur donne la vraie valeur du paramètre θ. On a donc

Estimateur non biaisé. T est un estimateur non biaisé de θ si l'espérance de T est égale à θ, c'est-à-dire $E(T) = \theta$.

Il faut bien se rappeler que, pour une réalisation particulière de l'échantillon aléatoire, un estimateur non biaisé T peut manquer la cible θ, mais, si l'on avait la possibilité de prendre un grand nombre d'échantillons, en moyenne l'estimateur atteindrait la cible. Ainsi, les estimateurs T_1 et T_2 dont les distributions sont tracées à la figure 6.2 sont respectivement non biaisé et biaisé.

FIGURE 6.2

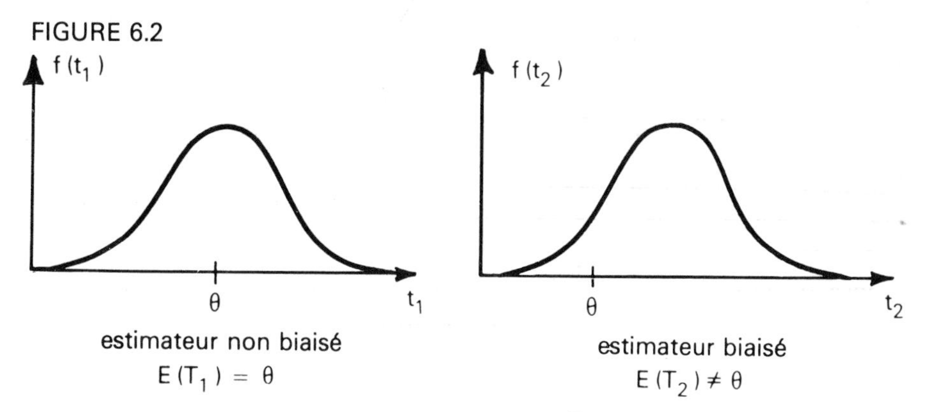

estimateur non biaisé
$E(T_1) = \theta$

estimateur biaisé
$E(T_2) \neq \theta$

Exemple 6.3. a) Si l'on utilise la statistique $\bar{X}$ pour estimer μ, $\bar{X}$ est un estimateur non biaisé de μ. En effet, on a vu à la section 5.3.2 que, quelle que soit la distribution de la population, $E(\bar{X}) = \mu$. b) La variance

$$S^2 = \sum_{i=1}^{n} (X_i - \bar{X})^2 / (n-1)$$

de l'échantillon est un estimateur non biaisé de la variance σ^2 de la population, car quelle que soit la distribution de la population $E(S^2) = \sigma^2$ (cf. section 5.3.2). Par contre l'écart quadratique moyen

$$\bar{S}^2 = \sum_{i=1}^{n} (X_i - \bar{X})^2/n$$

est un estimateur biaisé de σ^2, car on peut montrer que $E(\bar{S}^2) = (n-1)\sigma^2/n$ et donc que $E(\bar{S}^2) \neq \sigma^2$.

b) **Estimateur convergent**

A mesure que la taille n de l'échantillon aléatoire prélevé dans la population grandit, on s'attend à ce que cet échantillon apporte de plus en plus d'information sur la population, et en particulier sur le paramètre θ inconnu. Une autre qualité que l'on recherche chez un estimateur T de θ, c'est qu'à mesure que la taille de l'échantillon s'accroît, il devienne de plus en plus certain que la valeur prise par T soit très rapprochée de la valeur du paramètre θ. On a donc

Estimateur convergent. T est un estimateur convergent pour θ si, à mesure que la taille de l'échantillon augmente, T tend à prendre une valeur de plus en plus rapprochée de θ ; mathématiquement, T converge vers θ si, pour tout $\varepsilon > 0$ aussi petit que l'on veut, on a $\lim_{n \to \infty} P(|T - \theta| > \varepsilon) = 0$

Cette convergence est qualifiée de "convergence en probabilité" d'une variable aléatoire. Pour prouver qu'un estimateur est convergent, on utilise parfois l'inégalité de Chebychev. Si μ et σ sont la moyenne et l'écart type d'une v.a. X, et si k est un nombre réel quelconque, alors l'inégalité de Chebychev peut s'écrire sous la forme:

$$P(|X - \mu| > k\sigma) < 1/k^2.$$

Si, dans cette inégalité, on pose $k\sigma = \varepsilon$, on obtient

$$P(|X - \mu| > \varepsilon) < \sigma^2 / \varepsilon^2.$$

Ainsi pour vérifier si un estimateur T pour μ est convergent, il suffira de vérifier que la variance de T tend vers zéro quand la taille n de l'échantillon tend vers l'infini.

Exemple 6.4. On peut vérifier que $\bar{X}$ est un estimateur convergent pour μ. En effet, il suffit de remplacer dans l'inégalité de Chebychev X par $\bar{X}$, μ par $\mu_{\bar{X}}$ et σ par $\sigma_{\bar{X}}$. Sachant que $\mu_{\bar{X}} = \mu$ et que $\sigma_{\bar{X}} = \sigma / \sqrt{n}$, on a

$$P(|\bar{X} - \mu| > \varepsilon) < \frac{\sigma^2}{n\varepsilon^2}$$

Puisque, dans cette inégalité σ^2 et ε^2 sont fixes, il est clair que le quotient $\sigma^2 / n\varepsilon^2$ tend vers zéro quand n tend vers l'infini. En conséquence, on a bien

$$\lim_{n \to \infty} P(|\bar{X} - \mu| > \varepsilon) = 0$$

d'où $\bar{X}$ est un estimateur convergent de μ.

c) **Estimateur efficace**

Comme on l'a souligné précédemment, une qualité recherchée pour un estimateur T est qu'il soit non biaisé, c'est-à-dire qu'il fournisse en moyenne la vraie valeur du paramètre θ inconnu. Cependant, même si T est non biaisé, il fournira en général des estimations de θ qui sont différentes de la vraie valeur de θ . On souhaiterait que ces diverses estimations soient en moyenne le plus près possible de θ , c'est-à-dire que l'erreur standard de l'estimateur T soit la plus petite possible. C'est pourquoi on définit une nouvelle propriété:

Estimateur (totalement) efficace. T est l'estimateur le plus efficace de θ s'il est non biaisé, et si sa variance est au moins aussi petite que celle de tout autre estimateur T' non biaisé de θ , c'est-à-dire 1° $E(T) = \theta$, 2° $Var(T) \leqslant Var(T')$, pour tout autre estimateur non biaisé T' de θ .

Ainsi, pour deux estimateurs non biaisés de θ , l'un sera dit plus efficace que l'autre si sa variance est plus petite (il s'agit là d'une efficacité relative). Par exemple, on sait que $\overline{X}$ est un estimateur non biaisé de μ . De plus on pourrait prouver que la variance de $\overline{X}$ est plus petite que la variance de tout autre estimateur non biaisé de μ ; en conséquence, $\overline{X}$ est l'estimateur le plus efficace pour μ . Il est également possible de prouver qu'un estimateur totalement efficace est nécessairement convergent.

d) **Estimateur exhaustif**

Un estimateur est une fonction destinée à résumer l'information contenue dans l'échantillon. Une autre qualité recherchée chez un estimateur T concerne la façon dont T résume cette information. Dans cette optique, on a:

Estimateur exhaustif. T est un estimateur exhaustif de θ si T résume toute l'information contenue dans l'échantillon qui est pertinente à θ .

On va se contenter de cette définition intuitive de l'exhaustivité, car l'expression mathématique de cette propriété dépasse le niveau de difficulté de ce volume. Supposons que, dans une population, on s'intéresse à une variable X qui suit une distribution de Bernoulli de paramètre p inconnu. Pour estimer p, on tire un échantillon aléatoire $(X_1, ..., X_n)$ de taille n dans la population, ces variables X_i prenant la valeur 1 si le i-ème tirage donne un succès, et la valeur 0 si le i-ème tirage donne un échec. Il suffit alors de connaître le nombre $\sum_{i=1}^{n} X_i$ de succès obtenus dans l'échantillon, peu importe l'ordre d'occurrence de ces succès, pour estimer le paramètre p. Ainsi, dans ce cas particulier, on pourrait prouver que la statistique $T = \sum_{i=1}^{n} X_i$ est exhaustive pour estimer p, dans le sens qu'elle résume toute l'information pertinente à p.

Les quatre qualités que l'on vient de définir (non biaisé, convergent, efficace et exhaustif) constituent des critères pour juger de la valeur d'un estimateur. On n'exigera pas nécessairement qu'un estimateur possède toujours ces qualités, mais en général plus il possèdera de ces qualités, meilleur il sera. Par exemple, si l'on utilise la moyenne $\overline{X}$ de l'échantillon pour estimer la moyenne μ d'une population normale de variance connue, on peut prouver que $\overline{X}$ est un estimateur non biaisé, convergent, efficace et exhaustif de μ : $\overline{X}$ sera donc un excellent estimateur de μ . Bien qu'il ne soit plus tellement question de ces critères de qualité d'un estimateur dans le reste de ce chapitre, on a quand même tenu à les présenter pour souligner les précautions que le statisticien doit prendre dans le choix de ses estimateurs.

6.2.3 Construction d'un estimateur ponctuel

Une fois soulignées les qualités qu'un estimateur devrait posséder, la question qui se pose est la suivante: comment peut-on obtenir des estimateurs possédant ces qualités? Si, par exemple, on étudie dans une population une variable X ayant une distribution de Poisson avec λ inconnue, comment faut-il procéder pour construire une fonction $T = \Phi(X_1, ..., X_n)$ de l'échantillon aléatoire, que l'on pourra qualifier de bon estimateur de λ ? Parmi les méthodes les plus utilisées pour construire de "bons" estimateurs ponctuels, il y a la méthode du maximum de vraisemblance et la méthode des moindres carrés, que l'on va maintenant présenter brièvement.

La méthode du maximum de vraisemblance

On a introduit la notion de vraisemblance d'un échantillon à la section 5.3.1. Un échantillon aléatoire de taille n étant une variable aléatoire à n dimensions, on a appelé **vraisemblance de l'échantillon** (likelihood), que l'on a notée $L(x_1, ..., x_n)$, la distribution de probabilité jointe de $(X_1, ..., X_n)$. Intuitivement, l'utilisation du terme "vraisemblance" peut s'expliquer comme suit: puisque les événements probables ont plus de chances de se réaliser que les improbables, si l'on a obtenu tel échantillon c'est donc qu'il était vraisemblable, c'est-à-dire qu'il y avait une certaine probabilité de l'obtenir. Comme cette fonction de vraisemblance sera utilisée pour estimer un paramètre θ inconnu de la population, on va désormais la désigner par $L(x_1, ..., x_n ; \theta)$ pour exprimer le fait qu'elle dépend aussi de θ .

L'estimation obtenue par la méthode du maximum de vraisemblance pour θ correspond à la valeur de θ pour laquelle le résultat observé dans l'échantillon est le plus probable, c'est-à-dire à la valeur du paramètre qui justifie le mieux le résultat observé. Supposons, par exemple, que l'on désire estimer le paramètre p d'une population de Bernoulli. On tire un échantillon aléatoire de taille n = 20 et l'on obtient, par exemple, 8 succès. Le nombre X

paramètre p	vraisemblance $P(X = 8/20, p)$
0.20	0.022
0.30	0.115
0.35	0.161
0.40	0.180
0.45	0.162
0.50	0.120

de succès obtenus dans ces 20 tirages est une variable binômiale de paramètres $n = 20$ et p inconnu. On peut alors calculer les probabilités (ou les vraisemblances) d'obtenir 8 succès dans 20 tirages.

La valeur de p pour laquelle la vraisemblance est maximum est 0.40, et c'est cette valeur qui est prise comme estimation du maximum de vraisemblance pour p.

D'une façon plus générale, on a la définition suivante:

Estimateur du maximum de vraisemblance. Soit $L(x_1, ..., x_n; \theta)$ la vraisemblance d'un échantillon aléatoire de taille n tiré d'une population de distribution $f(x; \theta)$, où θ est inconnu; alors on appelle "estimateur du maximum de vraisemblance" une statistique $T = \Phi(X_1, ..., X_n)$ dont la valeur $\hat{\theta}$ rend maximum la fonction de vraisemblance par rapport à θ.

Pour trouver l'estimation du maximum de vraisemblance, il suffit donc de trouver la valeur de θ qui maximise la fonction de vraisemblance. Cependant, comme plusieurs distributions usuelles incluent des expressions de forme exponentielle, il est plus simple de maximiser le logarithme naturel de la fonction de vraisemblance par rapport à θ. Le logarithme étant une fonction croissante, le maximum de la fonction coïncidera nécessairement avec le maximum du logarithme de la fonction.

Etapes du calcul de l'estimation du maximum de vraisemblance

Pour trouver l'estimation du maximum de vraisemblance, on peut procéder comme suit:

1° écrire explicitement la fonction de vraisemblance

$$L(x_1, ..., x_n; \theta) = \prod_{i=1}^{n} f(x_i; \theta);$$

2° prendre le logarithme de la fonction de vraisemblance, c'est-à-dire

$$\ln L(x_1, ..., x_n; \theta);$$

3° dériver le logarithme de la vraisemblance par rapport à θ, et trouver la valeur $\hat{\theta}$ pour laquelle cette dérivée est égale à zéro;

4° calculer la dérivée seconde du logarithme de la fonction de vraisemblance par rapport à θ, et vérifier le signe de cette dérivée seconde au point $\theta = \hat{\theta}$: si ce signe est négatif, $\hat{\theta}$ est l'estimation du maximum de vraisemblance de θ.

Exemple 6.5. On étudie dans une population une variable X ayant une distribution de Poisson avec paramètre λ inconnu. Pour estimer λ, on tire dans cette population un échantillon aléatoire simple de taille n. (a) Déterminer l'estimation du maximum de vraisemblance pour $\theta = \lambda$. (b) Si l'on a tiré un échantillon de taille 5, et si l'on a obtenu comme réalisation (3, 1, 0, 3, 2), trouver l'estimation du maximum de vraisemblance pour le paramètre λ .

Solution. (a) La variable considérée dans la population suit une distribution de Poisson de paramètre $\theta = \lambda$, c'est-à-dire

$$f(x;\theta) = \frac{e^{-\theta}\,\theta^{x}}{x!}\ , \ x = 0, 1, 2, \ldots$$

Pour déterminer l'estimateur du maximum de vraisemblance pour θ , on peut suivre les étapes indiquées précédemment.

1° Expliciter la vraisemblance

$$L(x_1, \ldots, x_n\ ; \theta) = \prod_{i=1}^{n} f(x_i\ ; \theta) = f(x_1 ; \theta) . f(x_2\ ; \theta) \ldots f(x_n\ ; \theta)$$

$$= \frac{e^{-\theta}\,\theta^{x_1}}{x_1\,!} \cdot \frac{e^{-\theta}\,\theta^{x_2}}{x_2\,!} \cdot \ldots \frac{e^{-\theta}\,\theta^{x_n}}{x_n\,!}$$

$$= \frac{e^{-n\theta}\,\theta^{\sum_{i=1}^{n} x_i}}{\prod_{i=1}^{n} (x_i\,!)}$$

2° Prendre le logarithme de $L(x_1, \ldots, X_n ; \theta)$

$$\ln L(x_1, \ldots, x_n\ ; \theta) = \ln \frac{e^{-n\theta}\,\theta^{\sum_{i=1}^{n} x_i}}{\prod_{i=1}^{n} (x_i\,!)}$$

$$= -n\theta + \left(\sum_{i=1}^{n} x_i\right) \ln\,\theta - 1n \left(\prod_{i=1}^{n} (x_i\,!)\right)$$

3° Dériver $\ln L(x_1, \ldots, x_n\ ; \theta)$ par rapport à θ et égaler cette dérivée à zéro

$$\frac{d}{d\theta} \ln L(x_1, \ldots, x_n\ ; \theta) = \frac{d}{d\theta}\left[-n\theta + \left(\sum_{i=1}^{n} x_i\right) \ln\theta - \ln \left(\prod_{i=1}^{n} (x_i\,!)\right)\right]$$

$$= -n + \frac{\sum_{i=1}^{n} x_i}{\theta} = 0$$

ce qui entraîne

$$\hat{\theta} = \frac{\sum_{i=1}^{n} x_i}{n} = \bar{x}$$

4° Calculer la dérivée seconde de $\ln L(x_1, \ldots, x_n ; \theta)$, et en vérifier le signe pour $\theta = \hat{\theta}$

$$\frac{d^2}{d\theta^2} \ln L(x_1, \ldots, x_n ; \theta) = \frac{d}{d\theta}\left(-n + \frac{\sum_{i=1}^{n} x_i}{\theta}\right)$$

$$= -\frac{\sum_{i=1}^{n} x_i}{\theta^2}$$

Par la suite

$$\left[\frac{d^2}{d\theta^2} \ln L(x_1, \ldots, x_n ; \theta)\right]_{\theta = \hat{\theta}} = -\frac{\left(\sum_{i=1}^{n} x_i\right) n^2}{\left(\sum_{i=1}^{n} x_i\right)^2} = -\frac{n^2}{\left(\sum_{i=1}^{n} x_i\right)}$$

Puisque n^2 est positif et que les x_i, étant des valeurs d'une variable de Poisson, sont non négatifs, alors $n^2 / \sum_{i=1}^{n} x_i$ est positif et $-n^2 / \sum_{i=1}^{n} x_i$ est négatif.

On peut donc conclure que $\hat{\theta} = \bar{x} = \sum_{i=1}^{n} x_i / n$ est l'estimation du maximum de vraisemblance pour $\theta = \lambda$, et que la statistique $\bar{X} = \sum_{i=1}^{n} X_i / n$ est l'estimateur du maximum de vraisemblance de λ .

(b) Pour la réalisation particulière (3, 1, 0, 3, 2) de l'échantillon aléatoire de taille 5, l'estimateur $\bar{X}$ prend la valeur

$$\bar{x} = \frac{\sum_{i=1}^{5} x_i}{5} = \frac{9}{5} = 1.8$$

Cette valeur 1.8 est l'estimation du maximum de vraisemblance du paramètre λ inconnu.

La méthode du maximum de vraisemblance est l'une des méthodes les plus utilisées pour construire des estimateurs ponctuels, car cette méthode permet de construire des estimateurs possédant la plupart des qualités définies précédemment. En effet, sous certaines hypothèses de dérivabilité de la fonction de vraisemblance, il est possible de prouver mathématiquement que l'estimateur du maximum de vraisemblance (s'il existe) est convergent, asymptotiquement non biaisé et asymptotiquement efficace pour θ . De plus, s'il existe un estimateur exhaustif T pour θ , l'estimateur du maximum de vraisemblance est nécessairement une fonction de T. Enfin la distribution de l'estimateur du maximum de vraisemblance converge, à mesure que n grandit, vers la distribution normale. Tout comme on l'a fait pour la distribution de Poisson à l'exemple 6.5, il est possible de calculer les estimateurs du maximum de vraisemblance pour les paramètres des différentes distributions que l'on utilise en statistique; on peut retrouver dans le tableau de la figure 6.3 une liste de ces estimateurs pour les distributions les plus utilisées.

FIGURE 6.3: Estimateurs du maximum de vraisemblance

nom de la distribution	forme de la distribution $f(x, \theta)$	paramètre à estimer θ	estimateur du maximum de vraisemblance θ
Bernoulli	$p^x (1-p)^{1-x}$	$\theta = p$	$\hat{\theta} = \bar{X}$
binomiale	$\binom{N}{x} p^x (1-p)^{N-x}$	$\theta = p$	$\hat{\theta} = \frac{\bar{X}}{N}$
géométrique	$p(1-p)^{x-1}$	$\theta = p$	$\hat{\theta} = \frac{1}{\bar{X}}$
Poisson	$\frac{e^{-\lambda} \lambda^x}{x!}$	$\theta = \lambda$	$\hat{\theta} = \bar{X}$
normale	$\frac{1}{\sigma\sqrt{2\pi}} e^{-(x-\mu)^2/2\sigma^2}$	$\theta = \mu$ σ^2 connue	$\hat{\theta} = \bar{X}$
normale	$\frac{1}{\sigma\sqrt{2\pi}} e^{-(x-\mu)^2/2\sigma^2}$	$\theta = \sigma^2$ μ connue	$\hat{\theta} = \sum_{i=1}^{n} (X_i - \mu)^2 / n$
normale	$\frac{1}{\sigma\sqrt{2\pi}} e^{-(x-\mu)^2/2\sigma^2}$	$\theta = (\mu, \sigma^2)$	$\hat{\mu} = \bar{X}$ $\hat{\sigma}^2 = \sum_{i=1}^{n} (X_i - \bar{X})^2 / n$
exponentielle	$k e^{-kx}$	$\theta = k$	$\hat{\theta} = \frac{1}{\bar{X}}$

La méthode des moindres carrés

Une autre méthode qui est utilisée pour construire de "bons" estimateurs est la méthode dite "des moindres carrés". Le principe de la méthode consiste à minimiser l'erreur entre l'estimateur et le paramètre à estimer. Pour éliminer l'influence des erreurs positives et négatives, on cherche à minimiser le carré des erreurs. On va simplement donner une idée de la méthode par l'intermédiaire de l'exemple suivant:

Exemple 6.6. Supposons que l'on ait tiré un échantillon aléatoire de taille n dans une population de moyenne μ inconnue et de variance σ^2 connue. Pour estimer μ, on cherche à construire un estimateur T qui minimise l'écart entre les observations $(x_1, ..., x_n)$ et μ. Ecrivons chaque observation x_i comme suit:

$$x_i = \mu + e_i,$$

où e_i représente une erreur aléatoire autour de la moyenne μ. Cette erreur aléatoire est tantôt positive, tantôt négative, et elle s'écrit:

$$e_i = x_i - \mu.$$

La somme des carrés des erreurs que l'on cherche à minimiser est

$$Q = \sum_{i=1}^{n} e_i^2 = \sum_{i=1}^{n} (x_i - \mu)^2$$

Il s'agit alors de minimiser cette somme Q par rapport à μ. En dérivant Q par rapport à μ, on a

$$\frac{dQ}{d\mu} = -2 \sum_{i=1}^{n} (x_i - \mu)$$

et en égalant cette somme à zéro, on obtient

$$-2 \sum_{i=1}^{n} (x_i - \mu) = 0 \qquad \text{ou} \qquad \sum_{i=1}^{n} (x_i - \mu) = 0$$

ce qui entraîne

$$\sum_{i=1}^{n} x_i - n\mu = 0$$

et finalement

$$\hat{\mu} = \sum_{i=1}^{n} x_i / n = \bar{x}$$

En prenant la dérivée seconde de Q par rapport à μ, on a

$$\frac{d^2Q}{d\mu^2} = \frac{d}{d\mu}\left[-2 \sum_{i=1}^{n} (x_i - \mu)\right] = -2(-1) = 2.$$

Comme cette dérivée seconde est positive, $\hat{\mu} = \bar{x}$ est un minimum de la somme Q, et l'estimateur $T = \bar{X}$ est donc l'estimateur des moindres carrés de μ.

6.3 L'ESTIMATION PAR INTERVALLE DE CONFIANCE

6.3.1 Nature de la méthode

Dans la section précédente, à partir d'un échantillon aléatoire, on a cherché à construire de "bons" estimateurs pour le paramètre θ inconnu d'une population; on a cherché en particulier à obtenir un estimateur T non biaisé, c'est-à-dire un estimateur qui donne en moyenne comme estimation la vraie valeur du paramètre θ. Cependant même si T est non biaisé, puisqu'il est une variable aléatoire, il est presque certain que, pour une réalisation particulière de l'échantillon, T fournira une estimation qui diffèrera au moins légèrement de θ. Ainsi, $\bar{X}$ est un estimateur non biaisé de μ mais, pour une réalisation particulière de l'échantillon, on ne peut pas affirmer que μ soit exactement égal à $\bar{x}$. Alors puisqu'on ne peut être certain que l'estimation ponctuelle obtenue pour un paramètre est exacte, on apportera un complément d'information en construisant un intervalle autour de l'estimateur, intervalle dans lequel θ aura des grandes chances d'être inclus. Si l'on connaît la distribution de probabilité de l'estimateur utilisé, on pourra calculer la probabilité que cet intervalle aléatoire, appelé **intervalle de confiance**, englobe la vraie valeur du paramètre θ. On est ainsi en mesure d'exprimer explicitement la marge d'erreur associée à l'utilisation d'un estimateur ponctuel de θ.

On veut construire un intervalle aléatoire qui contiendra la valeur du paramètre θ avec une probabilité donnée; cette probabilité (que l'on prendra assez près de 1) sera désignée par $1-\alpha$, et sera appelée le **niveau de confiance** de l'intervalle. La probabilité complémentaire α mesure le risque d'erreur de l'intervalle, c'est-à-dire la probabilité que l'intervalle aléatoire ne contienne pas la vraie valeur de θ. D'une façon générale, on doit résoudre une équation de la forme suivante

(6.1) $\quad P(LI \leqslant \theta \leqslant LS) = 1-\alpha$

où θ = le paramètre à estimer,
LI = limite inférieure de l'intervalle de confiance,
LS = limite supérieure de l'intervalle de confiance,
$1-\alpha$ = niveau de confiance de l'intervalle.

De l'équation (6.1), on déduit un intervalle de la forme [LI LS] dont les limites LI et LS sont des fonctions de l'échantillon aléatoire $(X_1, ..., X_n)$. Cet intervalle sera appelé **intervalle de confiance pour** θ **au niveau** $1-\alpha$.

Pour construire cet intervalle de confiance, on commence par définir un intervalle qui contient une fonction $f(T,\theta)$ de T et de θ (où T est un estimateur ponctuel pour θ) avec une probabilité $1-\alpha$. On choisit une statistique $f(T,\theta)$ dont on connaît la distribution de probabilité. Définir cet intervalle pour $f(T,\theta)$ revient à écrire l'équation

(6.2) $\quad P(k_1 \leqslant f(T,\theta) \leqslant k_2) = 1-\alpha$

où les constantes k_1 et k_2 de (6.2) sont déterminées par l'intermédiaire de la distribution de probabilité de la statistique $f(T, \theta)$. La plupart du temps, le risque d'erreur α est divisé en deux parties égales à $\alpha/2$, et est réparti à chaque extrémité de la distribution de $f(T, \theta)$. Si, par exemple, la statistique $f(T, \theta)$ suit une distribution normale centrée réduite, les constantes k_1 et k_2 seront symétriques et pourront être désignées par $-z_{\alpha/2}$ et $+z_{\alpha/2}$ comme l'indique la figure 6.4; on obtiendra alors un intervalle de confiance **bilatéral symétrique.**

FIGURE 6.4

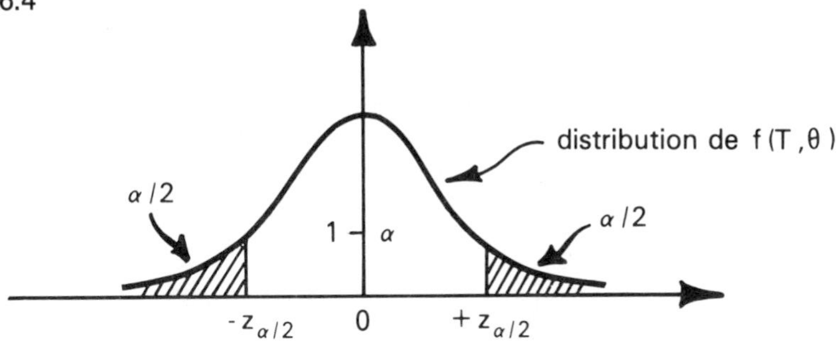

Cependant, si la distribution de $f(T, \theta)$ n'est pas symétrique par rapport à zéro, les constantes k_1 et k_2 de l'équation 6.2 ne seront plus symétriques. Une fois que l'on a calculé les constantes k_1 et k_2, il ne reste qu'à **isoler le paramètre** θ **dans l'équation (6.2)** pour obtenir l'intervalle de confiance pour θ au niveau $1 - \alpha$.

Exemple 6.7. Un manufacturier de peinture veut estimer le temps moyen de séchage d'une nouvelle peinture d'intérieur qu'il désire mettre sur le marché. Le temps de séchage de cette peinture est une variable aléatoire X qui se distribue selon une loi normale. Supposons de plus qu'il connaisse l'écart type σ de ce temps de séchage (prenons $\sigma = 10$ minutes); notons tout de suite que cette dernière hypothèse n'est pas très réaliste, car si μ est inconnu, la plupart du temps σ l'est aussi (on verra subséquemment comment procéder si σ est inconnu). Pour estimer μ, le manufacturier peint 25 surfaces de même taille et, pour ces 25 surfaces, il obtient un temps de séchage moyen $\bar{x} = 65$ minutes. Construire un intervalle de confiance au niveau $1 - \alpha = 0.95$ pour la moyenne μ du temps de séchage de cette peinture.

Solution. Pour estimer μ, le meilleur estimateur ponctuel que l'on connaît est $\bar{X}$, la moyenne de l'échantillon. Si le temps de séchage X est normal de moyenne μ inconnue et de variance $\sigma^2 = 100$, alors $\bar{X}$ est aussi normale de moyenne μ et de variance $\sigma^2/n = 100/25 = 4$. Pour construire un intervalle de confiance pour μ, on commence par rechercher une fonction $f(T, \theta) = f(\bar{X}, \mu)$ de $\bar{X}$ et de μ dont on connaît la distribution. Ici, on prend évidemment

$$f(T, \theta) = f(\bar{X}, \mu) = \frac{\bar{X} - \mu}{\sigma/\sqrt{n}}$$

qui suit une distribution normale centrée réduite. En conséquence, l'équation (6.2) devient

$$P\left(-z_{.025} \leqslant \frac{\bar{X}-\mu}{\sigma/\sqrt{n}} \leqslant z_{.025} \right) = 0.95,$$

où le risque d'erreur $\alpha = 0.05$ a été divisé en 2 parties égales à $\alpha/2 = 0.025$. Dans la table de la distribution normale centrée réduite cumulée, on trouve $z_{.025} = 1.96$. On a donc

$$P\left(-1.96 \leqslant \frac{\bar{X}-\mu}{\sigma/\sqrt{n}} \leqslant 1.96 \right) = 0.95,$$

ce qui constitue en quelque sorte un intervalle pour la statistique $f(T,\theta) = (\bar{X} - \mu) / (\sigma/\sqrt{n})$. Pour obtenir l'intervalle de confiance pour μ au niveau 95%, il faut isoler μ dans l'équation précédente, de façon à obtenir une équation de la forme (6.1). A l'aide de transformations algébriques, on obtient facilement

$$P(-1.96\ \sigma/\sqrt{n} \leqslant \bar{X} - \mu \leqslant 1.96\ \sigma/\sqrt{n}) = 0.95,$$

$$P(\bar{X} - 1.96\ \sigma/\sqrt{n} \leqslant \mu \leqslant \bar{X} + 1.96\ \sigma/\sqrt{n}) = 0.95.$$

Si l'on remplace σ et n par leurs valeurs dans cette dernière équation, on a

$$P(\bar{X} - 1.96\,(10/5) \leqslant \mu \leqslant \bar{X} + 1.96\,(10/5)) = 0.95$$

ou encore

$$P(\bar{X} - 3.92 \leqslant \mu \leqslant \bar{X} + 3.92) = 0.95$$

L'intervalle de confiance pour μ au niveau 95% est donc

$$[\underbrace{\bar{X} - 3.92}_{LI},\ \underbrace{\bar{X} + 3.92}_{LS}]$$

Soulignons que, dans ce dernier intervalle, ce n'est pas μ qui est aléatoire, mais bien les limites LI et LS de l'intervalle. Quel est le sens de cet intervalle? A priori, avant de tirer l'échantillon aléatoire, la probabilité que l'intervalle aléatoire $[\bar{X} - 3.92, \bar{X} + 3.92]$ contienne le paramètre μ inconnu est égale à 0.95. Autrement dit, la probabilité pour que, après avoir tiré l'échantillon, cet intervalle aléatoire devienne un intervalle contenant μ est 0.95.

Que peut-on dire de cet intervalle aléatoire, après que l'échantillon a été tiré? Dans cet exemple, pour une réalisation particulière de l'échantillon de 25 surfaces, on a obtenu un temps moyen de séchage $\bar{x} = 65$ minutes. L'intervalle de confiance au niveau 95% pour μ prend la valeur $[\bar{x} - 3.92, \bar{x} + 3.92] = [61.08, 68.92]$. Quel est le sens de cet intervalle particulier? Contient-il μ ou non? Tout ce que le statisticien peut répondre à cette dernière question, c'est: "Je n'en sais rien". Soulignons de plus qu'**il est faux d'écrire:** "La probabilité que μ soit dans l'intervalle [61.08, 68.92] est égale à 0.95". En effet, μ est une constante, ainsi que les limites 61.08 et 68.92: en conséquence, μ est contenu dans cet intervalle ou il ne l'est pas. Tout ce que le statisticien peut dire au sujet de l'intervalle [61.08, 68.92], c'est: "Je pense que cet intervalle contient μ, mais je peux me tromper; en général quand je fais de telles affirmations, je me trompe dans 5 pour cent des cas". Autrement dit, lorsqu'il procède comme on l'a fait pour construire un intervalle de confiance pour μ, cet intervalle peut, pour un échantillon particulier, ne pas contenir le paramètre μ à estimer. Cependant, si le statisticien a la possibilité de répéter plusieurs fois l'expérience consistant à tirer un échantillon dans la population, en moyenne dans 95% des cas ou 19 fois sur 20, l'intervalle obtenu contiendra la vraie valeur de μ. Comme le disent Tricot et Picard [32], l'intervalle de confiance est donc en quelque sorte un intervalle pour lequel on fait confiance au statisticien, mais il s'agit d'une confiance mesurée.

Dans cet exemple particulier concernant le temps de séchage d'une peinture, supposons que le vrai temps moyen de séchage soit $\mu = 67$ minutes (évidemment le statisticien n'a pas cette information). Pour un premier échantillon de 25 surfaces, on obtient un temps moyen de séchage $\bar{x} = 65$ minutes, d'où l'intervalle de confiance pour μ au niveau 95% prend la valeur [61.08, 68.92], et contient la valeur $\mu = 67$. Pour un deuxième échantillon de taille 25, on pourrait obtenir $\bar{x} = 68$ minutes, donc $[68 - 3.92, 68 + 3.92] = [64{,}08, 71.92]$ comme valeur de l'intervalle, cet intervalle contenant de nouveau $\mu = 67$. Et l'on pourrait continuer à tirer de cette façon des échantillons aléatoires de taille 25. Si l'on tire 20 échantillons de taille 25, il y aura en moyenne un échantillon sur les vingt qui fournira un intervalle ne contenant par la valeur $\mu = 67$. Par exemple, pour un échantillon particulier parmi les vingt, on pourrait obtenir $\bar{x} = 62$ minutes, d'où l'intervalle de confiance pour μ au niveau 95% serait $[62 - 3.92, 62 + 3.92] = [58.02, 65.02]$, cet intervalle ne contiendrait pas la vraie valeur $\mu = 67$. Globalement on pourrait représenter les résultats découlant de la construction de 20 intervalles de confiance pour μ au niveau 95%, comme on l'a fait à la figure 6.5.

Les niveaux de confiance les plus utilisés dans la construction d'intervalles de confiance sont 90%, 95% et 99% (évidemment, rien ne s'oppose à l'utilisation d'autres niveaux). Pour ces niveaux, lorsque la fonction $f(T, \theta)$ suit une distribution normale centrée réduite, les constantes k_1 et k_2 de l'équation (6.2) prennent les valeurs ± 1.64 (pour 90%), ± 1.96 (pour 95%) et ± 2.58 (pour 99%).

6.3.2 Intervalles de confiance usuels

Maintenant que l'on a présenté la procédure générale utilisée pour construire un intervalle de confiance, on va construire explicitement des intervalles de confiance au niveau $(1 - \alpha)$ % pour les paramètres auxquels on s'intéresse le plus souvent dans une étude statistique. Pour construire ces intervalles de confiance, on utilise les distributions d'échantillonnage présentées à la section 5.4.

FIGURE 6.5: Résultats typiques découlant de la construction de 20 intervalles de confiance au niveau 95% pour μ.

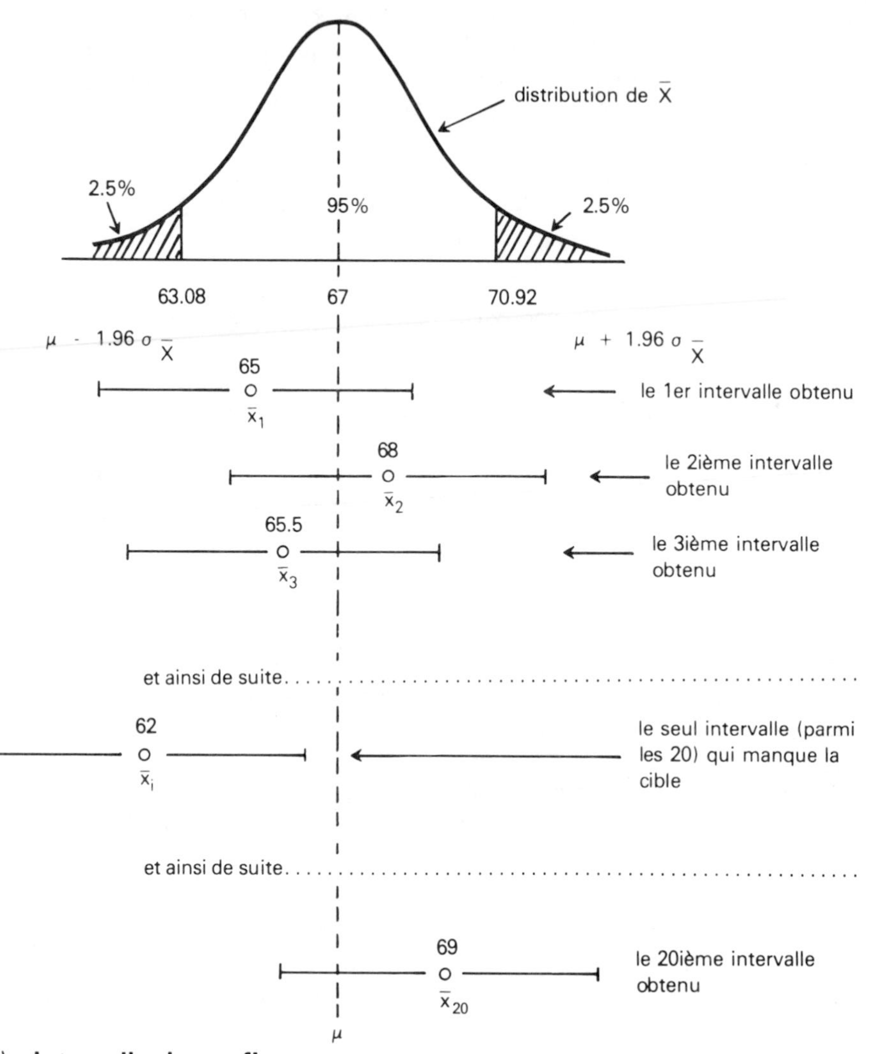

a) **Intervalle de confiance pour une moyenne μ**

Dans la construction d'un intervalle de confiance pour la moyenne μ d'une population, on distingue deux cas: celui où la variance σ^2 de la population est connue, et celui où σ^2 est inconnue.

Cas 1:* σ^2 *connue

Pour estimer le paramètre $\theta = \mu$, on est naturellement porté à utiliser la statistique $T = \bar{X}$, la moyenne de l'échantillon. Si σ^2 est connue, on prend dans l'équation (6.2) la fonction

$$f(T, \theta) = \frac{\bar{X} - \mu}{\sigma / \sqrt{n}}$$

Si X est normale, ou encore si X suit une distribution quelconque,mais si n est assez grand, alors cette statistique $(\bar{X} - \mu) / (\sigma / \sqrt{n})$ suit soit exactement,soit approximativement une distribution normale centrée réduite. Pour obtenir un intervalle de confiance pour μ au niveau $(1 - \alpha)$, on écrit une équation de la forme (6.2) à savoir

$$P\left(-z_{\alpha/2} \leqslant \frac{\bar{X} - \mu}{\sigma / \sqrt{n}} \leqslant z_{\alpha/2}\right) = 1-\alpha,$$

dans laquelle les valeurs $\pm z_{\alpha/2}$ sont lues dans la table de la normale centrée réduite cumulée. En isolant μ dans cette équation (cf. exemple 6.7), on obtient une équation de la forme (6.1), à savoir:

$$P\left(\bar{X} - z_{\alpha/2}\frac{\sigma}{\sqrt{n}} \leqslant \mu \leqslant \bar{X} + z_{\alpha/2}\frac{\sigma}{\sqrt{n}}\right) = 1-\alpha.$$

En résumé, on a donc:

L'intervalle de confiance pour μ au niveau $(1 - \alpha)$, dans le cas où la variance σ^2 de la population est connue, lorsque cette population est normale, ou encore lorsque la taille n de l'échantillon est assez grande $(n \geqslant 30)$, est de la forme

$$(6.3) \quad \left[\bar{X} \pm z_{\alpha/2} \cdot \frac{\sigma}{\sqrt{n}}\right]$$

où $z_{\alpha/2}$ est une valeur de la normale centrée réduite.

L'exemple 6.7 illustre cet intervalle de confiance dans le cas d'une population normale, pour un niveau de confiance 95%.Le manufacturier aurait pu utiliser un intervalle de confiance de la même forme sans faire l'hypothèse de la normalité de la population,mais il aurait alors dû utiliser un échantillon de taille n plus grand que 25 pour s'assurer que l'approximation normale soit suffisamment bonne.

Cas 2: σ^2 *inconnue, population normale ou population quelconque avec n grand*

La plupart du temps, lorsque, dans une population, μ est inconnue, σ^2 l'est aussi. Dans ces cas-là, pour estimer le paramètre $\theta = \mu$ par intervalle, on ne peut plus utiliser la statistique $(\bar{X} - \mu) (\sigma / \sqrt{n})$. On utilise alors dans l'équation (6.2) la fonction

$$f(T,\theta) = \frac{\bar{X} - \mu}{S / \sqrt{n}} \quad ,$$

l'écart type S de l'échantillon remplaçant l'écart type σ de la population. Si la population est normale, on a vu au chapitre 5 que la statistique $(\bar{X} - \mu) / (S / \sqrt{n})$ suit une distribution de "t" à (n—1) degrés de liberté.

Dans ce cas, l'équation (6.2) prend la forme

$$P\left(-t_{\alpha/2} \leqslant \frac{\bar{X}-\mu}{S/\sqrt{n}} \leqslant t_{\alpha/2}\right) = 1-\alpha,$$

dans laquelle les valeurs symétriques $\pm t_{\alpha/2}$ sont lues dans la table du t à (n—1) degrés de liberté. Par la suite, en isolant μ dans cette équation, on obtient

$$P\left(\bar{X}-t_{\alpha/2}\cdot\frac{S}{\sqrt{n}} \leqslant \mu \leqslant \bar{X}+t_{\alpha/2}\cdot\frac{S}{\sqrt{n}}\right) = 1-\alpha.$$

Si n est assez grand $(n \geqslant 30)$, la distribution du t peut être approximée par la distribution normale, d'où on peut remplacer dans cette dernière équation les valeurs $\pm t_{\alpha/2}$ par les valeurs $\pm z_{\alpha/2}$. De plus, si la distribution de la population n'est pas normale, lorsque n est assez grand $(n \geqslant 30)$, le théorème central limite s'applique,et la distribution de la statistique $(\bar{X}-\mu)/(S/\sqrt{n})$ est approximativement normale. En résumé, on a donc

> **L'intervalle de confiance pour** μ au niveau $(1-\alpha)$, dans le cas où la variance σ^2 de la population est inconnue
>
> - lorsque la population est normale, est de la forme
>
> (6.4) $\bar{X} \pm t_{\alpha/2}\cdot\dfrac{S}{\sqrt{n}}$
>
> où $t_{\alpha/2}$ est une valeur de la distribution du t à (n—1) degrés de liberté, et
>
> - lorsque la taille n de l'échantillon est assez grande $(n \geqslant 30)$, que la population soit normale ou non, est de la forme
>
> (6.5) $\bar{X} \pm z_{\alpha/2}\cdot\dfrac{S}{\sqrt{n}}$
>
> où $z_{\alpha/2}$ est une valeur de la normale centrée réduite.

Exemple 6.8. Reprenons l'exemple 6.7 concernant le temps de séchage d'une nouvelle peinture, mais en faisant maintenant l'hypothèse plus réaliste que le manufacturier, en plus d'ignorer la moyenne μ, ignore aussi la variance σ^2. Supposons de nouveau que, pour estimer μ, le manufacturier ait tiré un échantillon aléatoire de taille 25, et qu'il ait obtenu untemps de séchage moyen $\bar{x} = 65$ minutes, avec un écart type $s = 15$ minutes. Pour un niveau de confiance 95%, l'équation (6.2) est

$$P\left(-t_{.025} \leqslant \frac{\bar{X}-\mu}{S/\sqrt{n}} \leqslant t_{.025}\right) = 0.95;$$

en lisant dans la table du t à 24 degrés de liberté, on obtient $t_{.025} = 2.064$. En isolant μ dans cette équation, selon (6.4), on obtient comme intervalle de confiance pour μ au niveau 95%

$$\left[\bar{X} \pm 2.064 \frac{S}{\sqrt{n}} \right]$$

Pour l'échantillon particulier de taille 25 tiré par le manufacturier, cet intervalle aléatoire prend la valeur

$$\left[65 - 2.064 \left(\frac{15}{5}\right), 65 + 2.064 \left(\frac{15}{5}\right) \right] \simeq \left[58.81 , 71.19 \right] .$$

Ce manufacturier a seulement 5% des chances de se tromper en affirmant que le temps moyen de séchage de sa nouvelle peinture se situe dans l'intervalle [58.81 min., 71.19 min.].

Détermination de la taille de l'échantillon en fonction de la précision désirée

Jusqu'à maintenant, pour estimer une moyenne inconnue par intervalle, on s'est donné un niveau de confiance $(1-\alpha)$ et une taille n d'échantillon, et par l'intermédiaire d'une certaine statistique, on a pu obtenir l'intervalle désiré. Parfois le problème se pose un peu différemment, en ce sens que l'on ne se fixe pas à l'avance la taille n de l'échantillon, mais que l'on aimerait plutôt la déterminer en vue d'obtenir un niveau de précision désirée. Comme on peut le remarquer, par exemple dans le cas où σ^2 est connue (équation (6.3)), la grandeur de n a une influence directe sur la largeur de l'intervalle de confiance pour μ, et donc sur la précision de l'estimation ainsi obtenue. En augmentant n, on augmente la précision de l'estimation, mais on augmente aussi le coût de l'échantillon. La taille optimale résulte d'un compromis entre la précision et le coût.

Le problème d'obtenir un niveau donné de précision peut s'énoncer de la façon suivante: quelle est la taille n de l'échantillon qui permettrait d'affirmer qu'en utilisant l'estimateur ponctuel T pour θ, l'erreur commise au niveau $(1-\alpha)$ serait moindre que e? Dans l'intervalle de confiance donné par l'équation (6.3), l'erreur e maximale commise au niveau $(1-\alpha)$ en utilisant l'estimateur $\bar{X}$ pour μ est définie par

$$e = z_{\alpha/2} \frac{\sigma}{\sqrt{n}}$$

Si l'on fixe ainsi le niveau maximum d'erreur que l'on est prêt à accepter, on peut en déduire la taille n:

$$\sqrt{n} = \frac{z_{\alpha/2} \cdot \sigma}{e}$$

d'où

$$n = \left[\frac{z_{\alpha/2} \cdot \sigma}{e} \right]^2 .$$

En conséquence, si $n \geq (z_{\alpha/2}\sigma)^2 / e^2$, l'erreur commise en utilisant $\bar{X}$ comme estimateur de μ ne sera pas plus grande que e.

Exemple 6.9. Reprenons l'exemple 6.7 concernant le temps de séchage d'une nouvelle peinture. Supposons de nouveau que le manufacturier connaisse l'écart type de ce temps de séchage, $\sigma = 10$ minutes. Quelle taille n d'échantillon devra-t-il choisir s'il veut être certain au niveau de confiance 95% que son erreur, en utilisant $\bar{X}$ comme estimateur de μ, ne dépassera pas 5 minutes?

Solution. On a $z_{\alpha/2} = 1.96$, $\sigma = 10$ et $e = 5$, d'où

$$\sqrt{n} = \frac{z_{\alpha/2} \cdot \sigma}{e} = \frac{1.96 \times 10}{5} = 3.92$$

et $n = (3.92)^2 = 15.37$.

Une taille d'échantillon $n = 16$ permet au manufacturier d'obtenir la précision désirée.

Cas d'un échantillon sans remise dans une petite population

Tout ce que l'on a présenté précédemment concernant l'estimateur par intervalle de μ est valable lorsque l'échantillon sur lequel est basé l'intervalle de confiance est un échantillon aléatoire simple indépendant. Autrement dit, on a supposé que si la population est grande, l'échantillonnage peut être effectué avec ou sans remise, mais si la population est plutôt petite, l'échantillonnage doit être effectué avec remise. Cependant, en pratique, même dans les petites populations, les échantillons sont généralement tirés sans remise. Dans ce cas, les variables constituant l'échantillon ne sont plus indépendantes, et les résultats obtenus précédemment pour estimer μ ne s'appliquent plus. Cependant, on peut les modifier légèrement pour couvrir ce nouveau cas. En effet, même si les variables de l'échantillon ne sont plus indépendantes, une forme modifiée du théorème central limite assure que, si n est assez grand, la moyenne $\bar{X}$ de l'échantillon suivra de nouveau approximativement une distribution normale. La moyenne de $\bar{X}$ sera de nouveau égale à μ mais, comme on l'a souligné à la section 5.3.2, la variance de $\bar{X}$ sera maintenant égale à

$$\text{Var}(\bar{X}) = \frac{\sigma^2}{n}\left(\frac{N-n}{N-1}\right)$$

où N est la taille de la population. En conséquence, dans le cas où l'on procède par échantillonnage sans remise d'une population finie de taille N, l'intervalle de confiance pour μ au niveau $(1-\alpha)\%$ (lorsque σ^2 est connue) prend la forme

$$\left[\bar{X} \pm z_{\alpha/2} \cdot \frac{\sigma}{\sqrt{n}} \sqrt{\left(\frac{N-n}{N-1}\right)}\right]$$

Lorsque σ est inconnue et n relativement grand $(n \geq 30)$, on peut le remplacer par S dans le dernier intervalle.

b) **Intervalle de confiance pour une proportion p**

Souvent, on désire estimer dans une population la proportion p des unités qui possèdent une certaine caractéristique. Dans ce cas, la variable étudiée dans la population est une variable de Bernoulli de paramètre p. Pour construire un intervalle de confiance pour p, on distingue deux cas: n grand ($n \geqslant 30$), et n petit ($n < 30$).

Cas 1: n grand

Si X est une variable de Bernoulli de paramètre p, la moyenne $\bar{X}$ de l'échantillon (qui exprime la proportion des succès dans n tirages) est un estimateur sans biais de p. Si n est assez grand, on a vu (à la section 5.4) que $\bar{X}$ suit approximativement une distribution normale de moyenne p et de variance pq/n, où $q = 1 - p$. En conséquence, pour écrire une équation de la forme (6.2), on va recourir à la statistique

$$f(T, \theta) = f(\bar{X}, p) = \frac{\bar{X} - p}{\sqrt{pq/n}}$$

On obtient alors l'équation

$$P\left(-z_{\alpha/2} \leqslant \frac{\bar{X} - p}{\sqrt{pq/n}} \leqslant z_{\alpha/2}\right) = 1 - \alpha$$

où la valeur $z_{\alpha/2}$ est lue dans la table de la normale centrée réduite. A l'aide de transformations algébriques analogues à celles effectuées à l'exemple 6.7, on peut isoler partiellement p dans cette équation, et l'on a:

$$P\left(\bar{X} - z_{\alpha/2}\sqrt{pq/n} \leqslant p \leqslant \bar{X} + z_{\alpha/2}\sqrt{pq/n}\right) = 1 - \alpha$$

Malheureusement, dans cette dernière équation, l'intervalle de confiance pour p est écrit en fonction du p inconnu. Pour contourner cette difficulté, on remplace, dans les expressions impliquant une racine carrée, p par $\bar{X}$, et q par $(1 - \bar{X})$. En procédant ainsi, on introduit une nouvelle source d'erreur mais, si n est grand, cette erreur est négligeable. On obtient alors l'équation:

$$P\left(\bar{X} - z_{\alpha/2}\sqrt{\bar{X}(1 - \bar{X})/n} \leqslant p \leqslant \bar{X} + z_{\alpha/2}\sqrt{\bar{X}(1 - \bar{X})/n}\right) = 1 - \alpha$$

En résumé on a:

> **L'intervalle de confiance au niveau** $(1 - \alpha)$ **pour le paramètre p** d'une population de Bernoulli, lorsque la taille n de l'échantillon est grande ($n \geqslant 30$), est de la forme
>
> (6.6) $$\left[\bar{X} \pm z_{\alpha/2}\sqrt{\bar{X}(1 - \bar{X})/n}\right]$$
>
> où $z_{\alpha/2}$ est une valeur de la distribution normale centrée réduite.

Exemple 6.10. On veut estimer la proportion des conducteurs d'automobiles qui portent leur ceinture de sécurité. Sur un échantillon de 200 conducteurs observés à une intersection, on a noté qu'il y en avait 130 qui portaient leur ceinture de sécurité. Construire un intervalle de confiance au niveau 95% pour estimer la vraie proportion p des conducteurs qui portent leur ceinture de sécurité.

Solution. Pour un niveau 95% et n = 200, l'intervalle de confiance de la forme (6.6) devient

$$\left[\bar{X}-1.96\sqrt{\bar{X}(1-\bar{X})/200},\ \bar{X}+1.96\sqrt{\bar{X}(1-\bar{X})/200}\right]$$

Pour l'échantillon particulier obtenu où $\bar{x} = 130/200 = .65$, cet intervalle aléatoire prend la valeur

$$\left[\bar{x} \pm 1.96\sqrt{\bar{x}(1-\bar{x})/200}\right] = \left[.65 \pm 1.96\sqrt{(.65)(.35)/200}\right]$$

$$\simeq \left[0.584, 0.716\right]$$

Cas 2: n petit

Lorsque X est une variable de Bernoulli, et n est petit $(n < 30)$, on ne peut plus approximer la distribution de $\bar{X}$ par une distribution normale. Dans ce cas, pour construire un intervalle de confiance pour p, au lieu d'utiliser la statistique $\bar{X}$, on utilise plutôt $Y = n\bar{X}$, où Y représente le nombre de succès dans n tirages. La variable aléatoire Y suit une distribution binômiale de paramètres n connu et p inconnu. On doit résoudre une équation de la forme (6.1), à savoir:

$$P(LI \leqslant p \leqslant LS) = 1 - \alpha$$

Au lieu d'écrire un intervalle de confiance aléatoire général pour p, on se contente ici d'indiquer une procédure particulière permettant d'obtenir cet intervalle pour une réalisation particulière de l'échantillon. Cet intervalle déterministe $[p_1, p_2]$ pour p est obtenu en utilisant les tables de la distribution binômiale. Si, pour un échantillon de taille n, on a obtenu $y = n\bar{x}$ succès, les limites de confiance p_1 et p_2 au niveau $(1 - \alpha)$ sont obtenues en résolvant les deux inégalités suivantes:

$$P(Y \geqslant y / n, p_1) \leqslant \alpha/2$$

$$P(Y \leqslant y / n, p_2) \leqslant \alpha/2$$

Exemple 6.11. On tire un échantillon aléatoire de 20 personnes, et on leur demande si leur marque de céréales préférée est la marque K. Il y en a 6 qui répondent "oui". Construire un intervalle de confiance au niveau 95% pour estimer la proportion p des gens dans la population qui préfèrent la marque K.

Solution. La variable Y donnant le nombre de personnes parmi les 20 qui préfèrent la marque K est une variable aléatoire binômiale de paramètres n = 20 et p inconnu. Pour cette variable, on a observé $y = n\bar{x} = 6$ personnes qui préfèrent la marque K. Au niveau $(1 - \alpha) = 0.95$, on peut écrire:

$$P(Y \geqslant 6/20, p_1) \leqslant 0.025,$$

$$P(Y \leqslant 6/20, p_2) \leqslant 0.025.$$

Il s'agit alors de chercher par tâtonnement dans la table de la distribution binômiale cumulée les valeurs p_1 et p_2 qui satisfont ces deux inégalités: on trouve:

$$p_1 = 0.11 \text{ et } p_2 = 0.55 \qquad \text{(voir annexe 2, table 6)}$$

On a donc au plus 5% de chances de se tromper si l'on affirme que la proportion des gens qui préfèrent les céréales de marque K est dans l'intervalle [0.11, 0.55]. Notons que la valeur observée pour $\overline{X}$ est ici $\overline{x} = 6/20 = 0.3$, et donc que l'intervalle obtenu n'est pas symétrique par rapport à $\overline{x}$ (car la distribution binômiale n'est pas une distribution symétrique).

Pour obtenir ces limites de confiance pour une proportion p quand n est petit, il est plus commode d'utiliser les courbes tracées dans les tables 1 et 2 de l'annexe 3 (à la fin de ce volume). La table 1 donne les limites de l'intervalle de confiance pour p au niveau 95% pour des valeurs de n allant de 8 à 1000, et la table 2 donne ces limites au niveau 99%. On peut donc souligner que ces courbes peuvent aussi être utilisées quand n est grand. Pour obtenir les limites désirées à l'aide de ces tables, on utilise la procédure suivante: on commence par lire la taille de l'échantillon indiquée directement sur les courbes. Ensuite, si la valeur observée $\overline{x}$ est plus petite ou égale à 0.5, on lit cette valeur sur l'échelle horizontale du bas, et les limites de confiance p_1 et p_2 sont lues sur les courbes correspondant à la taille n d'échantillon sur la ligne verticale élevée sur $\overline{x}$, en prenant comme axe de référence l'axe vertical de gauche. Reprenons l'exemple 6.11 où l'on cherchait un intervalle de confiance au niveau 95% pour p à l'aide d'un échantillon de taille $n = 20$. Comme la valeur observée $\overline{x} = 0.3$ est plus petite que 0.5, on la lit sur l'échelle horizontale du bas de la table 1. Sur la ligne verticale élevée sur $\overline{x} = 0.3$, on peut lire pour $n = 20$, $p_1 \simeq 0.11$ et $p_2 \simeq 0.55$, valeurs que l'on avait précédemment obtenues en lisant dans les tables de la binômiale. Par contre, si la valeur observée $\overline{x}$ est plus grande ou égale à 0.5, cette valeur $\overline{x}$ est lue dans la table 1 ou 2 sur l'échelle horizontale du haut, et les limites p_1 et p_2 sont lues sur la ligne verticale abaissée à partir de $\overline{x}$, en prenant comme axe de référence l'axe vertical de droite. Ainsi, si dans l'exemple 6.11, on avait observé 12 personnes préférant les céréales K au lieu d'en observer 6, $\overline{x}$ aurait été égal à $12/20 = 0.6$, une valeur plus grande que 0.5. Au niveau 95%, cette valeur $\overline{x} = 0.6$ est lue sur l'échelle horizontale du haut de la table 1. Ensuite, en lisant sur la ligne verticale abaissée à partir de ce $\overline{x} = 0.6$, on obtient, pour $n = 20$, en référence avec l'axe vertical de droite, $p_1 = 0.36$ et $p_2 = 0.81$. En utilisant la table 2 de la même façon, on obtient les limites de confiance pour p au niveau 99%.

Détermination de la taille de l'échantillon en fonction d'une précision désirée

Comme on l'a fait dans le cas de l'estimation d'une moyenne, on veut parfois connaître la taille n d'échantillon qui, pour un niveau de confiance donnée, permettra d'obtenir une estimation pour la proportion p ayant un niveau de précision désiré. Supposons que la taille n de l'échantillon soit assez grande. Dans ce cas, on peut utiliser l'approximation normale, et l'erreur commise en prenant $\bar{X}$ comme estimateur de μ est donnée par

$$e = z_{\alpha/2} \cdot \sqrt{pq/n}.$$

Malheureusement, cette expression dépendant du paramètre p inconnu, elle ne permet pas d'en déduire n. Pour contourner cette difficulté, on peut remplacer pq par sa valeur maximale. La valeur maximale du produit pq est égale à 0.25, et elle est atteinte lorsque $p = q = 0.5$. En remplaçant pq par 0.25, on obtient

$$e = z_{\alpha/2} \cdot \sqrt{0.25/n}$$

d'où

$$\sqrt{n} = \frac{z_{\alpha/2}\sqrt{0.25}}{e}$$

et

$$n = \left[\frac{z_{\alpha/2}\sqrt{0.25}}{e}\right]^2$$

Si l'on prend comme taille de l'échantillon cette valeur de n, on est certain au niveau $(1-\alpha)$ que l'erreur faite en estimant p par $\bar{X}$ ne dépassera pas le niveau e.

Exemple 6.12. Reprenons les données de l'exemple 6.10, mais cette fois-ci sans fixer à l'avance la taille n de l'échantillon. Supposons que l'on veuille estimer la proportion des conducteurs d'automobiles qui portent leur ceinture de sécurité avec une erreur d'au plus 5%. Quelle taille d'échantillon devrait-on choisir pour être certain, au niveau 95%, d'obtenir cette précision?

Solution. On a $e = 0.05$, et $z_{\alpha/2} = 1.96$; d'où, selon la formule obtenue précédemment,

$$n = \left[\frac{z_{\alpha/2}\sqrt{0.25}}{e}\right]^2 = \frac{(1.96)^2\,(0.25)}{(0.05)^2} = 384.16$$

En conséquence, en choisissant un échantillon de 385 conducteurs, on obtiendra la précision désirée.

c) **Intervalle de confiance pour la variance σ^2 ou l'écart-type σ d'une population normale**

En plus de la moyenne, un autre paramètre que l'on cherche souvent à connaître dans une population, c'est sa variance σ^2 ou son écart type σ. On sait que la statistique $T = S^2$, la variance de l'échantillon, est un estimateur sans biais du paramètre $\theta = \sigma^2$. Pour définir un intervalle de confiance pour

σ^2, on utilise la statistique

$$f(T, \theta) = f(S^2, \sigma^2) = \frac{(n-1)S^2}{\sigma^2}$$

qui suit une distribution du χ^2 à (n - 1) degrés de liberté lorsque la population est normale. On peut alors écrire pour cette statistique une équation de la forme (6.2), à savoir

$$P\left(\underset{\underset{k_1}{\uparrow}}{\chi^2_{1-(\alpha/2)}} \leqslant \frac{(n-1)S^2}{\sigma^2} \leqslant \underset{\underset{k_2}{\uparrow}}{\chi^2_{\alpha/2}}\right) = 1 - \alpha .$$

Dans cette dernière équation, les constantes k_1 et k_2 ont été désignées par $\chi^2_{1-(\alpha/2)}$ et $\chi^2_{\alpha/2}$, car ce sont deux valeurs non symétriques de la distribution de χ^2 à (n - 1) degrés de liberté: $\chi^2_{1-(\alpha/2)}$ désigne la valeur à droite de laquelle il y a une probabilité $1 - (\alpha/2)$ et $\chi^2_{\alpha/2}$ désigne la valeur à droite de laquelle il y a une probabilité $\alpha/2$. Ces valeurs sont représentées dans le graphe de la figure 6.7.

FIGURE 6.7

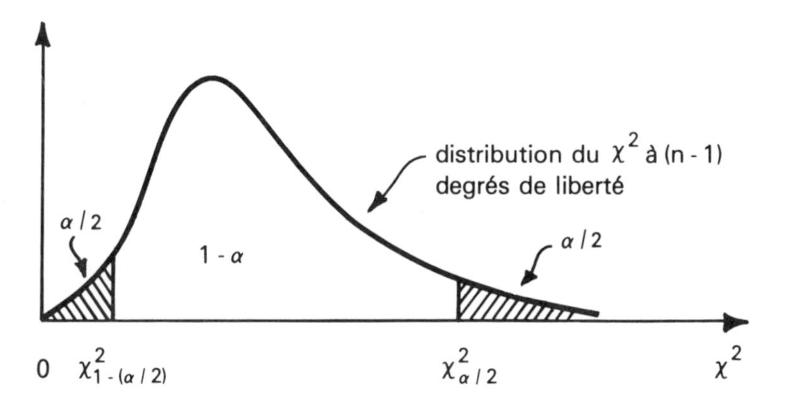

En isolant σ^2 dans l'équation précédente, on obtient

$$P\left(\frac{(n-1)S^2}{\chi^2_{\alpha/2}} \leqslant \sigma^2 \leqslant \frac{(n-1)S^2}{\chi^2_{1-(\alpha/2)}}\right) = 1 - \alpha .$$

Pour obtenir un intervalle de confiance pour σ au niveau $(1 - \alpha)$, il suffit d'extraire la racine carrée de chaque membre de l'inégalité dont on prend la probabilité dans l'équation précédente. En résumé, on a donc:

L'intervalle de confiance au niveau $(1-\alpha)$ **pour la variance** σ^2 d'une population normale (de moyenne inconnue) est de la forme

$$(6.7) \quad \left[\frac{(n-1)S^2}{\chi^2_{\alpha/2}} , \frac{(n-1)S^2}{\chi^2_{1-(\alpha/2)}} \right]$$

et l'intervalle de confiance pour σ au niveau $(1-\alpha)$ est de la forme

$$(6.8) \quad \left[\sqrt{\frac{(n-1)S^2}{\chi^2_{\alpha/2}}} , \sqrt{\frac{(n-1)S^2}{\chi^2_{1-(\alpha/2)}}} \right]$$

où $\chi^2_{\alpha/2}$ et $\chi^2_{1-(\alpha/2)}$ sont des valeurs de la distribution du χ^2 à $(n-1)$ degrés de liberté.

Exemple 6.13. On s'intéresse au temps X nécessaire aux candidats pour répondre à un test écrit exigé pour l'obtention d'un permis de conduire. Pour un échantillon aléatoire de 25 personnes qui ont passé ce test, on a obtenu un temps moyen de 57 minutes avec un écart type de 6.2 minutes. Construire un intervalle de confiance au niveau 95% pour l'écart type σ du temps nécessaire pour compléter ce test (en supposant que le temps X suive une distribution normale).

Solution. Pour un échantillon de taille 25, la statistique $(n-1)\,S^2/\sigma^2$ suit une distribution du χ^2 à 24 degrés de liberté. Dans la table du χ^2, on obtient

$$\chi^2_{0.975} = 12.40 \text{ et } \chi^2_{0.025} = 39.36$$

En conséquence, l'intervalle de confiance pour σ au niveau 95% est de la forme

$$\left[\sqrt{\frac{24\,S^2}{39.36}} , \sqrt{\frac{24\,S^2}{12.40}} \right]$$

et, comme on a observé un écart type $s = 6.2$, cet intervalle prend ici la valeur

$$\left[\sqrt{\frac{24\,(6.2)^2}{39.36}} , \sqrt{\frac{24\,(6.2)^2}{12.40}} \right] \simeq [4.84 , 8.63] .$$

Avec un niveau de confiance de 95%, on peut affirmer que l'écart type du temps nécessaire pour compléter le test en question est dans ce dernier intervalle.

d) **Intervalle de confiance pour une différence de moyennes** $(\mu_1 - \mu_2)$

Jusqu'à maintenant, on s'est intéressé à une seule population dans laquelle on a cherché à estimer un ou plusieurs paramètres. Assez souvent, en pratique, on est amené à comparer deux populations ou plus précisément deux paramètres de même nature dans ces populations. Ainsi, par exemple, on peut vouloir comparer les moyennes, les proportions ou les variances de deux populations. On est alors conduit à construire des intervalles de confiance pour des différences $(\mu_1 - \mu_2)$ et $(p_1 - p_2)$, ou encore pour un quotient de variances σ_1^2 / σ_2^2. Traitons d'abord l'estimation de $(\mu_1 - \mu_2)$ dans divers cas. En général, sauf une exception que l'on précisera, on suppose dans ce qui suit que l'on a affaire à deux populations distinctes, d'où l'on tire indépendamment un échantillon de taille n_1 dans la première, et un échantillon de taille n_2 dans la deuxième. La moyenne et la variance de la première population sont μ_1 et σ_1^2, et celles de la deuxième population sont μ_2 et σ_2^2.

Cas 1: σ_1^2 et σ_2^2 ***connues***

Pour estimer la différence $\theta = (\mu_1 - \mu_2)$, on est naturellement porté à utiliser la statistique $T = (\bar{X}_1 - \bar{X}_2)$, où $\bar{X}_1$ et $\bar{X}_2$ sont les moyennes des échantillons tirés dans la première et la deuxième population respectivement. Si les variances σ_1^2 et σ_2^2 de chacune des populations sont connues, on utilise dans l'équation (6.2) la fonction

$$f(T, \theta) = f(\bar{X}_1 - \bar{X}_2, \mu_1 - \mu_2) = \frac{(\bar{X}_1 - \bar{X}_2) - (\mu_1 - \mu_2)}{\sqrt{\dfrac{\sigma_1^2}{n_1} + \dfrac{\sigma_2^2}{n_2}}}$$

Si les distributions de chacune de ces deux populations sont normales, ou encore si les tailles n_1 et n_2 de chacun des deux échantillons sont assez grandes, on sait, comme on l'a vu à la section 5.4, que cette statistique $f(T, \theta)$ suit une distribution normale centrée réduite. En conséquence, pour construire un intervalle de confiance pour $(\mu_1 - \mu_2)$ au niveau $(1 - \alpha)$, on écrit une équation de la forme (6.2), à savoir:

$$P\left(-z_{\alpha/2} \leqslant \frac{(\bar{X}_1 - \bar{X}_2) - (\mu_1 - \mu_2)}{\sqrt{\dfrac{\sigma_1^2}{n_1} + \dfrac{\sigma_2^2}{n_2}}} \leqslant z_{\alpha/2}\right) = 1 - \alpha,$$

dans laquelle la valeur $z_{\alpha/2}$ est lue dans la table de la normale centrée réduite. En isolant $(\mu_1 - \mu_2)$ dans cette équation, on obtient une équation de la forme (6.1) donnant l'intervalle de confiance pour $(\mu_1 - \mu_2)$ au niveau $(1 - \alpha)$, à savoir:

$$P\left((\bar{X}_1 - \bar{X}_2) - z_{\alpha/2}\sqrt{\frac{\sigma_1^2}{n_1} + \frac{\sigma_2^2}{n_2}} \leqslant (\mu_1 - \mu_2) \leqslant (\bar{X}_1 - \bar{X}_2) + z_{\alpha/2}\sqrt{\frac{\sigma_1^2}{n_1} + \frac{\sigma_2^2}{n_2}}\right) = 1 - \alpha$$

En résumé, on a donc:

L'intervalle de confiance au niveau $(1-\alpha)$ **pour la différence** $(\mu_1 - \mu_2)$ **des moyennes** de deux populations de variances σ_1^2 et σ_2^2 connues, lorsque ces populations sont normales, ou encore lorsque les tailles n_1 et n_2 des 2 échantillons indépendants tirés de ces populations sont grandes ($n_1 \geqslant 30, n_2 \geqslant 30$), est de la forme

$$\left[(\bar{X}_1 - \bar{X}_2) \pm z_{\alpha/2} \cdot \sqrt{\frac{\sigma_1^2}{n_1} + \frac{\sigma_2^2}{n_2}} \right] \tag{6.9}$$

où $z_{\alpha/2}$ est une valeur de la distribution normale centrée réduite.

Exemple 6.14. Reprenons les données de l'exemple 5.10 où l'on cherchait à comparer la durée de vie des pneus radiaux produits par deux manufacturiers M_1 et M_2. Supposons que l'on accepte que l'écart type σ_1 de la durée de vie des pneus radiaux de M_1 soit de 8000 km, et que l'écart type σ_2 de la durée de vie de pneus de M_2 soit de 5000 km. Un échantillon aléatoire de 50 pneus radiaux de M_1 a donné une durée de vie moyenne de 48,000 km, et un échantillon aléatoire de 75 pneus radiaux de M_2 a donné une durée de vie moyenne de 42,000 km. Construire un intervalle de confiance pour la différence $(\mu_1 - \mu_2)$ des durées de vie moyennes réelles au niveau 95% .

Solution. Au niveau 95%, l'intervalle de confiance de la forme (6.9) s'écrit comme

$$\left[(\bar{X}_1 - \bar{X}_2) \pm 1.96 \sqrt{\frac{(8000)^2}{50} + \frac{(5000)^2}{75}} \right] = \left[(\bar{X}_1 - \bar{X}_2) \pm 2489.53 \right].$$

Pour les valeurs particulières $\bar{x}_1 = 48{,}000$ et $\bar{x}_2 = 42{,}000$ observées, cet intervalle est égal à $[6000 \pm 2489.53] = [3510.47 , 8489.53]$.

Cas 2: populations normales de variances σ_1^2 et σ_2^2 ***inconnues mais égales***

La plupart du temps, lorsqu'on se pose des questions sur les moyennes inconnues de deux populations, les variances σ_1^2 et σ_2^2 de ces deux populations sont aussi inconnues. Si σ_1^2 et σ_2^2 sont inconnues, on ne peut plus utiliser la statistique $f(T, \theta)$ employée dans le cas précédent. Cependant, si les populations étudiées sont normales, et si les variances inconnues σ_1^2 et σ_2^2 de ces populations sont égales, on sait (section 5.4) que la statistique

$$f(T, \theta) = (\bar{X}_1 - \bar{X}_2, \mu_1 - \mu_2) = \frac{(\bar{X}_1 - \bar{X}_2) - (\mu_1 - \mu_2)}{\sqrt{\left(\frac{1}{n_1} + \frac{1}{n_2}\right)\left(\frac{(n_1 - 1) S_1^2 + (n_2 - 1) S_2^2}{n_1 + n_2 - 2}\right)}}$$

suit une distribution du t à $(n_1 + n_2 - 2)$ degrés de liberté. On peut donc écrire l'équation

$$P\left(-t_{\alpha/2} \leqslant \frac{(\bar{X}_1 - \bar{X}_2) - (\mu_1 - \mu_2)}{\sqrt{\left(\frac{1}{n_1} + \frac{1}{n_2}\right)\left(\frac{(n_1 - 1)S_1^2 + (n_2 - 1)S_2^2}{n_1 + n_2 - 2}\right)}} \leqslant t_{\alpha/2}\right) = 1 - \alpha$$

où la valeur $t_{\alpha/2}$ est lue dans la table du t à $(n_1 + n_2 - 2)$ degrés de liberté. En isolant $(\mu_1 - \mu_2)$ dans cette équation, on obtient l'intervalle de confiance pour cette différence au niveau $(1 - \alpha)$. En résumé, on a donc:

L'intervalle de confiance au niveau $(1 - \alpha)$ **pour la différence** $(\mu_1 - \mu_2)$ **des moyennes** de deux populations normales, de variances σ_1^2 et σ_2^2 inconnues mais supposées égales, est de la forme

$$\left[(\bar{X}_1 - \bar{X}_2) \pm t_{\alpha/2}\sqrt{\left(\frac{1}{n_1} + \frac{1}{n_2}\right)\left(\frac{(n_1 - 1)S_1^2 + (n_2 - 1)S_2^2}{n_1 + n_2 - 2}\right)}\right] \quad (6.10)$$

où $t_{\alpha/2}$ est une valeur de la distribution du t à $(n_1 + n_2 - 2)$ degrés de liberté.

Dans l'intervalle (6.10), si $(n_1 + n_2 - 2)$ est plus grand ou égal à 30, on peut remplacer les valeurs $\pm t_{\alpha/2}$ par les valeurs $\pm z_{\alpha/2}$ lues dans la table normale centrée réduite.

Exemple 6.15. Reprenons l'exemple 6.14 concernant la durée de vie des pneus radiaux produits par deux manufacturiers M_1 et M_2. Supposons que ces durées de vie soient normales. Supposons aussi, comme c'est habituellement le cas en pratique, que non seulement les moyennes mais aussi les variances σ_1^2 et σ_2^2 soient inconnues. Pour estimer la différence entre la durée de vie moyenne des pneus de M_1 et celle de M_2, on tire indépendamment un échantillon aléatoire de 10 pneus de M_1, pour lequel on obtient une durée de vie moyenne de 48,000 km avec un écart type de 7,000 km, et un échantillon aléatoire de 15 pneus de M_2, pour lequel on obtient une durée de vie moyenne de 42,000 km avec un écart type de 5,000 km. D'autres tests effectués préalablement sur les pneus de ces deux manufacturiers ont démontré que l'on peut accepter l'hypothèse selon laquelle les variances des durées de vie des pneus de M_1 et de M_2 sont égales. Construire un intervalle de confiance pour la différence $(\mu_1 - \mu_2)$ des durées de vie moyennes réelles des pneus de M_1 et de M_2, au niveau 95%.

Solution. Puisque les populations sont normales et que leurs variances σ_1^2 et σ_2^2 sont inconnues mais supposées égales, l'intervalle de confiance pour

$(\mu_1 - \mu_2)$ aura la forme (6.10). Au niveau 95%, on obtient

$$\left[(\bar{X}_1 - \bar{X}_2) \pm 2.069 \sqrt{\left(\frac{1}{10} + \frac{1}{15}\right)\left(\frac{9\ S_1^2 + 14\ S_2^2}{10 + 15 - 2}\right)} \right]$$

où 2.069 est une valeur lue dans la table de la distribution du t à $(n_1 + n_2 - 2) = 23$ degrés de liberté. Pour les réalisations particulières obtenues, on a observé $\bar{x}_1 = 48{,}000$ km, $\bar{x}_2 = 42{,}000$ km, $s_1 = 7{,}000$ km et $s_2 = 5{,}000$ km; l'intervalle de confiance prend alors la valeur

$$(48{,}000 - 42{,}000) \pm 2.069 \sqrt{\left(\frac{1}{10} + \frac{1}{15}\right)\left(\frac{9\,(7000)^2 + 14\,(5000)^2}{10 + 15 - 2}\right)}$$

$$= \left[6000 \pm 4953.46\right] = \left[1\ 046.54\ ,\ 10\ 953.46\right]$$

Cas 3: populations de variances σ_1^2 et σ_2^2 ***inconnues mais inégales avec*** n_1 et n_2 ***grands***

L'intervalle de confiance présenté précédemment s'applique seulement si les variances inconnues sont égales. Lorsqu'on a affaire à des populations de variances σ_1^2 et σ_2^2 inconnues mais inégales, on va plutôt utiliser la statistique

$$f(T, \theta) = f(\bar{X}_1 - \bar{X}_2, \mu_1 - \mu_2) = \frac{(\bar{X}_1 - \bar{X}_2) - (\mu_1 - \mu_2)}{\sqrt{\dfrac{S_1^2}{n_1} + \dfrac{S_2^2}{n_2}}}$$

où S_1^2 et S_2^2 sont les variances des deux échantillons respectifs; si les tailles des échantillons sont assez grandes $(n_1 \geqslant 30,\ n_2 \geqslant 30)$, cette statistique suit approximativement une distribution normale. En conséquence, il suffit de remplacer σ_1^2 par S_1^2 et σ_2^2 par S_2^2 dans l'intervalle de la forme (6.9) pour obtenir un intervalle pour $(\mu_1 - \mu_2)$ au niveau $(1 - \alpha)$. En résumé, on a donc:

L'intervalle de confiance au niveau $(1 - \alpha)$ **pour la différence** $(\mu_1 - \mu_2)$ **des moyennes** de deux populations de variances σ_1^2 et σ_2^2 inconnues mais inégales, lorsque les tailles des 2 échantillons indépendants tirés de ces populations sont grandes $(n_1 \geqslant 30,\ n_2 \geqslant 30)$, est de la forme

(6.11) $$\left[(\bar{X}_1 - \bar{X}_2) \pm z_{\alpha/2} \cdot \sqrt{\frac{S_1^2}{n_1} + \frac{S_2^2}{n_2}} \right]$$

où $z_{\alpha/2}$ est une valeur de la distribution normale centrée réduite.

Cas 4: observations couplées provenant d'échantillons dépendants tirés de populations de variances σ_1^2 et σ_2^2 inconnues

Il arrive que l'on cherche à comparer la différence $(\mu_1 - \mu_2)$ entre les moyennes de deux caractéristiques des membres d'une même population, ou les moyennes de la même caractéristique observée à deux moments distincts dans le temps. Par exemple, on peut vouloir comparer les résultats moyens obtenus par un même groupe d'étudiants dans deux matières différentes. De même, on peut vouloir comparer la vitesse moyenne de lecture d'un certain groupe d'étudiants avant d'avoir suivi un cours de lecture rapide avec leur vitesse moyenne après ce cours. Dans ces exemples, les échantillons utilisés pour comparer ces moyennes ne sont pas indépendants, car en réalité il s'agit d'un seul échantillon que l'on observe deux fois. Eventuellement il pourrait s'agir de deux échantillons différents de même taille tirés d'une même population. Dans ces cas-là, puisque les échantillons sont dépendants, on ne peut plus utiliser les intervalles de confiance pour $(\mu_1 - \mu_2)$ proposés précédemment.

La procédure utilisée pour estimer $(\mu_1 - \mu_2)$ à l'aide de ces échantillons dépendants est l'observation par couples ou par paires. Soit $(X_1, ..., X_n)$ le premier échantillon et $(Y_1, ..., Y_n)$ le deuxième échantillon tirés de la population considérée. Pour chaque paire (X_i, Y_i) de variables de ces deux échantillons, on définit la différence

$$D_i = (X_i - Y_i), \quad i = 1, ..., n$$

On fait l'hypothèse que la différence $D = X - Y$ suit une distribution normale avec moyenne μ_D inconnue et variance σ_D^2 inconnue. Pour estimer $\mu_D = \mu_X - \mu_Y$ (ce qui revient à $\mu_1 - \mu_2$), on utilise comme statistique la différence moyenne

$$\bar{D} = \frac{\sum_{i=1}^{n} D_i}{n}$$

dont la moyenne est donnée par

$$\mu_{\bar{D}} = \mu_D = \mu_x - \mu_y$$

et dont l'écart type ou l'erreur standard est donné par

$$S_{\bar{D}} = \frac{1}{\sqrt{n}} S_D = \frac{1}{\sqrt{n}} \sqrt{\frac{\sum_{i=1}^{n} (D_i - \bar{D})^2}{n-1}}$$

On peut montrer que la statistique

$$f(T, \theta) = f(\bar{D}, \mu_D) = \frac{\bar{D} - \mu_{\bar{D}}}{S_{\bar{D}}}$$

suit une distribution du t à (n - 1) degrés de liberté. Alors l'équation (6.2) s'écrit comme

$$P\left(-t_{\alpha/2} \leqslant \frac{\bar{D} - \mu_D}{\sqrt{\dfrac{\sum_{i=1}^{n}(D_i - \bar{D})^2}{n(n-1)}}} \leqslant t_{\alpha/2}\right) = 1 - \alpha$$

où $t_{\alpha/2}$ est une valeur de la distribution du t à (n - 1) degrés de liberté. En isolant μ_D dans cette équation, on obtient un intervalle de confiance pour $(\mu_X - \mu_Y)$ au niveau $(1 - \alpha)$. En résumé, on a donc

L'intervalle de confiance au niveau $(1 - \alpha)$ **pour la différence** $\mu_D = (\mu_X - \mu_Y)$ **des moyennes** de deux variables observées dans une même population, à partir d'échantillons dépendants $(X_1, ..., X_n)$ et $(Y_1, ..., Y_n)$ tirés de cette population, lorsque la différence $D = X - Y$ dans la population suit une distribution normale, est de la forme

$$(6.12) \qquad \left[\bar{D} \pm t_{\alpha/2} \sqrt{\frac{\sum_{i=1}^{n}(D_i - \bar{D})^2}{n(n-1)}}\right]$$

où $D_i = X_i - Y_i$, $i = 1, ..., n$, $\bar{D} = \sum_{i=1}^{n} D_i / n$ et $t_{\alpha/2}$ est une valeur de la distribution du t à (n - 1) degrés de liberté.

Exemple 6.16. On veut comparer le résultat X obtenu par des étudiants en gestion pour le cours de probabilités suivi au trimestre d'automne avec le résultat Y obtenu par ces mêmes étudiants pour le cours de statistique suivi au trimestre d'hiver. A cette fin, on choisit un échantillon aléatoire de 5 étudiants dans le groupe pour lesquels on compare les résultats obtenus en probabilités avec ceux obtenus en statistique. On a observé (il s'agit de résultats sur 100):

étudiant	A	B	C	D	E
résultat en probabilités	74	66	89	73	90
résultat en statistique	64	54	70	67	77

Construire un intervalle de confiance pour la différence $(\mu_X - \mu_Y)$ entre les résultats moyens en probabilités et les résultats moyens en statistique pour ce groupe d'étudiants, au niveau 95%.

Solution. A partir des résultats x_i et y_i, $i = 1, ..., 5$, pour l'échantillon de 5 étudiants, on peut calculer les différences $d_i = x_i - y_i$, la différence moyenne observée $\bar{d} = \sum_{i=1}^{5} d_i / 5$, ainsi que l'écart type observé pour cette différence, à savoir: $s_d = \sqrt{\sum_{i=1}^{5} (d_i - \bar{d})^2 / 4}$. On a:

étudiant	résultats observés x_i	y_i	différences $d_i = x_i - y_i$	$d_i - \bar{d}$	$(d_i - \bar{d})^2$
A	74	64	10	−2	4
B	66	54	12	0	0
C	89	70	19	7	49
D	73	67	6	−6	36
E	90	77	13	1	1

On calcule

$$\bar{d} = \sum_{i=1}^{5} d_i / 5 = 60 / 5 = 12 \text{ et } s_d = \sqrt{\sum_{i=1}^{5} (d_i - \bar{d})^2 / 4} = \sqrt{22.5} \simeq 4.74 .$$

Pour les échantillons particuliers observés, l'intervalle de confiance au niveau 95% de la forme (6.12) prend la valeur

$$\left[\bar{d} \pm t_{0.025} \sqrt{\frac{\sum_{i=1}^{5} (d_i - \bar{d})^2}{5\,(4)}} \right] = \left[12 \pm 2.78 \left(\frac{4.74}{\sqrt{5}} \right) \right]$$

$$= \left[12 \pm 5.89 \right] = \left[6.11 , 17.89 \right]$$

On peut donc affirmer qu'au niveau de confiance 95%, la différence entre le résultat moyen des étudiants en gestion pour le cours de probabilités et le résultat moyen de ces mêmes étudiants pour le cours de statistique est dans l'intervalle [6.11, 17.89] (cette différence positive indiquant que les résultats obtenus en probabilités sont plus élevés que ceux obtenus en statistique).

e) **Intervalle de confiance pour une différence de proportions** $(p_1 - p_2)$

De la même façon que l'on a voulu comparer les moyennes de deux populations, on peut chercher à comparer les proportions de deux populations distinctes. Dans chacune de ces populations on étudie une variable X qui suit une distribution de Bernoulli. La variable X étudiée dans la première population est une variable de Bernoulli notée X_1 avec paramètre p_1 inconnu,et la variable X étudiée dans la deuxième population est une variable de Bernoulli notée X_2 avec paramètre p_2 inconnu. Pour estimer la différence $(p_1 - p_2)$, on tire indépendamment un échantillon aléatoire de taille n_1 dans la première population,et un échantillon aléatoire de taille n_2 dans la deuxième. Si les tailles n_1 et n_2 sont grandes, on sait de la section 5.4 que la différence $(\bar{X}_1 - \bar{X}_2)$ des moyennes échantillonnales suit une distribution normale de moyenne $(p_1 - p_2)$ et de variance $p_1 q_1 / n_1 + p_2 q_2 / n_2$. Pour construire un intervalle de confiance pour $(p_1 - p_2)$, on utilise alors la statistique

$$f(T, \theta) = f\left((\bar{X}_1 - \bar{X}_2), (p_1 - p_2)\right) = \frac{(\bar{X}_1 - \bar{X}_2) - (p_1 - p_2)}{\sqrt{\dfrac{p_1 q_1}{n_1} + \dfrac{p_2 q_2}{n_2}}}$$

d'où l'on peut écrire une équation de la forme (6.2), à savoir:

$$P\left(-z_{\alpha/2} \leqslant \frac{(\bar{X}_1 - \bar{X}_2) - (p_1 - p_2)}{\sqrt{\dfrac{p_1 q_1}{n_1} + \dfrac{p_2 q_2}{n_2}}} \leqslant z_{\alpha/2}\right) = 1 - \alpha$$

où $z_{\alpha/2}$ est une valeur de la distribution normale centrée réduite.

En isolant $(p_1 - p_2)$ dans cette équation, on obtient

$$P\left((\bar{X}_1 - \bar{X}_2) - z_{\alpha/2}\sqrt{\frac{p_1 q_1}{n_1} + \frac{p_2 q_2}{n_2}} \leqslant (p_1 - p_2) \leqslant (\bar{X}_1 - \bar{X}_2) + z_{\alpha/2}\sqrt{\frac{p_1 q_1}{n_1} + \frac{p_2 q_2}{n_2}}\right) = 1 - \alpha$$

Malheureusement, dans cette dernière équation, les limites de l'intervalle de confiance pour $(p_1 - p_2)$ sont données en termes des proportions p_1 et p_2 inconnues. Pour contourner cette difficulté, on remplace dans les expressions impliquant des racines carrées, p_1 par $\bar{X}_1$, q_1 par $(1 - \bar{X}_1)$, p_2 par $\bar{X}_2$ et q_2 par $(1 - \bar{X}_2)$. En procédant ainsi, on introduit une nouvelle source d'erreur, mais si n_1 et n_2 sont grands, cette erreur est négligeable. On obtient alors l'équation

$$P\left((\bar{X}_1 - \bar{X}_2) - z_{\alpha/2}\sqrt{\frac{\bar{X}_1(1 - \bar{X}_1)}{n_1} + \frac{\bar{X}_2(1 - \bar{X}_2)}{n_2}} \leqslant (p_1 - p_2) \leqslant (\bar{X}_1 - \bar{X}_2) + z_{\alpha/2}\sqrt{\frac{\bar{X}_1(1 - \bar{X}_1)}{n_1} + \frac{\bar{X}_2(1 - \bar{X}_2)}{n_2}}\right) = 1 - \alpha$$

En résumé, on a donc:

L'intervalle de confiance au niveau $(1-\alpha)$ **pour la différence** $(p_1 - p_2)$ **des paramètres de deux populations de Bernoulli**, lorsque les tailles n_1 et n_2 des deux échantillons indépendants tirés de ces populations sont grandes $(n_1 \geqslant 30, n_2 \geqslant 30)$, est de la forme

$$\left[(\bar{X}_1 - \bar{X}_2) \pm z_{\alpha/2} \cdot \sqrt{\frac{\bar{X}_1(1-\bar{X}_1)}{n_1} + \frac{\bar{X}_2(1-\bar{X}_2)}{n_2}} \right] \quad (6.13)$$

où $z_{\alpha/2}$ est une valeur de la distribution normale centrée réduite.

Exemple 6.17. On veut comparer les parts du marché p_1 et p_2 (proportions) que possède le produit X dans deux régions distinctes du Québec. D'un échantillon aléatoire de 1000 personnes tiré dans la région 1, 520 disent acheter le produit X, et d'un échantillon aléatoire de 1500 personnes dans la région 2, 615 disent acheter le produit X. Construire un intervalle de confiance au niveau 95% pour la différence $(p_1 - p_2)$ des parts de marché occupées par ce produit dans ces deux régions.

Solution. On a observé une part de marché de $520/1000 = 0.52$ pour le produit X dans la région 1, et une part de marché de $615/1500 = 0.41$ pour ce produit dans la région 2. Au niveau 95%, l'intervalle aléatoire (6.13) prend alors la valeur

$$\left[(0.52 - 0.41) \pm 1.96 \sqrt{\frac{0.52\,(0.48)}{1000} + \frac{0.41\,(0.59)}{1500}} \right]$$

$$= \left[0.11 \pm 0.04 \right] = \left[0.07\,,\,0.15 \right]$$

Au niveau 95%, on peut donc affirmer que la différence entre les parts de marché du produit X entre la région 1 et la région 2 se situe entre 7.0% et 15% (à l'avantage de la région 1).

f) Intervalle de confiance pour un rapport de variances σ_1^2 / σ_2^2

De la même façon que l'on a été amené à comparer les moyennes de deux populations, on peut vouloir comparer les variances de deux populations. Ainsi, précédemment, pour construire un intervalle de confiance pour la différence $(\mu_1 - \mu_2)$ des moyennes de deux populations normales de variances σ_1^2 et σ_2^2 inconnues, on a fait l'hypothèse que ces variances étaient égales; cette hypothèse suppose que l'on a préalablement comparé ces variances. Pour faire cette comparaison, on tire indépendamment un échantillon aléatoire de taille n_1 dans la première population, et un échantillon aléatoire de taille n_2 dans la deuxième, et l'on désigne par S_1^2 et S_2^2 les variances de ces deux échantillons. A partir de ces échantillons, on construit un intervalle de confiance au niveau

$(1 - \alpha)$ pour le rapport σ_1^2 / σ_2^2 des variances des deux populations. A cette fin, on utilise dans l'équation (6.2) la statistique

$$f(T, \theta) = f(S_1^2 / S_2^2, \sigma_1^2 / \sigma_2^2) = \frac{S_1^2 / \sigma_1^2}{S_2^2 / \sigma_2^2}$$

qui, lorsque les populations sont normales, suit une distribution du F à $(n_1 - 1)$ et $(n_2 - 1)$ degrés de liberté (cf. section 5.4). On obtient alors l'équation

$$P\left(F_{1-(\alpha/2)} \leqslant \frac{S_1^2 / \sigma_1^2}{S_2^2 / \sigma_2^2} \leqslant F_{\alpha/2} \right) = 1 - \alpha.$$

Comme la distribution du F n'est pas symétrique, il faut faire deux lectures dans la table de la distribution du F à $(n_1 - 1)$ et à $(n_2 - 1)$ degrés de liberté pour obtenir les valeurs $F_{1-(\alpha/2)}$ et $F_{\alpha/2}$, qui sont représentées dans la figure 6.8.

FIGURE 6.8

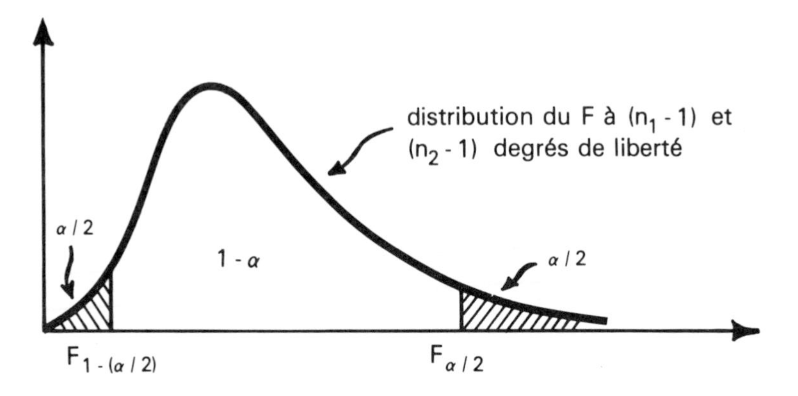

En isolant σ_2^2 / σ_1^2 dans l'équation précédente, on obtient

$$P\left(F_{1-(\alpha/2)} \frac{S_2^2}{S_1^2} \leqslant \frac{\sigma_2^2}{\sigma_1^2} \leqslant F_{\alpha/2} \frac{S_2^2}{S_1^2} \right) = 1 - \alpha .$$

Comme on cherche un intervalle de confiance pour σ_1^2 / σ_2^2, on peut inverser dans cette dernière équation chacune des expressions composant l'événement dont on prend la probabilité, ce qui donne

$$P\left(\frac{1}{F_{\alpha/2}} \frac{S_1^2}{S_2^2} \leqslant \frac{\sigma_1^2}{\sigma_2^2} \leqslant \frac{1}{F_{1-(\alpha/2)}} \frac{S_1^2}{S_2^2} \Big/ n_1 - 1, n_2 - 1 \right) = 1 - \alpha$$

Et comme on peut écrire

$$F_{1-(\alpha/2)}(n_2-1\,,n_1-1) \;=\; \frac{1}{F_{\alpha/2}\,(n_1-1\,,n_2-1)}\,,$$

$$F_{\alpha/2}(n_2-1\,,n_1-1) \;=\; \frac{1}{F_{1-(\alpha/2)}\,(n_1-1\,,n_2-1)}\,,$$

on a donc en résumé:

> **L'intervalle de confiance au niveau** $(1-\alpha)$ **pour le rapport** σ_1^2/σ_2^2 **des variances** de deux populations normales est de la forme
>
> (6.14) $$\left[F_{1-(\alpha/2)}\left(\frac{S_1^2}{S_2^2}\right),\,F_{\alpha/2}\left(\frac{S_1^2}{S_2^2}\right)\right],$$
>
> où $F_{\alpha/2}$ et $F_{1-(\alpha/2)}$ sont des valeurs de la distribution du F à (n_2-1) et (n_1-1) degrés de liberté.

Exemple 6.18. A l'exemple 6.15, on a comparé les durées de vie moyennes des pneus radiaux produits par deux manufacturiers M_1 et M_2, en supposant que les variances σ_1^2 et σ_2^2 inconnues de ces durées de vie étaient égales. Pour juger de la valeur de cette dernière hypothèse, on peut construire un intervalle de confiance au niveau 98% pour le rapport des variances. A cette fin, on tire indépendamment un échantillon aléatoire de 10 pneus radiaux de M_1 pour lequel on obtient un écart type $s_1 = 7000$ km, et un échantillon aléatoire de 16 pneus radiaux de M_2 pour lequel on obtient un écart type $s_2 = 5000$ km. Au niveau 98%, l'intervalle de confiance aléatoire (6.14) prend alors la valeur

$$\left[F_{0.99}\left(\frac{7000}{5000}\right)^2,\,F_{0.01}\left(\frac{7000}{5000}\right)^2\right]$$

où $F_{0.01}$ et $F_{0.99}$ doivent être lus dans la table du F à 15 et 9 degrés de liberté. Dans la table 4 de l'annexe 2, on obtient directement

$$F_{0.01}\,(15{,}9) = 4.96$$

De plus on a

$$F_{0.99}\,(15\,,9) \;=\; \frac{1}{F_{0.01}\,(9\,,15)} \;=\; \frac{1}{3.89} \;=\; 0.257$$

Au niveau 98%, l'intervalle de confiance pour σ_1^2/σ_2^2 prend donc la valeur

$$[0.257\,(1.96)\,,\,4.96\,(1.96)\,] \;\simeq\; [0.5\,,\,9.72]$$

6.4 L'ESTIMATION BAYESIENNE

En inférence statistique, à partir d'une information partielle que l'on a sur une population, on essaie de généraliser cette information à toute la population. Ce qui distingue fondamentalement l'inférence bayesienne de l'inférence classique, c'est la nature différente de l'information partielle à laquelle on a recours, ainsi que la façon différente d'utiliser cette information pour tirer des conclusions sur la population. Dans ce qui suit, on va d'abord préciser la nature de l'information utilisée, et la façon de traiter cette information pour estimer un paramètre selon l'approche bayesienne. Par la suite, tout en conservant cette même vision de l'information, on verra comment un problème d'estimation paramétrique peut être abordé comme un problème de décision, selon le modèle bayesien de décision présenté au chapitre 4.

6.4.1 L'estimation selon l'analyse bayesienne

En estimation classique, on estime que le paramètre à estimer est complètement inconnu, c'est-à-dire que, a priori, on n'a aucune idée sur ses valeurs possibles. En conséquence, la seule information que l'on utilise pour l'estimer est l'information objective fournie par un échantillon aléatoire tiré dans la population. Toutes les conclusions que l'on tire au sujet de ce paramètre inconnu découlent de cette information objective. Ainsi, en estimation classique, comme le paramètre est considéré comme une constante et qu'il n'existe qu'une seule valeur qui soit vraie pour ce paramètre, on doit interpréter le niveau de confiance, dans un intervalle de confiance, comme l'expression des chances que l'on a de ne pas se tromper en affirmant que la vraie valeur du paramètre est contenue dans cet intervalle.

Par contre, dans l'approche bayesienne, le décideur traite le paramètre objet de l'inférence comme une variable aléatoire, et il accepte de considérer des évidences autres que celle observée dans l'échantillon. Le résultat statistique obtenu de l'échantillon est intégré aux autres informations qui reflètent l'état de ses connaissances avant l'expérience; ces autres informations sont souvent qualifiées d'**information collatérale** (sur ce sujet voir par exemple: "Introduction à la statistique bayesienne" par le professeur Alfred Houle, ou "Bayesian Statistical Confidence Intervals for Auditors" par John A. Tracy, **J. of Accouting**, July 1969). L'évidence statistique observée dans l'échantillon est mesurée par la **vraisemblance**, c'est-à-dire par la probabilité conditionnelle d'observer un résultat particulier dans l'échantillon, étant donné qu'une valeur particulière de paramètre est vraie. L'information collatérale, basée sur l'expérience, le jugement et l'intuition, est mesurée par les probabilités a priori. Les probabilités a priori peuvent différer d'un individu à un autre, alors que les vraisemblances sont (généralement) les mêmes pour tous. L'intégration de ces deux types de probabilités (probabilités a priori et vraisemblances), en tenant compte de l'importance relative de ces deux sources d'information, est faite par l'intermédiaire de la règle de Bayes. Essentiellement, on peut dire que l'inférence bayesienne consiste à calculer une distribution a posteriori pour le paramètre considéré.

Le principe de la méthode bayesienne

On considère un paramètre θ de la distribution de la population, et l'on traite ce paramètre comme une variable aléatoire (discrète ou continue) que l'on note $\tilde{\theta}$. Par exemple, dans le cas où $\tilde{\theta}$ est discrète, on lui assigne une distribution de probabilité $\{P_o(\theta) : \theta \in Ⓗ\}$, où Ⓗ est un ensemble discret de valeurs pour θ. A partir d'un échantillon aléatoire $(X_1, ..., X_n)$ tiré de cette population, on définit une statistique T. La vraisemblance que cette variable aléatoire T prenne la valeur x dépend de la valeur du paramètre θ, et est représentée par $P(T = x / \tilde{\theta} = \theta)$. Connaissant le résultat de l'échantillon, on peut alors calculer les probabilités a posteriori de $\tilde{\theta}$ en utilisant la règle de Bayes (cf. chapitre 4);

$$P(\tilde{\theta} = \theta \;/\; T = x) = \frac{P_o(\tilde{\theta} = \theta) \circ P(T = x / \tilde{\theta} = \theta)}{\sum_{\theta \in Ⓗ} P_o(\tilde{\theta} = \theta) \circ P(T = x / \tilde{\theta} = \theta)} \;;$$

en utilisant le $\sim$ pour représenter la proportionnalité, cette probabilité conditionnelle peut être reformulée comme suit:

$$\underbrace{P(\tilde{\theta} = \theta / T = x)}_{\text{Prob. a posteriori}} \sim \underbrace{P_o(\tilde{\theta} = \theta)}_{\text{Prob. a priori}} \bullet \underbrace{P(T = x / \tilde{\theta} = \theta)}_{\text{vraisemblance}}$$

Dans cette revision de la distribution de probabilité, le facteur

$$\frac{1}{\sum_{\theta \in Ⓗ} P_o(\tilde{\theta} = \theta) P(T = x / \tilde{\theta} = \theta)}$$

est une constante qui sert de facteur de normalisation. Si le paramètre θ est traité comme une variable aléatoire continue, alors on utilise les fonctions de densité, et la règle de Bayes s'exprime de la façon suivante:

$$f(\theta/x) = \frac{f_o(\theta)\; f(x/\theta)}{\int_{-\infty}^{\infty} f_o(\theta)\; f(x/\theta)\; d\theta}$$

Dans le chapitre 4 portant sur l'analyse statistique bayesienne, on a eu l'occasion de calculer plusieurs distributions de probabilité a posteriori, et cela pour différentes distributions. Par exemple, on a vu que si l'on considère le paramètre $\theta = \mu$ d'une population normale de moyenne μ et de variance σ^2, alors la statistique $T = \overline{X}$ est aussi distribuée selon une normale avec une moyenne μ et une variance σ^2 / n. De plus, si a priori on suppose $\tilde{\theta} \in N(\mu_o, \sigma_o^2)$, alors on a a posteriori $\tilde{\theta} \in N(\mu_1, \sigma_1^2)$, où les paramètres μ_1 et σ_1^2 sont donnés par

μ_1 = moyenne pondérée de μ_o et $\bar{x}$, c'est-à-dire

$$\mu_1 = \frac{\left(\frac{1}{\sigma_o^2}\right)\mu_o + \left(\frac{n}{\sigma^2}\right)\bar{x}}{\frac{1}{\sigma_o^2} + \frac{n}{\sigma^2}}$$

et

$$\sigma_1 = \sqrt{\frac{\sigma_o^2 \cdot \sigma^2}{\sigma^2 + n\sigma_o^2}}$$

On a également considéré plusieurs cas impliquant le paramètre $\theta = p$ (la proportion des membres d'une population possédant une certaine caractéristique). La vraisemblance était alors donnée par une distribution hypergéométrique ou une distribution binômiale, soit comme approximation de l'hypergéométrique, soit lorsque le processus d'échantillonnage correspondait à une suite d'épreuves de Bernoulli. Dans chacun de ces exemples le paramètre p a été traité comme une variable aléatoire discrète.

Le paramètre p peut aussi être considéré comme une variable aléatoire continue. On peut alors lui assigner a priori, par exemple, une distribution de probabilité **bêta** de paramètre r_o et ℓ_o. La fonction de densité d'une bêta est

$$f(x) = k(r, \ell)\, x^{r-1} (1-x)^{\ell - r - 1}, \quad 0 \leqslant x \leqslant 1$$

où $k(r, \ell) = \frac{(\ell - 1)!}{(r-1)!\,(\ell - r - 1)!}$ lorsque r et ℓ sont des entiers positifs,

et l'on note $X \in \beta e(r, \ell)$. Pour une telle variable, on a

$$E(X) = \frac{r}{\ell}, \quad Mo(X) = \frac{r-1}{\ell - 2}$$

$$Var(X) = \frac{(r/\ell)\,(1 - (r/\ell))}{\ell + 1}$$

Selon les valeurs de paramètres r et ℓ, la bêta peut prendre une très grande variété de formes; la figure 6.9 illustre quelques-unes de ces formes.

FIGURE 6.9: bêta (r, ℓ)

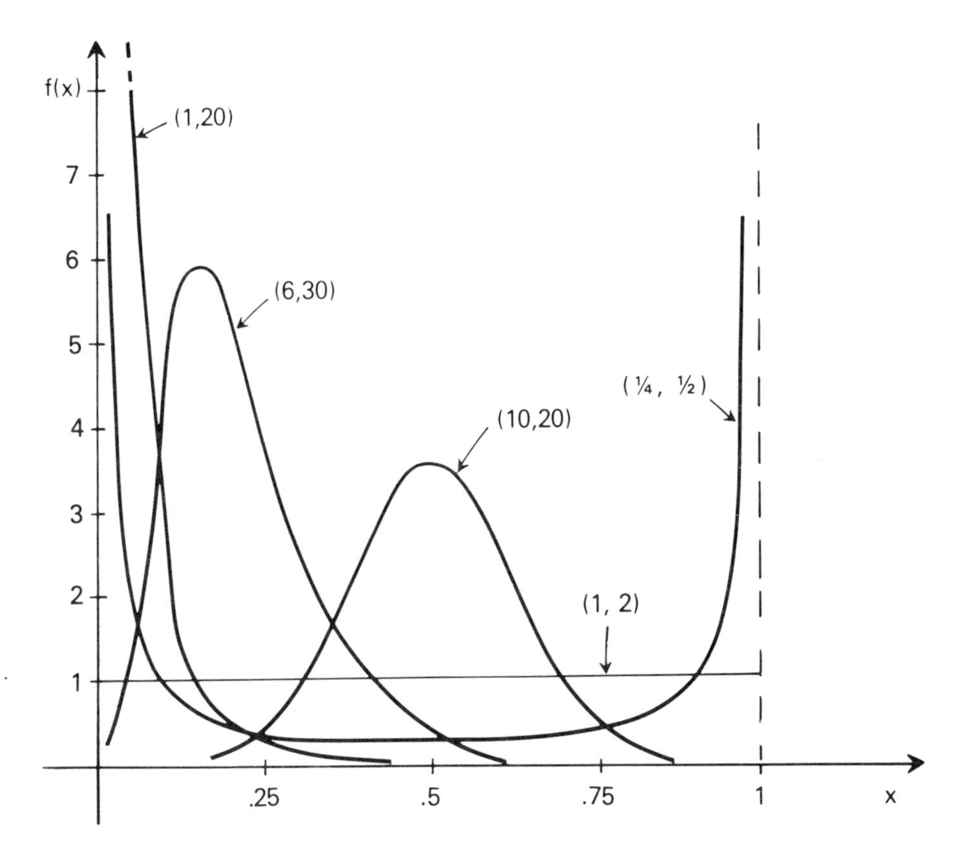

Si l'on assigne a priori au paramètre p une distribution bêta de paramètres r_0 et ℓ_0, alors les valeurs des paramètres r_0 et ℓ_0 caractérisent notre état d'information a priori, et c'est comme si l'on avait déjà observé r_0 "succès" dans ℓ_0 essais. Comme l'illustre la figure 6.9, la bêta est très flexible, et s'ajuste bien à différents états d'information. De plus la bêta possède une autre propriété intéressante, celle d'être une **conjugée naturelle** pour le paramètre p du processus d'échantillonnage binômial qui constitue la structure d'information dans ce contexte, c'est-à-dire que la distribution a posteriori appartient à la même famille de distributions que la distribution a priori (au sujet des conjugées naturelles voir, par exemple, Raiffa et Schlaifer [29]). En effet, on peut montrer que, si a priori $p \in \beta e\ (r_0, \ell_0)$, et si l'on reçoit une information $x \in B_i\ (n, p)$, alors a posteriori $p \in \beta e\ (r_1, \ell_1)$ avec $r_1 = r_0 + x$ et $\ell_1 = \ell_0 + n$. On retrouve cette propriété de conjugée naturelle lorsqu'on attribue a priori une distribution normale au paramètre μ d'une population normale (ou lorsque la taille de l'échantillon est suffisamment grande). C'est une propriété très importante en particulier si l'on doit effectuer plusieurs révisions successives, car alors à chaque révision on n'a qu'à déterminer les nouvelles valeurs des paramètres. Cette propriété est reliée à l'existence d'une statistique exhaustive.

L'estimation ponctuelle selon l'analyse bayesienne

Ainsi, dans l'analyse bayesienne, pour estimer un paramètre θ, au lieu de considérer θ comme une constante comme dans l'approche classique, on traite plutôt θ comme une variable aléatoire notée $\tilde{\theta}$, et l'on suppose que l'on est en mesure de lui attribuer une distribution de probabilité a priori (plus ou moins subjective) $P_0(\theta)$. Par la suite, on peut éventuellement enrichir cette information a priori à l'aide d'informations objectives obtenues par échantillonnage, et obtenir une nouvelle distribution pour $\tilde{\theta}$ appelée distribution de probabilité a posteriori $P_1(\theta)$. On peut déduire directement de $P_0(\theta)$ ou de $P_1(\theta)$ une estimation ponctuelle pour θ. En effet, dès qu'on a précisé une distribution a priori $P_0(\theta)$ pour $\tilde{\theta}$, **on peut prendre comme estimation de θ une des valeurs caractéristiques de cette distribution** $P_0(\theta)$, et en particulier l'espérance mathématique ou le mode de cette distribution. Si cette distribution a priori $P_0(\theta)$ semble trop "imprécise", et si par exemple sa variance est très grande, on a alors avantage à aller chercher de l'information objective par échantillonnage, et à obtenir la distribution de probabilité a posteriori $P_1(\theta)$; on prendra alors, par exemple, comme estimation ponctuelle pour θ une caractéristique de tendance centrale de cette distribution a posteriori $P_1(\theta)$.

Exemple 6.19. Dans l'exemple II du "Club du livre" du chapitre 4, le président du club ne connaît pas la proportion p des membres du club qui vont acheter le volume, advenant sa réimpression. Supposons que ce président possède assez d'information pour lui permettre d'assigner à $\tilde{p}$ (considéré comme une variable aléatoire variant entre 0 et 1) une distribution bêta de paramètres $r_0 = 1$ et $\ell_0 = 20$. Autrement dit, il croit a priori qu'il y a un membre sur 20 qui va acheter le livre. S'il n'a pas suffisamment confiance en son information a priori, il peut faire un sondage auprès de 100 membres choisis au hasard dans le club. Supposons que ce sondage entraîne 6 commandes. Selon l'approche bayesienne, quelle valeur le président va-t-il assigner à la proportion p inconnue? **Solution.** S'il se base uniquement sur son information a priori, il peut prendre comme estimation de p, par exemple, l'espérance de la distribution a priori $P_0(p)$, c'est-à-dire

$$E(\tilde{p}) = r_0 / \ell_0 = 1/20 = 0.05$$

Si son information a priori lui semble insuffisante, il revise sa distribution a priori $P_0(p)$ à l'aide de l'information objective obtenue auprès des 100 personnes (6 commandes); puisque la distribution a priori est une bêta de paramètres $r_0 = 1$ et $\ell_0 = 20$, la distribution a posteriori de $\tilde{p}$ est aussi une bêta de paramètres

$$r_1 = r_0 + x = 1 + 6 = 7$$

et $$\ell_1 = \ell_0 + n = 20 + 100 = 120$$

Alors le président du club pourrait a posteriori prendre comme estimation de p la valeur ou proportion la plus probable, c'est-à-dire le mode de $\tilde{p}$ donné par

$$Mo(\tilde{p}) = \frac{r_1 - 1}{\ell_1 - 2} = \frac{6}{118} = 0.051$$

Relativement à l'exemple précédent, si a priori le président n'avait eu aucune idée de la valeur de p, il aurait pu assigner à $\tilde{p}$ une distribution uniforme sur [0, 1], ce qui revient à une distribution bêta avec $r_o = 1$ et $\ell_o = 2$. Alors a posteriori, la distribution de $\tilde{p}$ aurait été une bêta avec $r_1 = 1 + 6 = 7$ et $\ell_1 = 2 + 100 = 102$. En prenant comme estimation de p le mode de cette dernière distribution, on obtiendrait

$$Mo = (r_1 - 1) / (\ell_1 - 2) = 6/100 = 0.06$$

Cette valeur 0.06 est exactement celle à laquelle on est conduit avec l'approche classique de l'estimateur du maximum de vraisemblance.

L'estimation par intervalle selon l'analyse bayesienne

A partir de la distribution de probabilité a priori $P_o(\theta)$ ou de la distribution de probabilité a posteriori $P_1(\theta)$, on peut déterminer aussi un intervalle de confiance pour θ qui sera appelé, dans l'analyse bayesienne, **intervalle de crédibilité**. Le choix d'un intervalle particulier pour θ est assez arbitraire. Ainsi, à partir de la distribution a posteriori $f_1(\theta)$ pour $\tilde{\theta}$, on peut, par exemple, si l'on désigne par LI et LS les limites inférieures et supérieures de l'intervalle, formuler le problème sous la forme du problème d'optimisation

$$\min_{LI, LS} [LS - LI]$$

sous la contrainte que $P_1(LI \leqslant \tilde{\theta} \leqslant LS) = 1 - \alpha$, où $1 - \alpha$ est le niveau de confiance ou de crédibilité. La solution de ce problème (lorsqu'elle existe) est généralement obtenue pour des valeurs LI et LS telles que $f_1(LI) = f_1(LS)$ (voir figure 6.10).

FIGURE 6.10

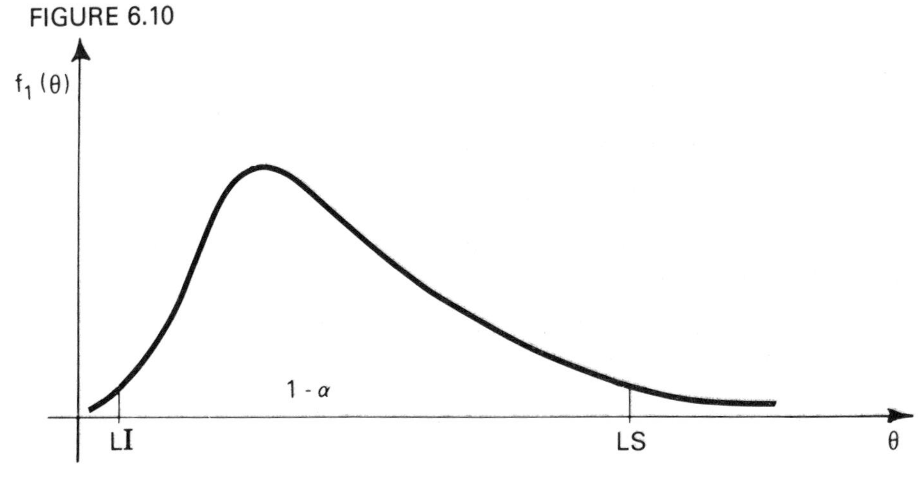

Par exemple, si la distribution a posteriori de $\tilde{\theta}$ est une distribution normale de paramètres μ_1 et σ_1 , alors l'intervalle de crédibilité au niveau $1 - \alpha$ est centré sur μ_1, et les limites de l'intervalle sont

$$\mu_1 \pm z_{\alpha/2} \cdot \sigma_1$$

où la valeur $z_{\alpha/2}$ est lue dans la table normale centrée réduite cumulée.

Exemple 6.20. Reprenons les données de l'exemple 4.32 où le paramètre à estimer est $\theta = \mu$, le kilométrage moyen par pneu, pour des pneus provenant d'une population normale avec un $\sigma = 4{,}000$ kilomètres. A priori, on avait $\tilde{\mu} \in N(\mu_o, \sigma_o)$, où $\mu_o = 34{,}000$ km et $\sigma_o = 6{,}000$ km. Le résultat du test sur un échantillon de 25 pneus a donné $\bar{x} = 28{,}000$ km. On demande de construire un intervalle de crédibilité (intervalle de confiance selon l'approche bayesienne) au niveau 0.95.

Solution. Dans un premier temps, si on le désire, on peut construire un intervalle de crédibilité pour μ uniquement sur la base de l'information a priori. Puisque, a priori, on a $\tilde{\mu} \in N(\mu_o, \sigma_o)$ avec $\mu_o = 34{,}000$ km et $\sigma_o = 6{,}000$ km, alors les limites de l'intervalle de crédibilité au niveau 0.95 sont

$$\mu_o \pm 1.96\,\sigma_o = 34{,}000 \pm 1.96\,(6{,}000)$$

$$= [22\,240\;,\;45\,760]$$

Si l'on veut être plus confiant de notre estimation de μ, on intègre l'information objective obtenue de l'échantillon de 25 pneus qui a donné $\bar{x} = 28{,}000$ km. Il s'ensuit que la distribution de probabilité a posteriori de $\tilde{\theta} = \tilde{\mu}$ est une normale de paramètres

$$\mu_1 = \frac{\left(\frac{1}{\sigma_o^2}\right)\mu_o + \left(\frac{n}{\sigma^2}\right)\bar{x}}{\frac{1}{\sigma^2} + \frac{n}{\sigma^2}} = 28{,}105 \text{ km}$$

et

$$\sigma_1 = \sqrt{\frac{\sigma_o^2 \cdot \sigma^2}{\sigma^2 + n\,\sigma_o^2}} = 794 \text{ km}$$

Les limites de l'intervalle de crédibilité a posteriori au niveau 0.95 sont donc

$$28\,105 \pm 1.96 \times 794 = [26\,458.76\;,\;29\,665.24]\,.$$

On obtient de cette façon une estimation a posteriori beaucoup plus précise que celle obtenue a priori.

Selon l'approche classique, les limites de l'intervalle de confiance au niveau 0.95 auraient été de

$$28\,000 \pm 1.96\left(\frac{4\,000}{\sqrt{25}}\right) = [26\,432\;,\;29\,568]\,.$$

Au niveau 0.95, l'intervalle de confiance (approche classique) et l'intervalle de crédibilité a posteriori (approche bayesienne) sont sensiblement les mêmes, et la raison en est que la quantité d'information a priori $\frac{1}{\sigma_0^2} = \frac{1}{(6{,}000)^2}$ est beaucoup plus faible que celle provenant de l'échantillon qui est $\frac{n}{\sigma^2} = \frac{25}{(4{,}000)^2}$. En effet, environ 98% $\left(= \frac{n/\sigma^2}{n/\sigma^2 + 1/\sigma_0^2} \times 100\right)$ de l'information contenue dans la distribution a posteriori provient de l'information contenue dans l'échantillon. Il en aurait été autrement si, par exemple, a priori on avait eu $\sigma_0 = 1000$ km plutôt que 6,000 km, car alors 39% de l'information contenue dans la distribution a posteriori proviendrait de l'information a priori ou collatérale. Il y a également une différence entre l'intervalle de confiance obtenu selon l'approche classique, et celui obtenu selon l'approche bayesienne. En effet, dans le cadre de l'approche bayesienne, puisque le paramètre θ à estimer est traité comme une variable aléatoire $\tilde{\theta}$, on peut affirmer qu'il y a réellement une probabilité égale à $(1-\alpha)$ pour que $\tilde{\theta}$ prenne une valeur dans l'intervalle obtenu (affirmation qui n'a pas de sens dans l'approche classique).

En somme, l'estimation bayesienne n'est pas en contradiction avec l'estimation classique, bien qu'elle soit assez différente de cette dernière; elle en constitue plutôt le complément. L'estimation bayesienne se fonde

1) sur la constatation que la vraisemblance tient compte seulement de l'évidence statistique (c'est-à-dire qu'elle ne mesure pas tout), et

2) sur le désir de réaliser une inférence qui soit réellement basée sur toute l'information disponible.

Il est bien évident que l'utilisation de l'information collatérale (plus ou moins subjective) aura une influence sur la précision de l'estimation obtenue. En général, la quantité d'information objective recueillie par échantillonnage, qui est nécessaire pour obtenir un niveau de précision donné, sera moindre si l'on utilise l'information collatérale que si l'on ne l'utilise pas.

6.4.2 L'estimation selon le modèle bayesien de décision

En prenant en considération toute l'information partielle disponible pour estimer un paramètre θ inconnu, l'approche bayesienne permet d'obtenir une estimation de θ moins risquée que ne le permettait l'approche classique, dans laquelle l'estimation est fondée uniquement sur l'évidence statistique découlant de l'échantillon. Cependant, jusqu'ici on n'a tenu compte que d'une composante du risque, à savoir celle qui est mesurée par les probabilités (a priori ou a posteriori) associées à θ. Si l'on veut vraiment calculer le risque d'une mauvaise estimation, il faut aussi tenir compte d'une deuxième composante du risque, qui réside dans les conséquences économiques associées aux estimations faites. En plus de permettre de tenir compte de toute l'information disponible, le modèle bayesien de décision (introduit au chapitre 4) permet de tenir compte de cette deuxième composante du risque dans le processus d'estimation du paramètre inconnu.

D'une façon générale, dans le contexte du modèle bayesien de décision, on considère un problème d'estimation comme un problème de décision dans lequel l'ensemble A des actions et l'ensemble Ⓔ des états de la nature coïncident, c'est-à-dire que $A \equiv$ Ⓔ. Dans cette optique, l'ensemble des états de la nature est défini par l'ensemble Ⓗ des valeurs possibles du paramètre à estimer, donc Ⓔ $\equiv$ Ⓗ. Cet ensemble d'états peut, par exemple, prendre les formes suivantes:

Ⓗ $= \{\theta : 0 \leqslant \theta \leqslant 1\}, \{\theta : \theta > 0\}, \{\theta : -\infty < \theta < \infty\}, \{\theta : \theta$ entier non négatif$\}$, etc. Comme on a aussi $A =$ Ⓗ, pour distinguer les éléments de A de ceux de Ⓔ, on désignera une action $a \in A$ par $\hat{\theta}$, $\hat{\theta}$ désignant donc une valeur que le décideur choisit pour le paramètre θ à estimer. La conséquence V découlant du fait de choisir comme estimation du paramètre une valeur $\hat{\theta}$ qui soit différente de la vraie valeur θ du paramètre est mesurée en termes de regret. Le regret $R(\theta, \hat{\theta})$ est en général défini comme une fonction h de la différence $(\theta - \hat{\theta})$, c'est-à-dire

$$R(\theta, \hat{\theta}) = h(\theta - \hat{\theta}),$$

où généralement h est une fonction non décroissante et $h(0) = 0$. Une fois définies ces trois composantes (Ⓔ, A, V) du modèle bayesien de décision, on peut procéder soit à une estimation ponctuelle, soit à une estimation par intervalles.

L'estimation ponctuelle selon le modèle bayesien de décision

Selon ce modèle, l'action optimale $\hat{\theta}^*$, c'est-à-dire l'estimation de Bayes, est la valeur du paramètre θ qui minimise les regrets espérés, c'est-à-dire la valeur $\hat{\theta}^*$ telle que

$$\bar{R}(\hat{\theta}^*) = \min_{\hat{\theta}} \bar{R}(\hat{\theta})$$

où

$$\bar{R}(\hat{\theta}) = \begin{cases} \sum_{\theta} R(\theta, \hat{\theta})\, P(\theta), & \text{pour une v.a. discrète, et} \\ \int_{-\infty}^{\infty} R(\theta, \hat{\theta})\, f(\theta)\, d\theta, & \text{pour une v.a. continue.} \end{cases}$$

Dans ce contexte, on peut parler d'estimation de Bayes a priori ou a posteriori selon que les regrets espérés sont calculés à partir de la distribution a priori ou de la distribution a posteriori. Si l'on se place a posteriori, on a la définition suivante:

Estimateur de Bayes. Soit $f_1(\theta)$ la distribution de probabilité a posteriori du paramètre θ traité comme une v.a. $\tilde{\theta}$, alors on appelle "estimateur de Bayes" une mesure caractéristique de la distribution $f_1(\theta)$ dont la valeur $\hat{\theta}^*$ rend minimums les regrets espérés.

On va maintenant considérer différentes fonctions de regret, et déterminer la mesure caractéristique de $f_1(\theta)$ qui correspond à l'estimateur de Bayes.

A) **Une fonction de regret quadratique**, c'est-à-dire de la forme

$$R(\theta, \hat{\theta}) = k(\theta - \hat{\theta})^2 \text{ où } k = \text{constante.}$$

Le regret espéré est

$$\begin{aligned}\bar{R}(\hat{\theta}) &= E\left\{k(\tilde{\theta}-\hat{\theta})^2\right\}\\ &= kE\left\{[(\tilde{\theta}-E(\tilde{\theta}))-(\hat{\theta}-E(\tilde{\theta}))]^2\right\}\\ &= k\left\{E[\tilde{\theta}-E(\tilde{\theta})]^2-2[\hat{\theta}-E(\tilde{\theta})]E[\tilde{\theta}-E(\tilde{\theta})]+E[\hat{\theta}-E(\tilde{\theta})]^2\right\}\\ &= k\left\{\sigma^2(\tilde{\theta})+E[\hat{\theta}-E(\tilde{\theta})]^2\right\}\end{aligned}$$

Ce regret espéré prend sa valeur minimale pour $\hat{\theta} = E(\tilde{\theta})$, d'où l'estimateur de Bayes pour une fonction de regret quadratique est l'**espérance mathématique** de la distribution $\tilde{\theta}$. Dans ce cas, le regret espéré minimum, que l'on appelle la V.E.I.P., est égal à $k\,\sigma^2(\tilde{\theta})$.

Exemple 6.21. Si l'on reprend l'exemple 6.19 dans lequel le président du club du livre a attribué a priori une distribution $\beta e\,(1,20)$ au paramètre p, et obtenu $x = 6$ comme résultat de son échantillon de taille 100, alors a posteriori $\tilde{p} \,\varepsilon\, \beta e\,(7, 120)$, est l'estimateur de Bayes pour p en utilisant une fonction de regret quadratique conduit à l'estimation

$$\hat{p}^* = \frac{r_1}{\ell_1} = \frac{7}{120} = .0583\,.$$

B) **Une fonction de regret (0, 1)**, c'est-à-dire une fonction de la forme

$$R(\theta, \hat{\theta}) = \begin{cases} 0, \text{ si } \hat{\theta} = \theta \\ 1, \text{ autrement} \end{cases}$$

Avec une telle fonction on a le même regret, quelle que soit la grandeur de l'écart entre l'estimation choisie et la vraie valeur du paramètre. Dans ce cas, l'estimateur de Bayes est le **mode** de la distribution a posteriori. Il est facile d'établir ce résultat lorsque $\tilde{\theta}$ est une variable aléatoire discrète. En effet, le regret espéré est

$$\begin{aligned}\bar{R}(\hat{\theta}) &= \sum_{\theta} R(\theta, \hat{\theta})\, P_1(\theta) = \sum_{\theta \neq \hat{\theta}} P_1(\theta)\\ &= 1 - P_1(\hat{\theta})\end{aligned}$$

et ce regret espéré est minimum pour la valeur $\hat{\theta}^*$ qui maximise $P_1(\theta)$.

Exemple 6.22 Si l'on reprend les données de l'exemple 6.21, mais cette fois-ci pour une fonction de regret (0,1), alors l'estimateur de Bayes est le mode de la distribution bêta de paramètres $r_1 = 7$ et $\ell_1 = 120$; comme estimation de p, on obtient donc

$$\hat{p}^* = \frac{r_1 - 1}{\ell_1 - 2} = \frac{6}{118} = .051.$$

Pour cette fonction de regret, comme on a

[Prob. a posteriori] $\sim$ [Prob. a priori] X [(Vraisemblance)] ,

si a priori on fait l'hypothèse d'équiprobabilité des valeurs possibles du paramètre θ , alors l'estimateur du maximum de vraisemblance est le même que l'estimateur de Bayes, c'est-à-dire

$$\underset{\theta}{\text{Max}}\ P_1(\theta) \approx \underset{\theta}{\text{Max}}\ P(T = x / \theta)$$

C) **Une fonction de regret composée de deux segments linéaires,** c'est-à-dire une fonction de la forme

$$R(\theta, \hat{\theta}) = \begin{cases} k_o(\hat{\theta} - \theta), & \text{si } \hat{\theta} \geqslant \theta, \\ k_u(\theta - \hat{\theta}), & \text{si } \hat{\theta} \leqslant \theta, \end{cases}$$

où k_o est le regret unitaire occasionné par une surestimation, et k_u celui occasionné par une sous-estimation. On peut montrer qu'avec une telle fonction de regret, l'estimateur de Bayes est le **fractile** d'ordre $\frac{k_u}{k_u + k_o}$ de la distribution a posteriori. En particulier, si $k_u = k_o$, on est conduit au fractile d'ordre $\frac{1}{2}$ qui est la **médiane**. Ce type de fonction de regret est utilisé dans certains modèles d'inventaire avec demande aléatoire (cf. **Probabilités en gestion et en économie** par Martel et Nadeau, chapitre 4, [5]).

Exemple 6.23. On vous a chargé d'organiser un banquet pour une association dont vous faites partie, et qui compte 1,000 membres. En se fondant sur les données des années antérieures, on estime qu'il y aura entre 10% et 15% des membres qui viendront à ce banquet. On vous donne même une distribution a priori de ces pourcentages

Pourcentages	Prob. a priori
10	0.05
11	0.15
12	0.20
13	0.30
14	0.20
15	0.10
	1

Le banquet doit avoir lieu dans quelques jours, et vous devez indiquer au restaurant le nombre de couverts à préparer. Il sera possible d'avoir des couverts additionnels le jour du banquet, mais à un coût supplémentaire de $2.00 l'unité, et les couverts commandés en trop vous coûteront $3.00 l'unité. Afin d'estimer le plus exactement possible le pourcentage des membres qui viendront au banquet, vous décidez de faire un sondage par téléphone auprès de 20 membres choisis d'une façon aléatoire dans la liste des 1,000 membres. Si 5 de ces 20 membres expriment leur intention de venir au banquet, à combien devriez-vous estimer le pourcentage p des membres qui viendront au banquet, ce pourcentage vous permettant de fixer le nombre de couverts à commander?

Solution. Pour répondre à cette question, on doit 1° calculer la distribution a posteriori de $\tilde{p}$, et 2° déterminer le fractile d'ordre $\frac{k_u}{k_u + k_o} = \frac{2}{5}$ de cette distribution.

Calcul de la distribution a posteriori

θ	$P_o(\theta)$	$P(X = 5 / n = 20, \theta)$ (1)	$P(X = 5) \cap \theta)$	$P_1(\theta)$	"$F(\theta)$"
10%	.05	.032	.0016	.02	.02
11%	.15	.043	.00645	.10	.12
12%	.20	.057	.0104	.15	.27
13%	.30	.071	.0213	.32	.59
14%	.20	.086	.0172	.26	.85
15%	.10	.103	.0103	.15	1.00
	1		.06725		

(1) Valeurs tirés des tables binômiales (table 6, annexe 2)

Le fractile d'ordre $\frac{k_u}{k_u + k_o} = \frac{2}{5}$ est une valeur $\hat{\theta}^*$ telle que $P(\tilde{\theta} \leqslant \hat{\theta}^*) \geqslant \frac{2}{5}$ et $P(\tilde{\theta} \geqslant \hat{\theta}^*) \geqslant \frac{3}{5}$. Comme 2/5 n'est pas une valeur prise par la fonction de répartition $F(\theta) = P(\tilde{\theta} \leqslant \theta)$, alors $\hat{\theta}^*$ est unique, et c'est la plus petite valeur prise par $\tilde{\theta}$ telle que $F(\hat{\theta}^*) > \frac{2}{5}$. On obtient donc $\hat{\theta}^* = 13\%$ comme estimation.

L'estimation par intervalle selon le modèle bayesien de décision

Le problème d'estimation ayant été abordé comme un problème de décision, on peut, une fois que l'on a déterminé les trois composantes du problème de décision (états, actions, conséquences), déterminer un "intervalle de confiance" pour θ. Les conséquences ont été définies précédemment sous la forme de regrets $R(\hat{\theta}, \theta)$ par l'intermédiaire d'une fonction h de la différence $(\theta - \hat{\theta})$, c'est-à-dire

$$R(\theta, \hat{\theta}) = h(\theta - \hat{\theta})$$

Dans ce contexte, on est amené à définir l'intervalle [LI, LS] qui minimise les regrets espérés.

Si, par exemple, on choisit une fonction de regret de la forme

$$R(\theta, [LI, LS]) = h_o(LI - \theta) + h_u(\theta - LS) + k(LS - LI),$$

où k est une constante non négative, et h_o et h_u des fonctions monotones non décroissantes avec $h_o(x) = h_u(x) = 0$ pour tout $x \leqslant 0$, alors on obtient

$$\bar{R}([LI, LS]) = E_{-\infty}^{LI}[h_o(LI - \tilde{\theta})] + E_{LS}^{\infty}[h_u(\tilde{\theta} - LS)] + k(LS - LI),$$

où $E_a^b[\cdot]$ est l'espérance mathématique partielle. Dans ce contexte, le cas le plus simple est celui où les fonctions h_o et h_u sont linéaires, c'est-à-dire de la forme

$$h_o(LI-\theta) = \begin{cases} k_o(LI-\theta), & \text{si } LI > \theta \\ 0, & \text{autrement,} \end{cases}$$

$$h_u(\theta-LS) = \begin{cases} k_u(\theta-LS), & \text{si } LS < \theta, \\ 0, & \text{autrement,} \end{cases}$$

où k_o et k_u sont des constantes représentant les regrets unitaires. Cette fonction de regret est illustrée à la figure 6.11.

FIGURE 6.11

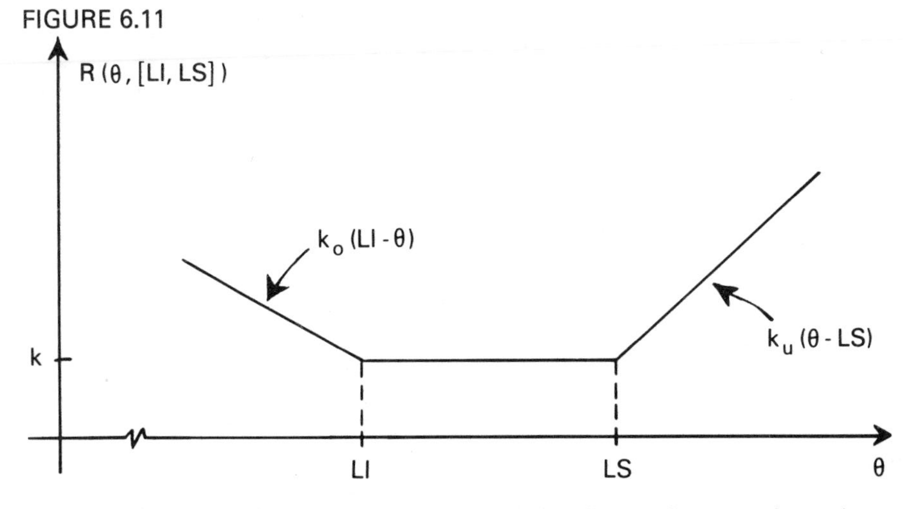

Pour une telle fonction de regret, les limites de l'intervalle sont des valeurs telles que

$$F_1(LI) = \frac{k}{k_o} \text{ et } F_1(LS) = 1 - \frac{k}{k_u}$$

où F_1 est la fonction de répartition a posteriori de $\tilde{\theta}$. Il existe une solution avec

$$LI < LS, \text{ si } \frac{k}{k_o} < 1 - \frac{k}{k_u}$$

Exemple 6.24. Avec les données de l'exemple 6.20, si l'on estime que dans la fonction de regret les constantes k, k_o et k_u composées de trois segments linéaires (figure 6.11) sont $k = 1, k_o = 3$ et $k_u = 4$, trouver les limites de "l'intervalle de confiance" selon le modèle bayesien de décision.

Solution. Les limites LI et LS de l'intervalle sont telles que

$$F(LI) = \frac{k}{k_o} = \frac{1}{3} \text{ et } F(LS) = 1 - \frac{k}{k_u} = \frac{3}{4},$$

où F est la fonction de répartition d'une distribution normale de paramètres $\mu_1 = 28\,105$ et $\sigma_1 = 794$. On obtient

$$LI = 28\,105 - .43\,(794) = 27\,763.68$$

et

$$LS = 28\,105 + .67\,(794) = 28\,636.98$$

où .43 et .67 sont des valeurs lues dans la table normale centrée réduite.

Pour retrouver les limites de l'intervalle de crédibilité au niveau $1 - \alpha = 0.95$ de l'exemple 6.20, il faudrait que les valeurs de k, k_o et k_u soient telles que $\frac{k}{k_o} = \frac{\alpha}{2} = .025$ et $1 - \frac{k}{k_u} = 1 - \frac{\alpha}{2} = .975$. Par exemple, si l'on estime que $k = 1$, alors $k_o = k_u = \frac{1}{.025} = 40$.

6.5 EXERCICES

6.1 On tire un échantillon aléatoire de taille 10 d'une population, et l'on obtient les résultats suivants: 9, 10, 9.2, 13, 10.5, 8, 11, 10, 10.8, 11.5. Calculer des estimations non biaisées pour la moyenne et la variance de la population.

6.2 Considérons une population dont le caractère X obéit à une loi géométrique, c'est-à-dire que $P(X = x/p) = p(1 - p)^{x-1}$, $x = 1,2, \ldots$, et p est un paramètre entre 0 et 1.

Déterminer l'estimation du maximum de vraisemblance si vous avez fait les observations suivantes pour le caractère X: 4, 4, 3, 6, 8, 5, 7, 5, 4, 7.

6.3 Les responsables de la sécurité dans une grande usine où l'on fabrique de la peinture désirent connaître la proportion des fumeurs dans l'usine. Ils tirent un échantillon aléatoire de 20 ouvriers, et ils trouvent 13 fumeurs.

a) Indiquer l'estimation du maximum de vraisemblance pour la proportion des fumeurs dans l'usine.

b) Construire un intervalle de confiance au niveau 95% pour la vraie proportion des fumeurs dans l'usine. Interpréter cet intervalle.

6.4 La durée de vie d'une pièce mécanique est considérée comme une v.a. continue de densité $f(x;\theta) = \frac{1}{\theta} e^{-x/\theta}, x > 0$,
où θ est un paramètre positif.

a) Sur la base d'un échantillon aléatoire de taille n, déterminer l'estimateur du maximum de vraisemblance pour θ.

b) Donner la valeur de l'estimateur trouvé en a) si un échantillon de 50 pièces de ce type a donné un temps de vie moyen de 980 heures.

6.5 Le propriétaire de la brasserie "Buvons bien" (faisant des affaires florissantes au centre-ville) désire ouvrir une autre brasserie, mais cette fois-ci à proximité du campus universitaire, sachant qu'il pourrait y avoir là un marché potentiel des plus intéressants. Toutefois, avant de prendre une décision, il procède à une étude de marché, afin d'estimer le montant moyen μ d'argent que les étudiants peuvent se permettre de dépenser mensuellement pour leurs loisirs au cours de l'année universitaire. Il prend un échantillon aléatoire de 144 étudiants, et trouve une dépense mensuelle moyenne de $150 par étudiant. De plus, par l'intermédiaire d'un copain versé dans les études de marché, il apprend qu'on peut considérer l'écart type de cette variable dans la population étudiante comme étant égal à $60.

a) Donner une estimation ponctuelle pour μ.

b) Construire un intervalle de confiance pour μ au niveau 95%.

6.6 Le gérant du personnel d'une firme a questionné 20 des 200 employés de la firme pour connaître leurs préférences au sujet d'une proposition visant à réduire le temps accordé pour le repas de midi, quitte à terminer le travail plus tôt dans l'après-midi. Au total 15 employés sur les 20 étaient en faveur de la proposition. Déterminer un intervalle de confiance à 95% pour estimer la proportion des employés qui favorisent la proposition.

6.7 Comme courtier en assurance-vie, vous vous intéressez à la taille X des polices vendues dans le cadre d'un programme spécial pour diplômés en administration. Votre secrétaire prend un échantillon aléatoire de 100 polices vendues cette année, et vous présente cette distribution:

Taille des polices (en milliers de $)	Nombre vendu
[0, 5)	5
[5, 10)	15
[10, 15)	25
[15, 20)	30
[20, 25)	20
[25, 30)	5

a) Donner une estimation ponctuelle de la taille moyenne μ des polices vendues dans le cadre de ce programme.

b) Donner une estimation ponctuelle de l'écart type de X.

c) Construire un intervalle de confiance au niveau 90% pour la taille moyenne μ de ces polices.

6.8 Le département de recherche en marketing de la compagnie Valmin s'est vu alloué $40,000 pour faire une étude afin de déterminer les ventes potentielles d'un nouveau produit. Pour cette étude, un échantillon de magasins par l'entremise desquels la compagnie distribue ses produits sera sélectionné. Le nouveau produit sera introduit dans chacun des magasins sélectionnés et les ventes seront notées sur une certaine période. Les ventes moyennes par magasin et par mois seront alors utilisées pour estimer les ventes potentielles totales du nouveau produit.

Supposons que cela coûte $10,000 plus $300 par magasin sélectionné pour conduire cette enquête. A la suite de l'expérience faite avec des produits similaires on estime que l'écart type des ventes par magasin et par mois est de 38 unités du produit.

a) Déterminer la taille de l'échantillon qui peut être prise avec le budget alloué pour cette étude. Déterminer l'erreur standard dans l'estimation des ventes moyennes par magasin et par mois.

b) Supposons que 80 magasins aient été sélectionnés. Dans ces magasins les ventes moyennes par magasin et par mois ont été de 84 unités, avec un écart type de 32 unités. Utilisant ces résultats, faites une estimation des ventes **annuelles totales** de ce produit, s'il doit être distribué par 80,000 magasins. Calculez également un intervalle de confiance au niveau 0.95.

c) Quelle probabilité attribueriez-vous à la possibilité que l'estimation des ventes annuelles totales soit dépassée de plus de 8 millions d'unités?

6.9 Dans le cadre d'une vérification par échantillonnage des petites transactions de la firme Alpha Inc., une vérification minutieuse de 25 transactions choisies au hasard a donné une erreur moyenne d'écriture de —$120, avec un écart type $50. Construire un intervalle de confiance pour l'erreur moyenne réelle avec un niveau de confiance de 99% en considérant que les erreurs sont distribuées normalement.

6.10 D'un échantillon aléatoire de 50 titres obligataires industriels, on a obtenu un taux de rendement moyen de 10.1% le mois dernier, avec un écart type de 0.12%. Construire un intervalle de confiance au niveau 95% pour la moyenne réelle des taux de rendement réalisés sur l'ensemble des obligations industrielles pour le mois dernier.

6.11 A partir d'un échantillon aléatoire de 20 délégués à une convention politique, on trouve que la dépense moyenne par délégué est de $250, avec un écart type de $18.25. Construire un intervalle de confiance au niveau 98% pour la dépense moyenne par délégué pour les 1000 délégués qui participent à cette convention.

6.12 A partir d'un échantillon de 64 états mensuels à être postés aux détenteurs de cartes de crédit, le contrôleur d'un grand magasin à rayons trouve que le montant moyen dû est de $28.00 avec un écart type s = 10.00. Combien de comptes devraient être échantillonnés s'il désire que l'erreur commise, en prenant la moyenne de l'échantillon comme estimation du montant moyen dû, ne soit pas plus grande que un dollar avec un niveau de confiance de 95%?

6.13 Une firme spécialisée dans les études de marché veut estimer la variance des revenus familiaux dans une certaine ville. Un échantillon de 101 familles a donné un écart type de $4,000. Estimer la variance des revenus des citoyens de cette ville à l'aide d'un intervalle de confiance au niveau $1 - \alpha = .95$.

6.14 Pour trouver l'écart type de la durée de vie de ses ampoules électriques, la compagnie Sylnia a choisi au hasard 30 ampoules, et elle a trouvé un écart type de 100 heures. Estimer l'écart type de la durée de vie des ampoules de Sylnia par l'intermédiaire d'un intervalle de confiance au niveau 90%.

6.15 Pour 24 mois choisis de façon aléatoire, on a recueilli les taux de rendements réalisés sur les actions ordinaires d'Alpha Inc. L'écart type de l'échantillon a été calculé comme étant .011%. Estimer à l'aide d'un intervalle de confiance ($1 - \alpha = .95$) l'écart type réel des rendements réalisés mensuellement sur les actions ordinaires d'Alpha Inc.

6.16 Ayant tiré un échantillon aléatoire de 1000 actionnaires d'Alpha Inc., on trouve que 400 actionnaires favorisent une nouvelle émission d'actions, tandis que les 600 autres y sont défavorables. Construire un intervalle de confiance bilatéral pour estimer la proportion réelle des actionnaires qui sont défavorables à la nouvelle émission. (On désire un niveau de confiance de 95%).

6.17 La compagnie JI fabrique et alimente environ 35% du marché international des grille-pain. Le relâchement des barrières à l'importation sur certains appareils électriques au pays X, permettrait à JI d'introduire ses grille-pain sur ce nouveau marché d'environ 2,000,000 de consommateurs. Une étude de marché révèle que, sur un échantillon aléatoire de 1600 personnes interrogées, 640 seraient des acheteurs éventuels dans ce nouveau marché.

a) Estimer à l'aide d'un intervalle de confiance au niveau 95% la vraie proportion d'acheteurs éventuels de grille-pain JI dans ce nouveau marché.

b) Entre quelles limites peut-on fixer le nombre de grille-pain que JI peut espérer vendre sur ce nouveau marché?

6.18 D'un échantillon de 144 familles tiré dans la ville X, on a calculé que la moyenne des revenus était de $14,000, avec un écart type de $1,500. D'un échantillon de 225 familles tiré dans la ville Y, on a calculé que la moyenne des revenus était de $13,500, avec un écart type de $1,500. Estimez à l'aide d'un intervalle de confiance au niveau 95% la différence entre la moyenne des revenus dans ces deux villes. On ne sait pas si les variances des 2 populations sont égales.

6.19 Une compagnie désire estimer les effets d'un programme d'entraînement qui a été suivi par quelques-uns de ses nouveaux vendeurs. On a pris un échantillon aléatoire composé de la façon suivante: 20 vendeurs ayant suivi le programme, et 20 autres vendeurs ne l'ayant pas suivi. Les revenus en commissions pour chacun des 2 groupes pour la dernière année sont décrits comme suit:

	Avec le programme	Sans le programme
Revenu moyen en commissions	$14,800.	$14,400.
Ecart type du revenu	2,100.	2,600.

a) Estimer de façon ponctuelle l'effet net du programme d'entraînement.

b) Estimer à l'aide d'un intervalle de confiance au niveau 99% l'effet net du du programme d'entraînement (on suppose que les variances des revenus des 2 groupes sont égales).

c) Que recommanderiez-vous à la compagnie en ce qui a trait à son programme? Expliquez.

6.20 Afin d'estimer la différence entre les rendements mensuels réalisés sur deux titres obligataires - l'un coté Bb et l'autre coté Aa -, on prend pour chacun de ces titres un échantillon aléatoire de taille 50, et l'on obtient:

	Titre Bb	Titre Aa
Moyenne des rendements mensuels	0.9%	0.7%
Ecart type des rendements mensuels	0.05%	0.02%

Estimez à l'aide d'un intervalle de confiance au niveau 95% la différence réelle entre les rendements moyens de ces deux titres (en supposant que les variances des rendements des deux titres sont égales).

6.21 Dans 2 usines de la même entreprise, on a observé qu'à l'usine #1, sur 250 personnes embauchées, 50 ont quitté subséquemment pour une autre entreprise, tandis qu'à l'usine #2, sur 300 personnes embauchées 54 ont quitté pour une autre entreprise. Estimez à l'aide d'un intervalle de confiance au niveau 99% la différence entre les taux de roulement des employés de ces 2 usines.

6.22 On veut estimer le rapport des variances des rendements mensuels réalisés sur 2 titres émis par la compagnie Bêta Inc. A cette fin, pour 21 mois choisis au hasard, on a recueilli les taux de rendement mensuels réalisés sur ses actions ordinaires et sur ses obligations, ce qui a permis d'obtenir:

	Obligations	**Actions**
Ecart type des rendements mensuels réalisés:	.06	.10

Estimer le rapport des variances des rendements de ces 2 titres au moyen d'un intervalle de confiance au niveau 98%.

6.23 Pour déterminer l'efficacité d'un programme de sécurité industrielle qui s'est étendu sur une période d'un an, on compare dans 10 usines choisies au hasard le nombre d'heures de travail perdues par semaine à cause d'accidents avant et après le programme (pour une semaine type). On suppose que le nombre d'heures perdues est distribué normalement.

On obtient:

numéro de l'usine	1	2	3	4	5	6	7	8	9	10
nombre d'heures perdues avant le programme	50	87	37	141	59	65	24	88	25	31
nombre d'heures perdues après le programme	41	75	35	129	60	53	26	85	29	31

a) Au niveau 95%, calculer un intervalle de confiance pour la moyenne μ_1 d'heures perdues à cause d'accidents de travail avant le programme.

b) Au niveau 95%, calculer un intervalle de confiance pour la moyenne μ_2 d'heures perdues à cause d'accidents de travail après le programme.

c) Au niveau 95%, calculer un intervalle de confiance pour la différence entre la moyenne μ_1 d'heures perdues avant le programme et la moyenne μ_2 d'heures perdues après le programme.

6.24 Considérons les deux séries de rapports "évaluation municipale" sur "prix de vente" (E.M./P.V.) correspondant respectivement aux données disponibles pour des maisons unifamiliales et des maisons multifamiliales à 8 logements. Pour les fins de cette analyse, admettons que les échantillons soient tirés de populations de niveaux d'évaluation ayant des variances approximativement égales.

Unifamiliales (x_{1i})	Multifamiliales (x_{2i})
.90	.76
.88	1.27
1.10	.41
.50	.90
.89	.51
.96	.92
.78	.66
.76	.45
.85	
1.05	

a) Construisez un intervalle de confiance au niveau $1 - \alpha = .95$ pour estimer la différence des niveaux moyens d'évaluation de ces deux catégories d'immeubles.

b) Construisez un intervalle de confiance au niveau $1 - \alpha = .90$ pour estimer le rapport des variances des niveaux d'évaluation de ces deux catégories d'immeubles (on pourrait ainsi vérifier si l'hypothèse de l'égalité des variances peut être retenue).

N.B. $\sum_{i=1}^{10} x_{1i} = 8.67$, $\sum_{i=1}^{8} x_{2i} = 5.88$

$s_1 = 0.1674$ et $s_2 = 0.2907$.

6.25 On demande au contrôleur d'une entreprise de donner une estimation de la valeur moyenne des commandes reçues. Le commis préposé aux factures estime cette valeur à $25. Il n'est pas certain du $25, mais il croit qu'il y a deux chances sur trois que la valeur moyenne se situe entre $20 et $30. Pour ajouter de l'information à celle fournie par le commis, le contrôleur tire un échantillon aléatoire de 10 commandes. Il trouve une valeur moyenne $\overline{x}$ = $18.70 et un écart type s = $6.20.

a) Estimer la valeur moyenne à l'aide d'un intervalle de confiance au niveau 0.95 (approche classique).

b) Faire le même type d'estimation qu'en (a), mais cette fois selon l'approche bayesienne.

c) Si cette estimation doit servir dans un calcul ultérieur, et si l'on évalue l'importance d'une erreur d'estimation par la fonction de regret suivante:

$$R(\mu, \hat{\mu}) = 100(\mu - \hat{\mu})^2,$$

déterminer l'estimation optimale (de Bayes), ainsi que la V.E.I.P.

6.26 Dans l'exercice 6.6, si a priori le gérant du personnel croyait que seulement trois (3) employés sur dix (10) étaient en faveur d'une proposition visant à réduire le temps accordé pour le repas de midi, déterminer sur la base de cette information a priori et du résultat observé dans l'échantillon:

a) l'estimation maximisant la probabilité a posteriori;

b) un intervalle de confiance (au niveau 0.95) pour estimer la proportion des employés qui favorisent la proposition.

6.27 Dans l'exercice 6.3, donner l'estimation de p si l'on considère le problème de décision statistique pour lequel la distribution a priori de p est uniforme sur $[0, 1]$, et la fonction de regret est $5(p - \hat{p})^2$.

6.28 Vous devez estimer la demande hebdomadaire pour l'un de vos produits, et vous pensez que cette demande se distribue approximativement selon une normale de paramètres μ et σ. Sur la base de votre expérience antérieure, vous croyez que $\tilde{\mu} \in N(100, 100)$. Cependant, le préposé aux ventes vous apporte les chiffres du dernier bimestre (25 semaines) qui sont $\bar{x} = 90$ et $s = 15$. Si vous évaluez qu'une surestimation est deux fois plus coûteuse qu'une sous-estimation, déterminer une estimation pour les ventes moyennes de ce produit au cours d'une semaine.

CHAPITRE 7

LES TESTS D'HYPOTHÈSES PARAMÉTRIQUES

7.1 GENERALITES

7.1.1 Définitions

Au chapitre précédent, on a abordé l'inférence statistique en traitant des problèmes d'estimation de paramètres. On va maintenant étudier une autre grande classe de problèmes en inférence statistique, à savoir celle des tests d'hypothèses. On se place de nouveau dans le contexte général d'un problème d'inférence: on est en présence d'une population dans laquelle on étudie une certaine variable X (ou même plusieurs variables) ayant une distribution $f(x; \theta)$, qui dépend d'un paramètre θ ou d'un vecteur de paramètres.

En estimation paramétrique classique, on suppose que l'on ne connaît rien du paramètre θ, et l'on cherche à l'estimer au moyen d'une statistique définie à partir de l'échantillon aléatoire. Dans le contexte d'un test d'hypothèses paramétrique classique, la situation se présente différemment. On suppose au départ que l'on a une certaine connaissance de la (ou des) valeur (s) du paramètre θ, et l'on essaie d'en vérifier la véracité; cette (ou ces) valeur(s) constitue(nt) l'hypothèse de base. Par exemple, d'après les données historiques que l'on possède sur les ventes de pâte dentifrice, on sait que 30% des Montréalais achètent la pâte dentifrice de marque "Fluro". Cependant, pour une raison ou pour une autre, on est amené à croire que cette hypothèse de base n'est peut-être plus vraie. Si l'on vient de terminer une campagne publicitaire intensive pour mousser les ventes de la pâte dentifrice Fluro, on est porté à croire que la proportion des Montréalais achetant Fluro a augmenté, et est maintenant, par exemple, de 40%; c'est l'hypothèse alternative que l'on veut confronter avec l'hypothèse de base. Pour faire un choix entre ces deux hypothèses, on tire un échantillon aléatoire de n Montréalais, et sur la base de l'information ainsi obtenue, on applique une procédure d'inférence permettant de tenir compte de l'erreur échantillonnale.

D'une façon générale, une hypothèse est un énoncé concernant une population. Une hypothèse peut être paramétrique ou non paramétrique, selon qu'il s'agit ou non d'un énoncé quantitatif concernant la ou les valeurs possibles du paramètre d'une population. On parle de **tests d'hypothèses paramétriques** lorsque les hypothèses portent sur un ou des paramètres, et de **tests d'hypothèses non paramétriques** lorsque les hypothèses ne portent pas sur un paramètre, mais par exemple sur la forme de la distribution de X. Le présent chapitre est consacré aux tests paramétriques, tandis que le chapitre 8 abordera les tests non paramétriques. De la même façon qu'on l'a fait pour l'estimation paramétrique, on aborde le problème des tests d'hypothèses selon deux approches différentes; on traite d'abord des tests d'hypothèses selon l'**approche classique**, puis, dans la section 7.4, on le fera selon l'**approche bayesienne.**

Un test d'hypothèses implique deux hypothèses. Il y a d'abord une hypothèse de base au sujet de θ, que l'on note H_o, et que l'on appelle **hypothèse nulle.** H_o est l'hypothèse que l'on ne voudrait pas rejeter à moins d'avoir suffisamment d'évidence contre elle. Selon l'approche classique, cette évidence est fournie par l'information contenue dans l'échantillon aléatoire. Le problème se pose comme suit: à partir du résultat d'un échantillon, on doit dire si cet échantillon provient d'une population dont les caractéristiques coïncident avec l'hypothèse de base, ou s'il provient d'une population ayant d'autres caractéristiques. Le test sera **significatif** si l'écart constaté entre l'hypothèse de base et l'image de la réalité fournie par l'échantillon est plus grand que ce que l'on peut considérer comme le simple produit des fluctuations aléatoires. Le niveau de signification du test détermine la grandeur de l'écart qui peut être attribuée à ces fluctuations. Si l'on rejette H_o, il doit donc y avoir une autre hypothèse qui est acceptable concernant la valeur de θ. On est ainsi amené à formuler une deuxième hypothèse relativement à la valeur de θ: cette deuxième hypothèse, que l'on note H_1, est appelée **hypothèse alternative.**

Chacune des deux hypothèses impliquées dans un test peut être de deux types différents. Il peut s'agir d'une **hypothèse simple** dans laquelle on spécifie une valeur précise pour le paramètre θ ; dans ce cas l'hypothèse a la forme

$$H_o : \theta = \theta_o \text{ ou } H_1 : \theta = \theta_1$$

Par contre, il peut aussi s'agir d'une **hypothèse composée** dans laquelle il n'y a pas de valeur précise spécifiée pour θ . Dans le cas de l'hypothèse H_1, une hypothèse composée peut prendre entre autres une des formes suivantes:

$$\theta < \theta_1 , \theta \leqslant \theta_1 , \theta \neq \theta_1 , \theta \geqslant \theta_1 , \theta > \theta_1$$

L'hypothèse H_o peut également être une hypothèse composée. Evidemment, la façon dont est définie H_o conditionne la façon de définir H_1 . Dans le cadre d'un test, on peut avoir deux hypothèses simples, une hypothèse simple contre une hypothèse composée, ou deux hypothèses composées. Dans l'exemple énoncé précédemment concernant la proportion p des Montréalais qui achètent la pâte dentifrice Fluro, on avait deux hypothèses simples, à savoir

$$H_o : p = 30\%,$$

$$H_1 : p = 40\%.$$

Evidemment, on aurait pu choisir comme hypothèse alternative l'hypothèse composée $H_1 : p > 30\%$. Etant donné deux hypothèses H_o et H_1, le problème qui se pose est celui de choisir entre elles. D'une façon générale, on a

Test d'hypothèse statistique. On appelle ainsi toute procédure ou règle de décision qui, à partir d'un échantillon aléatoire de taille n tiré dans la population, permet de faire un choix entre H_o et H_1.

On peut considérer un problème de test d'hypothèses comme un problème de décision statistique dont l'ensemble A des actions possibles est constitué de deux actions, c'est-à-dire $A = \{a_1, a_2\}$ où

a_1 : accepter H_o,

a_2 rejeter H_o (accepter H_1).

Evidemment, rejeter H_o revient à accepter H_1. Ce problème de décision comporte deux états possibles de la nature, c'est-à-dire Ⓔ $= \{e_1, e_2\}$ où

e_1 : H_o est vraie,

e_2 : H_o est fausse.

Dans le contexte de l'approche classique, les conséquences des 4 couples (état, action) possibles sont mesurées uniquement par les probabilités qui leur sont associées (alors qu'elles seront mesurées par une fonction de regret dans l'approche bayesienne). Ces quatre situations possibles ont été représentées dans le tableau de la figure 7.1, et à chacune de ces situations on a associé la probabilité correspondante.

FIGURE 7.1

états \ actions	Accepter H_o	Rejeter H_o
H_o est vraie	**Bonne décision** $1-\alpha$	**Erreur du type I** α
H_o est fausse	**Erreur du type II** β	**Bonne décision** $1-\beta$

Ces différentes situations donnent lieu aux définitions suivantes:

Erreurs du type I et du type II. L'erreur faite en rejetant H_0 lorsqu'elle est vraie est appelée **erreur du type I** (E_I), **et** l'erreur faite en acceptant H_0 lorsqu'elle est fausse est appelée **erreur du type II** (E_{II}).

La probabilité de commettre une erreur de type II est notée par la lettre grecque β; autrement dit

$$\beta = P(E_{II}) = P \text{ (accepter } H_0 \text{ / } H_0 \text{ est fausse)}$$

D'autre part, on a:

Le niveau (ou seuil) de signification d'un test. On appelle ainsi la probabilité, que l'on note α, de rejeter H_0 quand elle est vraie; autrement dit

$$\begin{aligned} \alpha &= P(E_I) = P \text{ (rejeter } H_0 \text{ / } H_0 \text{ est vraie)} \\ &= \text{niveau de signification du test} \end{aligned}$$

Les probabilités complémentaires de α et de β correspondent aux probabilités de prendre une bonne décision; en particulier on a:

La puissance d'un test. On appelle ainsi la probabilité, que l'on note $(1-\beta)$, de rejeter H_0 quand elle est fausse, c'est-à-dire

$$\begin{aligned} (1-\beta) &= P \text{ (rejeter } H_0 \text{ / } H_0 \text{ fausse)} \\ &= \text{puissance du test} \end{aligned}$$

Pour prendre une décision, c'est-à-dire pour choisir entre a_1 (accepter H_0) et a_2 (rejeter H_0), on va se baser sur l'information obtenue d'un échantillon aléatoire de taille n tiré de la population. Le plus souvent, avant de tirer l'échantillon, on se donne une règle de décision définie comme suit: si le résultat de l'échantillon appartient à tel ensemble de valeurs, on rejette H_0 (sinon, on l'accepte). D'où l'on a:

La région critique d'un test. C'est l'ensemble des valeurs possibles de l'échantillon aléatoire qui entraînent le rejet de H_0.

En pratique, pour définir cette région critique, au lieu de travailler avec l'échantillon aléatoire $(X_1, \ldots, X_n)$ lui-même, on utilise une statistique T qui résume l'information contenue dans cet échantillon. La construction d'un test d'hypothèses revient à subdiviser l'espace échantillonnal en deux sous-espaces disjoints: un premier sous-espace (la région critique) incluant l'ensemble des valeurs de T qui entraînent le rejet de H_0, et un deuxième sous-espace (la région d'acceptation de H_0) incluant l'ensemble des valeurs de T qui entraînent l'acceptation de H_0.

7.1.2 La construction d'un test d'hypothèses et le choix du meilleur test

La règle de décision que l'on veut construire, et qui permettra de départager H_0 et H_1, dépend des probabilités de commetre les erreursde type I et II (α et β) que l'on est prêt à tolérer. Le meilleur test serait celui qui minimise à la fois α et β. Cependant, en pratique, il est difficile de définir un test où l'on contrôle à la fois α et β. C'est pourquoi, généralement, en théorie des tests, on choisit arbitrairement une valeur pour α avant d'effectuer le test; les valeurs que l'on choisit le plus souvent pour α sont 0.01, 0.05 et 0.10. Par l'intermédiaire de ce α et d'une statistique appropriée dont on connaît la distribution, on peut alors définir la région critique du test, et en calculer la puissance $(1 - \beta)$ ou la probabilité β d'erreur du type II. En comparant le résultat de l'échantillon à la région critique, on fait un choix entre H_0 et H_1.

Exemple 7.1. Selon son expérience antérieure, le propriétaire d'une entreprise de vente au détail affirme que la valeur moyenne μ des comptes à recevoir de son entreprise est de \$220. Cependant, après avoir discuté avec quelques vendeurs de l'entreprise, un vérificateur (embauché pour vérifier la comptabilité de cette entreprise) est porté à croire que cette valeur moyenne a possiblement augmenté pour l'année en cours, et qu'elle serait maintenant de \$240. Supposons que l'on accepte que la valeur X des comptes à recevoir de cette entreprise suit une distribution normale d'écart-type $\sigma = \$40$. Pour vérifier l'hypothèse du propriétaire au sujet de μ, le vérificateur tire un échantillon aléatoire de 25 comptes à recevoir dans l'ensemble des comptes de l'entreprise,et il observe une valeur moyenne $\bar{x} = 228$. Est-ce que le vérificateur devrait accepter ou rejeter l'hypothèse du propriétaire au niveau de signification $\alpha = 0.05$?

Solution. Avant de déterminer une région critique, il faut d'abord préciser la nature des hypothèses à tester. L'hypothèse nulle est

$$H_0 : \mu = \$220.$$

L'hypothèse alternative que le vérificateur veut confronter avec H_0 est

$$H_1 : \mu = \$240.$$

Pour départager H_0 et H_1, le vérificateur tire un échantillon aléatoire de 25 comptes, et puisque le test porte sur μ, il est naturellement porté à utiliser la statistique $\bar{X}$ pour résumer l'information contenue dans cet échantillon. Comme la distribution de X est normale de moyenne μ et de variance σ^2, la statistique $\bar{X}$ suit également une distribution normale de moyenne μ et de variance σ^2/n. On cherche à définir une région critique à partir de cette statistique $\bar{X}$. A cause de la forme des hypothèses en présence, la règle de décision qu'il semble assez naturel d'adopter ici est la suivante: si la moyenne $\bar{X}$ de l'échantillon prend une valeur plus grande qu'une certaine valeur $\bar{x}_c$ (appelée **valeur critique**), le vérificateur va rejeter H_o et donc accepter H_1; autrement dit

$$\text{si } \bar{X} > \bar{x}_c \text{, alors on rejette } H_o .$$

Pour le niveau de signification $\alpha = 0.05$ choisi, on peut déterminer cette valeur critique $\bar{x}_c$ en utilisant la distribution de $\bar{X}$. On a en effet:

$$P(\text{rejeter } H_o \, / \, H_o \text{ vraie}) = \alpha$$

c'est-à-dire

$$P(\bar{X} > \bar{x}_c \, / \, \mu_o = 220) = 0.05.$$

En se ramenant à une normale centrée réduite, on obtient

$$P\left(\frac{\bar{X} - \mu_o}{\sigma / \sqrt{n}} > \frac{\bar{x}_c - 220}{40/5}\right) = 0.05,$$

d'où il s'ensuit, en lisant dans la table de la distribution normale centrée réduite,

$$\frac{\bar{x}_c - 220}{8} = 1.65$$

c'est-à-dire

$$\bar{x}_c = 1.65\,(8) + 220 = 233.2$$

Cette valeur $\bar{x}_c = 233.2$ constitue la valeur critique: c'est la valeur qui divise l'ensemble des valeurs de $\bar{X}$ en deux sous-espaces: la région d'acceptation et la région de rejet (région critique) de H_o. La région critique est définie ici comme l'ensemble des valeurs de l'échantillon satisfaisant l'inégalité $\bar{X} > 233.2$. Une fois cette région critique déterminée, pour prendre une décision il ne reste qu'à considérer où se situe la valeur que le vérificateur a observée pour $\bar{X}$ dans son échantillon en relation avec cette région critique. Ici, on a:

$$\text{valeur observée pour } \bar{X} = \bar{x}_o = 228.$$

Comme cette valeur observée $\bar{x}_o = 228$ est plus petite que la valeur critique $\bar{x}_c = 233.2$, la conclusion du test est que l'on accepte H_o.

On a représenté à la figure 7.2 la région critique ainsi que la valeur observée $\bar{x}_o$: il y apparaît clairement que $\bar{x}_o = 228$ appartient à la région d'acceptation. Il faut souligner que le fait d'accepter H_o ne signifie pas que H_o est vraie; on accepte H_o parce que, du point de vue statistique, la valeur observée $\bar{x}_o = 228$ n'est pas suffisamment différente de $\mu_o = 220$ pour permettre de rejeter H_o. Si le vérificateur tire un autre échantillon de 25 comptes, il pourrait observer pour $\bar{X}$ une valeur $\bar{x}_o = 235$, et il serait alors amené à rejeter H_o.

FIGURE 7.2

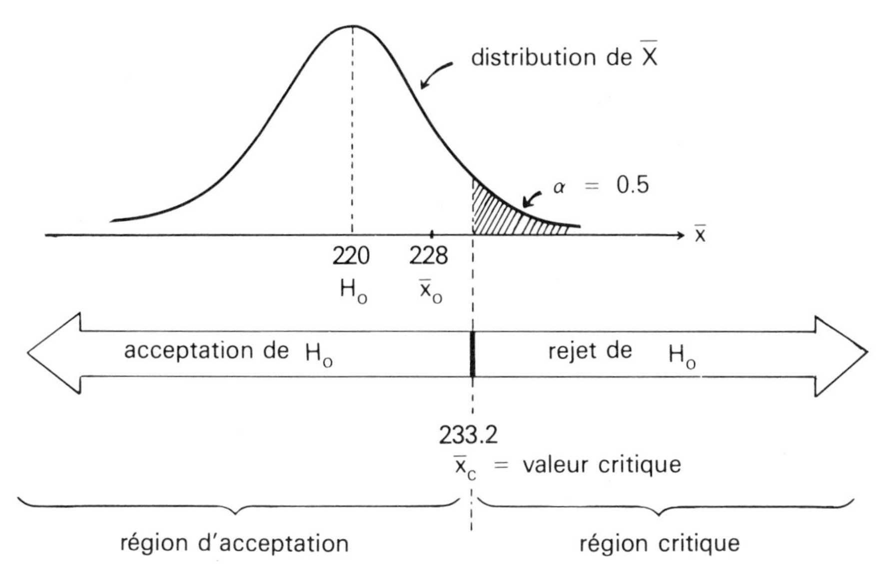

On peut calculer la probabilité β d'erreur du type II du test que l'on vient de proposer. On a

$$\beta = P(\text{accepter } H_o \ / \ H_o \text{ fausse})$$

$$= P(\overline{X} \leqslant \overline{x}_c \ / \ \mu = \mu_1 = 240)$$

$$= P(\overline{X} \leqslant 233.2 \ / \ \mu_1 = 240)$$

$$= P\left(\frac{(\overline{X} - \mu_1)}{\sigma / \sqrt{n}} \leqslant \frac{233.2 - 240}{40/5}\right)$$

$$= P(Z \leqslant -0.85), \text{ où } Z \in N(0,1)$$

$$= 0.198$$

Comme on peut le constater, la probabilité β d'erreur de type II est assez grande, d'où la puissance $(1 - \beta)$ relativement faible de ce test, puisque $1 - \beta = 0.802$. Pour obtenir un test plus puissant de niveau $\alpha = 5\%$, on pourra par exemple prendre un échantillon d'une taille n plus grande. A la figure 7.3, on a représenté simultanément les probabilités α et β d'erreur de type I et II respectivement.

FIGURE 7.3

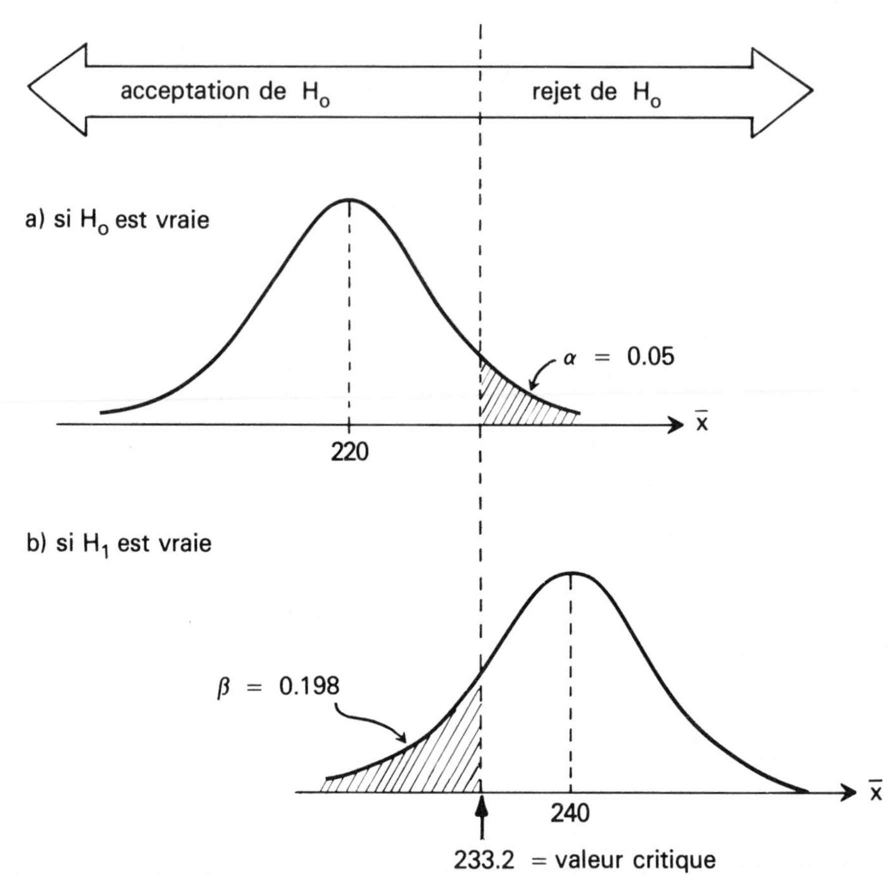

Les étapes d'un test d'hypothèses

Lorsqu'on construit un test d'hypothèses, il est commode de procéder successivement par les étapes suivantes:

1° **Enoncer les hypothèses à tester:** il s'agit ici d'exprimer clairement la forme de l'hypothèse nulle H_0 et de l'hypothèse alternative H_1 qu'on lui oppose.

Ainsi, dans l'exemple 7.1, on veut tester les deux hypothèses simples:

$$H_0 : \mu = \$220.$$

$$H_1 : \mu = \$240.$$

2° **Préciser les conditions du test**. Il s'agit ici de conditions de base qui président au processus du test. Ces conditions concernent principalement la distribution de la population. De plus, on suppose que l'échantillon tiré est un échantillon aléatoire simple, et il peut parfois être important de préciser la taille de cet échantillon, puisque cette taille peut avoir une influence sur la distribution de la statistique utilisée dans le test.

Ainsi, dans l'exemple 7.1, on suppose que la valeur X des comptes à recevoir suit une distribution normale d'écart-type $\sigma = \$40$. Ici, comme σ est connu, la taille de l'échantillon n'aura pas d'influence sur la nature de la distribution de la statistique $\overline{X}$.

3° **Spécifier la statistique utilisée et sa distribution**. Pour faire un choix entre H_0 et H_1, on tire un échantillon de taille n dans la population, et l'on utilise une statistique T qui résume l'information contenue dans cet échantillon. Il importe donc à ce stade de spécifier la nature de la statistique utilisée, ainsi que sa distribution.

Dans l'exemple 7.1, pour tester $H_0 : \mu = \$220$ contre $H_1 : \mu = \$240$, on a eu recours à la statistique $\overline{X}$ qui, sous les conditions énoncées précédemment (cf. 2°), suit une distribution normale de moyenne μ et de variance σ^2/n.

4° **Déterminer la région critique au niveau de signification** α. Une fois spécifiée la statistique T utilisée dans le test, on détermine l'ensemble des valeurs possibles de l'échantillon ou de cette statistique qui va entraîner le rejet de H_0. On précisera plus loin les divers types de régions critiques.

Ainsi, dans l'exemple 7.1, on a choisi la règle de décision suivante: si $\overline{X} \geq \overline{x}_c$, on rejette H_0. Au niveau $\alpha = 5\%$, par l'intermédiaire de la distribution de $\overline{X}$, on a obtenu la valeur critique $\overline{x}_c = 233.2$. En conséquence, l'ensemble des valeurs possibles de l'échantillon qui entraîne $\overline{X} > 233.2$. constitue la région critique.

5° **Prendre une décision**. Pour faire un choix entre H_0 et H_1, on compare la valeur observée pour la statistique avec la valeur critique. Si la valeur observée appartient à la région critique, on rejette H_0, et dans le cas contraire on l'accepte.

Ainsi, dans l'exemple 7.1, pour un échantillon de 25 comptes, le vérificateur avait observé $\overline{x}_0 = 228$. Puisque cette valeur observée est plus petite que la valeur critique, la conclusion de ce test consiste à accepter H_0.

Une fois ces cinq étapes effectuées, pour compléter la procédure de choix entre H_0 et H_1, on peut calculer la puissance $1 - \beta$ de ce test, ou encore la probabilité β d'erreur du type II. Si la puissance $1 - \beta$ est trop faible (ou la probabilité β trop grande), on peut décider de procéder à un autre test, en utilisant, par exemple, une taille d'échantillon plus grande ou un α différent.

Remarque. Dans la première étape, le choix de l'hypothèse H_0 n'est pas toujours trivial. Pour faciliter ce choix on peut énoncer les règles suivantes:

1) H_0 est l'hypothèse à laquelle on croit le **plus**, et/ou

2) c'est l'hypothèse que l'on ne voudrait pas rejeter sans avoir suffisamment d'évidence;

3) c'est l'hypothèse qui, si elle est rejetée lorsqu'elle est vraie, impliquera le plus grand regret. Cette règle se traduit assez souvent de la façon suivante: si l'on juge qu'il est plus important d'éviter un "déboursé" que de subir un "manque à gagner", on choisit comme H_o l'hypothèse qui conduit au statu quo.

Le choix de α et de β

Comme on l'a souligné précédemment, le meilleur test pour départager deux hypothèses serait celui qui minimise α et β. Cependant, en pratique, on a l'habitude de fixer α avant d'effectuer le test. Selon que α est fixé ou non, on peut distinguer deux types de tests.

A) **Test avec contrôle sur α seulement.** Dans un tel test, avant de procéder à l'expérimentation, on détermine une valeur pour α. C'est l'impact de l'erreur de type I qui conditionne le choix de α. Si le rejet de l'hypothèse nulle lorsqu'elle est vraie peut avoir des répercussions catastrophiques, on va choisir une valeur relativement petite pour α. Une fois α fixé, il faut choisir une taille n d'échantillon. Ce sont, entre autres, le coût de l'échantillonnage et la probabilité β d'erreur du type II qui conditionnent ce second choix. Par la suite, on procède au test lui-même en effectuant les étapes décrites précédemment.

B) **Test avec contrôle sur α et β.** Dans ce cas, avant de procéder à l'expérimentation, il faut déterminer α et β. De nouveau ce sont les diverses conséquences possibles des erreurs de types I et II qui conditionnent le choix de α et β. Une fois α et β déterminés, il s'agit de trouver la taille n d'échantillon qui permettra de respecter ces valeurs. Par la suite, on peut procéder au test lui-même en effectuant les étapes décrites précédemment. L'idée de test avec contrôle sur α et β est illustrée dans l'exemple suivant:

Exemple 7.2 Supposons que l'on soit en présence d'une population normale pour laquelle on connaît σ ($\sigma = 5$) mais non la moyenne μ. Cependant, on a de bonnes raisons de croire que $\mu = 30$, mais il se peut que sa valeur soit plutôt 28. On désire donc tester

$$H_o : \mu = 30 \text{ contre } H_1 : \mu = 28$$

Déterminer la taille de l'échantillon etla règle de décision qui permettront de faire un choix entre ces deux hypothèses, tout en ne dépassant pas respectivement $\alpha = 0.01$ et $\beta = 0.05$ comme probabilités d'erreur de type I et II.

Solution. Pour confronter ces deux hypothèses, on va utiliser la statistique $\overline{X}$; puisque la population est normale, $\overline{X}$ est également distribué normalement avec moyenne μ, et écart type $\sigma / \sqrt{n}$. A cause de la forme des hypothèses, la région critique sera de la forme suivante:

si $\overline{X} < \overline{x}_c$, alors on rejette H_o

Comme α et β sont fixés, on peut déterminer la valeur critique $\bar{x}_c$ comme suit:

$$P(\bar{X} < \bar{x}_c \, / \, H_o) = \alpha = 0.01.$$

c'est-à-dire

$$P\left(\frac{\bar{X} - \mu_o}{\sigma / \sqrt{n}} < \frac{\bar{x}_c - 30}{5 / \sqrt{n}}\right) = 0.01 \ ;$$

dans la table de la distribution normale centrée réduite, on a

$$P(Z \leqslant -2.33) = 0.01 \ ,$$

d'où il s'ensuit que

$$\frac{\bar{x}_c - 30}{5 / \sqrt{n}} = -2.33$$

D'autre part, on a

$$P(\bar{X} \geqslant \bar{x}_c \, / \, H_1) = \beta = 0.05 \ ,$$

c'est-à-dire

$$P\left(\frac{\bar{X} - \mu_1}{\sigma / \sqrt{n}} \geqslant \frac{\bar{x}_c - 28}{5 / \sqrt{n}}\right) = 0.05$$

d'où l'on obtient, dans la table de la normale centrée réduite

$$\frac{\bar{x}_c - 28}{5 / \sqrt{n}} = 1.65$$

A partir des deux équations obtenues précédemment, on déduit

$$\bar{x}_c = 30 - 2.33 \, (5 / \sqrt{n})$$

et

$$\bar{x}_c = 28 + 1.65 \, (5 / \sqrt{n})$$

d'où l'on a

$$\frac{5}{\sqrt{n}} = \frac{2}{3.98} \simeq 0.503$$

et donc

$$n \simeq 99 .$$

Finalement, on a $\bar{x}_c = 28.83$. En conséquence, à partir d'un échantillon de taille $n = 99$, la règle de décision consistant à rejeter H_o si $\bar{X} < 28.83$ et à l'accepter dans le cas contraire satisfait les exigences imposées au niveau des probabilités α et β d'erreur du type I et II. Ces probabilités α et β ont été représentées dans la figure 7.4.

FIGURE 7.4

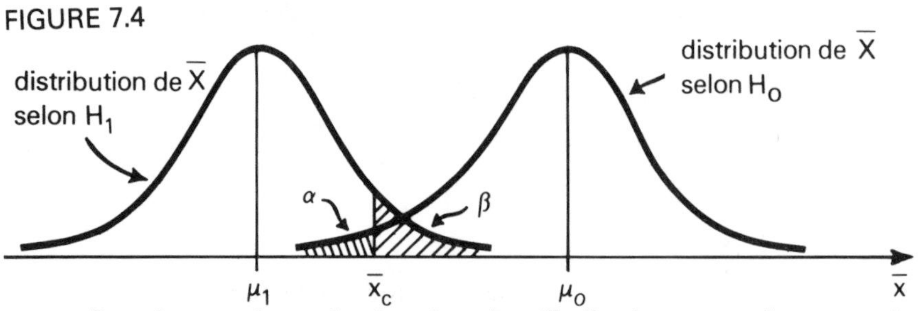

Dans le reste de ce chapitre, à moins d'indications contraires, on traitera uniquement de tests avec contrôle sur α. Un tel test, dans le cadre duquel on fixe au départ α, est souvent appelé **test de niveau** α.

Types de régions critiques

Selon les hypothèses en présence, la forme de la région critique peut varier. On va distinguer entre région critique unilatérale et région critique bilatérale. Dans le cas d'une **région critique unilatérale** (ou d'un test unilatéral), l'ensemble des valeurs possibles de l'échantillon entraînant le rejet de H_o est constitué d'un seul intervalle de valeurs. Ainsi, dans l'exemple 7.1, la région critique est constituée par l'intervalle $(233.2, \infty)$: il s'agit d'un test unilatéral à droite. Dans d'autres tests, on pourra utiliser une région critique de la forme $(-\infty, c)$: on parlera alors de **test unilatéral à gauche**. Dans le cas d'une **région critique bilatérale**, l'ensemble des valeurs possibles de l'échantillon entraînant le rejet de H_o est constitué de deux intervalles distincts de valeurs; la région critique pourra alors prendre la forme $(-\infty, c_1) \cup (c_2, \infty)$. Ainsi, relativement à l'exemple 7.1, supposons que l'on ait de nouveau $H_o : \mu = \$220$, et que l'on veuille vérifier la véracité de cette hypothèse mais, cette fois-ci, sans avoir aucune information supplémentaire permettant d'affirmer que la valeur moyenne μ des comptes à recevoir a baissé ou augmenté. Dans ce cas-là, au lieu de prendre $H_1 : \mu = \$240$, on prendra plutôt $H_1 : \mu \neq 220$. En conséquence, la région critique du test aura maintenant la forme suivante: si $\overline{X} < \overline{x}_{c_1}$ ou $\overline{X} > \overline{x}_{c_2}$, on rejette H_o; autrement dit, la région critique aura la forme $(-\infty, \overline{x}_{c_1}) \cup (\overline{x}_{c_2}, \infty)$, et l'on parlera alors de **test bilatéral**. C'est la forme des hypothèses en présence qui détermine le recours à un test unilatéral ou bilatéral. On a les trois situations décrites dans la figure 7.5.

FIGURE 7.5

Test unilatéral à gauche

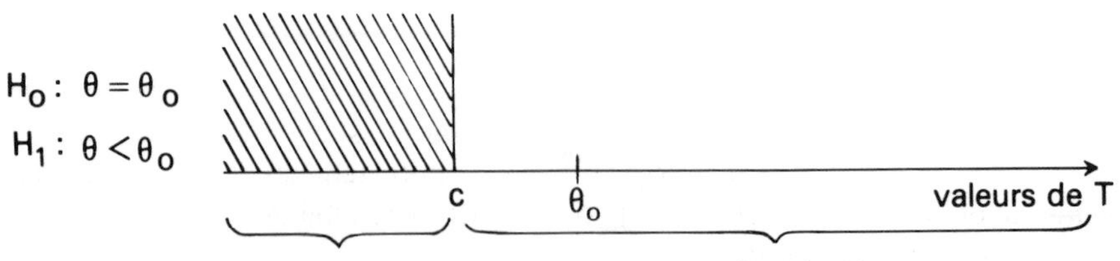

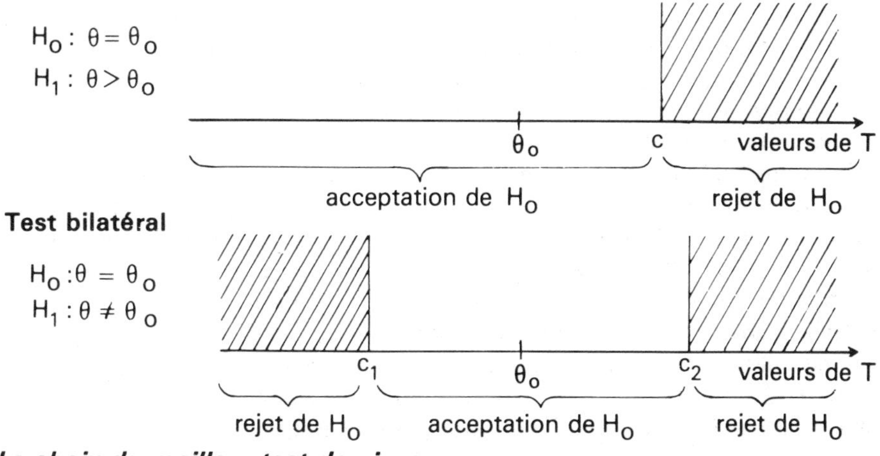

Le choix du meilleur test de niveau α

Lorsqu'on veut procéder à un test avec contrôle sur α seulement, une fois α fixé, il existe plusieurs régions critiques possibles ou plusieurs tests de niveau α possibles pour départager les deux hypothèses en présence.

Exemple 7.3. A l'exemple 7.1, on a voulu procéder à un test pour vérifier la valeur moyenne μ des comptes à recevoir d'une entreprise de vente au détail. On a supposé que la valeur X des comptes était une variable normale de moyenne μ inconnue, et d'écart type $\sigma = \$40$. Selon l'information disponible, les deux hypothèses à tester sont de la forme

$$H_0 : \mu = \$220,$$

$$H_1 : \mu = \$240.$$

Pour faire un choix entre H_0 et H_1, on détermine au préalable un niveau de signification acceptable. Par la suite, on détermine la taille n de l'échantillon que l'on est prêt à tirer. Une fois α et n spécifiés (prenons de nouveau $\alpha = 5\%$ et $n = 25$), il faut préciser la nature de la statistique T que l'on va utiliser pour effectuer le test. A l'exemple 7.1, on a choisi $T = \overline{X}$, la moyenne de l'échantillon. A partir de ce choix de $\overline{X}$, la région critique a été définie comme l'ensemble des valeurs possibles de l'échantillon satisfaisant l'inégalité $\overline{X} > \bar{x}_c = 233.2$. Cependant, jusqu'à maintenant, rien n'indique que la région critique doit être définie par l'intermédiaire de $\overline{X}$. Pour définir la région critique, on pourrait aussi bien recourir à la statistique

$$T_1 = \sum_{i=1}^{n} X_i^2 ,$$

ou encore à la statistique T_2 définie comme la médiane de l'échantillon. L'utilisation des statistiques T_1 ou T_2 entraînerait des régions critiques différentes de celle obtenue à partir de $\overline{X}$, et donc des tests de niveau α différents.

Pour départager deux hypothèses, il existe donc autant de tests de niveau α possibles qu'il existe de statistiques différentes que l'on peut construire à partir d'un échantillon. Le problème qui se pose maintenant est donc celui de choisir le meilleur de tous ces tests possibles. **Le meilleur test de niveau** α est, parmi tous les tests de niveau α, celui qui possède la plus grande puissance, c'est-à-dire celui pour lequel $(1 - \beta)$ est maximum. Il existe toute une théorie mathématique permettant de déterminer le test le plus puissant de niveau α pour tester deux hypothèses. A la base de cette théorie se trouve un théorème fondamental appelé lemme de Neyman-Pearson. La formulation de ce théorème varie selon la forme des hypothèses à tester. Dans ce qui suit, on va se contenter d'énoncer ce théorème dans le cas le plus simple, à savoir celui où les deux hypothèses en présence sont simples. Ce lemme utilise la fonction de vraisemblance de l'échantillon, que l'on a notée $L(x_1, x_2, \ldots, x_n ; \theta)$, et qui n'est rien d'autre que la distribution jointe de l'échantillon aléatoire $(X_1, \ldots, X_n)$ (cf. chapitre 5, section 5.3.1).

Lemme de Neyman-Pearson. Pour tester $H_o: \theta = \theta_o$ en regard de $H_1: \theta = \theta_1$ dans une population où l'on étudie une variable X de distribution $f(x;\theta)$, s'il existe une région critique C de niveau α et une constante k telles que

$$\frac{L(x_1, \ldots, x_n ; \theta_1)}{L(x_1, \ldots, x_n ; \theta_o)} > k, \text{ si } (x_1, \ldots, x_n) \in C,$$

$$\frac{L(x_1, \ldots, x_n ; \theta_1)}{L(x_1, \ldots, x_n ; \theta_o)} \leqslant k, \text{ si } (x_1, \ldots, x_n) \notin C,$$

alors cette région critique C définit le test le plus puissant de niveau α pour tester H_o contre H_1.

Autrement dit, la région critique C du test le plus puissant pour départager ces deux hypothèses est l'ensemble des valeurs possibles de l'échantillon qui satisfait à l'inégalité

$$\frac{L(x_1, \ldots, x_n ; \theta_1)}{L(x_1, \ldots, x_n ; \theta_o)} > k .$$

Le rapport $L(x_1, \ldots, x_n ; \theta_1) / L(x_1, \ldots, x_n ; \theta_o)$ est souvent appelé **rapport de vraisemblance** (RL). La région critique C définie précédemment peut s'expliquer intuitivement comme suit: si la vraisemblance de l'échantillon au point θ_1 est beaucoup plus grande que celle de l'échantillon au point θ_o (ce que l'on peut exprimer par $L(x_1, \ldots, x_n ; \theta_1) > k \; L(x_1, \ldots, x_n ; \theta_o)$), on devrait alors rejeter H_o.

Exemple 7.4. On se replace ici dans le contexte de l'exemple 7.1. On veut tester les deux hypothèses simples $H_o : \mu = \mu_o = \$220$ contre $H_1 : \mu = \mu_1 = \$240$.

On a supposé que la population était distribuée normalement, avec un écart type $\sigma = \$40$. La densité de X est donc

$$f(x; \mu) = \frac{1}{\sqrt{2\pi}\,\sigma} e^{-(x-\mu)^2/2\sigma^2}, \quad -\infty < x < \infty .$$

La fonction de vraisemblance peut alors s'écrire comme

$$L(x_1, ..., x_n ; \mu) = \frac{1}{(2\pi)^{n/2}\, \sigma^n} \; e^{\left(-1/2\sigma^2\right) \sum_{i=1}^{n} (x_i - \mu)^2}$$

Alors le rapport des vraisemblances prend ici la forme

$$\frac{L(x_1, ..., x_n ; \mu_1)}{L(x_1, ..., x_n ; \mu_o)} = e^{-\left(1/2\sigma^2\right) \sum_{i=1}^{n} \left[(x_i - \mu_1)^2 - (x_i - \mu_o)^2\right]}$$

$$= e^{-\left(1/2\sigma^2\right) \sum_{i=1}^{n} (\mu_o - \mu_1)(x_i - \mu_1 + x_i - \mu_o)}$$

$$= e^{-\frac{(\mu_o - \mu_1)}{2\sigma^2} \sum_{i=1}^{n} (2 x_i \mu_1 - \mu_o)}$$

$$= e^{+\frac{n(\mu_1 - \mu_o)}{2\sigma^2} [2\bar{x} - \mu_1 - \mu_o]}$$

Dans cette dernière expression, n, μ_o, μ_1 et σ^2 sont des constantes, la seule variable étant $\bar{x}$. Selon le lemme de Neyman-Pearson, la région critique C qui va conduire au test le plus puissant de niveau α est celle constituée par l'ensemble des valeurs de l'échantillon qui satisfont l'inégalité

$$\frac{L(x_1, ..., x_n ; \mu_1)}{L(x_1, ..., x_n ; \mu_o)} > k ,$$

c'est-à-dire

$$e^{+\frac{n}{2\sigma^2} (\mu_1 - \mu_o)(2\bar{x} - \mu_1 - \mu_o)} > k ;$$

en utilisant le logarithme naturel, on peut réécrire cette dernière inégalité comme suit:

$$\frac{n}{2\sigma^2} (\mu_1 - \mu_o)(2\bar{x} - \mu_1 - \mu_o) > \ln k$$

et, si $\mu_1 > \mu_o$ (comme c'est le cas dans notre exemple), alors

$$\bar{x} > \frac{\mu_1 + \mu_o}{2} + \frac{\sigma^2}{n(\mu_1 - \mu_o)} \ln k.$$

Globalement, on peut voir le membre de droite de cette dernière inégalité comme une nouvelle constante que l'on va noter c; d'où il suit que la meilleure région critique de niveau α pour tester H_o contre H_1 est constituée de l'ensemble des valeurs qui satisfont à l'inégalité $\bar{x} > c$. En conséquence, avant l'expérimentation, on peut affirmer que le test le plus puissant de niveau α pour tester

$H_o : \mu = \mu_o$ contre $H_1 : \mu = \mu_1$ $(\mu_1 > \mu_o)$ est le suivant:

$$\text{si } \overline{X} > c, \text{ on rejette } H_o,$$
$$\text{si } \overline{X} \leqslant c, \text{ on accepte } H_o.$$

C'est la règle utilisée à l'exemple 7.1 où l'on a noté la valeur critique par $\bar{x}_c$ plutôt que par c.

Par contre, si l'on veut tester les deux hypothèses simples $H_o : \mu = \mu_o$ contre $H_1 : \mu = \mu_1$ $(\mu_1 < \mu_o)$,comme cela est le cas dans l'exemple 7.2 où l'on a $H_o : \mu = 30$ contre $H_1 : \mu = 28$, le sens de l'inégalité calculée à l'exemple précédent change,de telle sorte que la région critique est maintenant déterminée par l'inégalité $\overline{X} < c$ ou $\overline{X} < \bar{x}_c$; autrement dit, dans ce cas, si $\overline{X} < \bar{x}_c$ on rejette H_o, et si $\overline{X} \geqslant \bar{x}_c$, on l'accepte.

Lorsqu'on veut confronter une hypothèse H_o simple contre une hypothèse H_1 composée, ou encore deux hypothèses composées, on ne peut pas utiliser directement le lemme de Neyman-Pearson tel que formulé précédemment pour trouver le meilleur test de niveau α . Pour obtenir ce test, il faut alors imposer des conditions supplémentaires sur la distribution de X, et recourir à des formes plus générales de ce lemme. Cependant, comme cette théorie mathématique sur les tests dépasse le niveau de difficulté de ce volume, on se contentera à la section 7.2 de donner une liste des meilleurs tests de niveau α pour tester des hypothèses simples ou composées dans les cas les plus usuels, sans démontrer mathématiquement la véracité de ces résultats.

Courbe d'efficacité et courbe de puissance d'un test

Lorsqu'on teste une hypothèse H_o simple contre une hypothèse H_1 composée, ou encore deux hypothèses composées, on n'a pas une valeur unique pour la probabilité β d'erreur du type II. Par exemple, si l'on teste $H_o : \theta = \theta_o$ contre $H_1 : \theta \neq \theta_o$, alors pour chaque valeur de $\theta \neq \theta_o$, on obtient une valeur différente pour β et $(1 - \beta)$. On peut tracer une courbe en plaçant en ordonnée la probabilité d'accepter H_o, et en abscisse les diverses valeurs possibles du paramètre θ; cette courbe est appelée **courbe d'efficacité** du test. On utilise souvent aussi la courbe représentant les valeurs de $(1 - \beta)$ en fonction du paramètre θ sous H_1; cette seconde courbe, qui exprime la probabilité de rejeter H_o pour les diverses valeurs de θ selon H_1, est appelée **courbe de puissance** du test.

Exemple 7.5. Dans une usine, une machine est utilisée pour effectuer le remplissage de boîtes de détergent en poudre pour la lessive. La machine est ajustée pour assurer que le poids moyen d'une boîte soit de 500 grammes. Cependant, à cause de petites erreurs possibles dans l'ajustement de la machine, il peut arriver que ce poids moyen soit légèrement différent de 500 grammes, soit en plus, soit en moins. D'autre part, on sait par expérience que la variation du poids des boîtes autour de la moyenne μ est stable,et s'établit à

$\sigma = 5$ grammes. Pour contrôler le poids des boîtes produites, on utilise la procédure d'inspection suivante: pendant les périodes de production, à chaque heure, on tire un échantillon de 25 boîtes, on calcule la moyenne échantillonnale $\bar{x}$, et sur la base de cette moyenne, on décide de procéder ou non à un réajustement de la machine, au moyen d'un test d'hypothèse bilatéral de niveau $\alpha = 5\%$. Définir la région critique de ce test et en tracer la fonction de puissance, en supposant que la variable poids ait une distribution normale.
Solution. Le niveau α du test est de 5%, et la taille n est de 25. On fait un test avec contrôle sur α seulement. Les hypothèses à tester sont une hypothèse simple $H_o : \mu = 500$ contre une hypothèse composée $H_1 : \mu \neq 500$.

La règle de décision pour ce test est la suivante:

on rejette H_o, si $\bar{X} < \bar{x}_{c_1}$ ou $\bar{X} > \bar{x}_{c_2}$

on accepte H_o, si $\bar{x}_{c_1} \leqslant \bar{X} \leqslant \bar{x}_{c_2}$

Au niveau $\alpha = 5\%$, on peut déterminer les valeurs critiques $\bar{x}_{c_1}$ et $\bar{x}_{c_2}$ comme suit:

$$P(\text{accepter } H_o \,/\, H_o \text{ vraie}) = 1 - \alpha = 0.95 ,$$

$$P(\bar{x}_{c_1} \leqslant \bar{X} \leqslant \bar{x}_{c_2} \,/\, \mu_o) = 0.95 ,$$

$$P\left(\frac{\bar{x}_{c_1} - \mu_o}{\sigma/\sqrt{n}} \leqslant \frac{\bar{X} - \mu_o}{\sigma/\sqrt{n}} \leqslant \frac{\bar{x}_{c_2} - \mu_o}{\sigma/\sqrt{n}}\right) = 0.95 ;$$

Comme on l'a fait dans le cas de l'intervalle de confiance, lorsqu'on utilise un test bilatéral, la probabilité d'erreur du type I est répartie en deux parties égales $(\alpha/2)$ à chacune des extrémités de la distribution, de telle sorte que l'on a

$$P(-z_{\alpha/2} \leqslant Z \leqslant +z_{\alpha/2}) = 0.95$$

Evidemment, des deux relations précédentes, il s'ensuit

$$\frac{\bar{x}_{c_1} - \mu_o}{\sigma/\sqrt{n}} = -z_{\alpha/2} ,$$

ce qui entraîne

$$\bar{x}_{c_1} = \mu_o - z_{\alpha/2} \frac{\sigma}{\sqrt{n}}$$

et

$$\frac{\bar{x}_{c_2} - \mu_o}{\sigma/\sqrt{n}} = +z_{\alpha/2}$$

ce qui entraîne

$$\bar{x}_{c_2} = \mu_o + z_{\alpha/2} \frac{\sigma}{\sqrt{n}}$$

Dans une table de la distribution normale centrée réduite cumulée, on obtient $z_{\alpha/2} = z_{0.025} = 1.96$, d'où il s'ensuit

$$\bar{x}_{c_1} = 500 - 1.96\,(1) = 498.04 ,$$

$$\bar{x}_{c_2} = 500 + 1.96\,(1) = 501.96 .$$

En conséquence, avant de procéder à toute inspection, la règle de décision est la suivante: si $\bar{X}$ est dans l'intervalle [498.04 , 501.96] ,on accepte H_0 (la machine bien ajustée), et si $\bar{X}$ est à l'extérieur de cet intervalle, on rejette H_0, on arrête la production et on réajuste la machine. A chaque heure, on observera une valeur particulière $\bar{x}_0$ pour $\bar{X}$, et la décision sera prise sur la base de cette valeur. Il faut signaler que le fait de rejeter H_0 et d'arrêter la production ne signifie pas nécessairement que H_0 est fausse ou que la machine est déréglée. Cependant, si l'on répète cette procédure un grand nombre de fois, il n'y aura que 5% des cas où l'on arrêtera la machine alors qu'elle ne sera pas effectivement déréglée, car

$$P(\text{rejeter } H_0 \ / \ H_0 \text{ vraie}) = \alpha = 0.05$$

Dans la perspective de ce problème de production, un autre risque important est relié à la probabilité β de ne pas arrêter la production (accepter H_0) lorsque la machine est effectivement déréglée (H_0 est fausse). La probabilité β dépend de la valeur de θ sous l'hypothèse H_1 ; en effet

$$\beta = P(\text{accepter } H_0 \ / \ H_0 \text{ fausse})$$

$$= P(\bar{x}_{c_1} \leqslant \bar{X} \leqslant \bar{x}_{c_2} \ / \ \mu = \mu_1 \neq 500)$$

$$= P(498.04 \leqslant \bar{X} \leqslant 501.96 \ / \ \mu = \mu_1 \neq 500)$$

Par exemple, si $\mu_1 = 496$, on obtient

$$= P\left(\frac{498.04 - 496}{1} \leqslant \frac{\bar{X} - \mu_1}{\sigma / \sqrt{n}} \leqslant \frac{501.96 - 496}{1}\right)$$

$$= P(2.04 \leqslant Z \leqslant 5.96)$$

$$= 0.021$$

d'où la puissance du test est alors

$$1 - \beta = 1 - 0.021 = 0.979$$

Le tableau 7.1 donne les valeurs de β et de $(1 - \beta)$ pour différentes valeurs de μ selon l'hypothèse H_1 .

TABLEAU 7.1

valeur du paramètre μ	**erreur du type II** β	**puissance** $(1 - \beta)$
496	0.021	0.979
497	0.149	0.851
498	0.484	0.516
499	0.829	0.171
500	(0.95)	(0.05)
501	0.829	0.171
502	0.484	0.516
503	0.149	0.851
504	0.021	0.979

A partir des données de ce tableau, on obtient la **courbe d'efficacité** tracée à la figure 7.6.

FIGURE 7.6

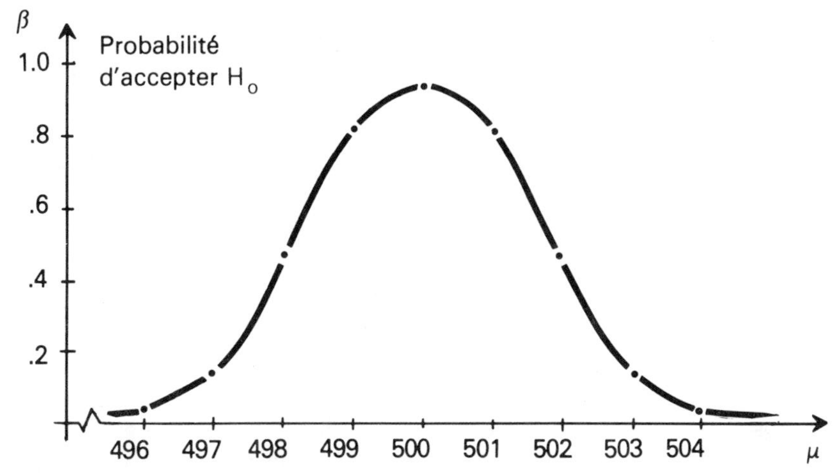

De même, des données du tableau 7.1, on obtient la **courbe de puissance** tracée à la figure 7.7.

FIGURE 7.7

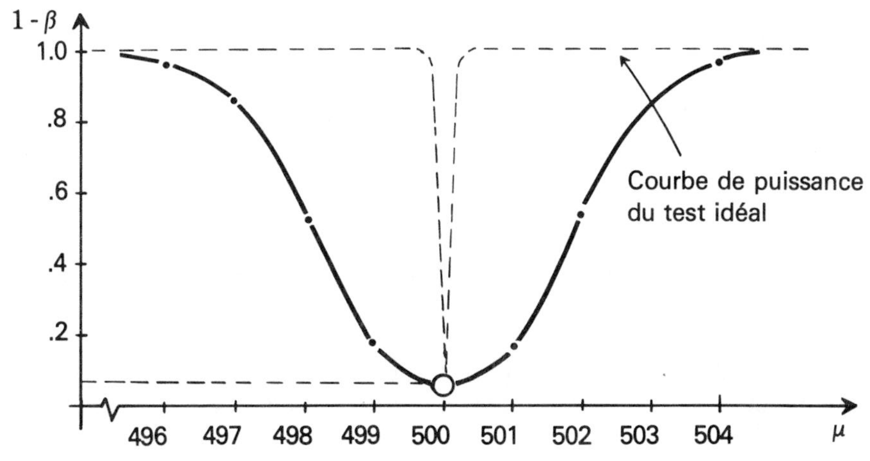

Dans cette figure 7.7, on a aussi tracé (ligne discontinue) la forme de la courbe de puissance qu'aurait le test idéal; ce test idéal serait tel que, aussitôt que μ serait différent de 500, la probabilité de rejeter H_0 serait très près de l'unité. Cependant, ce test idéal n'existe pas, et selon la théorie mathématique des tests d'hypothèses, le test dont la courbe de puissance est tracée à la figure 7.7 (courbe continue) est le meilleur test de niveau $\alpha = 5\%$ basé sur un échantillon de 25 boîtes pour confronter les deux hypothèses impliquées dans l'exemple 7.5; tout autre test de niveau $\alpha = 5\%$ aurait une courbe de puissance située en dessous de la courbe tracée à la figure 7.7.

7.1.3 Relation entre test d'hypothèses et intervalle de confiance

Au chapitre 6, section 6.3, on a introduit la notion d'intervalle de confiance pour un paramètre θ. Dans le contexte de l'estimation par intervalle de confiance, on est en présence d'une population dans laquelle on étudie un certain caractère X de distribution $f(x;\theta)$, où θ est inconnu. Pour obtenir une estimation de θ, on tire un échantillon aléatoire de taille n de la population, et on en déduit un intervalle aléatoire qui a de grandes chances de contenir θ. Il faut souligner qu'au chapitre 6, on a traité uniquement d'intervalles de confiance bilatéraux; cependant, il est possible de construire aussi des intervalles de confiance unilatéraux. Pour mieux comprendre le lien qui existe entre la notion d'intervalle de confiance et celle de test d'hypothèses, on va comparer un intervalle de confiance (bilatéral symétrique) avec un test d'hypothèses bilatéral.

Exemple 7.6. Reprenons les données de l'exemple 7.5 concernant la machine utilisée pour remplir des boîtes de détergent en poudre de 500 grammes. On a supposé que le poids des boîtes remplies par cette machine était distribué normalement avec une moyenne μ inconnue, et un écart type $\sigma = 5$ grammes. Pour estimer μ, on peut tirer un échantillon de 25 boîtes à un moment donné dans la production, et selon les résultats obtenus précédemment à la section 6.3.2, on obtient comme intervalle de confiance pour μ au niveau $(1-\alpha)$ un intervalle de la forme

$$\left[\bar{X} - z_{\alpha/2}\frac{\sigma}{\sqrt{n}},\ \bar{X} + z_{\alpha/2}\frac{\sigma}{\sqrt{n}}\right]$$

Au niveau de confiance $(1-\alpha) = .95$, pour un échantillon de taille 25, cet intervalle aléatoire devient

$$\left[\bar{X} - 1.96\ ,\ \bar{X} + 1.96\right]$$

Pour un échantillon particulier, $\bar{X}$ prendrait par exemple la valeur $\bar{x} = 498.5$, et l'intervalle de confiance aléatoire prendrait alors la valeur

$$[497.54\ , 500.46]$$

On affirme alors que le poids moyen μ appartient à cet intervalle [497.54 , 500.46], et en faisant cette affirmation, on a 95% des chances de dire vrai.

D'une façon générale, toute hypothèse sur μ qui repose à l'extérieur de l'intervalle de confiance [497.54, 500.46] peut être jugée inadmissible et être rejetée. Par contre, toute hypothèse qui repose à l'intérieur de cet intervalle peut être jugée admissible et être acceptée. **Un intervalle de confiance peut donc être considéré simplement comme un ensemble d'hypothèses acceptables au sujet du paramètre considéré.** Dans l'exemple précédent, on a construit un intervalle de confiance au niveau $(1-\alpha) = .95$ pour μ; de la même façon, il serait assez naturel de parler d'un test d'hypothèses sur μ au niveau de confiance 95%. Cependant, par convention, on utilise traditionnellement 5% au lieu de 95%, et ce 5% est appelé niveau de signification ou simplement niveau du test. Ainsi, dans le cadre d'un test d'hypothèses, on ne s'intéresse en somme qu'à une seule hypothèse: dans l'exemple précédent, on s'intéressait à l'hypothèse $H_o : \mu = 500$. Par l'intermédiaire d'un échantillon tiré de la population, on est amené à accepter ou à refuser cette hypothèse H_o. Par contre, dans le cadre d'un intervalle de confiance, par l'intermédiaire d'un échantillon tiré de la population, on est plutôt amené à définir un ensemble d'hypothèses acceptables pour le paramètre considéré.

7.2 TESTS D'HYPOTHESES PARAMETRIQUES USUELS

On va maintenant construire explicitement des tests d'hypothèses de niveau α pour les paramètres auxquels on s'intéresse le plus souvent dans une étude statistique. Pour chacun des paramètres θ considérés, on va étudier les trois situations suivantes:

$$H_o : \theta = \theta_o \quad \text{contre} \quad \begin{cases} H_1 : \theta < \theta_o \\ H_1 : \theta > \theta_o \end{cases} \text{test unilatéral}$$

$$\phantom{H_o : \theta = \theta_o \quad \text{contre} \quad} H_1 : \theta \neq \theta_o \quad \text{test bilatéral}$$

Dans chaque cas, il est possible de prouver que le test proposé est le meilleur test de niveau α pour tester les deux hypothèses en question. Dans ce volume, on ne fait qu'énoncer ces résultats; pour les démontrer, il faudrait consulter un volume d'un niveau mathématique plus avancé tel, par exemple, celui de Blum et Rosenblatt [19]. A cause de la parenté évidente entre la notion d'intervalle de confiance et celle de test d'hypothèse, la structure de cette section est la même que celle de la section 6.3 portant sur les intervalles de confiance usuels.

7.2.1 Test sur une moyenne μ

Dans la construction d'un test sur la moyenne μ d'une population, on distingue le cas où la variance de la population est connue et celui où cette variance est inconnue.

Cas 1 : σ^2 ***connue***

Comme on l'a déjà souligné dans le cadre des exemples 7.1 et 7.4, pour faire un test sur le paramètre $\theta = \mu$, on est naturellement porté à utiliser la moyenne $\overline{X}$ de l'échantillon. Si σ^2 est connue, on utilise pour construire le test la statistique

$$T = \frac{\overline{X} - \mu}{\sigma / \sqrt{n}}$$

Si X est distribué normalement, ou encore si X suit une distribution quelconque mais si la taille n de l'échantillon est assez grande, alors cette statistique T suit exactement ou approximativement une distribution normale centrée réduite.

Selon la nature des hypothèses en présence, on construit les tests suivants:

Test 1. $H_o : \mu = \mu_o$ contre $H_1 : \mu < \mu_o$

Test 2. $H_o : \mu = \mu_o$ contre $H_1 : \mu > \mu_o$

Test 3. $H_o : \mu = \mu_o$ contre $H_1 : \mu \neq \mu_o$

Comme on a déjà construit des tests de ce type dans le cadre des exemples 7.1, 7.2 et 7.5, on ne construit ici que le test 1 en suivant les étapes proposées précédemment.

Construction du test 1:

1° Hypothèses: $H_o : \mu = \mu_o$

$H_1 : \mu < \mu_o$

2° Conditions du test:

A. population normale de variance σ^2 connue

ou encore

B. population quelconque de variance σ^2 connue, et $n \geqslant 30$.

3° Statistique utilisée et sa distribution:

$$T = \frac{\overline{X} - \mu}{\sigma / \sqrt{n}}$$ de distribution normale centrée réduite.

4° Région critique de niveau α:

- si $\overline{X} < \overline{x}_c$, on rejette H_o ,
- sinon, on accepte H_o ;

cette région critique est représentée à la figure 7.8.

FIGURE 7.8

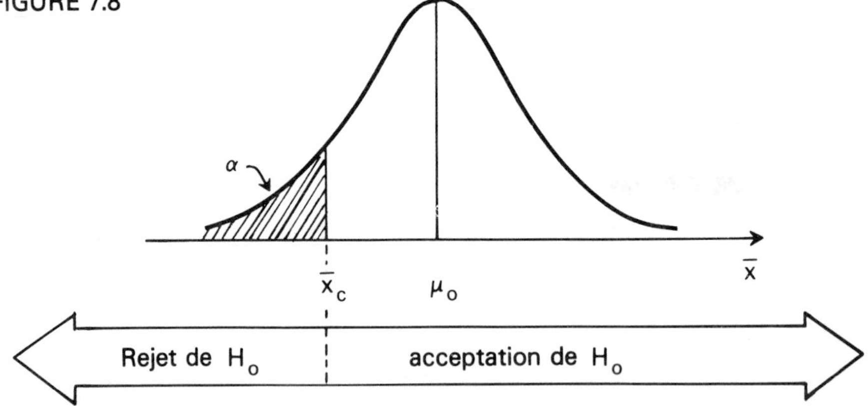

De l'équation $P(\overline{X} < \overline{x}_c \ / \ H_o) = \alpha$, on déduit

$$P\left(\frac{\overline{X} - \mu_o}{\sigma / \sqrt{n}} < \frac{\overline{x}_c - \mu_o}{\sigma / \sqrt{n}}\right) = \alpha$$

Dans une table de la distribution normale centrée réduite, on peut trouver la valeur z_α telle que

$$P(Z < -z_\alpha) = \alpha$$

valeur que l'on a représentée dans la figure 7.9.

FIGURE 7.9

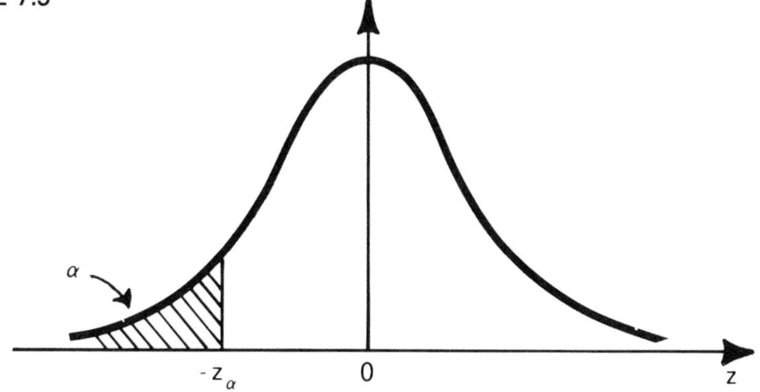

Il s'ensuit nécessairement que l'on a l'égalité

$$\frac{\bar{x}_c - \mu_o}{\sigma / \sqrt{n}} = -z_\alpha$$

et la valeur critique $\bar{x}_c$ est donc donnée par

$$\bar{x}_c = \mu_o - z_\alpha (\sigma / \sqrt{n})$$

5° La prise de décision: on compare la valeur observée $\bar{x}_o$ pour $\bar{X}$ dans l'échantillon et la valeur critique $\bar{x}_c$

- si $\bar{x}_o < \bar{x}_c$, on rejette H_o,
- si $\bar{x}_o \geqslant \bar{x}_c$, on accepte H_o.

Exemple 7.7. Reprenons l'exemple 7.5 concernant la machine utilisée dans une usine pour remplir des boîtes de détergent en poudre de 500 grammes. En principe, le poids moyen des boîtes est de 500 grammes (hypothèse H_o) avec un écart-type stable de 5 grammes. Supposons que le contremaître de la production vienne avertir le responsable de la procédure d'inspection qu'à son avis, les boîtes remplies au cours de la dernière heure lui semblent insuffisamment remplies. Pour confirmer ou réfuter l'opinion du contremaître, on tire un échantillon aléatoire de 25 boîtes dans la production de la dernière heure,et l'on trouve un poids moyen $\bar{x}_o = 497$ gr. En supposant de nouveau que le poids est distribué normalement, est-ce que l'information obtenue par cet échantillon permet de confirmer l'opinion du contremaître au niveau $\alpha = 5\%$.
Solution. On a affaire à un test unilatéral à gauche de la forme du test 1, c'est-à-dire $H_o : \mu = 500$ contre $H_1 : \mu < 500$. La région critique (de rejet) est

de la forme $(-\infty\ ,\ \bar{x}_c)$,c'est-à-dire rejeter H_o si $\bar{X} < \bar{x}_c$,où

$$\bar{x}_c = \mu_o - z_\alpha (\sigma / \sqrt{n})$$
$$= 500 - 1.65\,(5/5) = 498.35\,.$$

Puisque la valeur observée est $\bar{x}_o = 497 < \bar{x}_c = 498.36$, on rejette H_o, et on accepte l'opinion du contremaître au niveau $\alpha = 0.05$.

La construction des tests 2 et 3 se fait d'une façon exactement analogue à celle du test 1. On peut donc résumer les principales étapes des trois tests présentés précédemment comme suit:

Test sur une moyenne μ d'une population de variance σ^2 connue au niveau α, lorsque cette population est distribuée normalement, ou encore lorsque la taille n de l'échantillon est assez grande $(n \geqslant 30)$

- Hypothèse nulle: $H_o : \mu = \mu_o$
- Statistique: $(\bar{X} - \mu) / (\sigma / \sqrt{n})$ de distribution normale centrée réduite

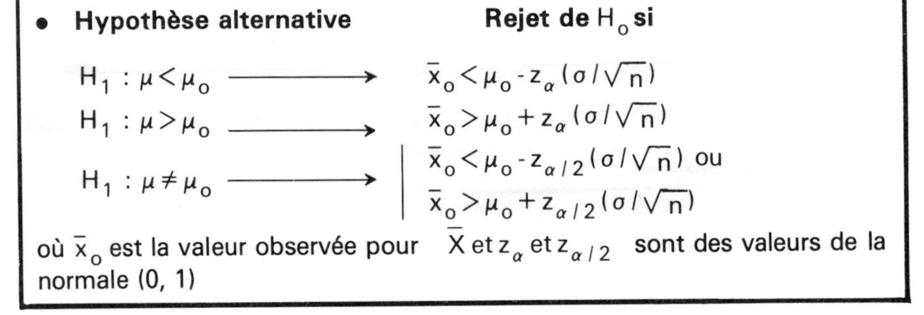

- **Hypothèse alternative** — **Rejet de** H_o **si**

$H_1 : \mu < \mu_o \longrightarrow \bar{x}_o < \mu_o - z_\alpha (\sigma / \sqrt{n})$

$H_1 : \mu > \mu_o \longrightarrow \bar{x}_o > \mu_o + z_\alpha (\sigma / \sqrt{n})$

$H_1 : \mu \neq \mu_o \longrightarrow \bar{x}_o < \mu_o - z_{\alpha/2} (\sigma / \sqrt{n})$ ou $\bar{x}_o > \mu_o + z_{\alpha/2} (\sigma / \sqrt{n})$

où $\bar{x}_o$ est la valeur observée pour $\bar{X}$ et z_α et $z_{\alpha/2}$ sont des valeurs de la normale (0, 1)

On peut enfin signaler que les tests 1 et 2 tels que construits précédemment seront aussi utilisés, si les deux hypothèses en présence ont l'une des formes suivantes:

$H_o : \mu \geqslant \mu_o$ contre $H_1 : \mu < \mu_o$ (test 1)

$H_o : \mu \leqslant \mu_o$ contre $H_1 : \mu > \mu_o$ (test 2)

ou encore

$H_o : \mu = \mu_o$ contre $H_1 : \mu = \mu_1 < \mu_o$ (test 1)

$H_o : \mu = \mu_o$ contre $H_1 : \mu = \mu_1 > \mu_o$ (test 2)

Cas 2 : σ^2 ***inconnue, population quelconque,*** $n \geqslant 30$

Pour construire un test sur μ lorsque la variance σ^2 de la population est inconnue, on ne peut plus utiliser la statistique $(\bar{X} - \mu) / (\sigma / \sqrt{n})$. Dans ce cas-là, on utilise plutôt la statistique

$$T = \frac{\bar{X} - \mu}{S / \sqrt{n}}$$

où S désigne l'écart type de l'échantillon. Quelle que soit la distribution de la population, si la taille n de l'échantillon est assez grande $(n \geq 30)$, cette statistique T suit approximativement une distribution normale centrée réduite. Dans ces conditions, pour construire un test sur la moyenne μ, il suffit de remplacer σ^2 dans les tests 1, 2 et 3 construits précédemment par la valeur s^2 observée pour S^2. Ainsi dans le test 1, lorsque σ^2 est inconnue, le seul changement se situe au niveau de la valeur critique qui s'exprime maintenant comme

$$\bar{x}_c = \mu_o - z_\alpha \frac{s}{\sqrt{n}} ,$$

où s est la valeur observée pour l'écart-type S de l'échantillon.

Cas 3 : σ^2 ***inconnue, population normale,*** $n < 30$

Dans le cas où la variance σ^2 de la population est inconnue, et où la taille n de l'échantillon est petite $(n < 30)$, on ne peut plus utiliser la distribution normale comme approximation de la distribution de la statistique $T = (\bar{X} - \mu) / (S / \sqrt{n})$. Si l'on fait alors l'hypothèse supplémentaire que la distribution de la population est normale, on a vu au chapitre 5 que cette statistique T suit une distribution de Student à (n - 1) degrés de liberté. Pour tester $H_o : \mu = \mu_o$, on peut alors construire trois tests différents selon la nature de l'hypothèse alternative H_1 confrontée à H_o.

Test 4. $H_o : \mu = \mu_o$ contre $H_1 : \mu < \mu_o$

Test 5. $H_o : \mu = \mu_o$ contre $H_1 : \mu > \mu_o$

Test 6. $H_o : \mu = \mu_o$ contre $H_1 : \mu \neq \mu_o$

Comme la construction de ces tests s'effectue d'une façon sensiblement analogue à celle des tests 1, 2 et 3, on présentera uniquement la construction du test 6.

Construction du test 6

1° Hypothèses: $H_o : \mu = \mu_o$
$H_1 : \mu \neq \mu_o$

2° Conditions du test: population normale, $n < 30$

3° La statistique utilisée et sa distribution: $\dfrac{\bar{X} - \mu}{S / \sqrt{n}} \in t(n-1)$

4° Région critique: si $\bar{X} < \bar{x}_{c_1}$ ou $\bar{X} > \bar{x}_{c_2}$, on rejette H_o
où $\bar{x}_{c_1} = \mu_o - t_{\alpha/2} (s / \sqrt{n})$
$\bar{x}_{c_2} = \mu_o + t_{\alpha/2} (s / \sqrt{n})$

5° La décision: soit $\bar{x}_o$ la valeur observée pour $\bar{X}$;
si $\bar{x}_o < \bar{x}_{c_1}$ ou $\bar{x}_o > \bar{x}_{c_2}$, on rejette H_o.

Les valeurs $\pm t_{\alpha/2}$ impliquées dans la région critique sont des valeurs lues dans la table de la distribution du t à (n - 1) degrés de liberté, et entre lesquelles il y a $(1-\alpha)\%$ de la probabilité, comme on l'a représenté à la figure 7.10.

FIGURE 7.10

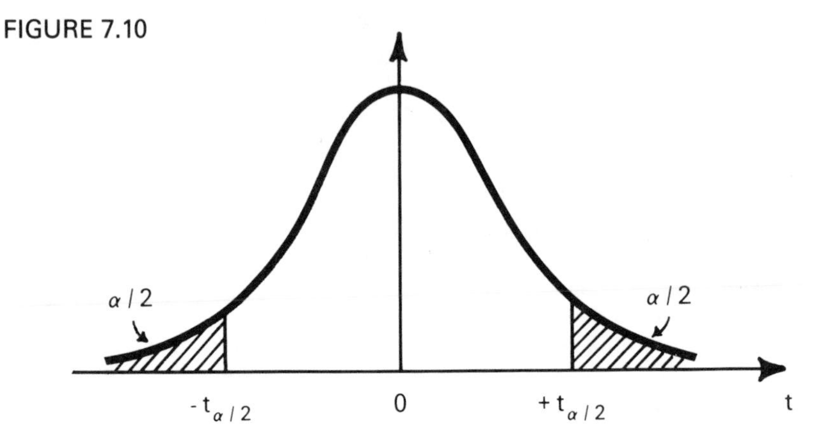

Comme les tests 1 et 2, les tests 4 et 5 sont des tests unilatéraux. La région critique du test 4 est de la forme $(-\infty, \bar{x}_c)$, c'est-à-dire qu'on rejette H_o si $\bar{X} < \bar{x}_c$, où l'on a

$$\bar{x}_c = \mu_o - t_\alpha (s/\sqrt{n})$$

La région critique du test 5 est de la forme $(\bar{x}_c, \infty)$ où

$$\bar{x}_c = \mu_o + t_\alpha (s/\sqrt{n})$$

On peut résumer les principales étapes des tests 4, 5 et 6 comme suit:

Test sur une moyenne μ d'une population normale de variance σ^2 inconnue, lorsque la taille n de l'échantillon est petite $(n < 30)$, au niveau α.

- Hypothèse nulle: $H_o : \mu = \mu_o$
- Statistique: $(\bar{X} - \mu) / (S/\sqrt{n})$ de distribution du t à $(n-1)$ degrés de liberté
- **Hypothèse alternative** — **Rejet de** H_o **si**

Hypothèse alternative		Rejet de H_o si
$H_1 : \mu < \mu_o$	⟶	$\bar{x}_o < \mu_o - t_\alpha (s/\sqrt{n})$
$H_1 : \mu > \mu_o$	⟶	$\bar{x}_o > \mu_o + t_\alpha (s/\sqrt{n})$
$H_1 : \mu \neq \mu_o$	⟶	$\bar{x}_o < \mu_o - t_{\alpha/2} (s/\sqrt{n})$ ou $\bar{x}_o > \mu_o + t_{\alpha/2} (s/\sqrt{n})$

où $\bar{x}_o$ et s sont les valeurs observées pour $\bar{X}$ et S, et t_α et $t_{\alpha/2}$ sont des valeurs de la distribution du t à $(n-1)$ degrés de liberté.

Exemple 7.8. L'an dernier le salaire hebdomadaire moyen payé par les entreprises aux analystes en informatique était de \$350. Cette année, à pareille date, un échantillon aléatoire des salaires de 25 analystes en informatique a donné les résultats suivants: $\bar{x} = \$358$ et $s^2 = 100$. Si l'on suppose que les salaires des analystes sont distribués normalement, peut-on conclure que le salaire moyen a augmenté d'une façon significative au niveau $\alpha = 0.05$? **Solution.** Les hypothèses à tester concernent le paramètre μ d'une population normale. La variance σ^2 de la population est inconnue. La taille n de l'échantillon $(n = 25)$ est petite. De plus, la nature de l'information disponible amène à choisir le test 5. En effet, on a comme hypothèses à tester $H_o: \mu = \$350$ contre $H_1: \mu > \$350$. La région critique est donc de la forme $(\bar{x}_c, \infty)$, c'est-à-dire que l'on rejette H_o si $\bar{X} > \bar{x}_c$.

De l'équation $P(\bar{X} > \bar{x}_c / H_o) = \alpha = 0.05$, on déduit

$$\bar{x}_c = \mu_o + t_{0.05}(s/\sqrt{25})$$

$$= 350 + 1.711\ (10/5) = 353.42$$

où la valeur $t_{0.05} = 1.711$ a été lue dans la table 3 de l'annexe 2 donnant les probabilités relatives à la distribution de Student à $(n-1) = 24$ degrés de liberté. Cette valeur $t_{0.05}$ a été représentée à la figure 7.11.

FIGURE 7.11

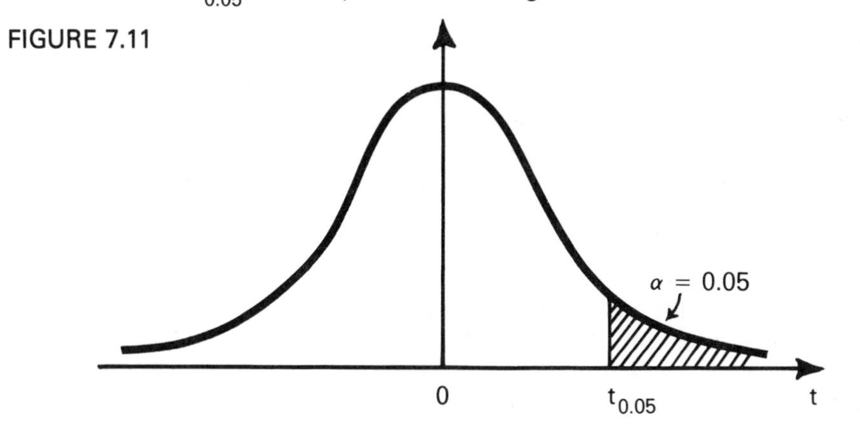

La valeur observée $\bar{x}_o = 358$ étant plus grande que la valeur critique $\bar{x}_c = 352.42$, on est amené à rejeter H_o et à accepter H_1 au niveau $\alpha = 0.05$.

Cas d'un échantillon sans remise d'une petite population

Comme on l'a souligné à la section 6.3, les tests 1 à 6 présentés précédemment valent lorsque l'échantillon par l'intermédiaire duquel ils sont construits peut être considéré comme un échantillon aléatoire indépendant, c'est-à-dire un échantillon avec ou sans remise d'une grande population, ou un échantillon avec remise d'une petite population. Par contre, dans le cas d'un échantillon sans remise d'une petite population, l'échantillon n'est plus indépendant. Cependant si la taille de l'échantillon est assez grande

$(n \geq 30)$, on peut de nouveau utiliser les tests 1, 2 et 3 en faisant intervenir le facteur de correction $(N - n) / (N - 1)$ pour la variance de $\overline{X}$. En conséquence, dans les valeurs critiques $\overline{x}_c$ de ces trois tests, il suffit de remplacer $(\sigma / \sqrt{n})$ par l'écart type modifié

$$\frac{\sigma}{\sqrt{n}} \sqrt{\frac{N - n}{N - 1}}$$

Ainsi, la valeur critique $\overline{x}_c$ du test 1 devient

$$\overline{x}_c = \mu_o - z_\alpha \left(\frac{\sigma}{\sqrt{n}} \sqrt{\frac{N - n}{N - 1}} \right)$$

Si la valeur de σ est inconnue, on la remplace par la valeur s de l'écart type de l'échantillon.

7.2.2 Test sur une proportion p

Souvent en pratique, par exemple en contrôle de la qualité, on cherche à vérifier des hypothèses concernant la proportion p des unités d'une population qui possèdent une certaine caractéristique. Pour construire un test sur une proportion, on va de nouveau distinguer le cas où la taille n de l'échantillon est grande $(n \geq 30)$, et celui où n est petit $(n < 30)$.

Cas 1 : n grand

Le fait de s'intéresser à la proportion p des unités d'une population possédant une certaine caractéristique revient habituellement à considérer dans cette population une variable X de Bernoulli de paramètre p. Si X est une variable de Bernoulli de paramètre p définie dans une population, alors la moyenne

$$\overline{X} = \sum_{i=1}^{n} X_i / n$$

d'un échantillon aléatoire de taille n tiré de cette population représente la proportion des unités de l'échantillon qui possèdent la caractéristique en question. Comme on l'a vu aux sections 5.4 et 6.3.2, si $X \in Bi\ (1, p)$ et si n est assez grand, alors $\overline{X}$ suit approximativement une distribution normale de moyenne p et de variance $(pq)/n$. En conséquence, dans ces conditions, pour construire des tests sur une proportion p, on utilise la statistique

$$T = \frac{\overline{X} - p}{\sqrt{pq / n}}$$

qui suit approximativement une distribution normale centrée réduite. Selon la forme des hypothèses en présence, on construit alors les tests suivants:

Test 7. $H_o : p = p_o$ contre $H_1 : p < p_o$

Test 8. $H_o : p = p_o$ contre $H_1 : p > p_o$

Test 9. $H_o : p = p_o$ contre $H_1 : p \neq p_o$

L'hypothèse $H_o : p = p_o$ peut être remplacée dans le test 7 par $H_o: p \geq p_o$, et dans le test 8 par $H_0 : p \leqslant p_0$. Nous allons nous limiter à la construction du test 8, la construction des deux autres tests se faisant de façon analogue.

Construction du test 8

1° Hypothèses:	$H_0 : p = p_0$ (ou $p \leqslant p_0$) $H_1 : p > p_0$
2° Conditions du test:	X = variable de Bernoulli de paramètre p, $n \geqslant 30$
3° La statistique utilisée et sa distribution:	$(\overline{X} - p) / \sqrt{pq/n}$ de distribution normale centrée réduite.
4° Région critique:	. si $\overline{X} > \overline{x}_c$, on rejette H_0, . sinon, on accepte H_0;

cette région critique est représentée à la figure 7.12.

FIGURE 7.12

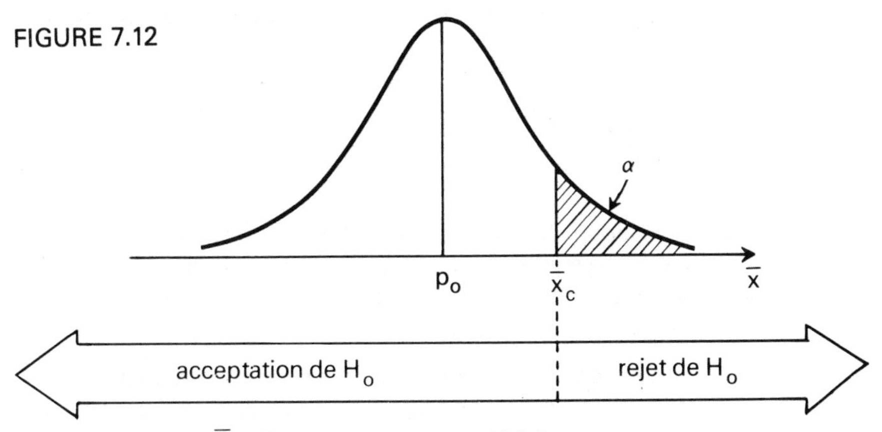

De l'équation $P(\overline{X} > \overline{x}_c / H_0) = \alpha$, on déduit

$$P\left(\frac{\overline{X} - p_0}{\sqrt{p_0 q_0 / n}} > \frac{\overline{x}_c - p_0}{\sqrt{p_0 q_0 / n}}\right) = \alpha .$$

Dans une table de la distribution normale centrée réduite cumulée, on trouve la valeur z_α telle que

$$P(Z > z_\alpha) = \alpha .$$

Il s'ensuit que

$$\frac{\overline{x}_c - p_0}{\sqrt{p_0 q_0 / n}} = z_\alpha,$$

d'où la valeur critique $\overline{x}_c$ est donnée par

$$\overline{x}_c = p_0 + z_\alpha \sqrt{p_0 q_0 / n}$$

5° La prise de décision: soit $\bar{x}_o$ = la proportion observée dans l'échantillon, alors

- si $\bar{x}_o > \bar{x}_c$, on rejette H_o
- si $\bar{x}_o \leqslant \bar{x}_c$, on accepte H_o

Exempe 7.9. A partir de statistiques compilées dans le passé, on sait que 40% des individus d'une certaine région achètent le savon de toilette de marque "Caresse". On vient de terminer une campagne publicitaire dans cette région en faveur du savon Caresse, et pour en vérifier l'efficacité, on tire un échantillon aléatoire de 500 personnes de la région, et on leur demande si maintenant elles achètent ou non le savon Caresse. Si 235 personnes répondent "oui", peut-on conclure que la campagne publicitaire a été efficace au niveau de signification $\alpha = 0.05$? **Solution.** On peut appliquer directement le test 8. En effet, on a les hypothèses $H_o : p = 0.4$ contre $H_1 : p > 0.4$. La variable étudiée dans la population est une variable de Bernoulli,et la taille n de l'échantillon est grande.

La région critique est de la forme $(\bar{x}_c, 1]$, c'est-à-dire que l'on rejette H_o si $\bar{X} > \bar{x}_c$,où

$$\begin{aligned}\bar{x}_c &= p_o + z_\alpha \sqrt{p_o q_o / n}\\ &= 0.4 + 1.65 \sqrt{(0.4)\,(0.6) / 500}\\ &\simeq 0.436\end{aligned}$$

La valeur observée pour $\bar{X}$ est $\bar{x}_o = 235/500 = 0.47$; comme on a $\bar{x}_o = 0.47 > x_c = 0.436$, on rejette H_o au niveau $\alpha = 0.05$. Autrement dit, à ce niveau de signification, on peut affirmer que la campagne publicitaire en faveur du savon Caresse a été efficace.

On procède d'une façon tout à fait analogue pour construire les tests 7 et 9,et l'on peut résumer les principales étapes des tests 7, 8 et 9 comme suit:

Test sur une proportion p d'une population de Bernoulli lorsque la taille de l'échantillon est grande ($n \geqslant 30$)

- Hypothèse nulle: $H_o : p = p_o$
- Statistique: $(\bar{X} - p) / \sqrt{pq/n}$ de distribution normale centrée réduite
- **Hypothèse alternative** **Rejet de H_o si**

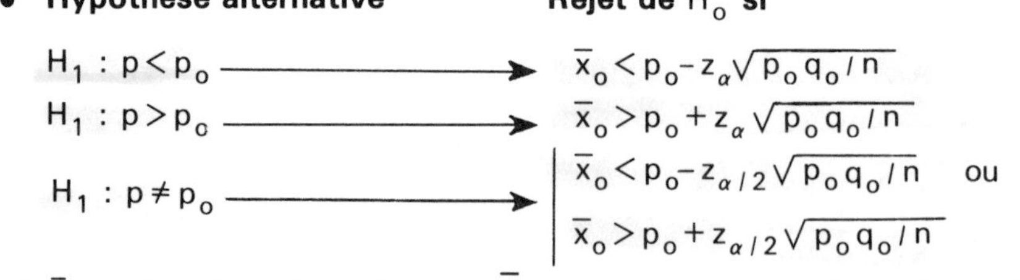

$H_1 : p < p_o$ ⟶ $\bar{x}_o < p_o - z_\alpha \sqrt{p_o q_o / n}$

$H_1 : p > p_o$ ⟶ $\bar{x}_o > p_o + z_\alpha \sqrt{p_o q_o / n}$

$H_1 : p \neq p_o$ ⟶ $\bar{x}_o < p_o - z_{\alpha/2} \sqrt{p_o q_o / n}$ ou $\bar{x}_o > p_o + z_{\alpha/2} \sqrt{p_o q_o / n}$

où $\bar{x}_o$ = la valeur observée pour $\bar{X}$, et z_α et $z_{\alpha/2}$ sont des valeurs de la normale (0, 1).

Cas 2: n petit

Lorsque la variable X étudiée dans la population est une variable de Bernoulli, et lorsque n est petit $(n < 30)$, on ne peut plus approximer la distribution de $\bar{X}$ par la distribution normale. Dans ce cas, pour construire un test sur la proportion p, au lieu d'utiliser la statistique $\bar{X}$, on utilise plutôt la statistique $Y = \sum_{i=1}^{n} X_i = n\bar{X}$, où Y représente le nombre d'unités dans l'échantillon qui possèdent la caractéristique désirée. Puisque X est une variable de Bernoulli de paramètre p, alors Y est une variable binômiale de paramètres n et p. Selon la forme des hypothèses en présence, on peut alors construire les tests suivants:

Test 10. $H_0 : p = p_0$ contre $H_1 : p < p_0$

Test 11. $H_0 : p = p_0$ contre $H_1 : p > p_0$

Test 12. $H_0 : p = p_0$ contre $H_1 : p \neq p_0$

L'hypothèse $H_0 : p = p_0$ peut, dans le test 10, être remplacée par $H_0 : p \geqslant p_0$, et dans le test 11, être remplacée par $H_0 : p \leqslant p_0$. Nous allons construire le test 11, la construction des deux autres tests se faisant d'une façon analogue.

Construction du test 11

1° Hypothèses: $H_0 : p = p_0$ (ou $p \leqslant p_0$)
$H_1 : p > p_0$

2° Conditions du test: X = variable de Bernoulli de paramètre p, $n < 30$.

3° La statistique utilisée et sa distribution: $Y = \sum_{i=1}^{n} X_i$ de distribution binômiale de paramètres n et p

4° La région critique: rejeter H_0 si $Y > y_c$

Même si Y est une variable discrète, pour faciliter la représentation de sa distribution, on a utilisé dans la figure 7.13 une courbe continue comme graphe de cette distribution. Pour déterminer la valeur y_c, on doit résoudre l'équation

$$P(Y > y_c / H_0) \leqslant \alpha ,$$

c'est-à-dire

$$P(y > y_c / n, p_0) \leqslant \alpha$$

ou encore

$$P(Y \geqslant y_c + 1 / n, p_0) \leqslant \alpha .$$

Il suffit alors de lire dans une table de la distribution binômiale cumulée, pour les valeurs de n, p_0 et α données, la valeur y_c satisfaisant cette inégalité.

FIGURE 7.13

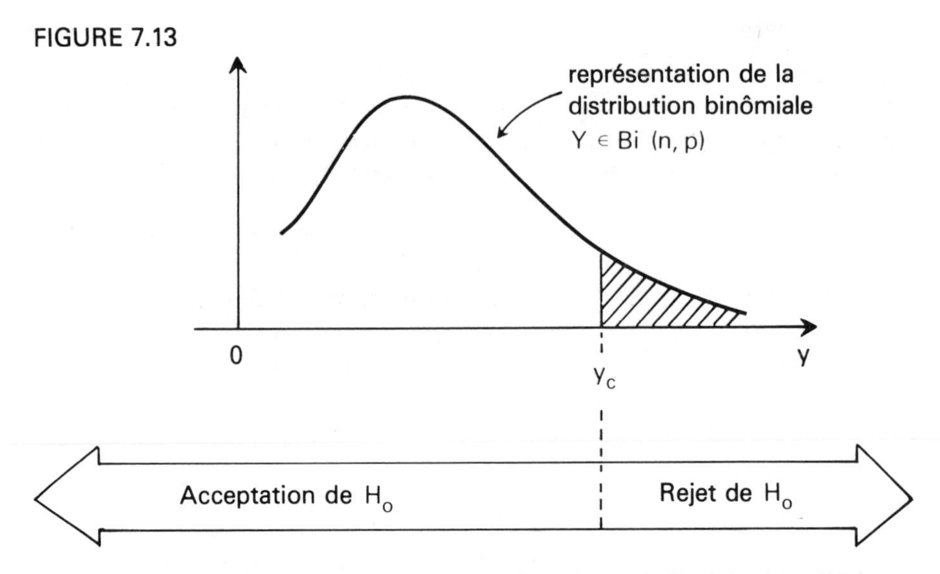

5° La prise de décision: soit y_o = le nombre observé d'unités dans l'échantillon possédant la caractéristique désirée, alors

- si $y_o > y_c$, on rejette H_o
- si $y_o \leqslant y_c$, on accepte H_o.

Exemple 7.10. Une machine fabrique des pièces en série. Lorsque la machine est bien ajustée, elle fabrique au plus 10% de pièces défectueuses. On choisit à un moment donné dans la production de cette machine un échantillon aléatoire de 15 pièces, et l'on observe 5 pièces défectueuses. Au niveau $\alpha = 0.05$, peut-on conclure que la machine est déréglée? **Solution.** On applique directement le test 11 construit précédemment. Les hypothèses à tester sont $H_o : p \leqslant 0.1$ contre $H_1 : p > 0.1$.

La région critique est de la forme $(y_c, n]$, c'est-à-dire que l'on rejette H_o si $Y > y_c$. Pour déterminer y_c, on résout l'équation

$$P(Y > y_c \,/\, n = 15,\ p = 0.1) \leqslant \alpha = 0.05$$

Dans une table de la distribution binômiale cumulée, pour $n = 15$ et $p = 0.1$, on trouve (table 6, annexe 2)

$$P(Y > 0) = 0.794$$

$$P(Y > 1) = 0.451$$

$$P(Y > 2) = 0.184$$

$$P(Y > 3) = 0.056$$

$$P(Y > 4) = 0.013\,.$$

Il n'y a pas de valeur entière y_c telle que

$$P(Y > y_c) = 0.05$$

Mais la valeur $y_c = 4$ satisfait les exigences de test puisque

$$P(Y > 4) = 0.013 \leqslant \alpha = 0.05.$$

Donc, si l'on a $Y > 4$, on rejette H_o. Puisque, effectivement, on a observé $y_o = 5$ pièces défectueuses dans l'échantillon de 15 pièces, on est amené à rejeter H_o. Au niveau $\alpha = 0.05$, on peut affirmer que la machine est déréglée.

Le test 10 est un test unilatéral à gauche, et pour en trouver la valeur critique y_c, on doit résoudre l'équation

$$P(Y < y_c / H_o) = \alpha$$

Pour ce qui est du test 12, c'est un test bilatéral, et pour en trouver les valeurs critiques, on doit résoudre les équations

$$P(Y < y_{c_1} / H_o) = \alpha / 2 \text{ et}$$

$$P(Y > y_{c_2} / H_o) = \alpha / 2$$

7.2.3 Test sur la variance σ^2 ou l'écart-type σ d'une population normale

Il peut exister plusieurs raisons qui justifient le recours à un test d'hypothèses sur la variance d'une population; entre autres, un tel test sera particulièrement important pour le manufacturier qui doit s'assurer que son produit rencontre les spécifications rigides exigées par ses clients, pour un pharmacien qui veut s'assurer que la variation des réactions à un médicament est à l'intérieur de limites acceptables, etc. Pour construire un test sur la variance σ^2 d'une population, il semble assez naturel d'utiliser la variance S^2 de l'échantillon. Plus précisément, si l'on pose l'hypothèse que la population est normale, on sait que la statistique

$$T = [(n - 1) S^2] / \sigma^2$$

suit une distribution du χ^2 à $(n - 1)$ degrés de liberté. Selon la forme des hypothèses en présence, on construit les tests suivants:

Test 13: $H_o : \sigma^2 = \sigma_o^2$ contre $H_1 : \sigma^2 < \sigma_o^2$

Test 14: $H_o : \sigma^2 = \sigma_o^2$ contre $H_1 : \sigma^2 > \sigma_o^2$

Test 15: $H_o : \sigma^2 = \sigma_o^2$ contre $H_1 : \sigma^2 \neq \sigma_o^2$

Dans les tests 13 et 14, l'hypothèse $H_o : \sigma^2 = \sigma_o^2$ peut être remplacée par $H_o : \sigma_o^2 \geqslant \sigma_o^2$ et par $H_o : \sigma^2 \leqslant \sigma_o^2$ respectivement. Nous allons donner les différentes étapes de la construction du test 15, les deux autres tests se construisant d'une façon sensiblement analogue.

Construction du test 15

1° Hypothèses: $H_o : \sigma^2 = \sigma_o^2$

$H_1 : \sigma^2 \neq \sigma_o^2$

2° Conditions du test: la population est normale.

3° La statistique utilisée et sa distribution: $T = [(n-1)S^2] / \sigma^2$ de distribution du χ^2 à (n—1) degrés de liberté

4° Région critique:
- si $S^2 < s^2_{c_1}$ ou $S^2 > s^2_{c_2}$ on rejette H_o ;
- sinon, on l'accepte.

Cette région critique est obtenue à partir de la condition

$$P[s^2_{c_1} \leqslant S^2 \leqslant s^2_{c_2} / H_o] = 1 - \alpha ,$$

$$P\left[\frac{(n-1)s^2_{c_1}}{\sigma^2_o} \leqslant \frac{(n-1)S^2}{\sigma^2_o} \leqslant \frac{(n-1)s^2_{c_2}}{\sigma^2_o}\right] = 1 - \alpha$$

On peut noter les limites inférieure et supérieure de cette double inégalité par

$$\chi^2_{c_1} = \frac{(n-1)s^2_{c_1}}{\sigma^2_o} \text{ et } \chi^2_{c_2} = \frac{(n-1)s^2_{c_2}}{\sigma^2_o}$$ .On obtient ainsi

$$s^2_{c_1} = \frac{\sigma^2_o \chi^2_{c_1}}{n-1} \text{ et } s^2_{c_2} = \frac{\sigma^2_o \chi^2_{c_2}}{n-1}$$

où $\chi^2_{c_1}$ et $\chi^2_{c_2}$ sont des valeurs de la variable du χ^2 à (n—1) degrés de liberté utilisées pour définir les valeurs critiques. Cependant, puisque la distribution du Chi-carré n'est pas symétrique, ces valeurs critiques ne sont pas des valeurs symétriques; pour souligner ce fait, on va plutôt écrire (comme on l'a fait à la section 6.3.2)

$$\chi^2_{c_1} = \chi^2_{1-(\alpha/2)} \quad \text{et} \quad \chi^2_{c_2} = \chi^2_{\alpha/2} ,$$

$\chi^2_{1-(\alpha/2)}$ et $\chi^2_{\alpha/2}$ étant les valeurs telles qu'il y a respectivement des probabilités de $1-(\alpha/2)$ et de $\alpha/2$ que la variable du Chi-carré à (n—1) degrés de liberté prenne une valeur supérieure à celles-là. Ces valeurs sont représentées à la figure 7.14.

FIGURE 7.14

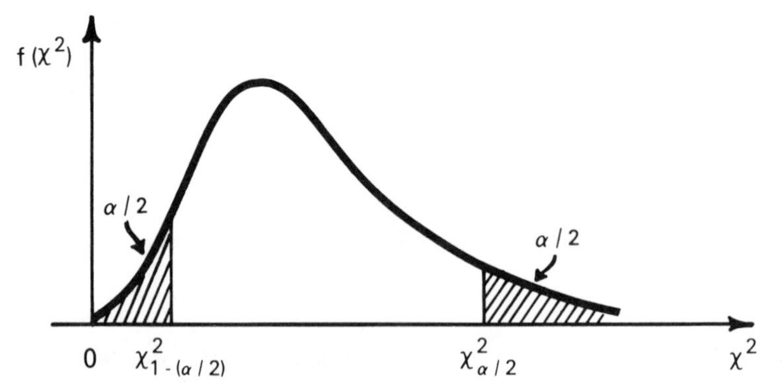

5° La décision: soit s_o^2 la valeur observée pour la variance dans l'échantillon, alors

$$\text{si } s_o^2 < \frac{\sigma_o^2 \chi^2_{1-(\alpha/2)}}{n-1}$$

$$\text{ou } s_o^2 > \frac{\sigma_o^2 \chi^2_{\alpha/2}}{n-1}$$

on rejette H_o ; autrement on l'accepte.

Exemple 7.11. En référant aux données de l'exemple 6.13, supposons que le temps X nécessaire aux candidats pour un test écrit exigé pour l'obtention d'un permis de conduire suive une distribution normale. Le préposé au test affirme que, selon son expérience, la variance de ce temps est de 64 minutes. A priori, on n'a pas de raison particulière de croire que cette variance pourrait être plus grande ou plus petite que 64 minutes (c'est-à-dire que l'affirmation du préposé est fausse). Pour vérifier son affirmation, on choisit au hasard 25 individus qui ont passé ce test, et l'on obtient une variance $s^2 = 38.44$. Devrait-on rejeter l'affirmation du préposé au niveau $\alpha = 0.05$? **Solution.** On peut appliquer directement le test 15. En effet, on a comme hypothèses $H_o : \sigma^2 = 64$ contre $H_1 : \sigma^2 \neq 64$. La population est normale. La région critique est de la forme $[o, s^2_{c_1}] \cup [s^2_{c_2}, \infty]$, c'est-à-dire que l'on rejette H_o

$$\text{si} \quad S^2 < s^2_{c_1} = \frac{\sigma_o^2 \chi^2_{1-(\alpha/2)}}{n-1}$$

$$\text{ou si} \quad S^2 > s^2_{c_2} = \frac{\sigma_o^2 \chi^2_{\alpha/2}}{n-1}$$

On a ici

$$\chi^2_{1-(\alpha/2)}(n-1) = \chi^2_{0.975}(24) = 12.40 \text{ et}$$

$$\chi^2_{\alpha/2}(n-1) = \chi^2_{0.025}(24) = 39.36 .$$

Donc, on a $s^2_{c_1} = \dfrac{64 \times 12.40}{24} \simeq 33.07$, et $s^2_{c_2} = \dfrac{64 \times 39.36}{24} \simeq 104.96$

Puisque la variance s_o^2 observée dans l'échantillon est telle que

$$33.07 = s^2_{c_1} < s_o^2 = 38.44 < s^2_{c_2} = 104.96$$

on accepte H_o au niveau $\alpha = 0.05$.

Il faut signaler de nouveau que le fait d'accepter H_o ne signifie pas que, en réalité, H_o soit vraie. Ce que l'on veut dire en acceptant H_o c'est plutôt que, au niveau $\alpha = 0.05$, la différence entre la valeur observée $s_o^2 = 38.44$ et l'hypothèse nulle $\sigma_o^2 = 64$ n'est pas suffisamment grande pour permettre de rejeter H_o ; il n'existe pas de différence significative (statistiquement parlant) entre $s_o^2 = 38.44$ et $\sigma_o^2 = 64$ au niveau $\alpha = 0.5$.

Les tests 13 et 14 sont des tests unilatéraux. Dans le cas du test 13 par exemple, on rejette H_o si la valeur observée s_o^2 est plus petite que la valeur critique $s_c^2 = [\sigma_o^2 \chi_{1-\alpha}^2] / n - 1$, où la valeur $\chi_{1-\alpha}^2$ est celle qui satisfait l'équation

$$P(\chi^2 > \chi_{1-\alpha}^2 / H_o) = 1-\alpha ;$$

$\chi_{1-\alpha}^2$ est la valeur telle qu'il y a une probabilité α que la variable de Chi-carré à (n—1) degrés de liberté prenne une valeur qui lui soit inférieure (cette valeur étant représentée à la figure 7.15). Dans le cas du test 14, il s'agit d'un test unilatéral à droite: on rejette H_o si $s_o^2 > s_c^2 = \frac{\sigma_o^2 \chi_\alpha^2}{n-1}$, où la valeur χ_α^2 est celle qui satisfait l'équation

$$P(\chi^2 > \chi_\alpha^2 / H_o) \quad \alpha ;$$

χ_α^2 est la valeur telle qu'il y a une probabilité α que la variable du Chi-carré à (n—1) degrés de liberté prenne une valeur qui lui soit supérieure (cette valeur étant représentée à la figure 7.15).

FIGURE 7.15

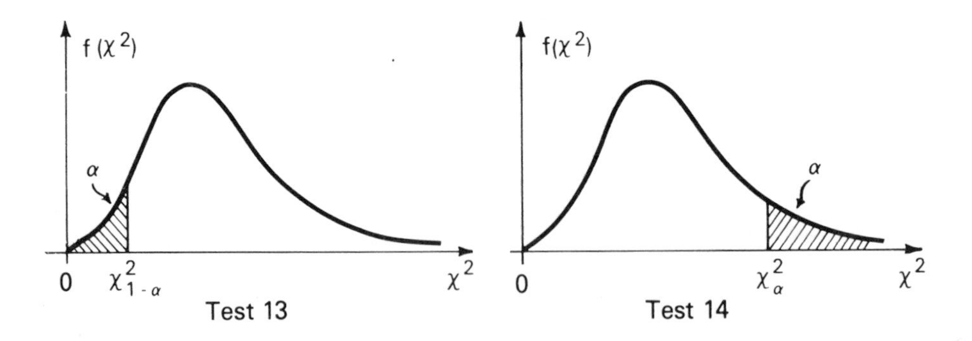

On peut résumer les principales étapes des tests 13, 14 et 15, comme suit:

Test sur la variance σ^2 (ou l'écart-type σ) d'une population normale au niveau α.

- Hypothèse nulle: $H_o : \sigma^2 = \sigma_o^2$
- Statistique utilisée: $[(n-1)S^2] / \sigma^2$ de distribution du Chi-carré à $(n-1)$ degrés de liberté

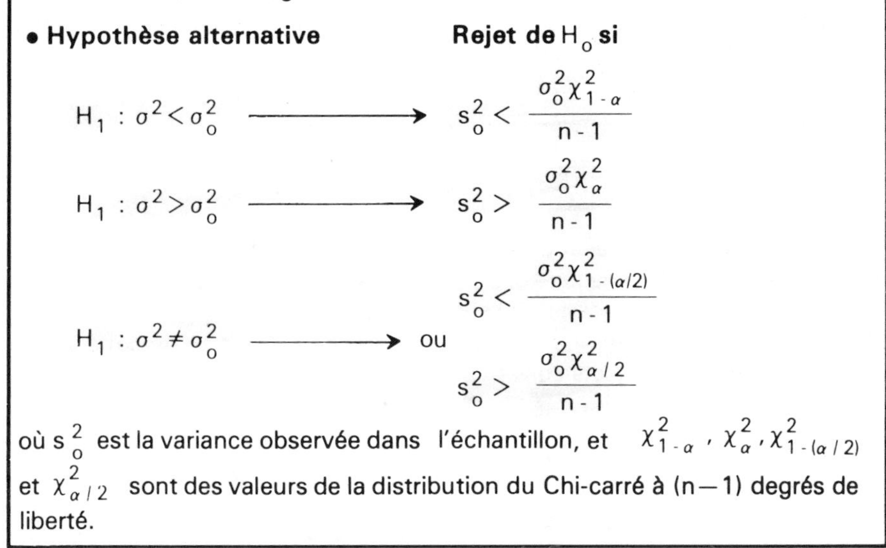

• **Hypothèse alternative**		**Rejet de** H_o **si**
$H_1 : \sigma^2 < \sigma_o^2$	⟶	$s_o^2 < \dfrac{\sigma_o^2 \chi_{1-\alpha}^2}{n-1}$
$H_1 : \sigma^2 > \sigma_o^2$	⟶	$s_o^2 > \dfrac{\sigma_o^2 \chi_{\alpha}^2}{n-1}$
$H_1 : \sigma^2 \neq \sigma_o^2$	⟶	$s_o^2 < \dfrac{\sigma_o^2 \chi_{1-(\alpha/2)}^2}{n-1}$ ou $s_o^2 > \dfrac{\sigma_o^2 \chi_{\alpha/2}^2}{n-1}$

où s_o^2 est la variance observée dans l'échantillon, et $\chi_{1-\alpha}^2$, χ_{α}^2, $\chi_{1-(\alpha/2)}^2$ et $\chi_{\alpha/2}^2$ sont des valeurs de la distribution du Chi-carré à $(n-1)$ degrés de liberté.

On signale enfin que faire un test sur l'écart-type σ est absolument équivalent à faire un test sur la variance σ^2. Ainsi, dans l'exemple 7.11, les hypothèses $H_o : \sigma^2 = 64$ contre $H_1 : \sigma^2 \neq 64$ sont équivalentes aux hypothèses $H_o : \sigma = 8$ contre $H_1 : \sigma \neq 8$.

7.2.4 Tests sur une différence de moyennes $(\mu_1 - \mu_2)$

Les tests présentés précédemment peuvent être utilisés lorsqu'on s'intéresse à un ou des paramètres d'une seule population. Assez souvent, en pratique, on veut comparer deux populations, et pour ce faire, on veut construire un test sur des paramètres de même nature de chacune de ces deux populations. On est ainsi amené à construire des tests pour une différence de moyennes $(\mu_1 - \mu_2)$, pour une différence de proportions $(p_1 - p_2)$ et pour un quotient de variances $(\sigma_1^2 / \sigma_2^2)$. Lorsqu'on a affaire à une différence de moyenne, nous allons distinguer les situations suivantes:

cas 1: σ_1^2 et σ_2^2 connues,

cas 2: populations normales de variances σ_1^2 et σ_2^2 inconnues et égales,

cas 3: populations de variances σ_1^2 et σ_2^2 inconnues et inégales avec n_1 et n_2 grands,

cas 4: σ_1^2 et σ_2^2 inconnues, observations couplées.

Dans tous ces cas, sauf dans le dernier, on suppose que l'on a affaire à deux populations distinctes de moyennes μ_1 et μ_2 et de variances σ_1^2 et σ_2^2 respectivement, et que l'on tire indépendamment un échantillon de taille n_1 dans la première, et un échantillon de taille n_2 dans la seconde.

Cas 1: σ_1^2 ***et*** σ_2^2 ***connues***

Pour construire un test sur $\theta = (\mu_1 - \mu_2)$, on est naturellement porté à utiliser la différence des moyennes échantillonnales $(\overline{X}_1 - \overline{X}_2)$. Plus précisément, lorsque les variances σ_1^2 et σ_2^2 de chacune de ces populations sont connues, on utilise la statistique

$$T = \frac{(\overline{X}_1 - \overline{X}_2) - (\mu_1 - \mu_2)}{\sqrt{\dfrac{\sigma_1^2}{n_1} + \dfrac{\sigma_2^2}{n_2}}}$$

Si les distributions de chacune des populations sont normales, ou encore si les tailles n_1 et n_2 de chacun des deux échantillons sont assez grandes ($n_1 \geqslant 30$ et $n_2 \geqslant 30$), cette statistique T suit soit exactement soit approximativement une distribution normale centrée réduite. A partir de cette statistique, on construit les tests suivants:

Test 16 : $H_o : (\mu_1 - \mu_2) = 0$ contre $H_1 : (\mu_1 - \mu_2) < 0$

Test 17 : $H_o : (\mu_1 - \mu_2) = 0$ contre $H_1 : (\mu_1 - \mu_2) > 0$

Test 18 : $H_o : (\mu_1 - \mu_2) = 0$ contre $H_1 : (\mu_1 - \mu_2) \neq 0$

Dans les tests 16 et 17, l'hypothèse $H_o : (\mu_1 - \mu_2) = 0$ peut être remplacée par les hypothèses $H_o : (\mu_1 - \mu_2) \geqslant 0$ et $H_o : (\mu_1 - \mu_2) \leqslant 0$ respectivement. Procédons à la construction du test 17, la construction des deux autres tests se faisant d'une façon analogue.

Construction du test 17

1° Hypothèses: $H_o : (\mu_1 - \mu_2) = 0$

$H_1 : (\mu_1 - \mu_2) > 0$

2° Conditions du test: [σ_1^2 et σ_2^2 connues] et [(populations normales) ou (populations quelconques avec $n_1 \geqslant 30$ et $n_2 \geqslant 30$)]

3° La statistique utilisée et sa distribution:

$$T = \frac{(\overline{X}_1 - \overline{X}_2) - (\mu_1 - \mu_2)}{\sqrt{\dfrac{\sigma_1^2}{n_1} + \dfrac{\sigma_2^2}{n_2}}}$$

de distribution normale centrée réduite.

4° La région critique: pour simplifier l'écriture, si on désigne par $\overline{Y}$ la différence $(\overline{X}_1 - \overline{X}_2)$, et ses valeurs par $\overline{y}$, alors on rejette H_o si $\overline{Y} > \overline{y}_c$.

Cette région critique est représentée par la région hachurée de la figure 7.16, où $(\mu_1 - \mu_2)_o$ désigne la valeur de $(\mu_1 - \mu_2)$ sous l'hypothèse H_o.

FIGURE 7.16

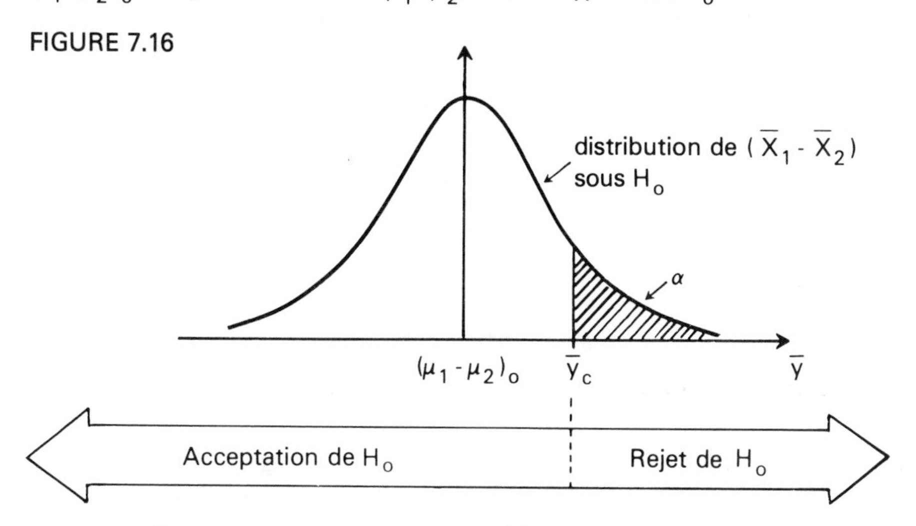

Pour trouver la valeur critique $\bar{y}_c$, on doit résoudre l'équation

$$P\left(\frac{(\bar{X}_1 - \bar{X}_2) - (\mu_1 - \mu_2)}{\sqrt{\dfrac{\sigma_1^2}{n_1} + \dfrac{\sigma_2^2}{n_2}}} > \frac{\bar{y}_c - (\mu_1 - \mu_2)_o}{\sqrt{\dfrac{\sigma_1^2}{n_1} + \dfrac{\sigma_2^2}{n_2}}}\right) = \alpha$$

Dans une table de la distribution normale centrée réduite, on trouve la valeur z_α telle que $P(Z > z_\alpha) = \alpha$. Il s'ensuit que l'on a

$$\frac{\bar{y}_c - (\mu_1 - \mu_2)_o}{\sqrt{\dfrac{\sigma_1^2}{n_1} + \dfrac{\sigma_2^2}{n_2}}} = z_\alpha$$

et la valeur critique $\bar{y}_c$ est donc donnée par

$$\bar{y}_c = (\mu_1 - \mu_2)_o + z_\alpha \sqrt{\frac{\sigma_1^2}{n_1} + \frac{\sigma_2^2}{n_2}}$$

5° La prise de décision: soit $\bar{y}_o = (\bar{x}_1 - \bar{x}_2)$ la différence des moyennes échantillonnales, alors

- si $\bar{y}_o > \bar{y}_c$, on rejette H_o,
- si $\bar{y}_o \leqslant \bar{y}_c$, on accepte H_o

Dans le cas des tests 16 et 18, on procède d'une façon essentiellement analogue. Ainsi, on peut résumer les principales étapes de ces tests comme suit:

Test sur la différence $(\mu_1 - \mu_2)$ **des moyennes de deux populations de** variances σ_1^2 et σ_2^2 connues, au niveau α, lorsque ces populations sont normales, ou lorsque ces populations sont quelconques mais $n_1 \geq 30$ et $n_2 \geq 30$.

- Hypothèse nulle: $H_o : (\mu_1 - \mu_2) = (\mu_1 - \mu_2)_o = 0$

- Statistique utilisée: $\dfrac{(\overline{X}_1 - \overline{X}_2) - (\mu_1 - \mu_2)}{\sqrt{\dfrac{\sigma_1^2}{n_1} + \dfrac{\sigma_2^2}{n_2}}}$ de distribution normale centrée réduite.

- **Hypothèse alternative** — **Rejet de H_o si**

$$H_1 : (\mu_1 - \mu_2) < 0 \longrightarrow \overline{y}_o < (\mu_1 - \mu_2)_o - z_\alpha \sqrt{\frac{\sigma_1^2}{n_1} + \frac{\sigma_2^2}{n_2}}$$

$$H_1 : (\mu_1 - \mu_2) > 0 \longrightarrow \overline{y}_o > (\mu_1 - \mu_2)_o + z_\alpha \sqrt{\frac{\sigma_1^2}{n_1} + \frac{\sigma_2^2}{n_2}}$$

$$H_1 : (\mu_1 - \mu_2) \neq 0 \longrightarrow \begin{cases} \overline{y}_o < (\mu_1 - \mu_2)_o - z_{\alpha/2} \sqrt{\dfrac{\sigma_1^2}{n_1} + \dfrac{\sigma_2^2}{n_2}} \\ \text{ou} \\ \overline{y}_o > (\mu_1 - \mu_2)_o + z_{\alpha/2} \sqrt{\dfrac{\sigma_1^2}{n_1} + \dfrac{\sigma_2^2}{n_2}} \end{cases}$$

où $\overline{y}_o = (\overline{x}_1 - \overline{x}_2)$ = la différence observée des moyennes échantillonnales, $(\mu_1 - \mu_2)_o$ = la différence des moyennes sous H_o, et $\pm z_\alpha$ et $\pm z_{\alpha/2}$ sont des valeurs de la normale centrée réduite.

Exemple 7.12. On se replace dans le contexte de l'exemple 6.14, où l'on cherchait à comparer la durée de vie des pneus radiaux de manufacturiers Goodway et Firerock. Les écarts types des durées de vie des pneus Goodway et Firerock sont supposés connus: $\sigma_1 = 8{,}000$ km, et $\sigma_2 = 5{,}000$ km. Jusqu'à maintenant, selon les données du passé, on a admis que les pneus Goodway et les pneus Firerock étaient de qualité égale en termes de durée de vie moyenne. Cependant, depuis quelque temps, il semble que les pneus Firerock durent en moyenne moins longtemps que les pneus Goodway. Pour vérifier s'il y a effectivement une différence entre la durée de vie moyenne des pneus Goodway et Firerock, on tire un échantillon aléatoire de 50 pneus Goodway et de 75 pneus Firerock, et l'on obtient $\overline{x}_1 = 48{,}000$ km, et $\overline{x}_2 = 42{,}000$ km. Peut-on affirmer que la différence entre les durées de vie moyenne est significative au niveau $\alpha = 0.05$?

Solution. On peut appliquer directement le test 17. En effet, on a comme hypothèses $H_o : (\mu_1 - \mu_2) = 0$ contre $H_1 : (\mu_1 - \mu_2) > 0$, c'est-à-dire $\mu_1 > \mu_2$.

La région critique est de la forme $(\bar{y}_c, \infty)$, c'est-à-dire que l'on rejette H_o si $\bar{Y} = (\bar{X}_1 - \bar{X}_2) > \bar{y}_c$, où

$$\bar{y}_c = (\mu_1 - \mu_2)_o + z_\alpha \sqrt{\frac{\sigma_1^2}{n_1} + \frac{\sigma_2^2}{n_2}}$$

$$= 0 + 1.65 \sqrt{\frac{(8000)^2}{50} + \frac{(5000)^2}{75}}$$

$$\simeq 2083 \text{ km}.$$

La valeur observée pour la différence est $\bar{y}_o = (\bar{x}_1 - \bar{x}_2) = 48{,}000 - 42{,}000 = 6{,}000$; puisqu'on a $\bar{y}_o = 6{,}000 > \bar{y}_c = 2{,}083$, alors on est amené à rejetter H_o. Il existe donc une différence statistique significative au niveau $\alpha = 0.05$ entre la durée de vie moyenne des pneus Goodway et celle des pneus Firerock, ces derniers s'avérant en moyenne moins durables que les premiers.

Cas 2: populations normales de variances σ_1^2 et σ_2^2 ***inconnues mais égales***

La plupart du temps, lorsque les moyennes de deux populations sont inconnues, leurs variances σ_1^2 et σ_2^2 le sont également. Nous allons supposer maintenant que σ_1^2 et σ_2^2 sont inconnues mais égales $(\sigma_1^2 = \sigma_2^2)$. Dans ce cas, on ne peut pas construire un test d'hypothèses sur $(\mu_1 - \mu_2)$ à partir de la statistique utilisée au cas 1. Cependant si les deux populations sont normales, et si les variances inconnues σ_1^2 et σ_2^2 peuvent être supposées égales, alors on peut recourir à la statistique

$$T = \frac{(\bar{X}_1 - \bar{X}_2) - (\mu_1 - \mu_2)}{\sqrt{\left(\frac{1}{n_1} + \frac{1}{n_2}\right)\left(\frac{(n_1 - 1)S_1^2 + (n_2 - 1)S_2^2}{n_1 + n_2 - 2}\right)}}$$

qui suit une distribution du t à $(n_1 + n_2 - 2)$ degrés de liberté, où S_1^2 et S_2^2 sont les variances échantillonnales. Pour simplifier l'écriture, on va noter

$$\hat{\sigma}_{(\bar{X}_1 - \bar{X}_2)} = \sqrt{\left(\frac{1}{n_1} + \frac{1}{n_2}\right)\left(\frac{(n_1 - 1)S_1^2 + (n_2 - 1)S_2^2}{n_1 + n_2 - 2}\right)} \qquad (7.1)$$

où $\hat{\sigma}_{(\bar{X}_1 - \bar{X}_2)}$ désigne un estimateur de l'écart-type de $(\bar{x}_1 - \bar{x}_2)$. A partir de cette statistique T, on construit les tests

Test 19 : $H_o : (\mu_1 - \mu_2) = 0$ contre $H_1 : (\mu_1 - \mu_2) < 0$,

Test 20 : $H_o : (\mu_1 - \mu_2) = 0$ contre $H_1 : (\mu_1 - \mu_2) > 0$,

Test 21 : $H_o : (\mu_1 - \mu_2) = 0$ contre $H_1 : (\mu_1 - \mu_2) \neq 0$,

l'hypothèse $H_o : (\mu_1 - \mu_2) = 0$ pouvant, dans les tests 19 et 20, être remplacée par $H_o : (\mu_1 - \mu_2) \geqslant 0$ et par $H_o : (\mu_1 - \mu_2) \leqslant 0$ respectivement.

Construction du test 20

1° Hypothèses: $H_o : (\mu_1 - \mu_2) = 0$
$H_1 : (\mu_1 - \mu_2) > 0$

2° Conditions: les deux populations normales et leurs variances σ_1^2 et σ_2^2 sont inconnues mais égales

3° La statistique utilisée: $\dfrac{(\overline{X}_1 - \overline{X}_2) - (\mu_1 - \mu_2)}{\hat{\sigma}_{(\bar{x}_1 - \bar{x}_2)}}$ qui suit une distribution du t à $(n_1 + n_2 - 2)$ degrés de liberté.

4° Région critique: si l'on désigne $(\overline{X}_1 - \overline{X}_2)$ par $\overline{Y}$ et $(\bar{x}_1 - \bar{x}_2)$ par $\bar{y}$, alors on rejette H_o si $\overline{Y} > \bar{y}_c$

La valeur critique est déduite de la même façon qu'elle l'était au cas 1. De l'équation

$$P\left(\frac{(\overline{X}_1 - \overline{X}_2) - (\mu_1 - \mu_2)}{\hat{\sigma}_{(\bar{x}_1 - \bar{x}_2)}} > \frac{\bar{y}_c - (\mu_1 - \mu_2)_o}{\hat{\sigma}_{(\bar{x}_1 - \bar{x}_2)}}\right) = \alpha$$

on déduit

$$\bar{y}_c = (\mu_1 - \mu_2)_o + t_\alpha \ \hat{\sigma}_{(\bar{x}_1 - \bar{x}_2)}$$

où t_α est la valeur lue dans une table de la distribution du t à $(n_1 + n_2 - 2)$ degrés de liberté, et telle que présentée à la figure 7.17.

FIGURE 7.17

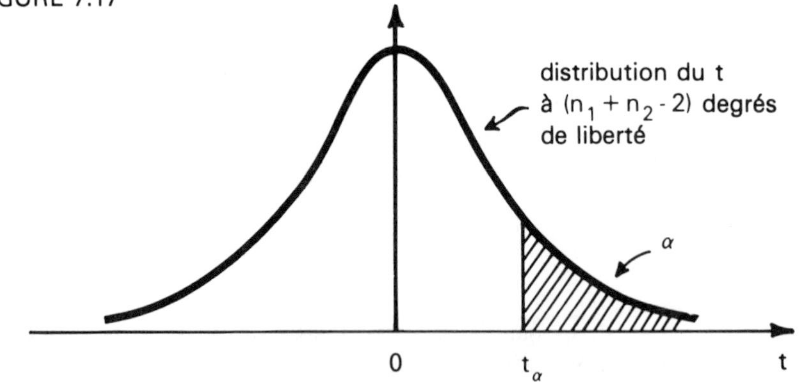

5° La décision: soit $\bar{y}_o = (\bar{x}_1 - \bar{x}_2)$, la différence observée des moyennes échantillonnales, alors

- si $\bar{y}_o > \bar{y}_c$, on rejette H_o,
- si $\bar{y}_o \leqslant \bar{y}_c$, on accepte H_o.

On procède de la même facon pour les tests 19 et 21, de sorte que l'on peut résumer les principales étapes de la construction de ces trois tests comme suit:

Test sur la différence $(\mu_1 - \mu_2)$ des moyennes de deux populations normales de variances σ_1^2 et σ_2^2 inconnues mais égales.

- Hypothèse nulle: $H_o : (\mu_1 - \mu_2) = 0$
- Statistique utilisée: $[(\bar{X}_1 - \bar{X}_2) - (\mu_1 - \mu_2)] / \hat{\sigma}_{(\bar{x}_1 - \bar{x}_2)}$ de distribution du t à $(n_1 + n_2 - 2)$ degrés de liberté, où $\hat{\sigma}_{(\bar{x}_1 - \bar{x}_2)}$ est définie par la relation (7.1).
- **Hypothèse alternative** — **Rejet de H_o si**

$$H_1 : (\mu_1 - \mu_2) < 0 \longrightarrow \bar{y}_o < (\mu_1 - \mu_2)_o - t_\alpha \, \hat{\sigma}_{(\bar{x}_1 - \bar{x}_2)}$$

$$H_1 : (\mu_1 - \mu_2) > 0 \longrightarrow \bar{y}_o > (\mu_1 - \mu_2)_o + t_\alpha \, \hat{\sigma}_{(\bar{x}_1 - \bar{x}_2)}$$

$$H_1 : (\mu_0 - \mu_2) \neq 0 \longrightarrow \left| \begin{array}{l} \bar{y}_o < (\mu_1 - \mu_2)_o - t_{\alpha/2} \, \hat{\sigma}_{(\bar{x}_1 - \bar{x}_2)} \\ \text{ou} \\ \bar{y}_o > (\mu_1 - \mu_2)_o + t_{\alpha/2} \, \hat{\sigma}_{(\bar{x}_1 - \bar{x}_2)} \end{array} \right.$$

où $\bar{y}_o = (\bar{x}_1 - \bar{x}_2)$ = la différence observée des moyennes échantillonnales, $(\mu_1 - \mu_2)_o$ = la différence des moyennes sous H_o, $\pm\, t_\alpha$ et $\pm\, t_{\alpha/2}$ sont des valeurs de la distribution du t à $(n_1 + n_2 - 2)$ degrés de liberté et

$$\hat{\sigma}_{(\bar{x}_1 - \bar{x}_2)} = \sqrt{\left(\frac{1}{n_1} + \frac{1}{n_2}\right) \left(\frac{(n_1 - 1)\, s_1^2 + (n_2 - 1)\, s_2^2}{n_1 + n_2 - 2}\right)}$$

On signale aussi que, dans les tests précédents, lorsque les tailles n_1 et n_2 des échantillons sont assez grandes (en pratique $(n_1 + n_2 - 2) \geqslant 30$), la distribution du t à $(n_1 + n_2 - 2)$ degrés de liberté est approximée par la normale centrée réduite, d'où vient que l'on peut y remplacer les valeurs $\pm\, t_\alpha$ et $\pm\, t_{\alpha/2}$ par $\pm\, z_\alpha$ et $\pm\, z_{\alpha/2}$.

Exemple 7.13. On se replace dans le contexte de l'exemple 7.12, où l'on cherchait à comparer la durée de vie moyenne des pneus Goodway avec celle des pneus Firerock. On suppose que les durées de vie des pneus Goodway et des pneus Firerock sont distribuées normalement, que les variances σ_1^2 et σ_2^2 de ces durées de vie sont inconnues mais égales. Pour vérifier l'hypothèse H_o de l'égalité des moyennes $(\mu_1 = \mu_2)$, on tire indépendamment un échantillon aléatoire de 10 pneus Goodway et un échantillon aléatoire de 15 pneus Firerock, et l'on obtient $\bar{x}_1 = 48{,}000$ km, $\bar{x}_2 = 42{,}000$ km, $s_1 = 6{,}000$ km et $s_2 = 4{,}000$km. Peut-on affirmer que les pneus Goodway sont meilleurs que les pneus Firerock au niveau $\alpha = 0.05$? **Solution.** On applique le test 20. Les hypothèses à tester sont $H_o : (\mu_1 - \mu_2) = 0$ contre $H_1 : (\mu_1 - \mu_2) > 0$. Les conditions du test 20 sont satisfaites. La région critique consiste à rejeter H_o si $\bar{Y} = (\bar{X}_1 - \bar{X}_2) > \bar{y}_c$, où

$$\bar{y}_c = (\mu_1 - \mu_2)_o + t_{0.05}\ \hat{\sigma}_{(\bar{x}_1 - \bar{x}_2)}$$

$$= 0 + 1.714\,(1992.75) = 3515.57$$

où à leur tour $t_{0.05} = 1.714$ est obtenue dans une table du t à $(n_1 + n_2 - 2) = (10 + 15 - 2) = 23$ degrés de liberté, et $\hat{\sigma}_{(\bar{x}_1 - \bar{x}_2)}$ est donnée par

$$\hat{\sigma}_{(\bar{x}_1 - \bar{x}_2)} = \sqrt{\left(\frac{1}{n_1} + \frac{1}{n_2}\right)\left(\frac{(n_1 - 1)\,s_1^2 + (n_2 - 1)\,s_2^2}{n_1 + n_2 - 2}\right)}$$

$$= \sqrt{\left(\frac{1}{10} + \frac{1}{15}\right)\left(\frac{9(6000)^2 + 14\,(4000)^2}{23}\right)} \simeq 1992.75$$

La différence observée des moyennes échantillonnales est $\bar{y}_o = \bar{x}_1 - \bar{x}_2 = 48{,}000 - 42{,}000 = 6{,}000$ km ; comme on a

$$\bar{y}_o = 6{,}000 > \bar{y}_c = 3415.57$$

on rejette l'hypothèse H_o et l'on accepte au niveau $\alpha = 0.05$ que les pneus Goodway ont une durée moyenne significativement supérieure à celle des pneus Firerock.

Cas 3: variances σ_1^2 et σ_2^2 inconnues et inégales, avec n_1 et n_2 grands

Le test utilisé au cas 2 s'applique seulement lorsqu'on peut supposer que les variances inconnues des populations normales en question sont égales. Pour tester une différence des moyennes lorsque les variances inconnues sont inégales, on utilise plutôt la statistique

$$T = \frac{(\bar{X}_1 - \bar{X}_2) - (\mu_1 - \mu_2)}{\sqrt{\dfrac{S_1^2}{n_1} + \dfrac{S_2^2}{n_2}}}$$

qui n'est rien d'autre en somme que la statistique utilisée lorsque les variances sont connues (cas 1), mais dans laquelle on a remplacé σ_1^2 par S_1^2 et σ_2^2 par S_2^2. Lorsque les tailles n_1 et n_2 des échantillons sont suffisamment grandes

$(n_1 \geqslant 30$ et $n_2 \geqslant 30)$, il est possible de prouver que cette statistique T suit approximativement une distribution normale.

Dans ce cas, si ces conditions sont respectées, pour construire des tests sur $\theta = (\mu_1 - \mu_2)$, on procède comme on l'a fait au cas 1, lorsque les variances σ_1^2 et σ_2^2 étaient connues, sauf que, dans les tests 16, 17 et 18, on remplace partout σ_1^2 et σ_2^2 respectivement par les valeurs s_1^2 et s_2^2 que l'on a observées pour les variances des deux échantillons.

Cas 4: observations couplées provenant d'échantillons dépendants tirés de populations de variances σ_1^2 et σ_2^2 inconnues

Dans les trois cas présentés précédemment, on a testé l'égalité des moyennes μ_1 et μ_2 de deux populations distinctes à partir d'échantillons indépendants tirés de chacune de ces populations. Lorsqu'on veut comparer les moyennes de deux caractéristiques des membres d'une même population, ou encore les moyennes de la même caractéristique observée à deux moments distincts dans le temps on n'a plus affaire ni à des populations indépendantes, ni à des échantillons indépendants. Pour construire un test pour $(\mu_1 - \mu_2)$ à partir d'échantillons dépendants, on utilise l'observation par couples ou par paires (déjà introduite à la section 6.3.2).

Soit $(X_1, ..., X_n)$ le premier échantillon et $(Y_1, ..., Y_n)$ le deuxième échantillon tirés de la population considérée (ou des deux populations considérées). Pour chaque paire (X_i, Y_i) de variables de ces deux échantillons, on définit la différence

$$D_i = (X_i - Y_i),\ i = 1, ..., n.$$

On fait l'hypothèse que, dans la population, la différence $D = (X - Y)$ suit une distribution normale de moyenne μ_D inconnue et de variance σ_D^2 inconnue. Pour construire un test sur $\mu_D = (\mu_X - \mu_Y)$ ou sur $\mu_D = (\mu_1 - \mu_2)$, on utilise la statistique

$$T = \frac{\bar{D} - \mu_{\bar{D}}}{S_{\bar{D}}}$$

$$\bar{D} = \frac{\sum_{i=1}^{n} D_i}{n},$$

$$\mu_{\bar{D}} = \mu_D = (\mu_X - \mu_Y),$$

$$(7.2) \qquad S_{\bar{D}} = \frac{1}{\sqrt{n}} S_D = \frac{1}{\sqrt{n}} \sqrt{\frac{\sum_{i=1}^{n} (D_i - \bar{D})^2}{n-1}}$$

Cette statistique $(\bar{D} - \mu_{\bar{D}}) / S_{\bar{D}}$ suit une distribution de Student à (n - 1) degrés de liberté. On construit alors les tests

Test 22 : $H_o : (\mu_X - \mu_Y) = 0$ contre $H_1 : (\mu_X - \mu_Y) < 0$,
Test 23 : $H_o : (\mu_X - \mu_Y) = 0$ contre $H_1 : (\mu_X - \mu_Y) > 0$,
Test 24 : $H_o : (\mu_X - \mu_Y) = 0$ contre $H_1 : (\mu_X - \mu_Y) \neq 0$,

l'hypothèse $H_o : (\mu_X - \mu_Y) = 0$ pouvant être remplacée par $H_o : (\mu_X - \mu_Y) \geqslant 0$ dans le test 22, et par $H_o : (\mu_X - \mu_Y) \leqslant 0$ dans le test 23.

Ces tests étant essentiellement du même type que les tests **4, 5** et **6**, où $\mu_o = (\mu_x - \mu_y) = 0$ et $\frac{S}{\sqrt{n}}$ est remplacé par $S_{\bar{D}} = \frac{S_D}{\sqrt{n}}$, on en résume directement les principales étapes comme suit:

Test sur la différence $\mu_D = (\mu_X - \mu_Y)$ **des moyennes** de deux variables observées dans la même population, au niveau α , à partir d'échantillons dépendants $(X_1, ..., X_n)$ et $(Y_1, ..., Y_n)$ tirés de cette population, lorsque la différence $D = (X - Y)$ suit une distribution normale de variance σ_D^2 inconnue

. Hypothèse nulle: $\mu_D = (\mu_X - \mu_Y) = 0$

. Statistique utilisée: $(\bar{D} - \mu_{\bar{D}}) / S_{\bar{D}}$, qui suit une distribution du t à (n - 1) degrés de liberté, où $\bar{D} = (\sum_{i=1}^{n} D_i) / n$.

. **Hypothèse alternative - Rejet de H_o si**

$H_1 : \mu_D < 0$ ⟶ $\bar{d}_o < -t_\alpha s_{\bar{D}}$

$H_1 : \mu_D > 0$ ⟶ $\bar{d}_o > +t_\alpha s_{\bar{D}}$

$H_1 : \mu_D \neq 0$ ⟶ $\bar{d}_o < -t_{\alpha/2} s_{\bar{D}}$ ou $\bar{d}_o > +t_{\alpha/2} s_{\bar{D}}$

où $\bar{d}_o = (\sum_{i=1}^{n} d_i) / n$ est la valeur observée pour $\bar{D}$ dans les échantillons, $s_{\bar{D}}$ est défini par (7.2), et $\pm t_\alpha$ et $\pm t_{\alpha/2}$ sont des valeurs de la distribution du t à (n - 1) degrés de liberté.

Si la taille n des deux échantillons est assez grande $(n \geqslant 30)$, on peut utiliser la distribution normale centrée réduite comme approximation de la distribution du t à (n - 1) degrés de liberté dans les tests précédents.

Exemple 7.14. On se replace ici dans le contexte de l'exemple 6.16, où l'on voulait comparer le résultat X obtenu par un groupe d'étudiants en gestion pour le cours de probabilités suivi au trimestre d'automne avec le résultat Y obtenu par ces mêmes étudiants pour le cours de statistique suivi au trimestre d'hiver. A priori, on n'a pas de raison de croire que, en moyenne ces étudiants réussiront mieux ou moins bien en statistique qu'en probabilités. Pour faire cette comparaison, on choisit 5 étudiants au hasard dans le groupe, et l'on note leurs résultats en probabilités et en statistique:

étudiant	A	B	C	D	E
résultat en probabilités	74	66	89	73	90
résultat en statistique	64	54	70	67	77

Sur la base de ces résultats, peut-on dire qu'il y a une différence significative entre μ_X et μ_Y au niveau $\alpha = 0.05$? (On suppose que $D = (X - Y)$ est distribuée normalement). **Solution.** On utilise le test 24.

1° Hypothèses: $H_o : (\mu_X - \mu_Y) = 0$

$H_1 : (\mu_X - \mu_Y) \neq 0$

2° Conditions: $D = (X - Y)$ est distribué normalement avec variance σ_D^2 inconnue

3° Statistique utilisée: $(\bar{D} - \mu_{\bar{D}}) / S_{\bar{D}}$ de distribution du t à $(n-1) = 4$ degrés de liberté.

4° Région critique: on rejette H_o si $\bar{D} < \bar{d}_{c_1}$ ou $\bar{D} > d_{c_2}$ avec

$$\bar{d}_{c_1} = -t_{\alpha/2}\, s_{\bar{D}} = (-2.776)\,(2.12) \simeq -5.88 \text{ et}$$

$$\bar{d}_{c_2} = +t_{\alpha/2}\, s_{\bar{D}} = (+2.776)\,(2.12) \simeq +5.88$$

où $t_{\alpha/2} = t_{0.025} = 2.776$ est la valeur de la distribution du t à 4 degrés de liberté telle que $P(\tilde{t} > 2.776) = 0.025$ et

$$s_{\bar{D}} = \sqrt{\sum_{i=1}^{5} (d_i - \bar{d})^2 / 4\,(5)} \cong 2.12$$

5° La décision: comme valeur observée pour $\bar{D}$ on a

$$\bar{d}_o = \sum_{i=1}^{5} d_i / 5 = 12;$$

comme $\bar{d}_o = 12 \notin [\bar{d}_{c_1}, \bar{d}_{c_2}] = [-5.88, +5.88]$, on rejette H_o et l'on admet qu'il y a une différence significative dans les résultats.

7.2.5 Test sur une différence de proportions $(p_1 - p_2)$

On voudrait maintenant faire un test pour comparer dans deux populations indépendantes les proportions des individus ou des unités qui possèdent une certaine caractéristique. La variable étudiée dans chaque population est une variable de Bernoulli de paramètre p_1 dans la première, et de paramètre p_2 dans la seconde. Pour faire un test sur $(p_1 - p_2)$, on tire indépendamment un échantillon de taille n_1 dans la première population, et un échantillon de taille n_2 dans la seconde. On ne va traiter ici que du cas où n_1 et n_2 sont grands, celui où n_1 et n_2 sont petits étant abordé au chapitre suivant par l'intermédiaire d'un test non paramétrique. Pour construire un test sur $(p_1 - p_2)$ lorsque n_1 et n_2 sont grands $(n_1 \geqslant 30$ et $n_2 \geqslant 30)$, on utilise la statistique

$$T = \frac{(\bar{X}_1 - \bar{X}_2) - (p_1 - p_2)}{\sqrt{\dfrac{p_1 q_1}{n_1} + \dfrac{p_2 q_2}{n_2}}}$$

qui suit approximativement une distribution normale centrée réduite (cf. section 5.4). Dans cette statistique, comme p_1 et p_2 sont inconnus, l'expression au dénominateur représentant l'écart type de $(\bar{X}_1 - \bar{X}_2)$ est inconnue. Selon l'hypothèse $H_o : p_1 = p_2 = p$, on estime cet écart type par

$$\sqrt{\hat{P}(1 - \hat{P})\left[\frac{1}{n_1} + \frac{1}{n_2}\right]}, \text{ où } \hat{P} = \frac{n_1\bar{X}_1 + n_2\bar{X}_2}{n_1 + n_2}$$

Par la suite, à partir de cette statistique T et de cet estimateur, on construit les tests

Test 25 : $H_o : (p_1 - p_2) = 0$ contre $H_1 : (p_1 - p_2) < 0$

Test 26 : $H_o : (p_1 - p_2) = 0$ contre $H_1 : (p_1 - p_2) > 0$

Test 27 : $H_o : (p_1 - p_2) = 0$ contre $H_1 : (p_1 - p_2) \neq 0$

l'hypothèse $H_o : (p_1 - p_2) = 0$ pouvant, dans les tests 25 et 26, être remplaçée par $H_o : (p_1 - p_2) \geqslant 0$ et par $H_o : (p_1 - p_2) \leqslant 0$ respectivement. Ces tests sont résumés comme suit:

Test sur la différence $(p_1 - p_2)$ **des proportions** de deux populations de Bernoulli, au niveau α, lorsque les tailles des échantillons tirés de ces populations sont grandes ($n_1 \geqslant 30$ et $n_2 \geqslant 30$)

- Hypothèse nulle: $H_o : (p_1 - p_2) = 0$

- Statistique utilisée:

$$\frac{(\bar{X}_1 - \bar{X}_2) - (\bar{p}_1 - \bar{p}_2)}{\sqrt{\dfrac{p_1 q_1}{n_1} + \dfrac{p_2 q_2}{n_2}}}$$

qui suit approximativement une distribution normale centrée réduite.

- **Hypothèse alternative** — **Rejet de** H_o **si**

$H_1: (p_1 - p_2) < 0 \longrightarrow \bar{y}_o < - z_\alpha \hat{\sigma}_{(\bar{x}_1 - \bar{x}_2)}$

$H_1: (p_1 - p_2) > 0 \longrightarrow \bar{y}_o > + z_\alpha \hat{\sigma}_{(\bar{x}_1 - \bar{x}_2)}$

$H_1: (p_1 - p_2) \neq 0 \longrightarrow \bar{y}_o < - z_{\alpha/2} \hat{\sigma}_{(\bar{x}_1 - \bar{x}_2)}$ ou $\bar{y}_o > + z_{\alpha/2} \hat{\sigma}_{(\bar{x}_1 - \bar{x}_2)}$

où $\bar{y}_o = (\bar{x}_1 - \bar{x}_2)$ est la valeur observée pour la différence des proportions dans les deux échantillons et

$$\hat{\sigma}_{(\bar{x}_1 - \bar{x}_2)} = \sqrt{\hat{p}\,(1 - \hat{p})\left[\frac{1}{n_1} + \frac{1}{n_2}\right]}, \text{ avec } \hat{p} = \frac{n_1 \bar{x}_1 + n_2 \bar{x}_2}{n_1 + n_2}$$

Exemple 7.15. On se replace dans le contexte de l'exemple 6.17, où l'on voulait comparer les parts du marché p_1 et p_2 (proportions) que possède le produit X dans deux régions distinctes du Québec. A priori, supposons que l'on n'ait pas de raison de croire que ces parts de marché sont différentes. D'un échantillon aléatoire de 1,000 personnes tiré dans la région 1, 520 disent acheter le produit X; d'un échantillon aléatoire de 1,500 personnes tiré dans la région 2, 615 disent acheter le produit X. Est-ce que ces résultats permettent de soutenir qu'il y a bien égalité des parts de marché au niveau $\alpha = 0.05$?

Solution. On utilise le test 27.

1° Hypothèses: $H_o : (p_1 - p_2) = 0$

$H_1 : (p_1 - p_2) \neq 0$

2° Conditions du test: on a affaire à des populations de Bernoulli avec $n_1 \geqslant 30$ et $n_2 \geqslant 30$

3° Statistique utilisée: $\left[(\bar{X}_1 - \bar{X}_2) - (p_1 - p_2)\right] \Big/ \hat{\sigma}_{(x_1 - x_2)}$

qui suit approximativement une distribution normale centrée réduite

4° Région critique: on rejette H_o si $\bar{Y} = (\bar{X}_1 - \bar{X}_2) < \bar{y}_{c_1}$, ou si $\bar{Y} > \bar{y}_{c_2}$ où

$$\bar{y}_{c_1} = - z_{\alpha/2}\sqrt{\hat{p}\,(1 - \hat{p})\left[\frac{1}{n_1} + \frac{1}{n_2}\right]} = - 1.96\sqrt{(.45)\,(.55)\left[\frac{1}{1000} + \frac{1}{1500}\right]}$$

$$\cong - 0.04, \text{ car } \hat{p} = \frac{1000\,(.52) + 1500\,(.41)}{1000 + 1500} \cong 0.45$$

$$y_{c_2} = + z_{\alpha/2}\sqrt{\hat{p}\,(1 - \hat{p})\left[\frac{1}{n_1} + \frac{1}{n_2}\right]} = + 0.04$$

5° La décision: la valeur observée pour la différence des proportions dans les échantillons est

$\bar{y}_o = (\bar{x}_1 - \bar{x}_2) = 0.52 - 0.41 = 0.11$;
puisque l'on a $\bar{y}_o = 0.11 > \bar{y}_{c_2} = 0.04$, on rejette H_o .

Donc au niveau $\alpha = 0.5$, il y a une différence significative entre les parts de marché détenues par le produit X dans les régions 1 et 2.

7.2.6 Test sur un rapport de variances σ_1^2 / σ_2^2

Souvent, en plus de comparer les moyennes de deux populations, on veut aussi en comparer les variances; cette dernière comparaison s'avère particulièrement importante en contrôle de la qualité. De plus, cette comparaison des variances est parfois une condition préalable à la comparaison des moyennes, puisque pour tester l'égalité de deux moyennes lorsque les variances σ_1^2 et σ_2^2 sont inconnues, on a supposé $\sigma_1^2 = \sigma_2^2$. Pour comparer les variances σ_1^2 et σ_2^2 de deux populations distinctes, on tire indépendamment un échantillon de taille n_1 dans la première, et un échantillon de taille n_2 dans la seconde. Le test portera alors sur le rapport σ_1^2 / σ_2^2 des variances inconnues. Pour construire ce test on utilise la statistique

$$T = \frac{S_1^2 / \sigma_1^2}{S_2^2 / \sigma_2^2}$$

où S_1^2 et S_2^2 désignent les variances des échantillons. Si les populations sont normales, cette statistique T suit une distribution de F à $(n_1 - 1)$ et à $(n_2 - 1)$ degrés de liberté. On construit alors les tests

Test 28: $H_o : (\sigma_1^2 / \sigma_2^2) = 1$ contre $H_o : (\sigma_1^2 / \sigma_2^2) < 1$,

Test 29: $H_o : (\sigma_1^2 / \sigma_2^2) = 1$ contre $H_o : (\sigma_1^2 / \sigma_2^2) > 1$,

Test 30: $H_o : (\sigma_1^2 / \sigma_2^2) = 1$ contre $H_o : (\sigma_1^2 / \sigma_2^2) \neq 1$,

l'hypothèse $H_o : (\sigma_1^2 / \sigma_2^2) = 1$ pouvant être remplacée par $H_o : (\sigma_1^2 / \sigma_2^2) \geqslant 1$ et par $H_o : (\sigma_1^2 / \sigma_2^2) \leqslant 1$ dans les tests 28 et 29 respectivement.

Sous l'hypothèse H_o, la statistique $T = [S_1^2 / \sigma_1^2] / [S_2^2 / \sigma_2^2]$ se réduit à $F = S_1^2 / S_2^2$. Dans le cadre du test 28, on rejette H_o si $F = (S_1^2 / S_2^2) < F_{1-\alpha}$. La valeur critique $F_{1-\alpha}$ est la valeur de la distribution du F à $(n_1 - 1)$ et à $(n_2 - 1)$ degrés de liberté à gauche de laquelle il y a une probabilité α, c'est-à-dire la valeur satisfaisant l'égalité

$$P(F < F_{1-\alpha} / n_1 - 1,\ n_2 - 1) = \alpha;$$

cette valeur est représentée à la figure 7.18. De même, dans le cadre du test 29, on rejette H_o si $F = (S_1^2 / S_2^2) > F_\alpha$. La valeur critique F_α est la valeur de la distribution du F à $(n_1 - 1)$ et à $(n_2 - 1)$ degrés de liberté satisfaisant l'égalité

$$P(F > F_\alpha / n_1 - 1,\ n_2 - 1) = \alpha;$$

cette valeur est représentée à la figure 7.18. Enfin, dans le cadre du test 30, on rejette H_o si $F < F_{1-(\alpha/2)}$ ou si $F > F_{\alpha/2}$, les valeurs critiques $F_{1-(\alpha/2)}$ et $F_{\alpha/2}$ étant des valeurs de la distribution du F à $(n_1 - 1)$ et à $(n_2 - 1)$ degrés de liberté telles que

$$P(F < F_{1-(\alpha/2)} / n_1 - 1,\ n_2 - 1) = \alpha/2 \quad \text{et}$$

$$P(F > F_{\alpha/2} / n_1 - 1,\ n_2 - 1) = \alpha/2,$$

valeurs qui sont représentées à la figure 7.18.

FIGURE 7.18

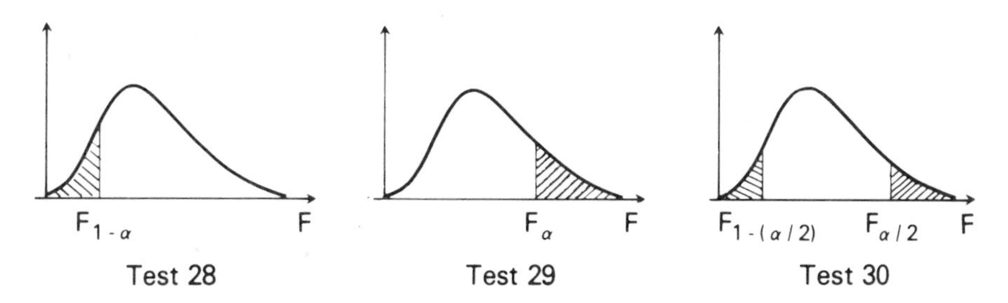

On note que tester l'hypothèse $H_o : (\sigma_1^2 / \sigma_2^2) = 1$ est équivalent à tester l'hypothèse $H_o : \sigma_1^2 = \sigma_2^2$. En résumé, on a donc:

Test sur le rapport $(\sigma_1^2 / \sigma_2^2)$ **des variances** de deux populations normales au niveau α.

- Hypothèse nulle: $H_o : (\sigma_1^2 / \sigma_2^2) = 1$
- Statistique utilisée: $[S_1^2 / \sigma_1^2] / [S_2^2 / \sigma_2^2]$ qui suit une distribution du F à $(n_1 - 1)$ et à $(n_2 - 1)$ degrés de liberté.

• Hypothèse alternative	**Rejet de H_o si**
$H_1 : (\sigma_1^2 / \sigma_2^2) < 1$ ⟶	$F_o < F_{1-\alpha}$
$H_1 : (\sigma_1^2 / \sigma_2^2) > 1$ ⟶	$F_o > F_\alpha$
$H_1 : (\sigma_1^2 / \sigma_o^2) \neq 1$ ⟶	$F_o < F_{1-(\alpha/2)}$ ou $F_o > F_{\alpha/2}$

où $F_o = s_1^2 / s_2^2$, le rapport des variances observées, et F_α, $F_{1-\alpha}$, $F_{\alpha/2}$ et $F_{1-(\alpha/2)}$ sont des valeurs de la distribution du F à $(n_1 - 1)$ et à $(n_2 - 1)$ degrés de liberté.

Exemple 7.16. On se replace dans le contexte de l'exemple 7.13, où l'on cherchait à comparer la durée de vie moyenne des pneus Goodway avec celle des pneus Firerock. Supposons que ces durées de vie soient distribuées normalement, et que leurs variances σ_1^2 et σ_2^2 soient inconnues. On veut vérifier l'égalité des variances. A cette fin, on tire indépendamment un échantillon aléatoire de 10 pneus Goodway et un échantillon aléatoire de 16 pneus Firerock, et l'on obtient $s_1 = 6{,}000$ km et $s_2 = 4{,}000$ km. A partir de ces résultats, peut-on affirmer qu'il y a égalité des variances au niveau $\alpha = 0.02$? **Solution**. On utilise le test 30 pour lequel les hypothèses sont $H_o : (\sigma_1^2 / \sigma_2^2) = 1$ contre $H_1 : (\sigma_1^2 / \sigma_2^2) \neq 1$. Les conditions du test 30 sont satisfaites.

La région critique consiste à rejeter H_o

si $F = (S_1^2 / S_2^2) < F_{1-(\alpha/2)}$

ou si $F > F_{\alpha/2}$

Au niveau $\alpha = 0.02$, les valeurs $F_{1-(\alpha/2)} = F_{0.99}$ et $F_{\alpha/2} = F_{0.01}$ sont les valeurs lues dans la table de la distribution de Fisher à 9 et 15 degrés de liberté telles que $P(F_{0.99} \leqslant F < F_{0.01}) = 0.98$.

On obtient

$$F_{0.01}(9, 15) = 3.89$$

$$F_{0.99}(9, 15) = \frac{1}{F_{0.01}(15, 9)} = \frac{1}{4.96} \simeq 0.202$$

La valeur observée pour F dans l'échantillon est

$$F_o = \frac{s_1^2}{s_2^2} = \frac{(6000)^2}{(4000)^2} = 2.25;$$

puisque l'on a $F_o = 2.25 \in [0.202, 3.89]$, on accepte l'hypothèse H_o selon laquelle il y a égalité des variances.

7.3 ANALYSE DE LA VARIANCE

7.3.1 Introduction

Dans la section précédente, on a présenté certains tests permettant de comparer deux populations relativement à un paramètre déterminé. Ainsi, on a pu comparer les moyennes, les proportions et la variance de deux populations, le test le plus fréquent étant certainement celui portant sur les moyennes. Or souvent en pratique, on cherche à comparer les moyennes de plus de deux populations. Ainsi, dans l'exemple 7.12, on a voulu comparer les durées de vie moyennes des pneus radiaux de "Goodway" et ceux de "Firerock". Il se peut très bien que l'on ait aussi la possibilité d'acheter des pneus radiaux "Michemin" ou des pneus radiaux "Bossroyal". Dans ce cas, nous désirons comparer les durées de vie moyennes des pneus radiaux de ces quatre compagnies. On voudra par exemple vérifier si les durées de vie moyennes de ces quatre marques de pneus sont égales ou différentes, c'est-à-dire si l'hypothèse $H_o : \mu_1 = \mu_2 = \mu_3 = \mu_4$ est vraie ou non. L'une des techniques statistiques qui permet de résoudre ce type de problème est l'**analyse de la variance** qui est due à R.A. Fisher. Cette technique tire son nom du fait qu'elle consiste essentiellement à comparer la variation (ou les variances) **entre** les diverses populations impliquées avec la variation (ou les variances) **à l'intérieur** de chacune de ces populations. Il faut dès maintenant souligner que l'analyse de la variance permet de traiter une grande variété de problèmes. Cependant, dans cette section-ci, on ne présentera que deux applications simples de cette technique, à savoir "l'analyse de la variance à un facteur", et "l'analyse de la variance à deux facteurs sans interaction". Le lecteur désireux d'approfondir l'analyse de la variance pourra consulter des volumes plus spécialisés , comme ceux de W.C. Guenther [23] et de H. Scheffé [30].

7.3.2 Analyse de la variance à un facteur

Dans une analyse de la variance à un facteur, on suppose que l'on est en présence de k populations ($k > 2$). Dans ces k populations, on étudie une certaine variable X. Si l'on note par $X_1, X_2, ..., X_k$ la variable étudiée dans chacune de ces populations, et par $\mu_1, \mu_2, ..., \mu_k$ les moyennes correspondantes, on cherche à tester les hypothèses

$$H_o : \mu_1 = \mu_2 = ... = \mu_k$$

contre

H_1 : ces moyennes ne sont pas toutes égales (c'est-à-dire au moins l'une de ces égalités est fausse).

Pour cela, on tire indépendamment un échantillon aléatoire simple de chacune des k populations.

Exemple 7.17. Un manufacturier de pièces usinées envisage l'achat d'une machine d'un certain type, et il y a quatre machines de ce type qui sont offertes sur le marché par quatre compagnies différentes. Chacune de ces compagnies a envoyé au manufacturier un prototype de la machine qu'elle propose, pour que le manufacturier puisse en faire l'essai. Pour aider le manufacturier à prendre une décision, son gérant de production a noté, pour chacune des 4 machines (machines 1, 2, 3 et 4), son rendement quotidien (nombre de pièces usinées produites par jour) pour un échantillon aléatoire de 3 jours. Il a obtenu les données du tableau 7.2.

TABLEAU 7.2

Machine 1: 20, 23, 23
Machine 2: 17, 20, 20
Machine 3: 16, 17, 24
Machine 4: 21, 26, 25

Dans cet exemple, il y a $k = 4$ populations en cause, chacune de ces populations pouvant être définie comme la production potentielle des 4 machines. Dans chacune de ces populations, on s'intéresse à la variable X, et plus précisément à sa moyenne μ. Si μ_i désigne la moyenne de la population i, c'est-à-dire ici le rendement moyen de la machine i, on veut vérifier si l'hypothèse

$$H_o : \mu_1 = \mu_2 = \mu_3 = \mu_4$$

est acceptable ou non. A cette fin, on a tiré un échantillon de taille $n = 3$ de chaque population ou machine. En considérant les observations obtenues (voir tableau 7.2), on constate qu'il y a, pour une même machine, une certaine variation dans le rendement d'un jour à l'autre. Si, pour chacun des 3 jours choisis, la machine en question a fonctionné dans les mêmes conditions, ce premier type de variation peut être dû simplement au hasard. D'autre part, on constate qu'il y a une certaine variation dans les rendements d'une machine à l'autre. Ce second type de variation pourrait être dû non pas au hasard, mais au fait qu'il y a une différence réelle entre les rendements de ces 4 machines. Dans l'**analyse de la variance à un facteur, on essaie de**

découvrir si un seul facteur, en l'occurrence ici le facteur "machine" (la nature particulière de chaque machine) **peut expliquer ou non les variations constatées dans les observations obtenues.**

Comme hypothèse de base préalable à l'utilisation de l'analyse de la variance, **on suppose que chacune des k populations en cause est normale, et qu'elles ont toutes la même variance** σ^2. Cependant, si la taille des échantillons tirés de ces populations est assez grande, grâce au théorème central limite, l'hypothèse de normalité n'est plus nécessaire. L'analyse de la variance a pour but de vérifier la véracité de l'hypothèse H_o selon laquelle les populations concernées ont les mêmes moyennes; dans le cas de l'exemple 7.17, il s'agit de vérifier si les 4 machines ont les mêmes rendements moyens, c'est-à-dire si l'hypothèse H_o : $\mu_1 = \mu_2 = \mu_3 = \mu_4$ est vraie. Si H_o est vraie, il devient inutile de classifier les 12 observations obtenues (3 observations pour chaque machine) en 4 lignes distinctes, chacune de ces lignes correspondant à un échantillon de taille 3 tiré de chaque machine. En effet, dans ce cas, on peut tout aussi bien considérer ces 12 observations comme un seul échantillon de taille 12 tiré d'une seule population, cette population totale englobant les productions de chacune des machines, et ayant elle aussi une variance σ^2.

L'idée fondamentale de l'analyse de la variance consiste à comparer deux estimations différentes de la variance σ^2 commune aux k populations. On obtient une première estimation de σ^2 à partir de **la variance entre les moyennes des k échantillons**. On détermine une seconde estimation de σ^2 à partir de **la variance (à l'intérieur) de chacun des k échantillons**. On compare ces deux estimations de σ^2 : elles devraient être approximativement égales quand H_o est vraie. En conclusion, si ces deux estimations sont à peu près égales, on accepte H_o.

Voyons maintenant comment on peut formaliser la comparaison de ces deux estimations de σ^2. Nous allons d'abord définir les notations suivantes:

- k = le nombre de populations impliquées,
- μ_i = la moyenne (inconnue) de la population i,
- n_i = la taille de l'échantillon tiré de la population i,
- n = $n_1 + n_2 + \ldots + n_k$ le nombre total d'observations,
- X_{ij} = la jième observation tirée de la population i,
- T_i = la somme des observations de l'échantillon tiré dans la population i,
- $\overline{X}_i$ = la moyenne de l'échantillon tiré de la population i,
- T = la somme de toutes les observations,
- $\overline{X}$ = la moyenne de toutes les observations.

En résumé, si l'on tire indépendamment un échantillon de taille n_i de chacune des k populations, on peut représenter ces échantillons par le tableau 7.3.

TABLEAU 7.3

populations	échantillons	totaux	moyennes
1	$X_{11}\ X_{12} \dots X_{1n_1}$	T_1	$\overline{X}_1$
2	$X_{21}\ X_{22} \dots X_{2n_2}$	T_2	$\overline{X}_2$
.	. . ..	.	
.	. . ..	.	
.	. . ..	.	
k	$X_{k1}\ X_{k2} \dots X_{kn_k}$	T_k	$\overline{X}_k$
		T	$\overline{X}$

Exemple 7.18. A l'exemple 7.17, on a $k = 4$, $n_1 = n_2 = n_3 = n_4 = 3$, $n = 12$. On a obtenu comme réalisations des échantillons

$$x_{11} = 20,\ x_{12} = 23,\ x_{13} = 23,\ x_{21} = 17, \text{ etc.}$$

De là, on a $T_1 = 66,\ T_2 = 57,\ T_3 = 57,\ T_4 = 72,$

$$\overline{X}_1 = 22,\ \overline{X}_2 = 19,\ \overline{X}_3 = 19,\ \overline{X}_4 = 24,$$

$$T = 252 \text{ et } \overline{X} = 21$$

A partir de cette terminologie, on explicite maintenant la comparaison de **la variation entre les échantillons** et de **la variation à l'intérieur des échantillons**, laquelle comparaison constitue la base de l'analyse de la variance. La variation entre les moyennes des échantillons peut être due au facteur en cause, d'où l'on en parlera comme de la **variation due au facteur**. La variation à l'intérieur de chacun des échantillons est une variation due au caractère aléatoire de chacun des échantillons impliqués: on en parlera comme de la **variation due à l'erreur**. On parlera aussi de la **variation totale** de toutes les observations. La variation totale, la variation due au facteur et la variation due à l'erreur sont mesurées par trois quantités appelées **sommes de carrés**, que l'on définit comme suit:

La somme des carrés totale. C'est une expression notée SCT, qui représente la variabilité totale de toutes les observations, et qui est définie comme

$$SCT = \sum_{i=1}^{k} \sum_{j=1}^{n_i} (X_{ij} - \overline{X})^2$$

De la même façon, on a

La somme des carrés due au facteur. C'est une expression notée SCF qui représente la variabilité entre les moyennes des échantillons et qui est définie comme

$$SCF = \sum_{i=1}^{k} \sum_{j=1}^{n_i} (\overline{X}_i - \overline{X})^2$$

Enfin on a:

La somme des carrés due à l'erreur. C'est une expression notée SCE, qui représente la variabilité à l'intérieur de chacun des échantillons, et qui est définie par

$$SCE = \sum_{i=1}^{k} \sum_{j=1}^{n_i} (X_{ij} - \overline{X}_i)^2$$

On peut vérifier mathématiquement que l'égalité suivante est vraie:

$$SCT = SCF + SCE$$

Pour simplifier les calculs de SCF et de SCE, on utilise les formules suivantes, dont on pourrait prouver la véracité:

$$SCF = \sum_{i=1}^{k} \left(\frac{T_i^2}{n_i}\right) - \frac{T^2}{n}$$

$$SCE = \sum_{i=1}^{k} \sum_{j=1}^{n_i} X_{ij}^2 - \sum_{i=1}^{k} \left(\frac{T_i^2}{n_i}\right)$$

A partir des sommes de carrés SCF et SCE, on déduit deux estimateurs indépendants de la variance σ^2 . On prend comme estimateur de la variance entre les moyennes des échantillons (variation due au facteur) la statistique appelée **la moyenne des carrés due au facteur**, que l'on note MCF et qui est définie comme la somme des carrés due au facteur, divisée par (k - 1), c'est-à-dire

$$MCF = \frac{SCF}{k-1}$$

On pourrait vérifier que l'on a

$$MCF = n\,S_{\overline{X}}^2$$

De même, comme estimateur de la variance à l'intérieur de chacun des échantillons (variation due à l'erreur), on utilise la statistique appelée **la**

moyenne des carrés due à l'erreur, que l'on note MCE et qui est définie comme la somme des carrés due à l'erreur, divisée par $(n - k)$, c'est-à-dire

$$MCE = \frac{SCE}{n - k}$$

On peut maintenant procéder au test auquel on s'intéresse. L'hypothèse nulle est $H_o : \mu_1 = \mu_2 = ... = \mu_k$. Si H_o est vraie, on s'attend à ce que les moyennes échantillonnales $\overline{X}_1, \overline{X}_2, ..., \overline{X}_k$ soient à peu près égales et pas très différentes de $\overline{X}$; cela impliquera que la moyenne des carrés due au facteur (MCF) sera "petite", c'est-à-dire qu'elle ne devrait pas être très différente de la moyenne des carrés due à l'erreur (MCE). Par contre, si H_o est fausse, c'est-à-dire si au moins une des valeurs μ_i est différente des autres, on s'attend à ce que MCF soit grande par rapport à MCE.

Pour exprimer formellement cette comparaison entre MCF et MCE, on utilise la statistique

$$F = \frac{MCF}{MCE}$$

En effet, si les k populations sont normales et ont la même variance, et si les k échantillons tirés de ces populations sont indépendants, il est possible de montrer que ce rapport MCF / MCE **suit une distribution du F ou de Fisher à** $(k - 1)$ et $(n - k)$ **degrés de liberté**. A l'aide de cette statistique, on procède à un **test unilatéral à droite**. Au niveau α, il s'agit de trouver dans la table du F à $(k - 1)$ et $(n - k)$ degrés de liberté la valeur F_α telle que $P(F > F_\alpha) = \alpha$, valeur que l'on a représentée à la figure 7.19.

FIGURE 7.19

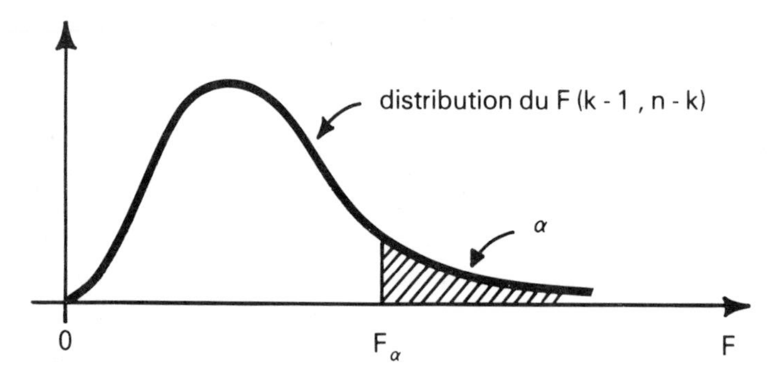

Par la suite on trouve la valeur F_o observée pour la statistique F à partir des k échantillons obtenus. Enfin, si $F_o > F_\alpha$, on rejette H_o; dans le cas contraire, on l'accepte.

Il est habituel et pratique de résumer les principales étapes d'une analyse de la variance dans un tableau appelé **tableau d'analyse de la variance**. Dans le cas d'une analyse à un facteur, ce tableau prend la forme du tableau 7.4.

TABLEAU 7.4:

Tableau d'analyse de la variance à un facteur

Source de variation	Somme des carrés	Degrés de liberté	Moyenne des carrés	Valeur observée pour F
Facteur	SCF	k - 1	MCF	$F_o = \dfrac{MCF}{MCE}$
Erreur	SCE	n - k	MCE	
Total	SCT	n - 1		

Exemple 7.19. On reprend les données de l'exercice 7.18, où l'on voulait comparer les rendements moyens de quatre machines différentes. Pour chacune des 4 machines, on a en main les rendements quotidiens pour un échantillon aléatoire de 3 jours: on retrouve ces données au tableau 7.2. On suppose de nouveau que, pour chacune des machines, le rendement est distribué normalement, et que d'une machine à l'autre, la variance σ^2 du rendement est la même. A partir des observations obtenues, peut-on affirmer qu'il y a une différence significative entre les rendements de ces 4 machines, au niveau $\alpha = 0.05$?

Solution. En utilisant la terminologie décrite précédemment, on peut résumer les observations obtenues dans un tableau de la forme du tableau 7.3. On a

populations	échantillons			totaux	moyennes
1	20	23	23	66	22
2	17	20	20	57	19
3	16	17	24	57	19
4	21	26	25	72	24
				T = 252	$\overline{X} = 21$

On peut alors calculer chacun des éléments intervenant dans le tableau d'analyse de la variance. On obtient

$$SCF = \sum_{i=1}^{4} \left(\frac{T_i^2}{n_i} \right) - \frac{T^2}{n}$$

$$= \left[\frac{(66)^2}{3} + \frac{(57)^2}{3} + \frac{(57)^2}{3} + \frac{(72)^2}{3} \right] - \left[\frac{(252)^2}{12} \right] = 54$$

$$SCE = \sum_{i=1}^{4} \sum_{j=1}^{3} X_{ij}^2 - \sum_{i=1}^{4} \frac{T_i^2}{n_i}$$

$$= \left[(20)^2 + (23)^2 + (23)^2 + (17)^2 + (20)^2 + (20)^2 + (16)^2 + (17)^2 + (24)^2 + (21)^2 + (26)^2 + (25)^2 \right]$$

$$- \left[\frac{(66)^2}{3} + \frac{(57)^2}{3} + \frac{(57)^2}{3} + \frac{(72)^2}{3} \right] = 64$$

Le nombre de degrés de liberté associé au facteur est $k-1 = 3$, et celui associé à l'erreur est $n-k = 12-4 = 8$. De là, il s'ensuit

$$MCF = \frac{SCF}{k-1} = \frac{54}{3} = 18$$

$$MCE = \frac{SCE}{n-k} = \frac{64}{8} = 8$$

et donc la valeur observée de la statistique F est

$$F_o = \frac{MCF}{MCE} = \frac{18}{8} = 2.25$$

Si l'on résume les calculs précédents dans un tableau d'analyse de la variance, on obtient le tableau 7.5.

TABLEAU 7.5

Sources de variation	Somme des carrés	Degrés de liberté	Moyenne des carrés	Valeur observée pour F
Facteur	54	3	18	$F_o = 2.25$
Erreur	64	8	8	
Total	118	11		

Il ne reste alors qu'à déterminer la valeur critique du test. La statistique $F = MCF/MCE$ impliquée ici suit une distribution de Fisher à $(k-1) = 3$ et $(n-k) = 8$ degrés de liberté. Au niveau $\alpha = 0.05$, la valeur $F_{0.05}$ satisfaisant l'égalité

$$P(F > F_{0.05} / 3, 8) = 0.05$$

est donnée par $F_{0.05} = 4.07$

Comme on a $F_o = 2.25 < F_{0.05} = 4.07$, on ne peut pas rejeter l'hypothèse H_o. Donc au niveau $\alpha = 0.05$, on ne peut pas affirmer qu'il y a une différence significative entre les rendements moyens de ces 4 machines.

7.3.3 Analyse de la variance à deux facteurs sans interaction

On se place de nouveau ici à peu près dans le même contexte que celui utilisé dans l'analyse de la variance à un facteur. On veut de nouveau comparer les moyennes de plusieurs populations. Dans le cas d'un seul facteur, on considérait k populations, chacune des k modalités du facteur définissant en quelque sorte une population. Dans l'analyse de la variance à deux facteurs, on étudie une certaine variable X dans plusieurs populations, et l'**on essaie de découvrir s'il y aurait non pas un seul, mais plutôt deux facteurs qui pourraient expliquer les variations de** X. On est ainsi amené à définir k x n populations: chacune des k modalités du premier facteur définit une population, et chacune des n modalités du second facteur définit aussi une population. On veut alors vérifier l'égalité des moyennes de ces populations selon le premier facteur et selon le second facteur.

Exemple 7.20. On se replace dans le contexte de l'exemple 7.17, où l'on essayait de comparer les rendements quotidiens de 4 machines offertes par des compagnies concurrentes. A cette fin, on avait observé, pour chacune des 4 machines, son rendement quotidien à partir d'un échantillon de 3 jours choisis au hasard, ce qui avait permis d'obtenir les données du tableau 7.2. Si l'on ne retient que le facteur "machine" (la nature particulière de la machine), par l'intermédiaire d'une analyse de la variance à un facteur, on ne peut pas affirmer qu'il y a une différence significative entre les rendements moyens de ces 4 machines au niveau $\alpha = 0.05$. La question qui se pose alors est celle de savoir si les variations dans les observations obtenues pourraient être expliquées si, en plus de tenir compte du facteur "machine", on tenait compte aussi d'un second facteur. Ainsi, en discutant avec le gérant de production qui a planifié les expériences sur les 4 machines, on apprend que, pour chaque machine, les 3 observations ont été obtenues par l'intermédiaire de 3 opérateurs différents. Pour chacune des machines, la première observation a été obtenue lorsque l'opérateur A était aux commandes de la machine, la deuxième observation lorsque l'opérateur B était aux commandes, et la troisième observation lorsque l'opérateur C était aux commandes. Le fait de tenir compte de ce deuxième facteur (le facteur "opérateur") place l'expérience sous un jour tout à fait différent. Il se peut très bien que les variations observées dans les rendements soient dues à ce facteur "opérateur". Le fait de tenir compte maintenant des deux facteurs "machine" et "opérateur" conduit à classifier les observations selon ces deux facteurs ("a two-way classification"), tel qu'on l'a fait au tableau 7.6.

TABLEAU 7.6

machine \ opérateur	A	B	C
1	20	23	23
2	17	20	20
3	16	17	24
4	21	26	25

En se référant à ce tableau 7.6, on peut considérer qu'on étudie la variable X (rendement) dans $4 \times 3 = 12$ populations différentes, et que chaque observation x_{ij} (ième ligne et jème colonne) est une valeur de la variable X_{ij} représentant le rendement de la ième machine et du jème opérateur.

Dans l'analyse de la variance à deux facteurs, on essaie de voir dans quelle mesure la variation entre les observations obtenues peut être expliquée par le facteur F_1, par le facteur F_2 ou par l'erreur. Dans l'**analyse de la variance à deux facteurs sans interaction**, on suppose qu'il n'y a pas d'influence ou d'interaction d'un facteur vis-à-vis de l'autre et vice versa. Autrement dit, si l'on se réfère à un tableau de la forme du tableau 7.6, les lignes et les colonnes sont indépendantes: l'effet des lignes sera le même pour chaque colonne, et l'effet des colonnes sera le même pour chaque ligne. D'une façon générale, on a la notation suivante:

k = le nombre de lignes,

n = le nombre de colonnes,

X_{ij} = l'observation de la ligne i et de la colonne j,

$\overline{X}_{i.}$ = la moyenne des observations de la ligne i,

$\overline{X}_{.j}$ = la moyenne des observations de la colonne j,

$\overline{X}$ = la moyenne de toutes les observations,

$T_{i.}$ = la somme des observations de la ligne i,

$T_{.j}$ = la somme des observations de la colonne j,

T = la somme de toutes les observations.

On peut représenter ces valeurs par le tableau 7.7.

TABLEAU 7.7

colonnes / lignes	1	2	...	j	...	n	total	moyenne
1	X_{11}	X_{12}	...	X_{1j}	...	X_{1n}	$T_{1.}$	$\overline{X}_{1.}$
2	X_{21}	X_{22}	...	X_{2j}	...	X_{2n}	$T_{2.}$	$\overline{X}_{2.}$
.	.	.	...	.	...	.	.	.
.	.	.	...	.	...	.	.	.
.	.	.	...	.	...	.	.	.
i	X_{i1}	X_{i2}	...	X_{ij}	...	X_{in}	$T_{i.}$	$\overline{X}_{i.}$
.	.	.	...	.	...	.	.	.
.	.	.	...	.	...	.	.	.
.	.	.	...	.	...	.	.	.
k	X_{k1}	X_{k2}	...	X_{kj}	...	X_{kn}	$T_{k.}$	$\overline{X}_{k.}$
total	$T_{.1}$	$T_{.2}$	...	$T_{.j}$	...	$T_{.n}$	T	
moyenne	$\overline{X}_{.1}$	$\overline{X}_{.2}$	...	$\overline{X}_{.j}$	...	$\overline{X}_{.n}$		$\overline{X}$

Il s'agit maintenant de comparer les variations (variances) dues à chacun des deux facteurs à la variation (variance) due à l'erreur. Ainsi, la variation totale est décomposée en 3 parties: une première composante attribuable au facteur F_1, une deuxième attribuable au facteur F_2, et une troisième attribuable à l'erreur. De la même façon que dans l'analyse de la variance à un facteur, les variations dues à F_1, à F_2 et à l'erreur seront mesurées par l'intermédiaire de sommes de carrés. Ainsi, on a

La somme des carrés totale. C'est une expression notée SCT, qui représente la variabilité totale de toutes les observations, et qui est définie comme

$$SCT = \sum_{i=1}^{k} \sum_{j=1}^{n} (X_{ij} - \overline{X})^2$$

$$= \sum_{i=1}^{k} \sum_{j=1}^{n} X_{ij}^2 - \frac{T^2}{kn}$$

On a aussi:

La somme des carrés due à F_1 (lignes). C'est une expression notée SCF_1, qui représente la variabilité entre les moyennes des lignes et qui est définie comme

$$SCF_1 = n \sum_{i=1}^{k} (\overline{X}_{i} - \overline{X})^2$$

$$= \frac{\sum_{i=1}^{k} T_{i.}^2}{n} - \frac{T^2}{kn}$$

De la même façon, on a:

La somme des carrés due à F_2 (colonnes). C'est une expression notée SCF_2, qui représente la variabilité entre les moyennes des colonnes et qui est définie comme

$$SCF_2 = k \sum_{j=1}^{n} (\overline{X}_{.j} - \overline{X})^2$$

$$= \frac{\sum_{j=1}^{n} T_{.j}^2}{k} - \frac{T^2}{kn}$$

Enfin, on définit:

La somme des carrés due à l'erreur. C'est une expression notée SCE, qui représente la variabilité due au hasard dans les observations, et qui est définie comme

$$SCE = SCT - SCF_1 - SCF_2$$

Par la suite, à partir de ces sommes de carrés, on obtient divers estimateurs de la variance σ^2 commune aux kn populations. Comme estimateur de la variance entre les lignes (variation due au facteur F_1), on prend **la moyenne des carrés due à** F_1 que l'on note MCF_1, et qui est la somme des carrés due à F_1 divisée par $(k-1)$, c'est-à-dire

$$MCF_1 = \frac{SCF_1}{k-1}$$

Comme estimateur de la variance entre les colonnes (variation due à F_2), on prend **la moyenne des carrés due à** F_2 que l'on note MCF_2, et qui est la somme des carrés due à F_2 divisée par $(n-1)$, c'est-à-dire

$$MCF_2 = \frac{SCF_2}{n-1}$$

Comme estimateur de la variance due au hasard, on prend **la moyenne des carrés due à l'erreur** que l'on note MCE, et qui est la somme des carrés due à l'erreur divisée par $(k-1)(n-1)$, c'est-à-dire

$$MCE = \frac{SCE}{(k-1)(n-1)}$$

On peut maintenant procéder aux tests d'hypothèses auxquels on s'intéresse, car en fait, l'**analyse de la variance à deux facteurs conduit à deux tests d'hypothèses.** Un premier test consiste à vérifier si les effets des lignes (facteur 1) sont tous égaux ou non, et un second test consiste à vérifier si les effets des colonnes (facteur 2) sont tous égaux ou non. Pour formuler les hypothèses appropriées, on peut écrire le modèle général sous-jacent qui est le suivant:

$$X_{ij} = \mu_{ij} + \epsilon_{ij}$$

où μ_{ij} est la moyenne de X_{ij}, et ϵ_{ij} représente l'erreur ou l'effet dû au hasard dans ij ième population. Ce μ_{ij} peut encore être décomposé comme suit:

$$\mu_{ij} = \mu + \alpha_i + \beta_j$$

où μ est la moyenne théorique commune aux kn populations, α_i représente l'effet de la ligne i, et β_j représente l'effet de la colonne j. Pour vérifier si les effets des lignes sont égaux, on teste les hypothèses

$$H_o : \alpha_1 = \alpha_2 = \ldots = \alpha_k = 0$$

contre

H_1 : les α_i ne sont pas tous égaux à zéro.

Pour vérifier si les effets des colonnes sont égaux, on teste les hypothèses

$$H_o : \beta_1 = \beta_2 = ... = \beta_n = 0$$

contre H_1 : les β_j ne sont pas tous égaux à zéro.

Pour effectuer le test d'hypothèses concernant l'égalité des effets dus à F_1, on utilise une première statistique F_ℓ (ℓ pour lignes) définie comme le quotient de MCF_1 et de MCE, c'est-à-dire

$$F_\ell = \frac{MCF_1}{MCE}$$

Si la variable X que l'on étudie dans les kn populations est normale (par exemple, relativement à l'exemple 7.6, si le rendement des diverses machines pour les différents opérateurs est normal), on pourrait prouver que cette statistique F_ℓ suit une distribution du F ou de Fisher à $(k-1)$ et à $(k-1)(n-1)$ degrés de liberté. On procède alors à un **test unilatéral à droite** au niveau α. Il s'agit de déterminer dans une table du F la valeur critique F_α telle que $P(F > F_\alpha / (k-1), (k-1)(n-1)) = \alpha$. Par la suite, on compare ces F_α avec la valeur observée pour F_ℓ que l'on va noter $F_{\ell,o}$. Si $F_{\ell,o} > F_\alpha$, on rejette H_o; sinon, on l'accepte.

De la même façon, pour tester l'égalité des effets dus au facteur F_2, on utilise une seconde statistique notée F_c (c pour colonnes) définie par le quotient de MCF_2 et de MCE, c'est-à-dire

$$F_c = \frac{MCF_2}{MCE}$$

Sous l'hypothèse que la variable X que l'on étudie dans la population globale est normale, il est possible de prouver que cette statistique F_c suit une distribution du F ou de Fisher à $(n-1)$ et à $(k-1)(n-1)$ degrés de liberté. On procède alors à un **test unilatéral à droite** au niveau α. On détermine grâce à une table du F, la valeur critique F_α telle que $P(F > F_\alpha / (n-1), (k-1)(n-1)) = \alpha$. Par la suite on compare ce F_α avec la valeur observée pour F_c, que l'on va noter $F_{c,o}$. Si $F_{c,o} > F_\alpha$, on rejette H_o; sinon, on l'accepte.

Comme dans le cas de l'analyse à un seul facteur, il est commode de regrouper les principales étapes de l'analyse de la variance à deux facteurs dans un **tableau d'analyse de la variance**; ce tableau prend alors la forme du tableau 7.8.

TABLEAU 7.8:

Tableau d'analyse de la variance à 2 facteurs

Sources de variation	Somme des carrés	Degrés de liberté	Moyenne des carrés	Valeurs observées pour les F
Facteur 1 (lignes)	SCF_1	k - 1	MCF_1	$F_{\ell,o} = \frac{MCF_1}{MCE}$
Facteur 2 (colonnes)	SCF_2	n - 1	MCF_2	$F_{c,o} = \frac{MCF_2}{MCE}$
Erreur	SCE	(k - 1) (n - 1)	MCE	
Total	SCT	nk - 1		

Exemple 7.21. On reprend l'exemple 7.20, où l'on essayait de comparer les rendements de 4 machines différentes offertes sur le marché. A cette fin, on avait tiré, pour chacune des machines, un échantillon de la production quotidienne de 3 jours choisis au hasard, l'opérateur A étant de service lors de la première journée observée, l'opérateur B étant de service la deuxième journée, et l'opérateur C étant de service la troisième journée. On avait obtenu les 12 observations qui, dans le tableau 7.6, ont été classifiées selon le facteur "machine"' et selon le facteur "opérateur". Grâce à l'analyse de la variance à deux facteurs, en suppposant que le facteur "machine" est indépendant du facteur "opérateur", et que le rendement pour chaque machine et pour chaque opérateur est distribué normalement avec la même variance σ^2, peut-on affirmer au niveau $\alpha = 0.05$

a) qu'il y a une différence significative entre les rendements moyens de ces 4 machines?

b) qu'il y a une différence significative entre les productivités moyennes (rendements) des 3 opérateurs A, B et C?

Solution. En utilisant la terminologie décrite précédemment, on peut résumer les observations obtenues et certaines de leurs caractéristiques, dans un tableau de la forme du tableau 7.7. On a ici

opérateur / machine	A	B	C	total $T_{i.}$	moyenne $\overline{X}_i$
1	20	23	23	66	22
2	17	20	20	57	19
3	16	17	24	57	19
4	21	26	25	72	24
total $T_{.j}$	74	86	92	T = 252	
moyenne $\overline{X}_{.j}$	18.5	21.5	23		$\overline{X} = 21$

On peut alors calculer chacun des éléments intervenant dans le tableau d'analyse de la variance à 2 facteurs. On obtient

$$SCF_1 = \frac{\sum_{i=1}^{4} T_{i.}^2}{n} - \frac{T^2}{kn}$$

$$= \frac{(66)^2 + (57)^2 + (57)^2 + (72)^2}{3} - \frac{(252)^2}{4 \times 3} = 54$$

$$SCF_2 = \frac{\sum_{j=1}^{3} T_{.j}^2}{k} - \frac{T^2}{kn}$$

$$= \frac{(74)^2 + (86)^2 + (92)^2}{4} - \frac{(252)^2}{4 \times 3} = 42$$

$$SCT = \sum_{i=1}^{4} \sum_{j=1}^{3} X_{ij}^2 - \frac{T^2}{kn}$$

$$= \Big[(20)^2 + (23)^2 + (23)^2 + (17)^2 + (20)^2 + (20)^2$$

$$+ (16)^2 + (17)^2 + (24)^2 + (21)^2 + (26)^2 + (25)^2 \Big]$$

$$- \Big[(252)^2 / 12 \Big] = 118$$

$$SCE = SCT - SCF_1 - SCF_2$$

$$= 118 - 54 - 42 = 22$$

Le nombre de degrés de liberté associé au facteur F_1 (lignes) est $(k-1) = (4-1) = 3$, et celui associé au facteur F_2 (colonnes) est

$(n-1) = (3-1) = 2$. Le nombre de degrés de liberté associé à l'erreur est $(k-1)(n-1) = 3 \times 2 = 6$. De là, il s'ensuit que l'on a

$$MCF_1 = \frac{SCF_1}{k-1} = \frac{54}{3} = 18$$

$$MCF_2 = \frac{SCF_2}{n-1} = \frac{42}{2} = 21$$

$$MCE = \frac{SCE}{(k-1)(n-1)} = \frac{22}{6} = 3.67$$

et donc la valeur observée pour la statistique F relativement au facteur F_1 (lignes) est

$$F_{\ell,o} = \frac{MCF_1}{MCE} = \frac{18}{3.67} = 4.90$$

et la valeur observée pour la statistique F relativement au facteur F_2 (colonnes) est

$$F_{c,o} = \frac{MCF_2}{MCE} = \frac{21}{3.67} = 5.72$$

Si l'on résume tous ces calculs dans un tableau d'analyse de la variance, on obtient le tableau 7.9.

TABLEAU 7.9:

Tableau d'analyse de la variance

Souces de variation	Somme des carrés	Degrés de liberté	Moyenne des carrés	Valeurs observées pour les F
Facteur 1 (lignes)	54	3	18	$F_{\ell,o} = 4.90$
Facteur 2 (colonnes)	42	2	21	$F_{c,o} = 5.72$
Erreur	22	6	3.67	
Total	118	11		

a) Pour pouvoir vérifier l'égalité des rendements des 4 machines (facteur F_1), il ne reste qu'à déterminer la valeur critique de la statistique F_ℓ impliquée. La statistique $F_\ell = MCF_1 / MCE$ suit une distribution de Fisher à $(k-1) = 3$ et à $(k-1)(n-1) = 3 \times 2 = 6$ degrés de liberté. Au niveau $\alpha = 0.05$, on obtient

$$F_{0.05} = 4.76$$

Comme on a $F_{l,o} = 4.90 > F_{0.05} = 4.76$, on est amené à rejeter l'hypothèse H_o selon laquelle ces 4 machines ont des rendements moyens égaux.

b) Pour pouvoir vérifier l'égalité des rendements des 3 opérateurs (facteur F_2), on détermine la valeur critique de la statistique F_c impliquée. La statistique $F_c = MCF_2 / MCE$ suit ici une distribution de Fisher à $(n-1) = 2$ et à $(k-1)(n-1) = 3 \times 2 = 6$ degrés de liberté.

Au niveau $\alpha = 0.05$, on obtient

$$F_{0.05} = 5.14$$

Comme on a $F_{c,o} = 5.72 > F_{0.05} = 5.14$, on est amené à rejeter l'hypothèse H_o selon laquelle ces 3 opérateurs ont des rendements moyens égaux.

Autrement dit, par une analyse de variance à deux facteurs, on peut affirmer, au niveau $\alpha = 0.05$, qu'il y a une différence significative entre les rendements moyens des machines 1, 2, 3 et 4, et entre les productivités moyennes des opérateurs A, B et C. Il est à souligner que l'analyse de la variance ne permet pas de déceler quelle est la machine ou quelles sont les machines dont les rendements moyens diffèrent, ni de déceler quel est l'opérateur ou quels sont les opérateurs dont les productivités moyennes diffèrent. Pour répondre à ce type de question, on peut utiliser le test de Scheffé, qui ne sera pas traité dans ce volume mais dont on trouve un exposé dans Guenther [23, p. 58] par exemple.

On signale enfin que, étant donné que l'analyse de la variance requiert habituellement une somme de calculs assez considérable, en pratique on peut utiliser un des nombreux logiciels informatisés qui ont été développés pour effectuer cette analyse. Parmi les logiciels disponibles commercialement, on peut signaler en particulier les logiciels BMD, BMDP, SPSS, SAS et Multivariance.

7.4 TESTS D'HYPOTHESES SELON L'APPROCHE BAYESIENNE

7.4.1 La nature d'un test d'hypothèses bayesien

Jusqu'à maintenant, dans le présent chapitre, on a traité du problème des tests d'hypothèses paramétriques uniquement selon l'approche classique. Dans le contexte de cette approche, on ne cherche pas tellement à utiliser toute l'information disponible sur le (ou les) paramètre(s) impliqué(s), car la façon de départager les deux hypothèses en présence repose seulement sur l'information objective obtenue d'un échantillon. On va maintenant constater que les choses se passent différemment dans l'approche bayesienne. Le propre de l'approche bayesienne en inférence statistique consiste à utiliser toute connaissance, même partielle, des valeurs possibles du paramètre, et à intégrer à cette information a priori l'information objective obtenue d'un échantillon. Dans un premier temps, on va résumer la procédure utilisée dans un test d'hypothèses bayesien, sans faire intervenir les conséquences économiques des décisions impliquées; par la suite, à la section 7.4.2, on verra comment ces conséquences peuvent être intégrées dans le test d'hypothèses, en traitant ce problème comme un problème de décision selon le modèle de décision bayesien déjà présenté au chapitre 4.

D'une façon générale, quelle que soit l'approche utilisée (classique ou bayesienne), dans un problème de test d'hypothèses paramétriques, on suppose que l'on possède une certaine information sur le paramètre θ à tester. Dans l'approche classique, cette information préalable sur θ n'est utilisée que pour préciser la nature des hypothèses que l'on va tester. Par contre, dans l'approche bayesienne, on veut mettre davantage à profit cette information a priori: non seulement elle permettra de préciser la nature des hypothèses à tester, mais elle servira de point de départ pour le choix entre les deux hypothèses. En effet, au lieu de considérer θ comme un simple paramètre comme dans l'approche classique, on va le traiter comme une variable aléatoire (que l'on va noter $\tilde{\theta}$); on suppose que l'information partielle que l'on possède sur $\tilde{\theta}$ permet de lui assigner une distribution de probabilité a priori $f_o(\theta)$. Par la suite il est possible d'intégrer à cette distribution à priori l'information objective obtenue sur θ par un échantillon aléatoire tiré dans la population; il en résulte pour θ une distribution a posteriori $f(\theta / \underline{x})$, où $\underline{x} = (x_1, ..., x_n)$ est la valeur observée pour l'échantillon. Dans un test bayesien **la règle de décision** est simple: comme θ est considéré comme une variable aléatoire, on peut calculer à tout moment les probabilités que les hypothèses H_o et H_1 soient vraies, et selon les valeurs de ces probabilités, on accepte ou rejette H_o. Ce calcul des probabilités associées à chaque hypothèse peut être effectué d'abord sur la base de la distribution de probabilité a priori de $\tilde{\theta}$, puis sur la base de sa distribution a posteriori, cette dernière distribution pouvant être revisée autant de fois que cela s'avère rentable.

Exemple 7.22. Reprenons l'exemple 4.32 (ou l'exemple 6.23) concernant le kilométrage moyen par pneu pour les pneus fabriqués chez Fristone Inc. On veut vérifier si ce kilométrage moyen pour les pneus provenant de la nouvelle production est au moins de 30,000 km. A priori on croit que oui puisque l'on a attribué aux valeurs possibles de ce paramètre une distribution normale de moyenne $\mu_o = 34{,}000$ km. Cependant, comme la variabilité dans le kilométrage moyen d'un lot à l'autre est très grande, on n'est pas certain de cette valeur, et c'est pourquoi on a un $\sigma_o = 6{,}000$ km. Pour confronter l'hypothèse H_o selon laquelle on a $\mu \geq 30{,}000$ km contre l'hypothèse H_1 selon laquelle on a $\mu < 30{,}000$ km, on tire un échantillon aléatoire de 25 pneus de la nouvelle production, et l'on observe un kilométrage moyen $\bar{x} = 28{,}000$ km. Sur la base de ces informations, devrait-on accepter ou rejeter H_o, si l'on suppose de nouveau que, dans la population, le kilométrage par pneu se distribue selon une normale avec un écart type $\sigma = 4{,}000$ km? **Solution.** Les hypothèses en présence sont

$$H_o : \mu \geq 30{,}000 \quad \text{contre} \quad H_1 : \mu < 30{,}000$$

A priori, on a $\tilde{\mu} \in N(34{,}000\ ,\ 6{,}000)$. Les probabilités a priori de chacune des hypothèses sont

$$P_o(H_o) = P(\tilde{\mu} \geqslant 30{,}000)$$

$$= P\left(\frac{\tilde{\mu} - \mu_o}{\sigma_o} \geqslant \frac{30{,}000 - 34{,}000}{6{,}000}\right)$$

$$= P(Z \geqslant -0.66) = 0.745$$

et $P_o(H_1) = P(\tilde{\mu} < 30{,}000) = 0.255$

A priori, on est donc porté à accepter H_o, mais comme σ_o est assez grand, on a jugé plus prudent de retarder la décision et d'observer un échantillon. On intègre donc à cette information a priori le résultat statistique $\bar{x} = 28{,}000$ observé dans l'échantillon de taille $n = 25$; on est ainsi conduit a posteriori à une nouvelle distribution de probabilité pour la variable aléatoire $\tilde{\mu}$ (objet du test). La distribution a posteriori de $\tilde{\mu}$ (cf. exemple 4.32) est une distribution normale de moyenne μ_1 et d'écart type σ_1, où μ_1 et σ_1 sont donnés par

$$\mu_1 = \frac{\left(\frac{1}{\sigma_o^2}\right)\mu_o + \left(\frac{n}{\sigma_2}\right)\bar{x}}{\frac{1}{\sigma_o^2} + \frac{n}{\sigma^2}} \simeq 28{,}105 \text{ km}$$

$$\text{et } \sigma_1 = \sqrt{\frac{\sigma_o^2 \cdot \sigma^2}{\sigma^2 + n\sigma_o^2}} \simeq 794 \text{ km}$$

On peut calculer les probabilités a posteriori que les hypothèses H_o et H_1 soient vraies; on obtient

$$P_1(H_o) = P(\tilde{\mu} \geqslant 30{,}000)$$

$$= P\left(Z \geqslant \frac{30{,}000 - 28{,}105}{794}\right)$$

$$= P(Z \geqslant 2.39) \simeq 0.009$$

d'où $P_1(H_1) = P(\mu < 30{,}000) \simeq 0.991$.

On voit donc a posteriori que l'hypothèse H_o est très peu probable, et qu'on devrait la rejeter.

Relations entre un test classique et un test bayesien

Lorsqu'on fait un test d'hypothèses classique et qu'on connaît le résultat de l'échantillon, on peut se demander quelle est la plus petite valeur de

α (que l'on note α_o) pour laquelle l'hypothèse H_o devrait être rejetée. La valeur α_o calculée pour un échantillon particulier mesure la probabilité d'observer pour cet échantillon un résultat statistique "aussi inattendu" que celui actuellement observé lorsque l'hypothèse H_o est vraie. Ce calcul revient à faire ce que l'on appelle un **test de signification**, et lorsque la valeur α_o est plus petite ou égale à une valeur α fixée, on dit que le test est significatif, c'est-à-dire que l'on doit rejeter H_o. Dans le contexte de l'approche bayesienne, si a priori on ne connaît rien sur les valeurs possibles du paramètre (ignorance totale), on peut assigner à ce paramètre une distribution a priori "diffuse", ou une distribution a priori ne contenant aucune information (par exemple, une distribution a priori uniforme sur [0,1] pour le paramètre p, ou une distribution normale avec un écart type σ_o tendant vers l'infini pour le paramètre μ) ; dans ce cas, l'approche bayesienne conduit à des résultats numériques identiques à ceux obtenus avec l'approche classique. Cependant il y a une différence importante entre les deux approches au niveau de l'interprétation des résultats, comme l'illustrent les deux exemples suivants:

Exemple 7.23. Reprenons l'exemple 7.22 en effectuant d'abord un test de signification classique, et en calculant ensuite la probabilité que H_o soit vraie si l'on suppose que, a priori, $\tilde{\mu} \in N(\mu_o, \sigma_o)$, avec σ_o tendant vers l'infini.
Solution. a) Test classique. Comme on a $H_o : \mu \geqslant 30{,}000$ km, il est assez inattendu d'observer comme résultat d'un échantillon provenant de cette population une valeur de $\overline{X}$ qui est plus petite que 28,000 km. Dans un test de signification, pour obtenir une valeur qui soit comparable à $\alpha = P(\overline{X} < x_c \,/\, H_o)$, on calcule $P(\overline{X} < 28{,}000 \,/\, H_o)$. Pour faire ce calcul, on utilise parmi les valeurs de $\mu \in H_o$ la valeur $\mu = 30{,}000$, car cette valeur de μ conduit à une borne supérieure pour $P(\overline{X} < 28{,}000 \,/\, H_o)$. On a donc

$$P(\overline{X} < 28{,}000 \,/\, H_o) \leqslant P(\overline{X} < 28{,}000 \,/\, \mu = 30{,}000) = \alpha_o$$

$$= P\left(Z < \frac{28{,}000 - 30{,}000}{4{,}000 \,/\, \sqrt{25}}\right) = .006$$

Au niveau $\alpha = 0.01$, le test serait significatif (on rejetterait H_o), car on aurait alors $\alpha = 0.01 > \alpha_o = 0.006$.

b) **Test bayesien.** Si, a priori, $\tilde{\mu} \in N(\mu_o, \sigma_o)$, où σ_o tend vers l'infini, alors a posteriori $\mu \in N(\tilde{\mu}_1, \sigma_1)$, où

$$\mu_1 = \frac{\left(\frac{1}{\sigma_o^2}\right)\mu_o + \left(\frac{n}{\sigma^2}\right)\bar{x}}{\frac{1}{\sigma_o^2} + \frac{n}{\sigma^2}} = \bar{x} = 28{,}000, \text{ puisque } \sigma_o \rightarrow \infty$$

et $\quad \sigma_1 = \frac{\sigma}{\sqrt{n}} = \frac{4,000}{\sqrt{25}} = 800$, puisque $\frac{1}{\sigma_1^2} = \frac{1}{\sigma_o^2} + \frac{n}{\sigma^2}$ et $\sigma_o \rightarrow \infty$.

La probabilité a posteriori que H_o soit vraie est

$$P(H_o) = P(\tilde{\mu} \geqslant 30,000) = P\left(Z \geqslant \frac{30,000 - 28,000}{800}\right)$$

$$= .006\,.$$

Bien que le résultat numérique est identique à celui obtenu dans le cadre du test classique, l'interprétation ne l'est pas. La différence est illustrée aux figures 7.20 et 7.21. La fonction de densité centrée sur $\bar{x} = 30,000$

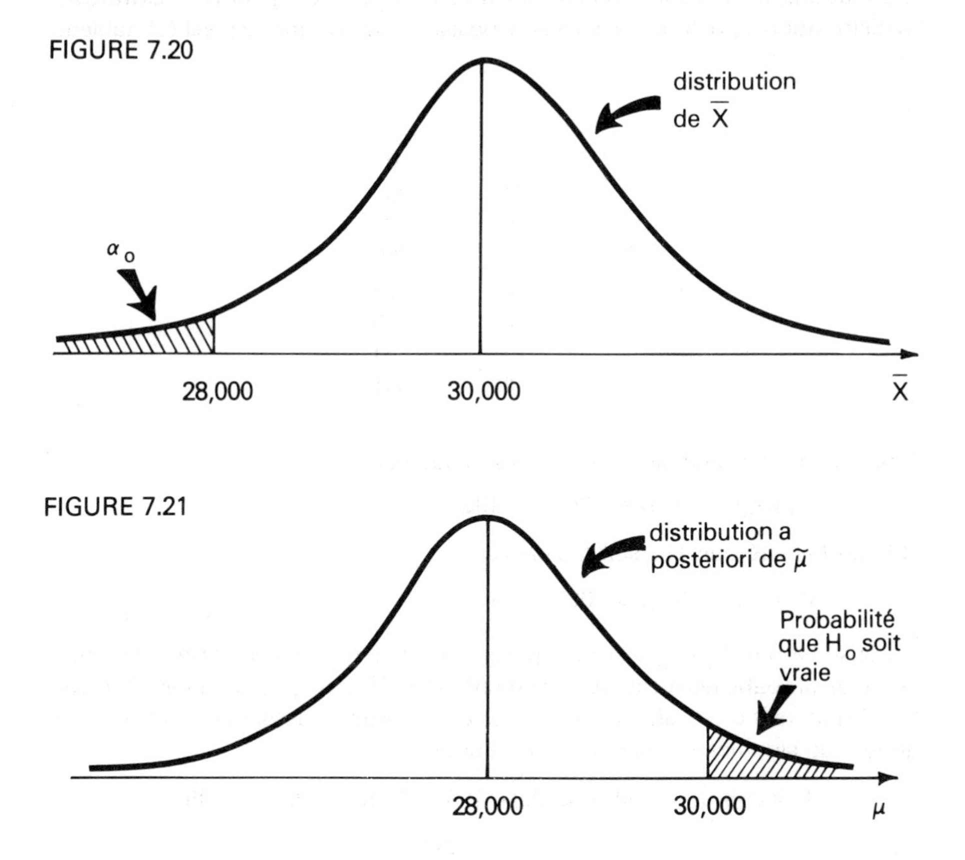

FIGURE 7.20

FIGURE 7.21

(figure 7.20) est la distribution d'échantillonnage de $\bar{X}$ étant donné $\mu = 30,000$ (sous H_o). La surface hachurée représente la valeur α_o, c'est-à-dire la probabilité d'observer un résultat "inattendu" pour une distribution d'échantillonnage spécifiée par H_o. La courbe centrée sur $\mu = 28,000$ (figure 7.21) est la distribution a posteriori de μ, et la surface hachurée sous cette courbe représente la probabilité a posteriori que H_o soit vraie.

Exemple 7.24. Reprenons l'exemple II du chapitre 4, et reformulons-le comme un problème de test d'hypothèses, où les hypothèses sont

$$H_o : p \leqslant .05 \quad \text{contre} \quad H_1 : p > .05,$$

p étant la fraction des membres du club qui achèteraient l'ouvrage s'il était réédité. La valeur .05 est le point mort: s'il y a moins de 5% des membres qui achètent l'ouvrage, il n'est pas rentable de le rééditer, alors que cela l'est si cette fraction est plus grande que .05. La distribution a priori des valeurs possibles du paramètre p est donnée au tableau 4.4 (section 4.1). La distribution a posteriori obtenue après un sondage auprès de 100 membres qui a conduit à 6 commandes, a été calculée au tableau 4.6. Sur la base de ces informations, le président du club devrait-il accepter ou rejeter H_o? **Solution.** La distribution a posteriori des valeurs possibles du paramètre p est (cf. tableau 4.6)

p	P_1 (p)
.01	0
.02	.004
.03	.039
.04	.159
.05	.283
.06	.286
.07	.181
.08	.048
	1

A posteriori, la probabilité que H_o soit vraie est

$$P_1(H_o) = P(\tilde{p} \leqslant .05) = .485,$$

et la probabilité que H_o soit fausse est

$$P_1(H_1) = P(\tilde{p} > .05) = .515.$$

On observe que $P_1(H_o)$ est plus petite que $P_1(H_1)$, mais la différence entre ces deux probabilités n'est probablement pas suffisante pour conduire à rejeter H_o. On obtient un résultat équivalent avec l'approche classique. En effet, dans un test de signification classique, on aurait

$$P(X > 6 / n = 100, p \leqslant .05) \leqslant P(X > 6 / n = 100, p = .05)$$
$$= .234 = \alpha_o,$$

d'où le test ne serait pas significatif au niveau $\alpha = .05$, ni même au niveau $\alpha = 0.1$. Il ne faudrait cependant pas croire que les résultats obtenus avec l'approche bayesienne correspondent toujours à ceux obtenus avec l'approche classique.

On doit faire remarquer que la probabilité $P(H_o)$ perd son sens lorsque H_o est une hypothèse simple, par exemple $\theta = \theta_o$ dans un test bilatéral, et lorsque θ est traité comme une variable aléatoire continue. En effet, dans ce cas, on a toujours $P(H_o) = 0$ à moins que l'on définisse une masse de probabilité au point $\theta = \theta_o$, et alors, a posteriori, on a une distribution de probabilité mixte. Une autre solution à ce problème est de modifier l'hypothèse H_o en l'exprimant comme $H_o : \theta_o - \Delta \leqslant \theta \leqslant \theta_o + \Delta$, c'est-à-dire de considérer que θ est au voisinage de θ_o plutôt que exactement égal à θ_o, ce qui est peut-être plus réaliste. On ne rencontre pas ce problème si θ est traité comme une variable aléatoire discrète, puisque dans ce cas on a une masse de probabilité pour chacune des valeurs possibles du paramètre. Alors, pour deux hypothèses simples, on peut par exemple construire un test fondé sur le rapport des probabilités a posteriori.

Le rapport des chances. On a vu que, pour tester deux hypothèses simples $H_o : \theta = \theta_o$ contre $H_1 : \theta = \theta_1$, le meilleur test de niveau α est déterminé par le lemme de Neyman-Pearson, lequel est basé sur le rapport des vraisemblances

$$RL = \frac{L(\underline{x}/\theta_1)}{L(\underline{x}/\theta_o)}$$

où $\underline{x} = (x_1, x_2, ..., x_n)$ est le résultat statistique observé dans l'échantillon. Si le résultat observé $\underline{x}$ est beaucoup plus vraisemblable pour $\theta = \theta_1$ que pour $\theta = \theta_o$, c'est-à-dire $RL > K\ (>1)$, alors on est porté à rejeter H_o. Avec l'approche bayesienne, on ne considère pas uniquement l'information fournie par l'évidence statistique mesurée par la vraisemblance, mais également l'information collatérale mesurée par les probabilités a priori. Les deux types d'information sont intégrés pour donner les probabilités a posteriori. Alors, plutôt que d'utiliser le rapport des vraisemblances, on utilise le rapport des probabilités a posteriori.

$$RP_1 = \frac{P_1(\theta_1 / \underline{x})}{P_1(\theta_o / \underline{x})}$$

Puisque, selon la règle de Bayes, on a

$$P_1(\theta_i / \underline{x}) = \frac{P_o(\theta_i)\, L(\underline{x} / \theta_i)}{P(\underline{x})}, \quad i = 0 \text{ ou } 1,$$

on obtient ainsi

$$RP_1 = RL \times RP_o$$

où $RP_o = \dfrac{P_o(\theta_1)}{P_o(\theta_o)}$ = rapport des probabilités a priori. Alors on rejette H_o si $RP_1 = RL \times RP_o > K\ (>1)$, c'est-à-dire si la probabilité a posteriori que $\theta = \theta_1$ est beaucoup plus grande que la probabilité a posteriori que $\theta = \theta_o$.

Exemple 7.25. Une maison recevant ses commandes par la poste avec un marché potentiel fixé à 100,000 clients se demande si elle aurait avantage à introduire une nouvelle ligne de produits. Après certains calculs, elle arrive à la conclusion qu'il serait profitable de vendre cette nouvelle ligne, si au moins 30% de ses clients potentiels achetaient ce produit. Afin de simplifier son analyse, le responsable des ventes retient deux hypothèses: une hypothèse H_0 selon laquelle il y aurait 20% des clients potentiels qui se procureraient le produit s'il était mis en vente, et une hypothèse H_1 où p = 40%. A priori, il attribue respectivement à chacune de ces deux hypothèses des probabilités de .60 et .40. Si le responsable des ventes fait un sondage auprès de 100 clients, et si 31 d'entre eux manifestent l'intention d'acheter le nouveau produit s'il est mis en vente, quelle est l'hypothèse que le responsable devrait retenir?

Solution. On calcule les probabilités a posteriori de chacune des deux hypothèses.

p	$P_o(p)$	Vraisemblances $P(X = 31 / n = 100, p)$	Pr. jointes $P((x=31) \cap p)$	$P_1(p)$
H_o : 20%	.60	.003	.0018	.23
H_1 : 40%	.40	.015	.0060	.77
	1		.0078	1

Le rapport des probabilités a posteriori est

$$RP_1 = \frac{P_1(H_1)}{P_1(H_o)} = \frac{.77}{.23} = 3.35\,.$$

Le rapport des chances montre donc qu'a posteriori l'hypothèse $H_1 : p = 40\%$ est 3.35 fois plus probable que l'hypothèse $H_o : p = 20\%$. Le responsable retiendra probablement l'hypothèse H_1 selon laquelle 40% des clients potentiels se procureront le produit s'il est mis en vente.

7.4.2 Application du modèle bayesien de décision aux tests d'hypothèses

Dans le contexte de l'approche bayesienne, comme on l'a vu dans la section précédente, on essaie de tenir compte de toute l'information partielle disponible sur le paramètre pour départager les deux hypothèses en présence concernant le paramètre impliqué. Cette façon de procéder peut permettre de faire un choix moins risqué que la méthode mise de l'avant par l'approche classique, où toute la décision est basée uniquement sur l'évidence statistique fournie par l'échantillon. Cependant, même en utilisant l'approche bayesienne, et même si a posteriori la probabilité que l'hypothèse H_1 soit vraie est plus grande que celle que H_0 soit vraie, on peut se tromper en retenant H_1. Il est impossible d'éliminer complètement les risques d'erreur. Toutefois, il est possible d'améliorer encore la procédure du choix de l'hypothèse à retenir. En effet, jusqu'à maintenant, on n'a considéré qu'une seule composante du risque, à savoir les probabilités d'erreur associées aux décisions. Or il est possible de mesurer aussi le risque en fonction des conséquences économiques associées à chaque décision. La décision d'accepter ou de rejeter une hypothèse ne dépend pas seulement de la probabilité que cette hypothèse soit vraie, mais également des conséquences économiques reliées à cette décision. Le modèle de décision bayesien présenté au chapitre 4 permet de tenir compte dans un test d'hypothèses de ces deux composantes du risque.

En considérant un problème de test d'hypothèses comme un problème de décision selon le modèle de décision bayesien, on est amené à ajouter au tableau de la figure 7.1 donnant les probabilités associées à chacun des quatre couples (état, action) les conséquences économiques exprimées en termes de regrets, lesquels sont représentés à la figure 7.22.

FIGURE 7.22:

Regrets

actions / états	a_1 : accepter H_o	a_2 : rejeter H_o
H_o est vraie	0	$R(E_I)$ *
H_o est fausse	$R(E_{II})$ *	0

* $R(E_i)$ = le regret relié à l'erreur E_i, i = I ou II.

Selon ce point de vue, si l'on utilise le critère de la valeur espérée, on retient l'hypothèse qui conduit au regret espéré minimum.

Les regrets espérés a posteriori des actions a_1 et a_2 sont:

$$\overline{R}(a_1) = 0 \,.\, P_1(H_o) + R(E_{II}) \,.\, [1 - P_1(H_o)]$$

$$\text{et } \overline{R}(a_2) = R(E_I) \,.\, P_1(H_o) + 0 \,.\, [1 - P_1(H_o)] \,.$$

Selon le critère de la valeur espérée, on rejette H_o si

$$\overline{R}(a_2) < \overline{R}(a_1),$$

c'est-à-dire si

$$R(E_I)\, P_1(H_o) < R(E_{II})\, [1 - P_1(H_o)]$$

ou encore si

$$\frac{P_1(H_1)}{P_1(H_o)} = \frac{1 - P_1(H_o)}{P_1(H_o)} > \frac{R(E_I)}{R(E_{II})} \,.$$

Autrement dit, on rejette H_o si le rapport des chances en faveur de H_1 est plus grand qu'une certaine valeur qui est égale au rapport des regrets. On a donc

Test d'hypothèses bayesien. Pour tester H_o contre H_1, la meilleure règle selon le modèle bayesien de décision est la suivante: on rejette H_o si

$$\frac{P_1(H_1)}{P_1(H_o)} > K$$

où $K = R(E_I) / R(E_{II})$, R exprime le regret associé au choix de chacune des deux hypothèses, et P_1 exprime les probabilités a posteriori de ces hypothèses.

En particulier, lorsqu'on est en présence de deux hypothèses simples $H_o : \theta = \theta_o$ contre $H_1 : \theta = \theta_1$, la fonction de regret est $R(E_I) = R(\theta_o, a_2)$ et $R(E_{II}) = R(\theta_1, a_1)$, et les probabilités a posteriori sont $P_1(H_o) = P_1(\widetilde{\theta} = \theta_o)$ et $P_1(H_1) = P_1(\widetilde{\theta} = \theta_1)$. Alors, on rejette H_o si

$$RP_1 > \frac{R(\theta_o, a_2)}{R(\theta_1, a_1)}$$

ou encore (pour faire le lien avec le test sur le rapport des vraisemblances) si

$$RL > K = \frac{P_o(\theta_o)}{P_o(\theta_1)} \cdot \frac{R(\theta_o, a_2)}{R(\theta_1, a_1)}$$

puisque $RP_1 = RL \,.\, (P_o(\theta_1) / P_o(\theta_o))$. On obtient ainsi une façon concrète de déterminer la valeur de K.

Exemple 7.26. Reprenons l'exemple 7.25 et déterminons l'hypothèse que le responsable des ventes devrait retenir après son évaluation des regrets reliés aux erreurs tels que donnés au tableau 7.10.

TABLEAU 7.10: **Regrets**

	a_1	a_2	$P_1(p)$
H_o: $p = 20\%$	0	\$50,000	.23
H_1: $p = 40\%$	\$20,000	0	.77

Les probabilités a posteriori ont été calculées à l'exemple 7.25. On a obtenu $P_1(\widetilde{p} = 20\%) = .23$ et $P_1(\widetilde{p} = 40\%) = .77$. Les regrets espérés de a_1 et a_2 sont donc

$$\bar{R}(a_1) = 0 + 20{,}000 \times .77 = \$15{,}400$$

$$\text{et} \quad \bar{R}(a_2) = 50{,}000 \times .23 + 0 = \$11{,}500$$

L'action de Bayes est $a^* = a_2$, c'est-à-dire rejeter H_o et retenir $p = 40\%$. C'est bien le résultat que l'on obtient si l'on utilise le rapport des chances, et selon lequel on rejette H_o si

$$\frac{P_1(H_1)}{P_1(H_o)} > \frac{R(E_I)}{R(E_{II})} \quad \text{puisque}$$

$$\frac{P_1(H_1)}{P_1(H_o)} = \frac{.77}{.23} = 3.35 > \frac{R(E_I)}{R(E_{II})} = \frac{50{,}000}{20{,}000} = 2.50$$

ou encore en utilisant le rapport des vraisemblances, puisqu'on a

$$RL = \frac{.015}{.003} = 5 > \frac{P_o(\tilde{p} = 20\%)}{P_o(\tilde{p} = 40\%)} \cdot \frac{R(p_o, a_2)}{R(p_1, a_1)} = \left(\frac{.60}{.40}\right)\left(\frac{50{,}000}{20{,}000}\right) = 3.75\,.$$

En général, à moins que l'on prenne $R(E_I) = R(E_{II}) = 1$, comme cela est fait implicitement lorsque l'on mesure le risque uniquement par les probabilités α et β de commettre les erreurs E_I et E_{II}, les regrets $R(E_I)$ et $R(E_{II})$ varient avec la valeur du paramètre θ lorsque les hypothèses sont composées. Le cas le plus simple pour un test unilatéral est celui où la fonction de regret est composée de deux fonctions linéaires. Par exemple, si les hypothèses sont

$$H_o : \theta \leqslant \theta_o \text{ contre } H_1 : \theta > \theta_o$$

la fonction de regret est de la forme

$$R(E_I) = k_I\,(\theta_o - \theta) \text{ si } \theta \leqslant \theta_o$$

$$R(E_{II}) = k_{II}\,(\theta - \theta_o) \text{ si } \theta > \theta_o,$$

où k_I et k_{II} sont des constantes.

Alors, si l'expérimentation a été faite et si l'on connaît son résultat, on calcule la distribution a posteriori du paramètre θ, ainsi que les regrets espérés de chaque action. Ces regrets espérés sont

$$\bar{R}(a_2) = \int_{-\infty}^{\theta_o} k_1\,(\theta_o - \theta)\, f_1(\theta)\, d\theta\,,$$

$$\bar{R}(a_1) = \int_{\theta_o}^{-\infty} k_{II}\,(\theta - \theta_o)\, f_1(\theta)\, d\theta\,,$$

lorsque θ est traité comme une variable aléatoire continue, et

$$\bar{R}(a_2) = \sum_{\theta \leqslant \theta_o} k_I\,(\theta_o - \theta)\, P_1(\theta)\,,$$

$$\bar{R}(a_1) = \sum_{\theta > \theta_o} k_{II}\,(\theta - \theta_o)\, P_1(\theta)\,,$$

lorsque θ est traité comme une variable aléatoire discrète. Essentiellement, on est amené à faire une analyse a posteriori comme dans la section 4.3.2, et cela pour des problèmes à deux actions: accepter (a_1) ou rejeter (a_2) l'hypothèse H_o. Le plus souvent l'hypothèse H_o est définie en relation avec le point mort.

Exemple 7.27. Reprenons l'exemple 7.24 en y ajoutant les données économiques qui permettent de construire la fonction de regret suivante:

$$R(E_I) = \$60{,}000\ (.05-p)\,,\ \text{si } p \leqslant .05$$

$$\text{et } R(E_{II}) = \$60{,}000\ (p-.05)\,,\ \text{si } p > .05\,.$$

Compte tenu de ces données économiques, doit-on accepter ou rejeter H_o?
Solution. On calcule le regret espéré de chaque action, ce qui donne

$$\overline{R}(a_2) = \sum_{p \leqslant .05} \$60{,}000\ (.05-p)\ P_1(p) = \$149.40$$

$$\text{et } \overline{R}(a_1) = \sum_{p > .05} \$60{,}000\ (p-.05)\ P_1(p) = \$320.76$$

Puisqu'on veut minimiser les regrets espérés, on choisit l'action a_2 consistant à rejeter H_o. En se basant uniquement sur les probabilités, on avait conclu que l'on ne pouvait rejeter H_o (cf. exemple 7.25).

Si l'expérimentation n'est pas faite et que l'on doit construire le test "optimal", on doit alors se reporter à la section 4.3.3 sur l'analyse prépostérieure. Ce type d'analyse permet non seulement de déterminer la région critique, c'est-à-dire la région de rejet de H_o, mais également la taille optimale de l'échantillon. On termine cette section sur les tests d'hypothèses selon l'approche bayesienne en présentant un exemple de la construction d'un test d'hypothèse unilatéral à partir d'une analyse prépostérieure de forme normale.

Exemple 7.28. Une machine automatique servant à la production doit être arrêtée périodiquement pour y remplacer certaines pièces défectueuses. On peut profiter de cette occasion pour effectuer un ajustement très minutieux de la machine, et ainsi s'assurer qu'en moyenne il y aura 1% des éléments produits par cette machine qui seront défectueux. On peut également effectuer un ajustement routinier, mais alors on n'est pas certain du % des éléments produits qui seront défectueux. On suppose que le processus de production se comporte comme un processus de Bernoulli. On produit en moyenne 1,000 éléments entre chaque arrêt. Le coût supplémentaire d'un ajustement minutieux est évalué à \$300, et le coût unitaire d'un élément défectueux est de \$10.00. Le coût d'un ajustement minutieux est donc de

$$\$300. + 1{,}000 \times .01 \times \$10 = \$400,$$

et celui d'un ajustement routinier de

$$1{,}000 \times p \times \$10 = \$10{,}000\ p,$$

où p est la fraction d'éléments défectueux dans un lot de 1,000 éléments. Il est facile de déterminer que le point mort se situe à $p^o = .04$, c'est-à-dire que si $p \leqslant .04$, l'ajustement minutieux n'est pas tellement justifié, alors qu'il le serait si $p > .04$. On pose comme hypothèses

$H_o : p \leqslant .04$ contre $H_1 : p > .04$.

Sur la base de notre expérience, on attribue la distribution de probabilité a priori suivante aux valeurs possibles de p si l'on effectue un ajustement routinier

p	.01	.02	.03	.04	.05	.06	.07	.10	.15
$P_o(p)$	.05	.10	.20	.25	.20	.10	.05	.04	.01

On peut obtenir de l'information additionnelle en produisant après un ajustement routinier un échantillon de quelques éléments, et selon le nombre d'éléments défectueux observés dans cet échantillon, on décidera d'accepter ou de rejeter H_o. On demande de construire le test "optimal". **Solution.** Le test sera de la forme suivante: produire n éléments, et si le nombre x de défectueux est supérieur à c (une valeur critique), rejeter H_o (sinon l'accepter), c'est-à-dire une région de rejet de la forme (n, c). Pour déterminer n et c, il faut considérer les probabilités d'erreur et les regrets reliés à ces erreurs. Pour étudier l'influence de ces deux éléments, on peut se donner différentes règles de décision $\delta = (n, c)$. Prenons, par exemple, les règles (50, 1), (50, 2) et (50, 3), c'est-à-dire qu'avec la règle (50, 2) on produit 50 éléments, et l'on rejette H_o si l'on trouve plus de deux éléments défectueux.

La courbe des erreurs caratéristiques: cette courbe donne les probabilités des erreurs E_I et E_{II} en fonction des valeurs du paramètre. Ces probabilités sont données au tableau 7.11. La courbe des erreurs caractéristiques est représentée à la figure 7.23.

TABLEAU 7.11

p	$P(E_I) = P(X > c / p \in H_o)$			$P(E_{II}) = P(X \leqslant c/p \in H_1)$		
	c = 1	c = 2	c = 3	c = 1	c = 2	c = 3
.01	.089	.014	.002			
.02	.264	.078	.018			
.03	.445	.189	.063			
.04	.600	.323	.139	.400	.677	.861
.05				.279	.540	.760
.06				.190	.416	.647
.07				.126	.311	.533
.				⋮	⋮	⋮
.				⋮	⋮	⋮
.10				.034	.112	.250
.				⋮	⋮	⋮
.				⋮	⋮	⋮
.15				.003	.014	.046
.				⋮	⋮	⋮
.				⋮	⋮	⋮

FIGURE 7.23

Courbes des erreurs caractéristiques et des regrets

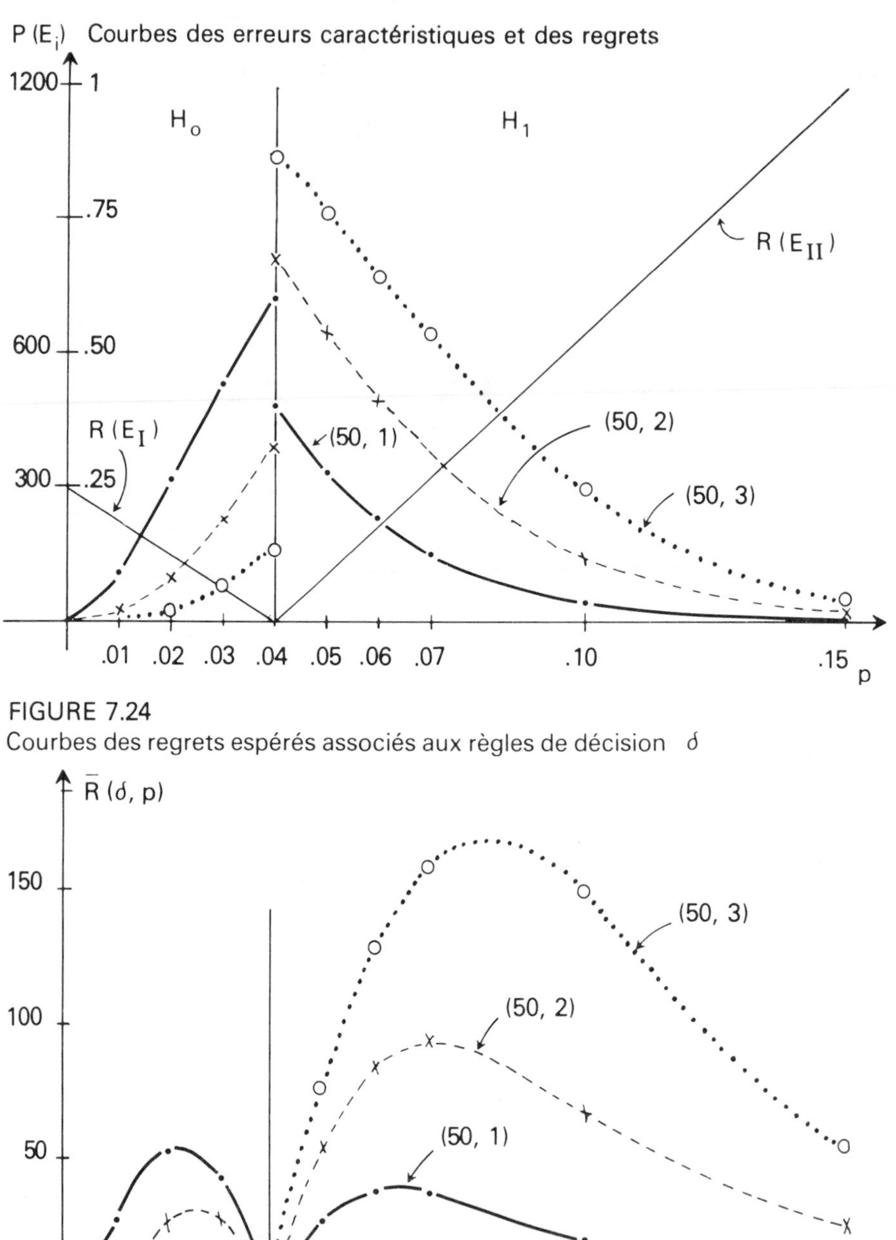

FIGURE 7.24

Courbes des regrets espérés associés aux règles de décision δ

Pour la règle $\delta = (50, 1)$ on a $\alpha = .600$ et $\beta = .400$;

pour la règle $\delta = (50, 2)$ on a $\alpha = .323$ et $\beta = .677$, et pour la règle $\delta = (50, 3)$ on a $\alpha = .139$ et $\beta = .861$.

La fonction de regret conditionnel est

$R(E_I) = \$400. - \$1,000\,p = \$1,000\,(.04-p)$, pour $p \in H_o$.

et $R(E_{II}) = \$1,000\,(p-.04)$, pour $p \in H_1$.

Cette fonction de regret est représentée à la figure 7.23. Les regrets conditionnels espérés pour ces trois règles sont calculés au tableau 7.12 et représentés à la figure 7.24.

TABLEAU 7.12

	Erreur	$R(E_i, p)$	$P(E_i / p)$			$\bar{R}(\delta, p)$		
			c = 1	c = 2	c = 3	c = 1	c = 2	c = 3
.01	E_I	300	.089	.014	.002	26.70	4.20	0.60
.02	E_I	200	.264	.078	.018	52.80	15.60	3.60
.03	E_I	100	.445	.189	.063	44.50	18.90	6.30
.04	E_I	0	.600	.323	.139	0	0	0
.05	E_{II}	100	.279	.540	.760	27.90	54.00	76.00
.06	E_{II}	200	.190	.416	.647	38.00	83.20	129.40
.07	E_{II}	300	.126	.311	.533	37.80	93.30	159.90
.10	E_{II}	600	.034	.112	.250	20.40	67.20	150.00
.15	E_{II}	1200	.003	.014	.046	3.60	16.80	55.20

Rappelons que le regret conditionnel espéré est obtenu de la façon suivante: $\bar{R}(\delta, p) = R(E_i, p) \,.\, P(E_i / p)$. On calcule ensuite, en utilisant la distribution a priori de p, le regret espéré de chaque règle δ, afin de déterminer la région critique optimale pour $n = 50$. Ces regrets espérés sont obtenus en faisant $\bar{\bar{R}}(\delta) = \sum_p \bar{R}(\delta, p)\, P_o(p)$; ainsi pour la règle (50,1), on a

$$\bar{\bar{R}}(50, 1) = \sum_p \bar{R}[(50, 1), p]\; P_o(p) = \$26.64,$$

pour la règle (50,2), $\bar{\bar{R}}(50,2) = \$39.19$, et pour la règle (50, 3), $\bar{\bar{R}}(50, 3) = \$44.34$. On a fait ce même calcul pour la règle (50, 0), c'est-à-dire rejeter H_o si l'on trouve un élément défectueux et plus, et l'on a obtenu $\bar{\bar{R}}(50, 0) = \$37.25$. Donc, pour un échantillon de taille $n = 50$, la région critique optimale est (1, 50] c'est-à-dire rejeter H_o et effectuer un ajustement minutieux si l'on trouve plus qu'un élément défectueux dans les 50.

Pour déterminer le n*, il faut reprendre ces calculs pour diverses tailles d'échantillon, et retenir la valeur de n conduisant au gain net espéré maximum,

où GNE (n) = VEI (n) – coût d'un échantillon de taille n

et VEI (n) = Regret espéré minimum a priori – regret espéré relié à la région optimale pour un échantillon de taille n.

L'ordinateur est un outil précieux pour faire ces calculs.

7.5 EXERCICES

7.1 Soit X une variable aléatoire normale de moyenne μ et d'écart type $\sigma = 5$. On s'intéresse aux deux hypothèses

$$H_0 : \mu = 22 \quad \text{et} \quad H_1 : \mu = 25 .$$

En se basant sur la moyenne $\overline{X}$ d'un échantillon aléatoire de taille $n = 25$, tiré de cette population, on applique la règle de décision suivante:

$$\text{accepter } H_0 \text{ si } \overline{X} \leqslant 24 \text{ et rejeter } H_0 \text{ si } \overline{X} > 24 .$$

Calculer α et β.

7.2 L'estimateur de la propension marginale à consommer se distribue selon une loi normale de moyenne μ inconnue et de variance égale à 0.0225. Si pour un échantillon aléatoire de taille 9 on a trouvé une moyenne de 0.83, tester l'hypothèse $H_0 : \mu = 0.75$ contre l'hypothèse alternative $H_1 : \mu = 0.85$ (au niveau de 5%). Pour ce niveau de signification, quelle est la probabilité d'accepter H_0 alors que H_1 est vraie?

7.3 On cherche à connaître le temps d'attente moyen à la caisse du comptoir à tabac d'un supermarché durant la période de pointe. D'un échantillon aléatoire de 25 clients, on a trouvé un temps d'attente moyen de 6 minutes avec un écart type de 3 minutes. Peut-on conclure que le temps d'attente moyen à cette caisse est supérieur à 4.5 minutes? (Faire l'hypothèse que le temps d'attente se distribue selon une loi normale).

7.4 Dans une caisse d'épargne, les dépôts mensuels d'une certaine catégorie socio-professionnelle se distribuent autour de leur moyenne selon des lois normales ayant le même écart type $\sigma = \$20$. On s'intéresse uniquement à la catégorie des dépôts dont la moyenne est $\mu = \$100$.

Afin de distinguer cette catégorie des autres ($H_0 : \mu = \$100$ contre $H_1 : \mu \neq \$100$), on prélève un échantillon aléatoire de taille $n = 16$.

a) Déterminer la région d'acceptation (comme faisant partie de cette catégorie) au niveau 0.05.

b) Interpréter le niveau de signification.

c) Construire la courbe de puissance du test qui serait basé sur la région déterminée en (a).

7.5 La station radiophonique CBAV a assuré à un embouteilleur de liqueurs douces que ses ventes s'accroîtraient sensiblement si l'embouteilleur lui confiait l'exclusivité de sa publicité radiophonique. L'embouteilleur accepte d'essayer le programme de publicité proposé par CBAV pour une durée de quatre mois (16 semaines). Dans le passé, les ventes hebdomadaires moyennes étaient de $250 000 avec un écart type de $50 000. Pour les quatre mois pendant lesquels CBAV fut chargé de la publicité radiophonique, les ventes hebdomadaires moyennes furent de $270 000 (avec un écart type inchangé). On suppose les ventes distribuées normalement.

a) L'embouteilleur peut-il conclure au niveau $\alpha = 0.01$ que ses ventes ont augmenté?

b) Déterminer le nombre de semaines pendant lesquelles CBAV aurait dû être chargé de la publicité radiophonique de l'embouteilleur pour que l'on puisse conclure au niveau de 1%, avec le résultat observé, que les ventes ont augmenté.

7.6 Un manufacturier assure que la médiane de la durée de vie de ses ampoules électriques est de 500 heures. D'un lot de sa production, vous tirez un échantillon de 100 ampoules, et vous trouvez que seulement 39 d'entre elles durent plus de 500 heures.

a) Au niveau $\alpha = .01$, croyez-vous le manufacturier?

b) Construire la courbe de puissance du test qui serait sur la région déterminée en (a).

Indice: 50% des valeurs d'une distribution sont supérieures à sa médiane.

7.7 En vous référant à l'exercice 6.16 du chapitre précédent, tester au niveau 5% l'hypothèse selon laquelle l'opinion est également partagée parmi les actionnaires d'Alpha Inc. quant à l'émission d'une nouvelle série d'actions.

7.8 Le département de Marketing de JM, le grand manufacturier d'automobiles, désire connaître l'accueil que feraient les consommateurs à la calandre redessinée de son populaire modèle l'Astral. Si la proportion des consommateurs préférant la nouvelle calandre est inférieure à .6, le projet de changement devrait être abandonné ou renvoyé sur la planche à dessins. D'un échantillon de 100 consommateurs, on a trouvé que 55 d'entre eux préféraient la nouvelle calandre à l'ancienne.

a) Devrait-on commencer la production de la calandre redessinée? (Utiliser $\alpha = .05$)

b) Si la vraie proportion est en réalité de .55, quelle est la probabilité que dans un échantillon de 100 consommateurs, cela ne soit pas détecté (avec le test construit en (a), et qu'ainsi on mette quand même en branle la production de la nouvelle calandre?

c) Après discussion, on décide de contrôler les deux risques d'erreur α et β. Le plan d'échantillonnage que l'on veut proposer doit satisfaire aux exigences suivantes:

   i) si la vraie proportion est plus grande ou égale à .6, on aimerait accepter cette hypothèse 95 fois sur 100;

   ii) si la vraie proportion est égale ou inférieure à .55, le test devrait permettre de rejeter l'hypothèse nulle avec une probabilité de .98.

Déterminer la taille de l'échantillon nécessaire pour respecter ces critères.

7.9 La société "Seven Out" produit entre autres "Vinicola", une boisson rafraîchissante à base d'extraits de feuilles de betteraves. Le directeur commercial de "Seven Out" s'interroge sur la somme à consacrer à la prochaine campagne publicitaire axée sur la diffusion de cette boisson.

Il peut décider une campagne publicitaire très coûteuse, mais susceptible d'augmenter considérablement le chiffre des ventes. Le directeur estime qu'il ne doit consentir cet effort que si moins de 25% des débits légaux de boisson proposent du Vinicola.

Par contre, s'il était sûr que cette proportion était supérieure ou égale à 25%, il pourrait se contenter d'une campagne publicitaire de soutien.

Le directeur pense qu'il ne peut raisonnablement pas prendre de décision sans avoir de l'information supplémentaire. Il demande donc à son service "Enquêtes et études" de rechercher plus d'information à ce sujet. Le responsable de ce service estime qu'une procédure adéquate consisterait à choisir au hasard 20 tenanciers de débits de boisson, et de vérifier s'ils distribuent du Vinicola.

a) Etablissez les hypothèses à tester. En quoi consiste, pour le directeur, l'erreur de type I? L'erreur de type II? Quelle est la plus sérieuse, et pourquoi?

b) Quel est le schéma probabiliste correspondant au type d'enquête réalisé? Quels en sont les paramètres?

c) Si le directeur commercial décide d'entreprendre une campagne publicitaire coûteuse seulement si moins de 4 tenanciers déclarent distribuer du Vinicola (sur les 20 interrogés), déterminez la probabilité de l'erreur du type I.

d) Si le directeur désire un niveau de signification $\alpha \leqslant 0.10$, que lui suggérez-vous?

7.10 Vous êtes persuadé que, pour l'unité de voisinage 27 constituée dans sa majeure partie de résidences unifamiliales, le niveau de votre rôle d'évaluation est inférieur à 100 % de la valeur réelle, et vous seriez satisfait s'il n'était pas inférieur à 90%. Vous vous proposez donc d'essayer de vérifier l'hypothèse $H_0 : \mu \geqslant 90\%$ contre $H_1 : \mu < 90\%$.

Pour faire cette vérification, vous prélevez un échantillon de 12 ventes normales (vous êtes convaincu que l'échantillon est représentatif), et vous obtenez en calculant chaque rapport $\frac{\text{E.M.}}{\text{P.V.}} \times 100\%$: 92.1%, 81%, 93.2%, 87.8%, 88.2%, 91.6%, 83%, 88.9%, 88.2%, 86.3%, 84.4% et 80.5% (où E.M. = évaluation municipale et P.V. = prix de vente).

a) Quelles conclusions en tirez-vous?

b) Vérifiez si l'écart type σ de la population de ratios E.M. / P.V . est plus petit que 15%, c'est-à-dire

$$H_o : \sigma = .15 \text{ contre } H_1 : \sigma < .15$$

7.11 Un échantillon aléatoire de 30 observations donne une variance $s^2 = 225$. Tester l'hypothèse que $\sigma^2 = 200$ contre l'hypothèse alternative que $\sigma^2 \neq 200$, au niveau 5%. Quelle hypothèse de base doit être respectée pour que l'on puisse effectuer ce test?

7.12 Un manufacturier a un contrat pour fabriquer des pièces de type X-28. Le contrat stipule que le poids moyen des pièces doit être de 36 onces avec une tolérance de 0.1 once, c'est-à-dire que les pièces ne pesant pas entre 35.9 et 36.1 onces seront rejetées. Pour rencontrer ces exigences, le manufacturier désire que la variance des poids de ses pièces ne soit pas plus grande que .0025 once($\sigma_o^2 \leqslant .0025$).

Dans un contrôle de fabrication, il prend un échantillon de 10 pièces produites, et il trouve un $s^2 = 0.01$ pour les poids. Que peut-il conclure en regard de son désir, au niveau $\alpha = .01$?

7.13 Un expert prétend qu'en introduisant un nouveau type de machine dans le processus de fabrication, il peut réduire sensiblement le temps de production. Etant donné les coûts de maintenance de cette machine, le directeur de la production est persuadé qu'il n'est pas rentable d'introduire cette machine, à moins que le temps de production soit réduit d'au moins 8%. Six (6) expériences avec cette machine ont montré que le temps de production était réduit en moyenne de 8.4%, avec un écart type de 0.32%. La nouvelle machine devrait-elle être introduite dans le processus de production? (Utiliser un niveau de 1%; de 5%.)

7.14 Fluoridan, un manufacturier de pâte dentifrice au fluore, a pris un échantillon de 100 enfants de 10 ans, afin qu'ils utilisent sa pâte dentifrice pendant un an. Au même moment, il prenait aussi un autre échantillon de 100 enfants, afin que ces derniers utilisent pendant la même période Ultrablan, la marque de son principal compétiteur. Le nombre moyen de caries trouvées chez les utilisateurs de Fluoridan fut de 2.3 avec un $s = 1.7$, tandis que pour les utilisateurs d'Ultrablan le nombre moyen de caries trouvées fut de 2.6 avec un $s = 2.1$. A la vue de ces résultats, Fluoridan a mis en branle une campagne de publicité monstre clamant qu'avec Fluoridan on a au moins 10% moins de caries qu'avec Ultrablan.

a) Est-ce de la publicité quasi trompeuse? (Utiliser $\alpha = .05$).

b) Déterminer la taille de l'échantillon et la valeur critique qui devraient être utilisées si l'on désire satisfaire aux exigences suivantes:

1) Si la vraie différence entre les nombres moyens de caries est nulle (H_o), on voudrait accepter cette hypothèse 95 fois sur cent.

2) Si la vraie différence est supérieure ou égale à .5 caries, on aimerait rejeter H_o 95 fois sur cent.

7.15 Soit deux séries de rapports (évaluations/prix de vente), correspondant respectivement aux données disponibles pour des maisons unifamiliales et multifamiliales à 8 logements. Aux fins de l'analyse, on admet que les populations dont sont tirés les échantillons ont des variances égales.

Unifamilliales	Multifamiliales
.90	.76
.88	1.27
1.1	.41
.50	.90
.89	.51
.96	.92
.78	.66
.76	.45
.85	
1.05	

Vérifier si la différence du niveau moyen d'évaluation de ces deux catégories d'immeubles est significativement différente de zéro, au seuil de signification $\alpha = .05$.

7.16 Pour les dix derniers trimestres, on a recueilli les rendements après impôt sur l'investissement pour l'industrie des pâtes et papiers et pour l'industrie automobile. Les résultats recueillis sont les suivants:

Trimestre	p & p	Auto
1	2.8%	2.9%
2	5.3	3.1
3	5.1	3.1
4	4.9	3.1
5	1.4	3
6	4.4	3.3
7	3.1	3.1
8	4.1	3.1
9	1	3
10	3.7	3.3

Peut-on conclure, au niveau $\alpha = .05$, que le rendement de l'industrie des pâtes et papiers est plus élevé que celui de l'industrie de l'automobile?

7.17 Le département d'études de marchés de la brasserie LABA désire savoir si les consommateurs perçoivent une différence de goût entre la LABA et sa principale rivale la MOLA. A cette fin, 250 consommateurs ont été sélectionnés et ont indiqué leur préférence entre les deux bières.

Comme on craignait que l'ordre dans lequel les différentes bières étaient données à goûter puisse influencer la préférence, le groupe fut divisé en deux parties; la première moitié du groupe goûta la LABA en premier lieu, alors que l'autre moitié goûta d'abord la MOLA.

Après l'expérience, on a obtenu les résultats suivants:

	1° groupe La LABA avant la MOLA	2° groupe La MOLA avant la LABA
Taille du groupe	125	125
Préférence pour la LABA	68	73

a) Si on ignore l'ordre dans lequel la bière a été goûtée, existe-t-il une différence significative entre les préférences d'une bière à une autre? (Utiliser $\alpha = 0.01$)

b) La crainte que l'ordre de présentation des bières ait pu influencer la préférence était-elle justifiée? c'est-à-dire, à partir des données expérimentales, est-il évident que les deux groupes échantillonnés diffèrent d'opinion? (Utiliser $\alpha = 0.01$)

7.18 "Faites Fortune", une nouvelle publication pour investisseurs, recommande tous les trois mois 25 titres boursiers qui pour le dernier trimestre ont eu une performance meilleure que celle du marché. Pour le dernier trimestre, 15 de leurs titres recommandés ont connu une hausse de cours, alors que le cours des 10 autres a baissé. Parmi les 500 titres listés par Standard and Poor's, une liste généralement acceptée comme étant une bonne représentation du marché, le cours était à la hausse pour 210 de ces titres, alors qu'il était à la baisse pour les 290 autres. Tester l'hypothèse que "Faites Fortune" ne permet pas de faire mieux (en termes de rendement) que ce que l'on pourrait faire en investissant dans des titres choisis aléatoirement dans la liste de Standard and Poor's. (Utiliser un niveau de 5%).

7.19 On se replace ici dans le contexte de l'exercice 6.23 du chapitre 6. En se fondant sur les données obtenues, peut-on afirmer, au niveau $\alpha = .05$, qu'il y a une différence réelle entre la moyenne μ_1 du nombre d'heures perdues avant le programme et la moyenne μ_2 du nombre d'heures perdues après le programme?

7.20 Un investisseur aimerait déterminer entre deux titres lequel est le plus risqué. En gestion de portefeuille, le risque d'un titre étant caractérisé par la variabilité de son rendement, il doit donc comparer les variances des rendements des deux titres. A cette fin, il tire un échantillon aléatoire de 8 rendements trimestriels pour chacun des deux titres, et il obtient comme résultats:

Rendements trimestriels	
Titre A	Titre B
4.2%	2.5%
−0.6	2.2
2.3	2.8
5.1	3
4.3	2.8
4.9	2.6
7.4	2.8
3.8	3.2

Selon vous, le titre A est-il plus risqué que le titre B? (Au niveau de signification de 1%)

7.21 Comme courtier en valeurs mobilières, vous voulez tester l'égalité des rendements de trois "débentures". Un de vos subalternes a relevé de façon aléatoire 10 de leurs rendements mensuels, et vous présente ces résultats:

Débentures (en %)		
X	Y	Z
.8	1	1.4
.7	1.2	1.5
.9	1.1	.8
1	.9	1.7
.9	1.3	1.4
.9	1	1.6
.9	1.2	.8
1.1	.9	1.7
1	.9	-.1
.9	1.1	1

Construire un tableau d'analyse de la variance, et tester si les différences entre les rendements des "débentures" sont significatives au niveau $\alpha = .05$.

7.22 Traditionnellement, les candidats qui postulent un emploi au bureau de comptables "Lecompte et associés" viennent de quatre universités. Pour comparer les habiletés de ces candidats, on choisit 5 candidats au hasard parmi les candidats de chacune des 4 universités, et on leur fait passer un test écrit. Le test étant corrigé sur 100, on a obtenu les résultats suivants:

Universités			
A	B	C	D
73	87	65	85
70	62	68	71
89	73	58	61
78	71	63	77
61	84	72	81

A partir de ces résultats, peut-on affirmer qu'il y a une différence significative de qualité entre les candidats de ces 4 universités, au niveau $\alpha = 0.01$?

7.23 Le département de marketing de la compagnie qui fabrique la pâte dentifrice "Fluro" offre aux consommateurs deux types de pâte: "Fluro régulière" et "Fluro à saveur de menthe". Pour connaître l'effet de la saveur de menthe sur ses ventes, ce département a observé au cours d'une semaine le chiffre des ventes de "Fluro" (en milliers de dollars) dans 4 villes d'égale importance; on a obtenu les résultats suivants:

pâtes \ ville	A	B	C	D
régulière	11	13	16	14
saveur de menthe	9	15	13	10

Au niveau $\alpha = 0.05$, peut-on affirmer

a) que la saveur de menthe a un effet sur les ventes?

b) que les consommateurs de ces 4 villes réagissent différemment face à la pâte dentifrice "Fluro" (avec ou sans saveur de menthe?)

7.24 On veut comparer les performances de trois différents détersifs à lessive à trois températures différentes de l'eau quant à leur capacité de rendre le linge "blanc". A cette fin, on lave une brassée de vêtements sales avec chacun des détersifs et à chacune des températures, et à l'aide d'un certain équipement, on assigne aux vêtements lavés un indice de leur blancheur. On a obtenu les résultats suivants:

température \ détersif	A	B	C
froide	65	63	65
tiède	57	60	76
chaude	72	74	66

"indice de blancheur"

Au niveau $\alpha = 0.05$, relativement à la capacité de ces détersifs de rendre le linge "blanc", peut-on affirmer

a) qu'il y a une différence entre ces 3 détersifs?

b) que la température de l'eau a une influence?

7.25 En vous référant à l'exercice 4.14 du chapitre 4, en plus de l'information fournie par l'ingénieur et selon laquelle il y a 80% de chances que la chaîne soit bien réglée, on vous dit que l'examen de cinq (5) moteurs assemblés sur cette chaîne a indiqué deux (2) moteurs défectueux. On pose comme hypothèses à tester

H_0 : p = .10 (la chaîne est bien réglée) contre
H_1 : p = .40 (la chaîne est mal réglée).

a) Sur la base de l'information fournie, accepteriez-vous H_0?

b) Arriveriez-vous à la même conclusion si vous considériez les conséquences économiques telles qu'exprimées par les coûts donnés dans l'exercice 4.14? Justifiez votre réponse.

c) Serait-il rentable de faire examiner dix (10) moteurs afin d'être renseigné sur l'état de la chaîne, avant de tirer une conclusion sur les hypothèses en jeu ? Le coût de l'examen est évalué à \$20 + \$15 n, où n est le nombre de moteurs examinés. Donnez la règle de décision optimale pour $n = 10$.

7.26 La demande pour un certain produit suit une distribution de Poisson dont la moyenne est de 4 unités par jour. Le responsable des ventes croit qu'en utilisant un nouvel emballage, il y a 60% de chances que les ventes moyennes doublent, et 40% de chances qu'elles augmentent d'une fois et demie. Le nouvel emballage serait rentable si les ventes moyennes doublaient, mais il ne le serait pas si elles n'augmentaient que d'une fois et demie. Comme le directeur de l'entreprise ne voudrait pas introduire un nouvel emballage sans avoir suffisamment d'évidence concernant sa rentabilité, il pose comme hypothèse $H_0 : \lambda = 6$ contre $H_1 : \lambda = 8$, et il décide de faire une expérience pendant une semaine (6 jours) avec le nouvel emballage.

a) Que pouvez-vous conclure si les demandes durant les six jours d'expérience ont été de 5, 8, 7, 10, 7 et 8 unités?

b) Si, en plus, le directeur estime que le regret relié à l'erreur d'utiliser un nouvel emballage alors que cela n'est pas rentable (c'est-à-dire alors que $\lambda = 6$) est deux fois plus grand que celui de ne pas utiliser le nouvel emballage alors que cela aurait été rentable, quelle devrait être sa décision?

NOTE: Une somme de v.a. indépendantes de Poisson est une v.a. de Poisson et une distribution de Poisson péut être approximée par une distribution normale.

7.27 Une grande manufacture de "calculateurs électroniques" offre chaque année un programme d'information et d'entraînement pour les ingénieurs des entreprises utilisant ses calculateurs. Le cours offert est d'une durée de 8 semaines, et coûte en moyenne \$1,000 par étudiant à la manufacture.

On considère la possibilité d'adopter un nouveau programme séquentiel d'entraînement qui se diviserait en deux parties. Dans ce nouveau programme, tous les ingénieurs suivraient un cours d'introduction intensif d'une semaine, au coût de $100 par étudiant, et selon le résultat des étudiants à ce cours, on pourrait les diriger dans deux programmes différents.

Ceux qui réussiraient à ce cours auraient à suivre un cours plus approfondi d'une durée de 5 semaines, au coût de $600 par étudiant, alors que les autres prendraient l'ancien programme, au coût de $1,000.

Si la proportion de ceux qui réussissent le cours intensif est assez grande, il sera possible pour la manufacture d'épargner un peu d'argent; cependant, ce nouveau programme sera plus coûteux si cette proportion est faible.

Le manufacturier n'a aucune expérience avec ce nouveau programme, et après discussion avec les instructeurs, en tenant compte de la qualité des ingénieurs qui assistent à ces cours, il n'est pas certain que la proportion des ingénieurs qui réussiront au cours intensif sera de plus de 0.25. Comme il y a en moyenne 200 ingénieurs qui s'inscrivent à ce programme, il est facile de vérifier si le nouveau programme sera rentable: il le sera s'il y a plus de 25% des ingénieurs qui réussissent au cours d'introduction intensif.

a) Etablir les hypothèses à tester.
   A priori, on attribue la distribution de probabilité suivante à la fraction p des ingénieurs qui réussiront au cours intensif.

p	Po (p)
0.15	0.2
0.20	0.3
0.25	0.2
0.30	0.2
0.35	0.1

   Comme on le voit, selon cette distribution a priori, il y a 70% de chances que le programme ne soit pas rentable. Donc, on s'interroge sur la possibilité de conduire une expérience avec 20 ingénieurs que l'on choisirait au hasard dans la liste des ingénieurs inscrits au programme. Ces 20 ingénieurs seraient inscrits au cours intensif d'une semaine, et selon le résultat obtenu, on serait davantage en mesure de prendre une décision terminale.

b) Déterminer une règle de décision pour tester les hypothèses établies en a).

c) Déterminer la valeur optimale de c, pour $n = 20$ (la valeur de c est $\geqslant 5$).

d) Doit-on recommander de faire cette expérience avec 20 ingénieurs, avant de prendre une décision finale?

CHAPITRE 8

LES TESTS NON PARAMÉTRIQUES

Dans les trois chapitres précédents, on a présenté uniquement des méthodes d'inférence paramétrique, c'est-à-dire des méthodes permettant de tirer des conclusions sur les paramètres d'une population à partir d'une information partielle. Or, en pratique, à partir d'une telle information, il arrive souvent que l'on veuille tirer des conclusions non pas sur les paramètres de la population, mais plutôt sur d'autres aspects de la variable X considérée dans la population. Par exemple, on peut vouloir tirer des conclusions sur la distribution de X, ou encore sur les relations de X avec d'autres variables. On doit alors faire appel à une méthode d'inférence non paramétrique. Avec le temps, on en est venu à donner à l'expression "méthode non paramétrique" un sens plus large. Dans la plupart des méthodes classiques d'inférence que l'on a présentées précédemment, on suppose que la population est normale; lorsque cette hypothèse est violée sérieusement, ces méthodes ne s'appliquent plus. Pour pallier cette difficulté, les statisticiens ont développé d'autres méthodes d'inférence qui peuvent porter sur des paramètres ou d'autres aspects de la variable étudiée dans la population, mais qui n'exigent pas, comme condition d'application, la connaissance de la distribution de la population: c'est ce qu'on appelle généralement les **méthodes non paramétriques**.

Les méthodes non paramétriques ont connu un développement très important au cours des dernières années. Dans ce qui suit, nous allons nous limiter aux tests non paramétriques, et parmi ces tests, nous allons en présenter seulement quelques-uns des plus usuels, certains d'entre eux ayant été développés depuis plusieurs années.

8.1 LE TEST DU χ^2 (CHI-CARRE) ET SES APPLICATIONS

S'il y a un outil statistique qui est utilisé très souvent, et même d'une façon abusive, c'est bien le test du χ^2. Dans tous les cas, sur la base d'une certaine hypothèse que l'on veut vérifier, on compare les fréquences obtenues par échantillonnage (relativement à une ou plusieurs variables) qui ont été classifiées selon certaines catégories, avec les fréquences théoriques espérées sous l'hypothèse en question. Dans le cadre de cette comparaison, on est amené à définir une statistique qui suit une distribution χ^2 avec un nombre déterminé de degrés de liberté. Le test du χ^2 est utilisé principalement comme test d'ajustement (section 8.1.1), comme test d'indépendance de deux variables (section 8.1.2), et comme test de comparaison de plusieurs proportions (section 8.1.3).

8.1.1 Le χ^2 comme test d'ajustement

L'une des difficultés majeures que l'on rencontre lorsqu'on veut utiliser une méthode statistique consiste à satisfaire les conditions ou hypothèses de base exigées pour que cette méthode puisse être appliquée. Ainsi, en inférence paramétrique classique, on suppose que l'on connaît la nature de la distribution de la population (et que seuls ses paramètres sont inconnus). Par exemple, dans bien des cas, aux chapitres 6 et 7, on a supposé que l'on avait affaire à une population normale. La question qui se pose à présent est celle de savoir dans quelle mesure une telle hypothèse sur la nature de la population est vérifiée, et dans quelle mesure on peut accepter qu'il existe un écart entre cette hypothèse et la situation réelle. On tire un échantillon aléatoire de la population, et l'on se demande alors si l'on peut accepter ou non que l'échantillon obtenu provienne d'une population avec telle distribution spécifiée. Le test du χ^2 permet de vérifier s'il y a une différence significative entre les fréquences observées expérimentalement et les fréquences théoriques que l'on aurait obtenues si la distribution de la population était bien la distribution spécifiée; autrement dit, ce test permet de vérifier la qualité de l'ajustement ("goodness of fit") d'une distribution déterminée à des données expérimentales.

Les étapes utilisées pour construire un test d'hypothèses paramétriques sont encore valables pour construire un test non paramétrique: seule la nature des hypothèses va être différente. Dans le cas d'un test d'ajustement, on veut vérifier si la distribution de la population est bien telle distribution spécifiée ou non. A cette fin, on tire un échantillon aléatoire de taille n dans la population, et après avoir déterminé le niveau α, on procède aux étapes suivantes:

1° Les hypothèses:

H_0 : la distribution de la population est la distribution $f(x;\theta)$, θ pouvant être connu ou inconnu (et θ pouvant être un vecteur),

H_1 : la distribution de la population n'est pas la distribution spécifiée $f(x;\theta)$.

2° Les conditions du test: le test du χ^2 comme test d'ajustement peut être utilisé sous certaines hypothèses qui dépendent de la nature de la statistique que l'on va utiliser, et que l'on précise dans la prochaine étape.

3° La statistique utilisée et sa distribution

On regroupe les valeurs observées dans l'échantillon en classes, et à partir de ces classes, on obtient la distribution de fréquence de l'échantillon pour valeurs groupées. Supposons que l'on ait k classes, et notons par n_i la **fréquence observée** de la classe i, $i = 1, ..., k$. Selon l'hypothèse H_0, on peut calculer la probabilité théorique d'obtenir une observation appartenant à la ième classe, probabilité que l'on va noter p_i. Si l'hypothèse H_0 est vraie, le nombre d'observations parmi les n qui appartiendront à la classe i est une variable aléatoire binomiale de paramètres n et p_i ; en conséquence, la **fréquence théorique espérée** des observations appartenant à la ième classe, que l'on va noter ν_i, est donnée par

$$\nu_i = np_i \ , \ i = 1, ..., k.$$

Pour vérifier si l'échantillon obtenu vient bien d'une population dont la distribution est spécifiée par H_o, on considère l'écart entre les fréquences observées n_i et les fréquences théoriques espérées ν_i pour chacune des k classes. Comme ces écarts peuvent être positifs ou négatifs, et comme on veut en faire la sommation, on considère le carré des écarts, c'est-à-dire $(n_i - \nu_i)^2$, et l'on est ainsi amené à définir la statistique

$$\chi^2 = \sum_{i=1}^{k} \frac{(n_i - \nu_i)^2}{\nu_i} \tag{8.1}$$

C'est maintenant que l'on peut préciser les **conditions du test.** D'abord l'échantillon tiré de la population doit être un échantillon aléatoire simple. De plus, la taille n de l'échantillon doit être suffisamment grande pour que les variables $(n_i - \nu_i)/\sqrt{\nu_i}$ puissent être considérées comme étant distribuées selon une normale (en pratique, on exige $n \geqslant 50$). **Enfin, il faut que les fréquences théoriques** pour chaque classe ne soient pas trop petites: en pratique, une fréquence théorique de 5 est considérée comme un minimum, et il est préférable que ces fréquences soient supérieures ou égales à 10. Si cette condition sur les fréquences théoriques des classes n'est pas respectée, on regroupe ensemble plusieurs classes.

Lorsque toutes les conditions que l'on vient de préciser sont vérifiées, on peut prouver que la statistique χ^2 définie par (8.1) suit approximativement une distribution du χ^2 à $(k-\ell-1)$ degrés de liberté, où k est le nombre de classes dans la distribution de fréquence, et ℓ est le nombre de paramètres inconnus dans la distribution spécifiée par H_o.

4° La région critique du test

Si l'hypothèse H_o est vraie, comme valeur de la statistique χ^2 définie par (8.1), on va obtenir $\chi^2 = 0$ (il y aurait alors ajustement parfait entre la distribution théorique et la distribution observée). Plus l'écart entre les valeurs observées et les valeurs théoriques espérées va être grand, plus la valeur de la statistique χ^2 va augmenter. On aura donc un **test unilatéral à droite** dont la région critique est définie comme suit:

si $\chi^2 > \chi^2_c$, on rejette H_o.

Au niveau α, la valeur critique χ_c^2 est la valeur lue dans une table du χ^2 à (k-ℓ-1) degrés de liberté, telle que

$$P(\chi^2 > \chi_c^2) = \alpha$$

5° Conclusion du test

On calcule la valeur observée χ_o^2 pour la statistique dans l'échantillon et si $\chi_o^2 > \chi_c^2$, on rejette H_o ; sinon on l'accepte.

Exemple 8.1. On veut contrôler la qualité des ampoules électriques de type A produites par le manufacturier Westco. Dans un premier temps, on aimerait savoir si la durée de vie X de ces ampoules peut être considérée comme étant normalement distribuée. On tire un échantillon aléatoire de 200 ampoules Westco de type A dans un lot très considérable, et l'on obtient la distribution de fréquence suivante:

numéro de la classe	limites des classes	fréquences observées
i	[ )	n_i
1	[0, 500)	2
2	[500, 1000)	4
3	[1000, 1500)	29
4	[1500, 2000)	124
5	[2000, 2500)	34
6	[2500, 3000)	6
7	[3000, 3500)	1

A partir de cet échantillon, peut-on accepter l'hypothèse selon laquelle la durée de vie des ampoules Westco de type A suit une distribution normale au niveau $\alpha = 0.01$?

Solution. Dans cet exemple, les observations obtenues ont déjà été regroupées en classes, et on a en main la distribution des fréquences observées. Comme les fréquences observées dans les deux premières classes et dans la dernière classe sont passablement petites, on peut s'attendre à ce que des fréquences théoriques ν_i seront plus petites que 5 et que l'on soit amené à regrouper ensemble quelques classes. Effectivement, au tableau 8.1, on regroupera ensemble les 2 premières classes et également les 2 dernières classes pour avoir des $\nu_i \geq 5$.

Les hypothèses à vérifier sont les suivantes:

H_o : cet échantillon provient d'une population normale de moyenne μ et de variance σ^2 inconnues.

H_1 : cet échantillon ne provient pas d'une population normale.

Sous l'hypothèse H_o, on peut calculer la fréquence théorique espérée pour chaque classe et obtenir ainsi la valeur observée pour le χ^2. Les étapes du calcul du χ^2 observé (noté χ^2_o) sont résumées au tableau 8.1. Dans la colonne (1) de ce tableau, on retrouve les limites des nouvelles classes regroupées. Comme μ et σ^2 sont inconnues, on les estime par $\bar{x}$ et s^2 respectivement. Pour calculer $\bar{x}$ et s^2, on prend les points milieux x_i de chacune des classes initiales (avant regroupement), et l'on obtient

$$\bar{x} = \frac{1}{n} \sum_{i=1}^{7} n_i x_i = \frac{1}{200}[(2 \times 250) + (4 \times 750)$$

$$+ (29 \times 1250) + (124 \times 1750) + (34 \times 2250)$$

$$+ (6 \times 2750) + (1 \times 3250)] = 1765.$$

$$s^2 = \frac{1}{n-1}\left[\sum_{i=1}^{7} n_i x_i^2 - n\bar{x}^2\right]$$

$$= \frac{1}{199}\left[655{,}509{,}000 - 623{,}045{,}000\right] = 163{,}135.67$$

d'où

$$s = 403.9$$

Dans les colonnes (2) et (3) du tableau 8.1, on a standardisé les limites inférieures et supérieures de chacune des nouvelles classes regroupées, en soustrayant $\bar{x} = 1765$ de chaque limite et en divisant le résultat par $s = 403.9$. Par la suite, dans la table de la normale centrée réduite, on obtient les probabilités théoriques p_i données dans la colonne (4), d'où les fréquences théoriques $\nu_i = np_i = 200\,(p_i)$ données dans la colonne (5). Une fois ces fréquences théoriques obtenues, avec les regroupements appropriés de classes, on obtient comme valeur de la statistique du χ^2

$$\chi^2_o = \sum \frac{(n_i - \nu_i)^2}{\nu_i} = 0.007 + 5.806 + 10.49 + 4.8 + 0.006$$

$$= 21.11$$

On complète maintenant les étapes du test entrepris. On a précédemment énoncé les hypothèses H_o et H_1. Les conditions pour que le test du χ^2 soit applicable sont satisfaites puisque l'on a $n = 200$, que les fréquences théoriques (après regroupement des classes) sont toutes supérieures à 5, et

TABLEAU 8.1

(1) Classes $[x'_i, x''_i)$	(2) $z'_i = \frac{x'_i - \bar{x}}{s}$	(3) $z''_i = \frac{x''_i - \bar{x}}{s}$	(4) $P(z'_i \leqslant Z \leqslant z''_i)$ p_i	(5) Fréquences théoriques ν_i	(6) Fréquences observées n_i	(7) $(n_i - \nu_i)$	(8) $(n_i - \nu_i)^2$	(9) $\frac{(n_i - \nu_i)^2}{\nu_i}$
[0 , 1000)	-4.37	-1.89	.029	5.8	6	+ 0.2	.04	.007
[1000 , 1500)	-1.89	-0.66	.226	45.2	29	– 16.2	262.44	5.806
[1500 , 2000)	-0.66	0.58	.464	92.8	124	+ 31.2	973.44	10.49
[2000 , 2500)	0.58	1.82	.247	49.4	34	– 15.4	237.16	4.8
[2500 , 3500)	1.82	4.30	.034	6.8	7	+ 0.2	.04	.006

(2) valeur standardisée de x'_i

(3) valeur standardisée de x''_i

(4) probabilités lues dans la table de la normale (0, 1)

que l'on a un échantillon aléatoire simple. Il reste à déterminer la valeur critique du test, c'est-à-dire la valeur χ^2_c telle que

$$P(\chi^2 > \chi^2_c) = \alpha = 0.01$$

dans une table de la distribution du χ^2 à $(k - \ell - 1) = (5 - 2 - 1) = 2$ degrés de liberté, car on a maintenant $k = 5$ classes, et on a $\ell = 2$ paramètres inconnus (μ et σ). On obtient

$$\chi^2_c = 9.21 .$$

Mais, puisque le χ^2 observé ($\chi^2_o = 21.11$) est plus grand que le χ^2 critique ($\chi^2_c = 9.21$), on est amené à rejeter l'hypothèse H_o selon laquelle l'échantillon obtenu vient d'une population normale.

Dans l'exemple précédent, on a vérifié l'hypothèse stipulant que la distribution de la population est une distribution normale. Cependant, on doit noter que le test du χ^2 s'applique aussi pour vérifier si la distribution de la population est une distribution discrète spécifiée, par exemple une distribution de Bernoulli, une distribution de Poisson, ou n'importe quelle autre distribution discrète. Toutefois lorsque la distribution spécifiée par H_o est discrète, au lieu de travailler avec une distribution de fréquence pour valeurs groupées, dans la plupart des cas, on utilise une distribution de fréquence pour valeurs non groupées; autrement dit, les classes de valeurs se réduisent alors aux différentes valeurs de la variable.

8.1.2 Le χ^2 comme test d'indépendance: les tableaux de contingence

Dans la plupart des tests d'hypothèses que l'on a présentés au chapitre 7, de même que dans l'application précédente du test du χ^2, on ne considère qu'une seule variable, cette variable étant étudiée dans une seule ou dans plusieurs populations. Or, assez souvent en pratique, on désire étudier en même temps plusieurs variables dans une population. On va se limiter ici au cas où l'on considère deux variables dans une population (le cas de plus de deux variables étant abordé au chapitre 10). Par exemple, pour un certain groupe d'individus, on peut vouloir connaître en même temps leur sexe et leur opinion politique, la couleur de leurs yeux et la couleur de leurs cheveux, leur âge et leur attitude face au tabac (fumeur ou non fumeur), etc. Une première question qui se pose face à un tel couple de variables qualitatives est celle de savoir s'il existe une relation entre ces deux variables, ou plus précisément, si ces deux variables sont indépendantes ou dépendantes. Le test du χ^2 permet de répondre à cette question.

Pour tester l'hypothèse H_o selon laquelle les deux variables X et Y étudiées dans une population sont indépendantes, on tire un échantillon aléatoire de taille n de cette population. De nouveau on va chercher à comparer des fréquences observées avec des fréquences théoriques espérées. Lorsqu'on utilise le χ^2 comme test d'ajustement, comme une seule variable est impliquée, les observations obtenues de l'échantillon sont regroupées en classes en fonction de cette seule variable ("one-way classification"). Maintenant, dans un test d'indépendance, le fait que deux variables soient impliquées entraîne le regroupement des observations obtenues en fonction de ces deux variables ("two-way classification"). On obtient alors un tableau rectangulaire à double entrée dans lequel les observations sont regroupées en k classes selon la variable X, et en r classes selon la variable Y (on a déjà utilisé un tel tableau dans l'analyse de la variance à deux facteurs, à la section 7.3.3).

Tableau de contingence. On appelle ainsi un tableau rectangulaire dans lequel, après avoir choisi au hasard n membres dans une population, on classifie ces membres en k classes $A_1, A_2, ..., A_k$ selon une première variable X, et en r classes $B_1, B_2, ..., B_r$ selon une seconde variable Y, le nombre n_{ij} de membres appartenant à la fois à la classe A_i et à la classe B_j étant enregistré dans la case correspondante.

Si les diverses lignes du tableau correspondent aux classes $A_1, ..., A_k$, et les diverses colonnes aux classes $B_1, ..., B_r$, un tableau de contingence de format k sur r prend la forme du tableau 8.2.

TABLEAU 8.2

X \ Y	B_1	B_2	...	B_j	...	B_r	total
A_1	n_{11}	n_{12}	...	n_{1j}	...	n_{1r}	$n_{1.}$
A_2	n_{21}	n_{22}	...	n_{2j}	...	n_{2r}	$n_{2.}$
⋮	⋮	⋮		⋮	⋮	⋮	⋮
A_i	n_{i1}	n_{i2}	...	n_{ij}	...	n_{ir}	$n_{i.}$
⋮	⋮	⋮	⋮	⋮	⋮	⋮	⋮
A_k	n_{k1}	n_{k2}	...	n_{kj}	...	n_{kr}	$n_{k.}$
total	$n_{.1}$	$n_{.2}$	...	$n_{.j}$	...	$n_{.r}$	n

Dans le tableau de contingence 8.2, on a ajouté les totaux des lignes et des colonnes. On va noter par $n_{i.}$ le nombre total de membres appartenant à la classe A_i, et par $n_{.j}$ le nombre total de membres appartenant à la classe B_j.

Exemple 8.2. Certaines personnes affirment que, de nos jours au Québec, les jeunes ont moins tendance à contracter l'habitude de fumer (du tabac) que ne l'avaient leurs aînés. Pour vérifier s'il y a une relation entre l'habitude face au tabac (variable X) et l'âge (variable Y), on tire un échantillon aléatoire de 400 québécois de plus de 15 ans. Pour la variable X , on distingue 3 classes: les fumeurs réguliers (A_1), les fumeurs occasionnels (A_2), et les non-fumeurs (A_3). Pour la variable Y, on distingue aussi 3 classes: ceux qui ont moins de 25 ans (B_1), ceux qui ont entre 25 et 40 ans (B_2), et ceux qui ont plus de 40 ans (B_3). Selon ces deux variables et ces $3 \times 3 = 9$ catégories, on a obtenu le tableau de contingence donné au tableau 8.3, dans lequel on a aussi ajouté les totaux de chaque ligne et de chaque colonne.

TABLEAU 8.3

X \ Y	B_1 moins de 25 ans	B_2 entre 25 et 40 ans	B_3 plus de 40 ans	total
A_1 fumeur régulier	29	60	23	112
A_2 fumeur occasionnel	60	79	28	167
A_3 non-fumeur	63	49	9	121
total	152	188	60	400

Revenons maintenant au problème général consistant à vérifier l'indépendance de deux variables X et Y, quitte à résoudre l'exemple 8.2 par la suite. Selon l'hypothèse nulle H_o, les deux variables X et Y sont indépendantes. Pour éprouver H_o, on va utiliser les fréquences n_{ij} données dans le tableau de contingence (de la forme du tableau 8.3), et l'on va comparer ces **fréquences observées** n_{ij} avec les **fréquences théoriques espérées** lorsque l'hypothèse H_o est vraie. L'hypothèse H_o peut s'écrire en terme de probabilités. Pour un membre de l'échantillon de taille n tiré de la population, notons par p_{ij} la probabilité jointe que ce membre appartienne à la fois à la classe A_i (selon la variable X) et à la classe B_j (selon la variable Y), par $p_{i.}$ la probabilité qu'il appartienne à la classe A_i, et par $p_{.j}$ la probabilité qu'il appartienne à la classe B_j. Si H_o est vraie, on devrait avoir $p_{ij} = (p_{i.})(p_{.j})$ pour tout $i = 1, ..., k$ et pour tout $j = 1, \ldots, r$. Ainsi, les hypothèses du test d'indépendance peuvent être formulées comme suit:

$$H_0 : p_{ij} = (p_{i.})(p_{.j}), \text{ pour tout i et pour tout j},$$

$$H_1 : p_{ij} \neq (p_{i.})(p_{.j}), \text{ pour au moins un couple } (i, j).$$

Pour obtenir les fréquences théoriques espérées sous l'hypothèse H_0, que l'on va noter ν_{ij}, on utilise les probabilités $p_{i.}$ et $p_{.j}$. Comme on ne connaît ni $p_{i.}$ ni $p_{.j}$, on les estime: $p_{i.}$ est estimé par $n_{i.}/n$ et $p_{.j}$ est estimé par $n_{.j}/n$. On a donc

$$(8.2) \qquad \nu_{ij} = n(p_{i.})(p_{.j}) = n\left(\frac{n_{i.}}{n}\right)\left(\frac{n_{.j}}{n}\right)$$

Par la suite, pour tester l'indépendance entre X et Y, on utilise la statistique

$$(8.3) \qquad \boxed{\chi^2 = \sum_{i=1}^{k} \sum_{j=1}^{r} \frac{(n_{ij} - \nu_{ij})^2}{\nu_{ij}}}$$

Si les $k \times r$ observations impliquées sont indépendantes, si le nombre total n d'observations est suffisamment grand pour que l'on puisse considérer que les variables $(n_{ij} - \nu_{ij})/\sqrt{\nu_{ij}}$ sont distribuées normalement, et si les fréquences ν_{ij} sont suffisamment grandes (en pratique, on exige $n \geq 50$, $\nu_{ij} \geq 5$), alors la statistique définie par la relation (8.3) suit une distribution du χ^2 à $(k - 1)(r - 1)$ degrés de liberté. Si les variables X et Y sont vraiment indépendantes, on aura $\chi^2 = 0$. À mesure que l'on va s'écarter de la véracité de l'hypothèse d'indépendance, cette statistique χ^2 prendra des valeurs de plus en plus grandes. Donc pour éprouver H_0 contre H_1 au niveau α, on utilise une région critique unilatérale à droite: si l'on a $\chi^2 > \chi^2_c$, on rejette H_0, où la valeur critique χ^2_c est la valeur qui vérifie

$$P(\chi^2 > \chi^2_c / H_0) = \alpha$$

et qui est lue dans une table de la distribution du χ^2 à $(k-1)(r-1)$ degrés de liberté. On compare cette valeur critique χ^2_c avec la valeur χ^2_o observée pour la statistique définie par (8.3) dans l'échantillon; si $\chi^2_o > \chi^2_c$, on rejette H_0, autrement on l'accepte.

Exemple 8.3. On revient aux données de l'exemple 8.2, où l'on voulait vérifier s'il y avait une relation entre l'habitude face au tabac (variable X) et l'âge (variable Y). Pour un échantillon aléatoire de 400 québécois, on a obtenu les données classifiées dans le tableau 8.3. Peut-on conclure qu'il y a indépendance entre l'habitude face au tabac et l'âge, au niveau $\alpha = 0.01$?

Solution. Au tableau 8.3, on a noté les fréquences observées n_{ij} correspondant à chaque classe A_i, $i = 1, 2, 3$, et à chaque classe B_j, $j = 1, 2, 3$. Sous l'hypothèse H_0 selon laquelle X et Y sont indépendantes, il faut maintenant calculer les fréquences théoriques espérées ν_{ij}

correspondantes. Ainsi, par exemple, on obtient

$$\nu_{11} = n(p_{1.})(p_{.1}) = n\left(\frac{n_{1.}}{n}\right)\left(\frac{n_{.1}}{n}\right)$$

$$= 400\left(\frac{112}{400}\right)\left(\frac{152}{400}\right) = 42.56$$

$$\nu_{12} = n(p_{1.})(p_{.2}) = n\left(\frac{n_{1.}}{n}\right)\left(\frac{n_{.2}}{n}\right)$$

$$= 400\left(\frac{112}{400}\right)\left(\frac{188}{400}\right) = 52.64$$

etc.

Au tableau 8.4, on a refait le tableau de contingence obtenu précédemment (tableau 8.3), mais cette fois-ci, en indiquant pour chaque ligne 1_i et pour chaque colonne B_j, en plus des fréquences observées n_{ij}, les fréquences théoriques espérées ν_{ij}, que l'on a placées entre parenthèses.

TABLEAU 8.4

X \ Y	B_1 moins de 25 ans	B_2 entre 25 et 40 ans	B_3 plus de 40 ans	total
A_1 fumeur régulier	29 (42.56)	60 (52.64)	23 (16.8)	112
A_2 fumeur occasionnel	60 (63.46)	79 (78.49)	28 (25.05)	167
A_3 non-fumeur	63 (45.98)	49 (56.87)	9 (18.15)	121
total	152	188	60	400

Du tableau 8.4, on peut déduire la valeur observée pour la statistique du χ^2 définie par la relation (8.3); on obtient

$$\chi_o^2 = \frac{(29-42.56)^2}{42.56} + \frac{(60-52.64)^2}{52.64} + \frac{(23-16.8)^2}{16.8}$$

$$+ \frac{(60-63.46)^2}{63.46} + \frac{(79-78.49)^2}{78.49} + \frac{(28-25.05)^2}{25.05}$$

$$+ \frac{(63-45.98)^2}{45.98} + \frac{(49-56.87)^2}{56.87} + \frac{(9-18.15)^2}{18.15}$$

$$\simeq 20.18$$

Il reste à obtenir χ^2 critique dans une table de la distribution du χ^2 à $(k-1)(r-1) = (3-1)(3-1) = 4$ degrés de liberté. Au niveau $\alpha = 0.01$, on obtient $\chi_c^2 = 13.28$. Comme on a

$$\chi_o^2 = 20.18 > \chi_c^2 = 13.28$$

on doit rejeter l'hypothèse d'indépendance entre l'âge et l'habitude face au tabac, au niveau $\alpha = 0.01$. Notons que le test du χ^2 ne permet pas d'affirmer que plus on est jeune, moins on a de chances de fumer; il permet seulement d'affirmer qu'il y a une relation entre ces deux variables. Pour établir quel type de relation il existe entre X et Y, il faut recourir à d'autres méthodes statistiques, telles certaines de celles qu'on va introduire aux chapitres 9 et 10 de ce volume.

8.1.3 Le χ^2 comme test de comparaison de plusieurs proportions

A la section 7.2.5, on a présenté un test permettant de comparer dans deux populations distinctes les proportions p_1 et p_2 des membres de chacune de ces populations possédant une certaine caractéristique. Plus précisément, on a testé $H_o : p_1 = p_2$ contre $H_1 : p_1 < p_2$, $p_1 > p_2$ ou $p_1 \neq p_2$. Ainsi, à l'exemple 7.15, on a voulu vérifier l'hypothèse selon laquelle les parts du marché du produit X dans deux régions distinctes étaient égales, c'est-à-dire l'hypothèse $H_o : p_1 = p_2$. Il peut très bien arriver que l'on veuille comparer les parts de marché de ce produit dans plus de deux régions, disons dans k régions $(k \geqslant 2)$, et alors vérifier l'hypothèse

$$H_o : p_1 = p_2 = p_3 = \ldots = p_k,$$

l'hypothèse alternative étant alors

H_1: ces k proportions ne sont pas toutes égales (au moins l'une d'elles diffère).

Dans ce cas, on est en présence de k populations, et dans chacune de ces populations, on considère une variable de Bernoulli de paramètre p_k , cette variable indiquant si un membre particulier de la kième population possède ou non une caractéristique spécifiée.

Le test du χ^2 permet de faire ce test de comparaison entre k proportions $(k \geqslant 2)$. Pour éprouver l'hypothèse d'égalité des proportions dans les k populations, on tire indépendamment un échantillon de taille n_1 dans la première population, un échantillon de taille n_2 dans la deuxième, ..., un échantillon de taille n_k dans la kième population. On classifie alors les $n_1 + n_2 + \ldots + n_k = n$ observations obtenues dans un tableau rectangulaire composé de k lignes (les k populations) et de deux colonnes: dans la première colonne, on indique le nombre n_{i1} de membres de l'échantillon i qui possèdent la caractéristique désirée, et dans la deuxième colonne on indique le nombre n_{i2} de membres de l'échantillon i qui ne possèdent pas la caractéristique désirée; ces nombres n_{i1} et n_{i2} constituent ici les fréquences observées. On peut compléter ce tableau en y ajoutant les totaux des lignes et des colonnes, de façon à obtenir un tableau de la forme suivante:

TABLEAU 8.5

population	nombre de ceux qui ont la caractéristique	nombre de ceux qui n'ont pas la caractéristique	
1	n_{11}	n_{12}	n_1
2	n_{21}	n_{22}	n_2
. . .	. . .	. . .	. . .
i	n_{i1}	n_{i2}	n_i
. . .	. . .	. . .	. . .
k	n_{k1}	n_{k2}	n_k
	$n_{.1}$	$n_{.2}$	n

Exemple 8.4. On veut comparer les parts de marché des céréales de marque "Pop" dans trois régions distinctes du Québec (la Gaspésie, la Mauricie et le Saguenay). D'un échantillon aléatoire de 100 personnes choisies en Gaspésie, 40 disent acheter "Pop"; d'un échantillon aléatoire de 130 personnes choisies en Mauricie, 63 disent acheter "Pop"; d'un échantillon aléatoire de 90 personnes choisies au Saguenay, 41 disent acheter "Pop". Classifier ces observations dans un tableau de la forme du tableau 8.5.

Solution. On a essentiellement k = 3 populations, d'où l'on obtient le tableau à 3 lignes et à 2 colonnes donné au tableau 8.6.

TABLEAU 8.6

région	nombre de ceux qui achètent Pop n_{i1}	nombre de ceux qui n'achètent pas Pop n_{i2}	total n_i
1: Gaspésie	40	60	100
2: Mauricie	63	67	130
3: Saguenay	41	49	90
total $n_{.j}$	144	176	320

Après avoir ainsi classifié les observations obtenues, on est placé dans une situation sensiblement analogue à celle qui prévalait dans l'utilisation du χ^2 comme test d'indépendance. Pour éprouver l'hypothèse H_o selon laquelle $p_1 = p_2 = ... = p_k = p$, on va comparer les fréquences observées du tableau 8.5 (ou 8.6) avec les fréquences théoriques espérées lorsque H_o est vraie. Si les k échantillons viennent de populations ayant un paramètre p commun, on peut combiner les k populations en une seule, et les k échantillons dans un seul, et considérer que l'on a un échantillon de taille $n_1 + ... + n_k$ provenant d'une population de Bernoulli de paramètre p. Comme on ne connaît pas p, on l'estime par $\bar{x}$ la proportion de ceux qui possèdent la caractéristique désirée dans l'échantillon regroupé de taille $n_1 + ... + n_k$. On a donc comme estimation de p

$$\hat{p} = \bar{x} = \frac{n_{11} + n_{21} + ... + n_{k1}}{n_1 + n_2 + ... + n_k}$$

Par la suite on peut calculer pour chaque case du tableau 8.5 la fréquence théorique espérée ν_{ij} $i = 1, ..., k$ et $j = 1, 2$, si H_o est vraie. On a

$$\nu_{i1} = n_i \hat{p}, \quad i = 1, ..., k,$$
$$\nu_{i2} = n_i (1 - \hat{p}) \quad i = 1, ..., k.$$

Pour éprouver H_o contre H_1, on définit alors la statistique

$$\chi^2 = \sum_{i=1}^{k} \sum_{j=1}^{2} \frac{(n_{ij} - \nu_{ij})^2}{\nu_{ij}} \tag{8.4}$$

Si le nombre total n d'observations est suffisamment grand pour que l'on puisse considérer les variables $(n_{ij} - \nu_{ij})/\sqrt{\nu_{ij}}$ comme normalement distribuées (en pratique on exige au moins $n \geqslant 50$), si les k échantillons sont indépendants, et si les fréquences espérées ne sont pas trop petites (en pratique, on exige $\nu_{ij} \geqslant 5$), alors la statistique définie par (8.4) suit une distribution du χ^2 à $(k - 1)(r - 1) = (k - 1)(2 - 1) = (k - 1)$ degrés de liberté. Au niveau α, dans la table de la distribution du χ^2 à $(k - 1)$ degrés de liberté, on trouve la valeur critique χ^2_c telle que

$$P(\chi^2 > \chi^2_c) = \alpha$$

Enfin, on calcule la valeur observée χ^2_o pour la statistique d'après les données obtenues des k échantillons. En conclusion, si $\chi^2_o > \chi^2_c$ on rejette l'hypothèse d'égalité des proportions $p_1, ..., p_k$; autrement, on accepte cette hypothèse.

Exemple 8.5. On se replace dans le contexte de l'exemple 8.4, où l'on voulait comparer les parts de marché des céréales de marque Pop dans trois régions du Québec, à savoir la Gaspésie, la Mauricie et le Saguenay. On avait tiré des échantillons indépendants de taille $n_1 = 100$, $n_2 = 130$ et $n_3 = 90$ respectivement dans ces trois régions, et l'on avait obtenu les données du tableau 8.6. A partir de ces données, peut-on affirmer, au niveau $\alpha = 0.05$, que les parts de marché détenues par les céréales Pop sont égales dans ces trois régions?

Solution. Le tableau 8.6 donne les fréquences observées, c'est-à-dire le nombre n_{i1} de ceux qui achètent les céréales Pop dans la région i, et le nombre n_{i2} de ceux qui ne les achètent pas dans cette région. On veut éprouver les hypothèses

$$H_o : p_1 = p_2 = p_3 = p$$

contre

$$H_1 : \text{les } p_i \text{ ne sont pas toutes égales, } i = 1, 2, 3.$$

Pour obtenir les fréquences théoriques espérées ν_{i1} et ν_{i2} lorsque H_o est vraie, on estime la proportion commune inconnue p comme suit:

$$\hat{p} = \frac{n_{11} + n_{21} + n_{31}}{n_1 + n_2 + n_3} = \frac{40 + 63 + 41}{100 + 130 + 90} = 0.45$$

Par la suite, on obtient les fréquences théoriques espérées comme suit:

$$\nu_{11} = n_1 \hat{p} = 100\,(.45) = 45$$

$$\nu_{12} = n_1 (1 - \hat{p}) = 100\,(.55) = 55$$

$$\nu_{21} = n_2 \hat{p} = 130\,(.45) = 58.5$$

etc.

Au tableau 8.7, on a repris le tableau 8.6 en y ajoutant entre parenthèses les fréquences théoriques ν_{ij} ainsi calculées.

TABLEAU 8.7

région	nombre de ceux qui achètent Pop	nombre de ceux qui n'achètent pas Pop	total n_i
1: Gaspésie	40(45)	60(55)	100
2: Mauricie	63(58.5)	67(71.5)	130
3: Saguenay	41(40.5)	49(49.5)	90
	144	176	320

On peut alors déterminer le χ^2 observé: on a

$$\chi_o^2 = \sum_{i=1}^{3} \sum_{j=1}^{2} \frac{(n_{ij} - \nu_{ij})^2}{\nu_{ij}}$$

$$= \frac{(40-45)^2}{45} + \frac{(60-55)^2}{55} + \frac{(63-58.5)^2}{58.5}$$

$$+ \frac{(67-71.5)^2}{71.5} + \frac{(41-40.5)^2}{40.5} + \frac{(49-49.5)^2}{49.5}$$

$$= 1.65$$

Comme les 3 échantillons sont indépendants, le nombre total d'observations est suffisamment grand ($n = 320$) et les fréquences observées et théoriques sont toutes suffisamment grandes, on peut utiliser le test du χ^2 pour éprouver H_o. Au niveau $\alpha = 0.05$, on obtient la valeur critique dans une table de la distribution du χ^2 à $k-1 = 2$ degrés de liberté: on a

$$\chi_c^2 = 5.99$$

Puisque la valeur observée $\chi_o^2 = 1.65$ est plus petite que la valeur critique $\chi_c^2 = 5.99$, on est amené à accepter l'hypothèse H_o, c'est-à-dire à accepter que, au niveau $\alpha = 0.05$, les parts de marché des céréales Pop dans ces trois régions sont égales.

8.2 AUTRES TESTS NON PARAMETRIQUES

8.2.1 Le test du signe

Excepté pour des tests effectués à partir de grands échantillons, tous les tests portant sur une ou deux moyennes présentés au chapitre 7 exigent comme condition d'utilisation que la distribution de la population soit normale. Si cette hypothèse est violée, ces tests ne s'appliquent pas. Pour éprouver des hypothèses sur μ, il faut alors faire appel à un test non paramétrique, et le test du signe est l'un des outils approprié dans ce cas-là.

Le test du signe s'applique dans le cas où la distribution de la population est une distribution symétrique. Si l'on a cette symétrie, la moyenne et la médiane coïncident; pour une valeur d'un échantillon aléatoire tiré de cette population, les probabilités que cette valeur soit inférieure à la moyenne μ ou qu'elle soit supérieure à μ sont toutes deux égales à 1/2. Pour tester les hypothèses $H_o : \mu = \mu_o$ contre $H_1 : \mu < \mu_o$, $\mu > \mu_o$ ou $\mu \neq \mu_o$ à partir d'un échantillon de taille n, on remplace chaque valeur de l'échantillon plus grande que μ_o par le signe "plus" (+), chaque valeur de l'échantillon plus petite que μ_o par le signe "moins" (-), et on laisse tomber les valeurs de l'échantillon égales à μ_o. De cette façon, on obtient un autre test. On considère ces signes (+) et (-) comme les valeurs d'une variable de Bernoulli de paramètre p, et l'on confronte alors les deux hypothèses $H_o : p = 1/2$ et

$H_1 : p < 1/2, p > 1/2$ ou $p \neq 1/2$. Dans un test habituel sur μ , on compare la valeur observée $\overline{x}_o$ dans l'échantillon avec la valeur critique $\overline{x}_c$ obtenue par l'intermédiaire de la distribution normale. Le test sur μ a été transformé en un test sur p. Comme la taille n de l'échantillon est petite, pour effectuer ce test, on utilise la statistique Y qui représente le nombre de signes (+) dans l'échantillon, et qui suit une distribution binômiale de paramètres n et p ($p = 1/2$ si H_o est vraie). Si l'on a $H_1 : p < 1/2$, on rejette H_o lorsque $Y < y_c$; si l'on a $H_1 : p > 1/2$, on rejette H_o lorsque $Y < y_c$, et si l'on a $H_1 : p \neq 1/2$, on rejette H_o lorsque $Y < y_{c_1}$ ou $Y > y_{c_2}$. En comparant le nombre observé y_o de signes (+) dans l'échantillon avec la ou les valeurs critiques ainsi obtenues, on peut choisir entre H_o et H_1 .

Exemple 8.6. On aimerait connaître le montant moyen d'argent dépensé par les gens qui fréquentent un certain parc d'amusement. Jusqu'à maintenant, on considérait que ce montant moyen était de \$9.00, mais le directeur du parc croit que cette évaluation est trop basse. Pour tester ces deux hypothèses, on tire un échantillon de 11 personnes, et l'on obtient les résultats suivants: \$7.50, \$10.00, \$13.75, \$8.50, \$9.50, \$10.15, \$10.35, \$9.00, \$11.45, \$7.75 et \$11.10. Peut-on conclure, au niveau $\alpha = 0.05$, que le montant moyen dépensé par les gens dans ce parc est réellement plus grand que \$9.00 (on croit que la distribution du montant dépensé est symétrique)?

Solution. On veut confronter les hypothèses $H_o : \mu = \$9.00$ contre $H_1 : \mu > \$9.00$. La taille de l'échantillon est petite ($n = 11$), et l'on ne connaît pas la distribution de la population. On ne peut donc pas utiliser les tests sur μ présentés à la section 7.2. Comme la distribution de la population est symétrique, le test du signe s'applique. Si H_o est vraie, on a $\mu = \$9.00$. On transforme le test en remplaçant chacune des valeurs observées dans l'échantillon par (+) si cette valeur est plus grande que \$9.00, et par (−) si cette valeur est plus petite que \$9.00 (on écarte la valeur \$9.00); on obtient ainsi:

7.50,	10.00,	13.75,	8.50,	9.50,	10.15,	10.35,	11.45,	7.75,	11.10
−	+	+	−	+	+	+	+	−	+

On considère maintenant ces (+) et (-) comme les valeurs d'une variable de Bernoulli de paramètre p (où le (+) désigne un succès). On est ainsi amené à tester $H_o : p = 1/2$ contre $H_1 : p > 1/2$.

Pour calculer la valeur critique, on utilise la statistique $Y = \sum_{i=1}^{10} X_i$, qui représente le nombre de signes (+), et qui suit une distribution binômiale de paramètres $n = 10$ (car on a écarté une observation) et $p = 1/2$ (sous H_o). De l'équation

$$P(Y > y_c \mid H_o) \leqslant \alpha = 0.05,$$

on obtient dans une table de la binômiale cumulée, pour $n = 10$ et $p = 1/2$, la valeur critique (voir annexe 2, table 6)

$$y_c = 8 .$$

La valeur observée (le nombre de (+) observé) est $y_o = 7$. Comme on a $y_o = 7 < y_c = 8$, on est amené à accepter H_o et donc à accepter l'hypothèse voulant que le montant dépensé par les gens dans ce parc soit égal à $9.00.

Lorsqu'on a affaire à une seule population, le test du signe est aussi utilisé à des fins autres que celle exposée précédemment. Par exemple, il est utilisé pour comparer les moyennes d'une variable avant et après un programme d'entraînement, une campagne publicitaire, etc. (cf. observations couplées présentées à la section 7.2.4). Pour ce type d'utilisation, on peut consulter, entre autres, Levin [26] et Siegel [38].

8.2.2 Le test des rangs de Mann-Whitney

A la section 7.2.4, on a étudié certains tests servant à comparer les moyennes de deux échantillons indépendants tirés de deux populations distinctes, mais les conditions exigées pour pouvoir appliquer ces tests sont passablement contraignantes. Si ces conditions ne sont pas satisfaites, on peut faire cette comparaison des moyennes grâce à un test non paramétrique appelé test de Mann-Whitney, test de Wilcoxon, ou test de la somme des rangs ("rank-sum test"), ce test étant applicable sous des conditions beaucoup plus générales que celles exigées au chapitre 7.

On veut comparer deux populations. A cette fin on tire indépendamment un échantillon aléatoire de taille n_1 dans la première, et un échantillon aléatoire de taille n_2 dans la seconde. Pour vérifier si l'on peut considérer ces deux échantillons comme venant d'une même population, on teste les hypothèses

H_o : les deux échantillons proviennent de populations identiques,

contre

H_1 : les deux échantillons proviennent de populations différentes.

Si les populations sont identiques, elles doivent avoir même distribution, moyenne, variance et médiane. Pour éprouver H_o contre H_1, on se base sur les rangs des observations des deux échantillons. On va procéder par l'intermédiaire de l'exemple suivant:

Exemple 8.7. Comme étape préliminaire de sélection des candidats qui postulent un emploi dans une grande banque, on fait passer un petit test d'aptitude et l'on note le nombre de minutes nécessaires à ces candidats pour répondre au test. Pour 10 candidats masculins et 10 candidats féminins, on a obtenu les résultats suivants:

hommes: 6.5, 10, 7, 9.8, 8.5, 9.2, 9.0, 8.2, 10.8, 8.7

femmes: 8.6, 7.8, 8.3, 6.6, 10.5, 6.3, 9.3, 8.4, 9.7, 8.8

Si l'on évalue la performance des candidats lors du test seulement par le temps nécessaire pour y répondre, peut-on affirmer, au niveau $\alpha = 0.05$, qu'il y a une différence réelle entre la performance des candidats masculins et celle des candidats féminins?

Solution. Si X désigne la performance des hommes lors du test, et Y celle des femmes, on veut tester $H_o : \mu_x = \mu_y$ ou $(\mu_x - \mu_y) = 0$ contre $H_1 : \mu_x \neq \mu_y$. On pourrait vouloir utiliser un des test proposés à la section 7.2.4, mais comme on ne connaît pas les distributions de X et de Y, et comme les tailles n_1 et n_2 des échantillons sont petites, ces tests ne sont pas applicables. On va plutôt tester H_o : ces 2 échantillons proviennent de populations identiques, contre H_1 : ils proviennent de populations différentes. A cette fin, on va considérer ces deux échantillons comme un seul échantillon de 20 observations. On ordonne les 20 observations ainsi regroupées, en partant de la plus petite pour terminer par la plus grande. Pour chacune de ces observations ainsi ordonnées, on note son rang et son origine (en lui assignant la lettre X si elle provient de la première population, et la lettre Y si elle provient de la seconde). On obtient ainsi le tableau 8.8.

TABLEAU 8.8

observation	6.3	6.5	6.6	7	7.8	8.2	8.3	8.4	8.5	8.6
origine	Y	X	Y	X	Y	X	Y	Y	X	Y
rang	1	2	3	4	4	6	7	8	9	10

observation	8.7	8.8	9	9.2	9.3	9.7	9.8	10	10.5	10.8
origine	X	Y	X	X	Y	Y	X	X	Y	X
rang	11	12	12	14	15	16	17	18	19	20

Du tableau 8.8, on sait par exemple que l'observation 8.3 provient du second échantillon (femme: Y), et que cette observation est au 7ième rang dans l'ensemble des 20 observations.

Revenons maintenant au problème général que l'on veut résoudre, quitte à terminer la solution de l'exemple 8.7 par la suite. Si H_o est vraie (les deux échantillons proviennent de populations identiques), il semble raisonnable de supposer que la somme des rangs du premier échantillon sera à peu près la même que la somme des rangs du deuxième échantillon. Si c'est H_1 qui est vraie, ces sommes seront différentes; si, par exemple, μ_x est plus petit que μ_y, la plupart des petits rangs seront assignés aux observations du premier échantillon, et la plupart des grands rangs seront assignés aux observations du second échantillon. Notons par R_1 la somme des rangs du premier échantillon. Pour tester H_o contre H_1, on utilise la statistique U définie par

$$(8.5) \qquad U = n_1 n_2 + \frac{n_1(n_1+1)}{2} - R_1$$

où n_1 et n_2 sont les tailles des deux échantillons. Si H_o est vraie, c'est-à-dire si les échantillons proviennent de populations identiques (ou d'une seule population), il est possible de prouver que l'on a:

$$\mu_U = \text{la moyenne de } U = \frac{n_1 n_2}{2}$$

et $$\sigma_U = \text{l'écart-type de } U = \sqrt{\frac{n_1 n_2 (n_1 + n_2 + 1)}{12}}$$

De plus, si l'on a $n_1 \geqslant 8$ et $n_2 \geqslant 8$, on peut prouver que la statistique U suit approximativement une distribution normale. A cause de la nature des hypothèses, on fait un test bilatéral basé sur U. Si $U < u_{c_1}$ ou $U > u_{c_2}$, on rejette H_o, autrement, on l'accepte. Au niveau α, on trouve les valeurs critiques u_{c_1} et u_{c_2} qui vérifient l'égalité

$$P(u_{c_1} \leqslant U \leqslant u_{c_2} \mid H_o) = 1 - \alpha .$$

On en déduit des valeurs critiques de la forme

$$u_{c_1} = \mu_U - z_{\alpha/2}(\sigma_U)$$

et $$u_{c_2} = \mu_U + z_{\alpha/2}(\sigma_U),$$

la valeur $z_{\alpha/2}$ étant lue dans la table de la normale centrée réduite. Pour conclure, il reste à comparer la valeur u_o observée pour U dans les deux échantillons: si $u_o \in [u_{c_1}, u_{c_2}]$ on accepte H_o, autrement, on la rejette.

Solution de l'exemple 8.7. (suite)

Au tableau 8.8, on a noté les rangs de chacune des 20 observations ainsi que leurs origines. La somme des rangs du premier échantillon est donnée par

$$R_1 = 2 + 4 + 6 + 9 + 11 + 13 + 14 + 17 + 18 + 20 = 114$$

On peut immédiatement calculer la valeur observée pour la statistique U ; on a

$$u_o = n_1 n_2 + \frac{n_1(n_1+1)}{2} - R_1$$

$$= 10(10) + \frac{10(11)}{2} - 114 = 41$$

On calcule maintenant les valeurs critiques au niveau $\alpha = 0.05$. On a d'abord

$$\mu_U = \frac{n_1 n_2}{2} = \frac{10(10)}{2} = 50$$

$$\sigma_U = \sqrt{\frac{n_1 n_2 (n_1 + n_2 + 1)}{12}} = \sqrt{\frac{(10)(10)(10+10+1)}{12}} = 13.2$$

d'où les valeurs critiques

$$u_{c_1} = \mu_U - z_{\alpha/2}(\sigma_U) = 50 - 1.96\ (13.2) = 24.13$$

$$u_{c_2} = \mu_U + z_{\alpha/2}(\sigma_U) = 50 + 1.96\ (13.2) = 74.87$$

Comme on a

$$u_{c_1} = 24.13 < u_o = 41 < u_{c_2} = 74.87$$

on est amené à accepter H_0, et donc, au niveau 0.05, on croit que les performances des hommes à ce test d'aptitude ne diffèrent pas significativement de celles des femmes.

Il faut enfin signaler que, même si les hypothèses $n_1 \geqslant 8$ et $n_2 \geqslant 8$ ne sont pas satisfaites, on peut utiliser le test de Mann-Witney; mais, dans ce cas-là, il faut recourir à une table spéciale pour lire les valeurs de la statistique U, table que l'on peut retrouver, par exemple, dans Siegel [38].

8.2.3 Le test des séquences ("runs test")

Toutes les méthodes d'inférence qui ont été discutées jusqu'ici sont basées sur l'hypothèse selon laquelle l'échantillon qui est utilisé pour inférer est un échantillon aléatoire. Il peut arriver que cette hypothèse soit difficile à justifier, en particulier lorsque le statisticien n'a pas de contrôle sur la sélection des données. Le test des séquences permet de vérifier si un échantillon est vraiment aléatoire (c'est-à-dire s'il s'agit d'un échantillon indépendant et identiquement distribué). On va procéder par l'intermédiaire de l'exemple suivant:

Exemple 8.8. Dans le cadre d'un processus de fabrication, on observe une série de 30 articles produits par une machine, et l'on assigne à l'article produit la lettre D s'il est défectueux, et la lettre B s'il est bon. On a obtenu la suite suivante:

$$\underbrace{BBBBB}\ \underbrace{DDD}\ \underbrace{BBBBBBBBB}\ \underbrace{DD}\ \underbrace{BB}\ \underbrace{DDDDD}\ \underbrace{BBBB}$$

On appelle **séquence** une suite de lettres identiques (ou d'autres symboles). Ici, on a 6 séquences: une première composée de 4 "B", une seconde composée de 2 "D", etc. On veut vérifier le caractère aléatoire de cet échantillon, c'est-à-dire vérifier si les pièces défectueuses se présentent vraiment d'une façon aléatoire.

Le nombre de séquences apparaissant dans une série de cette nature est souvent une bonne indication du caractère aléatoire des observations impliquées. S'il n'y a pas assez de séquences, on peut soupçonner qu'il y a un phénomène de regroupement qui est impliqué, et s'il y a trop de séquences, on peut soupçonner qu'il y a une certaine périodicité dans l'occurrence des résultats. Ainsi, dans l'exemple 8.8, il semble y avoir un phénomène de regroupement. Pour tester

H_o : l'échantillon est aléatoire

contre

H_1 : l'échantillon n'est pas aléatoire,

on utilise la statistique notée W, et définie comme suit:

(8.6) W = le nombre total de séquences dans la série d'observations.

Si l'on a un échantillon de taille n, et si l'on note par n_1 le nombre de lettres (ou autres symboles) de la première espèce et par n_2 le nombre de lettres de la seconde espèce, on a comme espérance mathématique et comme écart type de W (sous l'hypothèse H_o)

$$\mu_W = \frac{2 n_1 n_2}{n_1 + n_2} + 1$$

$$\sigma_W = \sqrt{\frac{2 n_1 n_2 (2 n_1 n_2 - n_1 - n_2)}{(n_1 + n_2)^2 (n_1 + n_2 - 1)}}$$

De plus, si l'on a $n_1 \geqslant 10$ et $n_2 \geqslant 10$, on peut prouver que la statistique W définie par (8.6) suit approximativement une distribution normale. Les hypothèses définies précédemment impliquent la construction d'un test bilatéral. On rejette H_o si $W < w_{c_1}$ ou si $W > w_{c_2}$, autrement, on l'accepte. On a donc comme valeurs critiques au niveau α

$$w_{c_1} = \mu_W - z_{\alpha/2} (\sigma_W)$$

et

$$w_{c_2} = \mu_W + z_{\alpha/2} (\sigma_W),$$

la valeur $z_{\alpha/2}$ étant lue dans la table d'une normale centrée réduite. Par la suite, on compare le nombre w_o de séquences observées dans l'échantillon: si $w_o \in [w_{c_1}, w_{c_2}]$, on accepte H_o, autrement, on la rejette.

Exemple 8.9. On reprend les données de l'exemple 8.8. A partir de ces données, peut-on affirmer, au niveau $\alpha = 0.05$, que les pièces défectueuses se présentent vraiment d'une façon aléatoire?

Solution. Soit n_1 le nombre de lettres "B" et n_2 le nombre de lettres "D" dans l'échantillon; on a $n_1 = 20$ et $n_2 = 10$. De là, on obtient

$$\mu_W = \frac{2(20)(10)}{20 + 10} + 1 = 14.33,$$

$$\sigma_W = \sqrt{\frac{2(20)(10)[2(20)(10) - 20 - 10]}{(20+10)^2 (20+10+1)}} = 2.38.$$

Au niveau $\alpha = 0.05$, les valeurs critiques du test sont donc

$$w_{c_1} = 14.33 - 1.96\,(2.38) = 9.67$$

$$w_{c_2} = 14.33 + 1.96\,(2.38) = 18.99$$

Le nombre de séquences observé dans la série de 30 observations est $w_0 = 7$. Comme $w_0 = 7$ n'appartient pas à l'intervalle d'acceptation $[9.67, 18.99]$, on est amené à rejeter H_0 et à affirmer qu'il ne s'agit pas d'un échantillon aléatoire.

Ce test des séquences est aussi applicable lorsque la condition $n_1 \geqslant 10$ et $n_2 \geqslant 10$ n'est pas satisfaite. Cependant, dans ce cas-là, au lieu d'approximer la distribution de la statistique W définie par (8.6) par une distribution normale, il faut lire les valeurs de la distribution de W dans une table spéciale que l'on peut retrouver, par exemple, dans Siegel [38]. On doit aussi signaler qu'il existe dans la littérature statistique d'autres tests de séquences définis d'une façon différente, et qui peuvent servir à d'autres fins.

Comme conclusion générale de ce bref exposé sur les méthodes non paramétriques, il importe de souligner que ces méthodes possèdent un grand avantage sur les méthodes paramétriques classiques: en général, les conditions exigées pour qu'elles soient applicables sont beaucoup moins contraignantes que celles exigées par les méthodes paramétriques: d'où la popularité sans cesse croissante des méthodes non paramétriques. On peut trouver des exposés beaucoup plus élaborés sur le sujet, entre autres, dans Siegel [38], Champion [33], Lehmann [37] et Gibbons [36].

8.3 EXERCICES

8.1 Pour un échantillon aléatoire de 50 compagnies manufacturières, on a relevé le nombre moyen d'accidents de travail par 1000 heures-homme (dans un secteur particulier de l'industrie). On a obtenu la distribution de fréquence suivante:

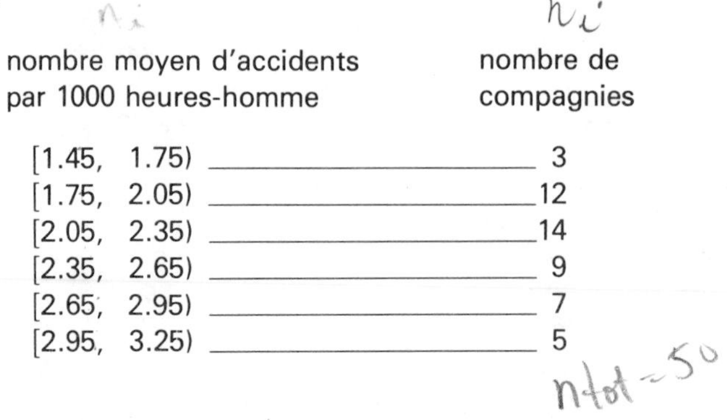

nombre moyen d'accidents par 1000 heures-homme	nombre de compagnies
[1.45, 1.75)	3
[1.75, 2.05)	12
[2.05, 2.35)	14
[2.35, 2.65)	9
[2.65, 2.95)	7
[2.95, 3.25)	5

On en déduit $\overline{x} = 2.32$ et $s = 0.42$. Au niveau $\alpha = 0.05$, peut-on affirmer que le nombre moyen d'accidents de travail dans ce secteur de l'industrie suit une distribution normale?

8.2 Une dactylo à l'emploi d'une certaine firme a dactylographié un texte de 100 pages. Le nombre de fautes qu'elles a commises par page a la distribution de fréquence suivante:

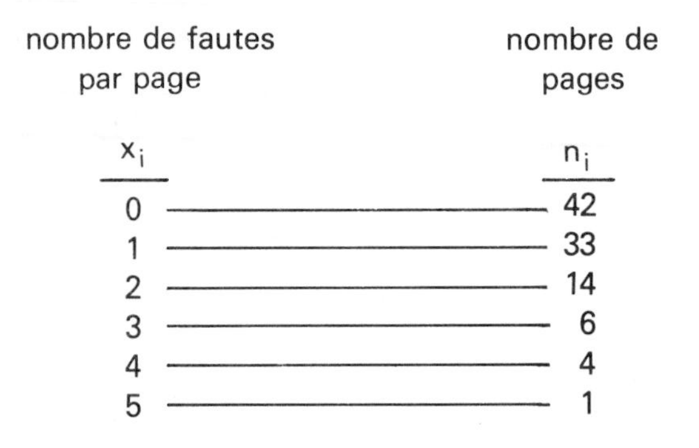

nombre de fautes par page x_i	nombre de pages n_i
0	42
1	33
2	14
3	6
4	4
5	1

Peut-on affirmer, au niveau $\alpha = 0.05$, que le nombre de fautes qu'elle commet par page suit une distribution de Poisson?

8.3 Le département de recherche en marketing du manufacturier de téléviseurs couleurs "Vision" a choisi 5 villes; le responsable du département croit que chacune de ces villes a le même potentiel de vente. Le nombre de téléviseurs couleurs "Vision" vendus dans ces cinq villes A, B, C, D, E pour une période de 6 mois se distribue comme suit:

villes	nombre de téléviseurs vendus
A	180
B	185
C	235
D	210
E	190
Total	1000

Au niveau $\alpha = 0.05$, peut-on affirmer que ces villes ont vraiment le même potentiel de vente?

8.4 Le directeur d'une école élémentaire a classifié les 287 élèves de son institution selon deux variables, à savoir: leur participation aux activités parascolaires (variable X) et le revenu de leurs parents (variable Y). Pour chacune de ces variables, il a retenu trois modalités, et il a ainsi obtenu les résultats suivants:

participation \ revenu	bas	moyen	élevé	total
aucune	28	48	16	92
occasionnelle	22	65	14	101
régulière	17	74	3	94
total	67	187	33	287

Au niveau $\alpha = 0.05$, ce directeur peut-il affirmer qu'il y a une relation entre la participation de ses élèves aux activités parascolaires et le revenu de leurs parents?

8.5 On veut vérifier s'il y a une relation entre l'allégeance politique des québécois et leur attitude face à un projet de loi. D'un échantillon aléatoire de 800 québécois, on a obtenu les résultats suivants:

	en faveur	**contre**	**indécis**
libéraux	100	150	150
péquistes	150	100	150

Au niveau $\alpha = 0.05$, est-ce que ces résultats confirment qu'il existe bien une telle relation?

8.6 On a tiré un échantillon aléatoire de 200 pneus radiaux ceinturés d'acier dans la production de chacune des 4 compagnies "Goodway", "Firerock", "Michemin" et "Bossroyal". Comme résultats, 26 des 200 pneus Goodway, 21 des 200 pneus Firerock, 17 des 200 pneus Michemin, et 34 des 200 pneus Bossroyal ont crevé avant 40,000 kilomètres. Peut-on affirmer, au niveau $\alpha = 0.05$, qu'il n'y a aucune différence entre les pneus de ces 4 compagnies relativement à la proportion de ceux qui crèvent avant 40,000 kilomètres?

8.7 On demande à un échantillon aléatoire de 100 membres de chacun des syndicats CSN, CEQ et FTQ s'ils sont en faveur de tel projet de loi. On obtient les résultats suivants: si l'on note ceux qui sont en faveur du projet, il y en a 32 parmi les 100 membres de la CSN interrogés, 34 parmi les 100 membres de la CEQ, et 56 parmi les 100 membres de la FTQ. Au niveau $\alpha = 0.01$, peut-on affirmer qu'il y a une différence réelle d'opinion au sujet de ce projet de loi entre les membres de ces trois centrales syndicales?

Fin

8.8 Le fabricant de la cire à plancher "Ultraclair" affirme que ses contenants de cire liquide de "un litre" (selon l'étiquette) contiennent en moyenne 1.05 litres. Pour vérifier cette affirmation, un agent de l'Office de protection du consommateur choisit 15 contenants de "un litre" de cire "Ultraclair" dans un lot considérable, et il en vérifie le contenu; il obtient (en litres) les résultats suivants: 0.9, 1.0, 1.2, 1.0, 0.9, 1.0, 1.1, 0.85, 1.05, 1.1, 0.9, 0.95, 1.15, 0.98, 1.05. A partir de ces résultats, cet agent peut-il rejeter l'affirmation du fabricant, au niveau $\alpha = 0.05$?

8.9 Les résultats suivants représentent les temps nécessaires à un échantillon aléatoire de 20 techniciens pour exécuter une certaine tâche (en minutes): 18.1, 20.3, 18.3, 15.6, 22.5, 16.8, 17.6, 16.9, 18.1, 16.9, 19.1, 16.7, 19.5, 18.5, 20.1, 18.8, 19.0, 17.5, 18.4 et 18.1. Utiliser le test du signe au niveau $\alpha = 0.05$ pour confronter les deux hypothèses $H_0: \mu \leqslant 19.4$ et $H_1: \mu > 19.4$.

8.10 On étudie les prix de détail d'un certain produit de consommation à Québec et à Montréal. On a noté le prix de détail de ce produit dans 10 commerces choisis au hasard à Québec, et dans 12 commerces choisis au hasard à Montréal, et l'on a obtenu (en dollars)

Québec	53, 57, 62, 55, 51, 49, 52, 58, 55, 57
Montréal	48, 47, 56, 55, 52, 57, 53, 50, 49, 54, 52, 60

Au niveau $\alpha = 0.05$, peut-on affirmer qu'il y a vraiment une différence de prix pour ce produit entre Québec et Montréal?

8.11 On a choisi au hasard 10 familles composées de 4 personnes (2 adultes et 2 enfants de moins de 15 ans) dans 2 quartiers distincts de la ville de Québec, et on leur a demandé combien elles avaient dépensé pour leur alimentation la semaine dernière; on a obtenu (en dollars)

Quartier 1: 74.78, 82.60, 71.89, 74.30, 76.00,
68.19, 90.45, 75.15, 71.95, 79.38

Quartier 2: 70.12, 64.63, 85.91, 92.16, 94.59,
59.35, 72.76, 98.19, 65.75, 88.72.

En supposant que la semaine dernière était une semaine représentative des dépenses hebdomadaires de ces familles pour l'alimentation, est-ce qu'il y a une différence réelle entre les dépenses hebdomadaires pour l'alimentation des familles du quartier 1 et celles des familles du quartier 2, au niveau $\alpha = 0.05$?

8.12 Un observateur placé en faction à l'entrée du pont "Pierre Laporte" à Québec a noté, pour une suite de 60 automobiles qui ont défilé devant lui au cours d'une certaine période, si ces automobiles portaient une plaque d'immatriculation du Québec (local), ou une plaque d'immatriculation autre que celle du Québec (étrangère); il a obtenu la liste suivante:

LLELLLLEELLLLELEELLLLELEELLLLLELLLELELLLLEELEEEELLL
LELEELLLE

Au niveau $\alpha = 0.05$, peut-il affirmer que pendant cette période, les automobiles portant une plaque d'immatriculation autre que celle du Québec sont arrivées sur le pont Pierre Laporte d'une façon vraiment aléatoire?

8.13 On a noté le poids en grammes de 20 boîtes de pêches qui viennent d'être remplies par une machine: 494, 486, 443, 419, 494, 436, 416, 481, 408, 449, 434, 488, 415, 453, 401, 454, 403, 454, 456. En principe, il s'agit de boîtes de 450 grammes. Si l'on assigne la lettre M (mauvaise) aux boîtes pesant moins de 450 grammes, et la lettre B(bonne) aux boîtes pesant plus de 450 grammes, peut-on affirmer, au niveau $\alpha = 0.05$, qu'il s'agit là d'un échantillon aléatoire?

CHAPITRE 9

LA RÉGRESSION ET LA CORRÉLATION LINÉAIRE

9.1 LA NATURE DE L'ANALYSE DE REGRESSION ET CORRELATION

Jusqu'à présent, on a examiné des populations dont les membres étaient caractérisés par un seul élément, en conséquence de quoi une seule variable faisait l'objet de notre étude. Il est bien évident qu'il est possible, et quelquefois même souhaitable, de considérer pour chaque membre de la population étudiée plusieurs caractéristiques. Ainsi, dans presque toutes les enquêtes (expériences, sondages), on essaie d'obtenir de l'information relativement à plusieurs variables socio-économiques, socio-culturelles, démographiques, etc., caractérisant chacun des membres interviewés.

Indépendamment des analyses "univariées" possibles (telles que développées dans les chapitres précédents), on peut aussi se demander s'il existe certaines associations entre les caractéristiques étudiées. Deux démarches (entre autres) peuvent être adoptées. La première **vise à décrire** en la résumant toute l'information disponible, afin de dégager des structures interprétables, ou en mettant en évidence dans la population étudiée l'existence de plusieurs groupes homogènes aussi différents que possible les uns des autres. Plusieurs techniques d'**analyse des données**, dont l'utilisation a été grandement facilitée par le développement de l'informatique, visent précisément cet objectif. Parmi les techniques d'analyse multivariée introduites dans le chapitre 10 de ce volume, l'analyse en composantes principales est une méthode métrique de visualisation appartenant à ce groupe. La deuxième démarche **vise à expliquer**. Elle ne se borne pas à représenter les données, mais cherche à établir des relations particulières entre elles, et à expliquer certaines des données par d'autres données. L'analyse discriminante présentée au chapitre 10 est l'une des méthodes multivariées visant cet objectif, mais la plus connue est certainement l'**analyse de régression.**

La régression est utilisée lorsque l'on veut étudier la liaison pouvant exister entre deux variables, ou entre une variable et plusieurs autres variables. Cette liaison peut prendre plusieurs formes allant de l'indépendance complète à la liaison fonctionnelle (c'est le cas par exemple de la liaison entre la circonférence C d'un cercle et son rayon r, où l'on a $C = 2\pi r$). Dans le domaine des sciences économiques et sociales, bien que les phénomènes ne se laissent pas facilement emprisonner par une relation rigide (liaison fonctionnelle), il est néanmoins facile de concevoir l'existence d'une certaine relation (liaison statistique) entre différentes variables. Par exemple, il est raisonnable d'entrevoir une relation entre le volume des ventes et le montant dépensé en publicité, entre le revenu net d'une famille et le montant épargné ou le montant dépensé pour l'achat de certains biens de consommation , entre le prix d'une maison multifamiliale et sa superficie de plancher, son nombre de logements et son nombre d'étages, etc. Afin d'illustrer la nature de la régression, on va considérer l'exemple suivant:

Exemple 9.1. Le directeur des ventes d'une très grande organisation doit embaucher régulièrement de nouveaux vendeurs. Il est connu que plusieurs facteurs peuvent expliquer la variabilité dans la performance d'un vendeur à un autre. Parmi eux, on note les différences d'aptitude, les différences dans les potentiels de vente des territoires, et les différences dans l'effort fourni. Le directeur, avec l'aide de spécialistes, a mis au point et appliqué un test d'aptitude, qui lui permettra de choisir parmi ceux qui postulent l'emploi. Ce test a été appliqué à un échantillon de douze (12) vendeurs qui sont déjà à l'emploi de l'organisation. Les scores obtenus pour ce test, ainsi que les montants (moyens) des ventes mensuelles de ces 12 employés sont donnés au tableau 9.1.

TABLEAU 9.1

Ventes mensuelles (en millier de $)	Score au test d'aptitude
30	84
20	71
24	71
18	65
26	80
24	74
26	76
20	68
30	80
22	75
28	78
26	77

Avant de faire des calculs, il peut être préférable de visualiser le phénomène. La figure 9.1 donne le diagramme de dispersion ("nuage de points") des 12 couples observés, en plaçant sur l'axe des abscisses le score obtenu au test d'aptitude, et sur l'axe des ordonnées le montant des ventes mensuelles (en milliers de dollars).

FIGURE 9.1

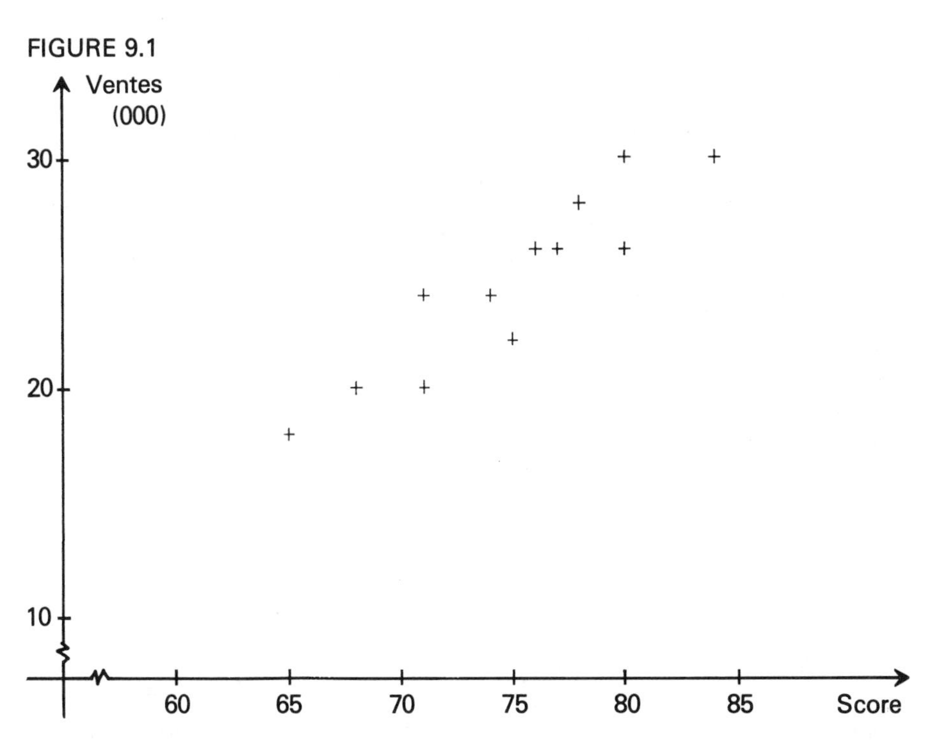

La représentation graphique de ces données laisse entrevoir l'existence d'une relation entre les ventes et les résultats du test. Une telle relation peut être utile dans un problème de prévision. Le directeur des ventes cherche à prévoir le montant (moyen) des ventes mensuelles d'un candidat dans la liste des postulants. S'il ne possède qu'une information sur les ventes mensuelles des vendeurs actuels, il pourra par exemple utiliser les méthodes d'estimation étudiées au chapitre 6. S'il a la possibilité, comme c'est le cas ici, d'observer simultanément le résultat du test d'aptitude et le montant des ventes mensuelles d'un échantillon de vendeurs, il pourra exploiter une telle information pour améliorer sa prévision du montant des ventes d'un candidat ayant obtenu un certain score pour le test d'aptitude. Ceci revient à dire que la distribution des ventes réalisées par un vendeur ayant obtenu un certain score au test d'aptitude n'est généralement pas identique à la distribution des ventes réalisées par un vendeur ayant obtenu un autre score. Ces distributions n'ont pas nécessairement la même espérance mathématique, ni la même variance.

La connaissance du résultat du test d'aptitude limite donc l'incertitude sur les performances possibles des vendeurs qu'on embauche, c'est-à-dire qu'elle fournit des informations sur les ventes que le candidat pourra réaliser, puisque les deux variables sont liées. Mais dire que la connaissance du résultat du test apporte une information sur le montant des ventes ne devient précis que dans la mesure où l'on connaît la manière dont cette information sera utilisée, quel modèle sera employé pour intégrer cette information. Par **régression** on entend précisément un modèle mathémathique cherchant à expliquer la variabilité d'un phénomène mesurable par celles d'autres facteurs également mesurables, et choisis pour leur valeur explicative. Le modèle mathématique sous-jacent peut prendre plusieurs formes explicites, et l'une des formes les plus simples est de l'écrire comme une fonction linéaire des variables explicatives. Les modèles linéaires présentent un grand intérêt à la fois théorique et pratique. Leurs domaines d'application sont extrêmement variés en raison du modèle théorique très simple et très général utilisé, qui constitue une bonne approximation pour de nombreux phénomènes. On étudiera avec passablement de détails le modèle de régression linéaire simple (une seule variable explicative), et l'on introduira le modèle de régression linéaire multiple (plusieurs variables explicatives). On peut noter que les modèles linéaires (modèles de plans d'expérience) ont déjà été introduit au chapitre 7, dans la section sur l'analyse de la variance.

L'analyse de corrélation sera présentée dans la section 9.4 de ce chapitre. Cette analyse a pour objet de déterminer la "qualité" de la liaison entre le (s) facteur (s) explicatif (s) et le facteur expliqué. Enfin, dans la dernière section de ce chapitre, on donnera un très bref aperçu de l'approche bayesienne en régression.

9.2 LE MODELE DE REGRESSION LINEAIRE SIMPLE

Le nuage de points de la figure 9.1 ne représente pas une relation fonctionnelle entre les résultats du test d'aptitude (score) et les ventes; à une valeur donnée du score correspond plusieurs valeurs des ventes. On peut cependant rechercher une relation aussi simple que possible et aussi représentative que possible de ce nuage de points. La représentation graphique de la figure 9.1 laisse supposer qu'il existe une relation linéaire entre les deux facteurs considérés. Autrement dit, on peut penser qu'une relation du type $Y = b_0 + b_1 X$ (équation d'une droite), où Y, le montant des ventes mensuelles, est appelé variable dépendante, et X, le résultat du test d'aptitude, est appelé variable indépendante ou explicative, résume correctement l'information disponible.

Dans cette section, on étudie précisément une relation de la forme

(9.1) $$Y = \beta_0 + \beta_1 X + \varepsilon$$

dans laquelle β_0 et β_1 sont des paramètres inconnus, et ε est une variable aléatoire prenant en compte l'existence éventuelle d'autres influences que celle de X sur Y (qu'on ne connaît pas ou qu'on ne veut pas identifier). Sans se demander, du moins pour l'instant, si ce modèle linéaire est vraiment le plus approprié pour décrire la liaison existante entre Y et X dans la population, on pose le problème de déterminer le "meilleur" ajustement d'une droite aux couples observés dans l'échantillon. Ceci est relié au problème de l'estimation des paramètres du modèle de régression.

9.2.1 Ajustement d'une droite par la méthode des moindres carrés

Un ajustement "à main levée" d'une droite sur le nuage de points serait assez discutable, car il serait difficile de trancher entre deux droites possibles qui ne différeraient que légèrement. Il faut donc un critère pour choisir l'une de ces droites. Le critère que l'on retient est basé sur l'écart e_i, c'est-à-dire la distance verticale entre le point observé (x_i, y_i) et le point correspondant $(x_i, \hat{y}_i)$ sur la droite, tel qu'illustré à la figure 9.2.

FIGURE 9.2

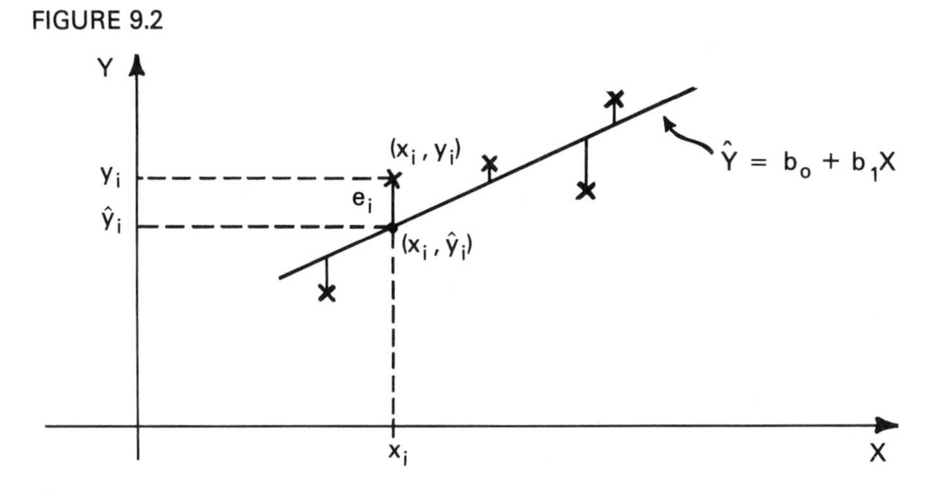

Il semble raisonnable de déterminer (estimer) les coefficients b_o et b_1 de la droite, de manière à ce que l'ensemble des écarts soit aussi faible que possible, c'est-à-dire que le $\hat{y}$ calculé soit le plus près possible du y observé. Pour des raisons qui sont très semblables à celles évoquées au chapitre 3 pour le choix de la variance comme indice de dispersion, et pour des raisons de facilité d'utilisation de la théorie de l'estimation, on utilise habituellement le critère des moindres carrés. Selon ce critère, on détermine b_o et b_1 de manière à rendre minimale la somme des carrés des écarts, c'est-à-dire à rendre minimale l'expression

$$\sum_{i=1}^{n} e_i^2 = \sum_{i=1}^{n} [y_i - \hat{y}_i]^2 = \sum_{i=1}^{n} [y_i - (b_o + b_1 x_i)]^2 .$$

La droite ainsi déterminée s'appelle la droite de régression linéaire, ou encore droite des moindres carrés. Les coefficients b_o et b_1 sont rappelés coefficients de régression. Comme on pourra le constater, ce critère entraîne nécessairement que $\sum_{i=1}^{n} e_i = 0$, propriété pour le moins acceptable sur le plan du bon sens.

On est donc ramené à un problème de minimisation d'une fonction à deux variables

$$Q(b_o, b_1) = \sum_{i=1}^{n} (y_i - b_o - b_1 x_i)^2 .$$

Les valeurs b_o et b_1 qui rendent Q minimum doivent annuler les dérivées partielles du 1er ordre, c'est-à-dire

$$\frac{\delta Q(b_o, b_1)}{\delta b_o} = 0 \quad \text{et} \quad \frac{\delta Q(b_o, b_1)}{\delta b_1} = 0.$$

On obtient ainsi les équations dites normales:

$$\frac{\delta Q}{\delta b_o} = -2\sum_{i=1}^{n}(y_i - b_o - b_1 x_i) = 0, \; (\sum_{i=1}^{n} e_i = 0),$$

$$\frac{\delta Q}{\delta b_1} = -2\sum_{i=1}^{n}(y_i - b_o - b_1 x_i)(x_i) = 0, (\sum_i e_i x_i = 0).$$

En distribuant le signe de sommation et en transformant, on est conduit aux équations

$$n b_o + b_1 \sum_{i=1}^{n} x_i = \sum_{i=1}^{n} y_i$$

$$b_o \sum_{i=1}^{n} x_i + b_1 \sum_{i=1}^{n} x_i^2 = \sum_{i=1}^{n} x_i y_i.$$

La première équation peut s'écrire comme suit:

$$\bar{y} = b_o + b_1 \bar{x},$$

où $\bar{y} = \frac{\sum_{i=1}^{n} y_i}{n}$ et $\bar{x} = \frac{\sum_{i=1}^{n} x_i}{n}$. Elle montre que la droite de régression passe par le point moyen $(\bar{x}, \bar{y})$ de l'échantillon, ce qui permet d'écrire son équation de la façon suivante:

$$\hat{Y} = \bar{y} + b_1 (X - \bar{x}), \text{ avec } b_o = \bar{y} - b_1 \bar{x}.$$

En portant cette valeur de b_o dans la deuxième équation, et en la résolvant, on obtient

$$b_1 = \frac{\sum_i x_i y_i - (1/n)\sum_i x_i \sum_i y_i}{\sum_i x_i^2 - (1/n)(\sum_i x_i)^2} = \frac{\sum_i (x_i - \bar{x})(y_i - \bar{y})}{\sum_i (x_i - \bar{x})^2} = \frac{\sum_i x_i y_i - n\bar{x}\bar{y}}{\sum_i x_i^2 - n\bar{x}^2}$$

En utilisant les dérivées partielles du 2ième ordre, on peut vérifier que ces valeurs de b_o et b_1 minimisent Q. En résumé, on a donc

Les estimations des paramètres de la droite de régression selon la méthode des moindres carrés sont donnés par

$$(9.2) \quad b_o = \overline{y} - b_1 \overline{x} ,$$

$$(9.3) \quad b_1 = \frac{\sum (x_i - \overline{x})(y_i - \overline{y})}{\sum (x_i - \overline{x})^2} = \frac{\sum x_i y_i - n \overline{x} \overline{y}}{\sum x_i^2 - n \overline{x}^2}$$

Exemple 9.2. A partir des données de l'exemple 9.1, déterminer les paramètres de la droite de régression selon la méthode des moindres carrés.
Solution. Le tableau 9.2 contient les différentes valeurs permettant de calculer b_o et b_1 .

TABLEAU 9.2

	y_i	x_i	x_i^2	$x_i y_i$
	30	84	7056	2520
	20	71	5041	1420
	24	71	5041	1704
	18	65	4225	1170
	26	80	6400	2080
	24	74	5476	1776
	26	76	5776	1976
	20	68	4624	1360
	30	80	6400	2400
	22	75	5625	1650
	28	78	6084	2184
	26	77	5929	2002
Total:	294	899	67677	22242

A partir de ces valeurs, on a

$$\overline{x} = \frac{899}{12} = 74.9167, \quad \overline{y} = \frac{294}{12} = 24.5 ,$$

$$b_1 = \frac{22242 - 12(74.9167)(24.5)}{67677 - 12(74.9167)^2} = \frac{216.5}{326.916} = .662$$

et

$$b_o = 24.5 - .662(74.9167) = -25.1135$$

On obtient ainsi, à partir des couples observés dans l'échantillon, la droite des moindres carrés:

$$\hat{Y} = -25.1135 + .662 X .$$

La figure 9.3 montre cette droite de régression pour le nuage de points correspondant aux données de cet exemple (cf. figure 9.1).

FIGURE 9.3

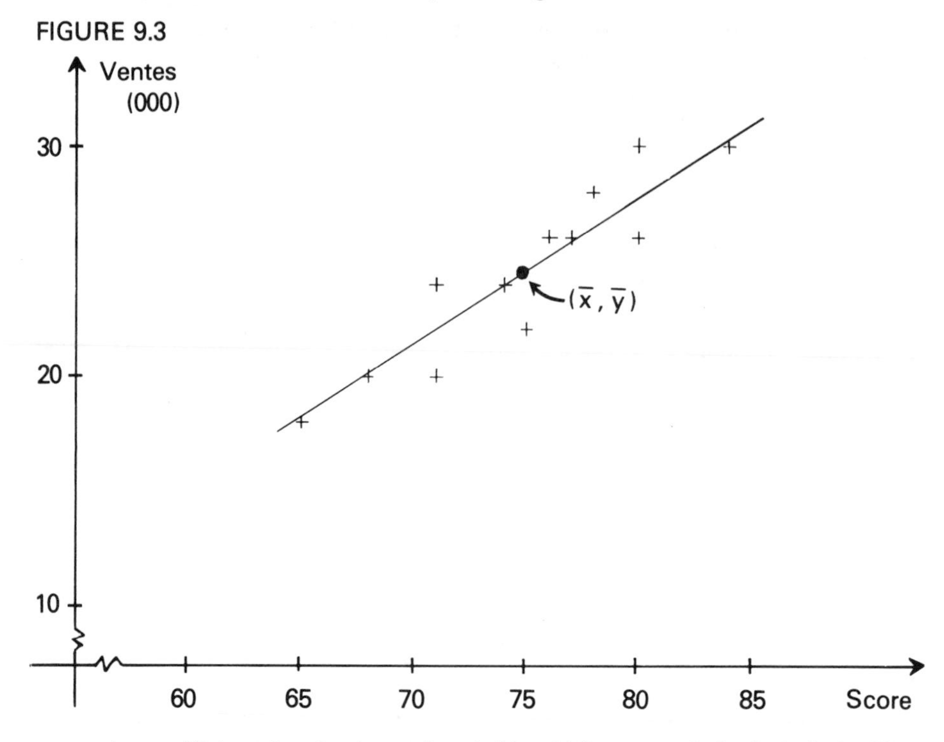

Le coefficient b_1 de régression de Y en X (la pente de la droite) signifie qu'une augmentation de 1 point dans le résultat du test d'aptitude devrait se traduire par une augmentation moyenne de $b_1 = .662$ (ou \$662) dans le montant des ventes mensuelles. Comme on l'indiquera par la suite, il y a un certain danger à vouloir extrapoler sur cette droite de régression. Par exemple, si un candidat obtenait un score $X = 0$ au test d'aptitude, alors selon cette droite, le montant des ventes mensuelles (l'ordonnée à l'origine) serait $b_0 = -25.1135$. Il serait difficile de vouloir donner une signification concrète à ce résultat. La droite déterminée s'applique pour des scores se situant entre 65 et 85. Par exemple, pour un candidat ayant obtenu un score de 71 au test d'aptitude, on pourrait dire qu'**en moyenne** il devrait réaliser des ventes mensuelles de

$$\hat{Y} = -25.1135 + .662\,(71)$$
$$= 21.8885\text{, ou } \$21888.50\,.$$

Il est bien évident que si l'on retient les services d'un tel candidat (avec un score $X = 71$), il ne réalisera pas nécessairement exactement un montant de ventes mensuelles de \$21,888,50. On observe d'ailleurs dans nos données qu'un vendeur avec un score de 71 a un montant de ventes mensuelles de \$20,000, et qu'un autre avec le même score a un montant de \$24,000. Ceci nous amène à réfléchir sur la nature des écarts e_i, et sur le sens de la droite de régression. Pour l'ensemble de la population il y a une "vraie" droite de régression de la forme (9.1), dont les coefficients sont β_o et β_1. Cependant, comme il n'est pratiquement jamais possible d'observer une population d'une façon exhaustive, et que par surcroît nos mesures sont sujettes à des erreurs, on peut tout au plus espérer estimer β_o et β_1 de façon aussi précise que possible, et faire des inférences statistiques sur les vraies valeurs de ces paramètres. Les erreurs théoriques ε_i peuvent être imputables à une erreur de mesure, mais également à une **erreur stochastique** inhérente à l'apparente irréproductibilité des phénomènes sociaux soumis à des variations purement aléatoires, et aussi, si l'on préfère, à des influences d'innombrables variables non observées exerçant chacune un effet limité mais réel. C'est donc dire que les erreurs comme toutes variables aléatoires ont une distribution de probabilité avec une moyenne et une variance. Alors, pour une valeur fixée x de X, Y suit une distribution de probabilité $f_{Y/x}$, et la valeur y_i correspondant à $X = x_i$ peut être considérée comme le résultat d'un échantillon tiré d'une population, dont la distribution de probabilité est celle de la variable aléatoire Y pour la valeur x_i de X. Ceci est illustré à la figure 9.4.

Afin de pouvoir faire certaines inférences statistiques, on est amené à préciser certaines hypothèses concernant les erreurs ε_i dans le modèle (9.1).

FIGURE 9.4

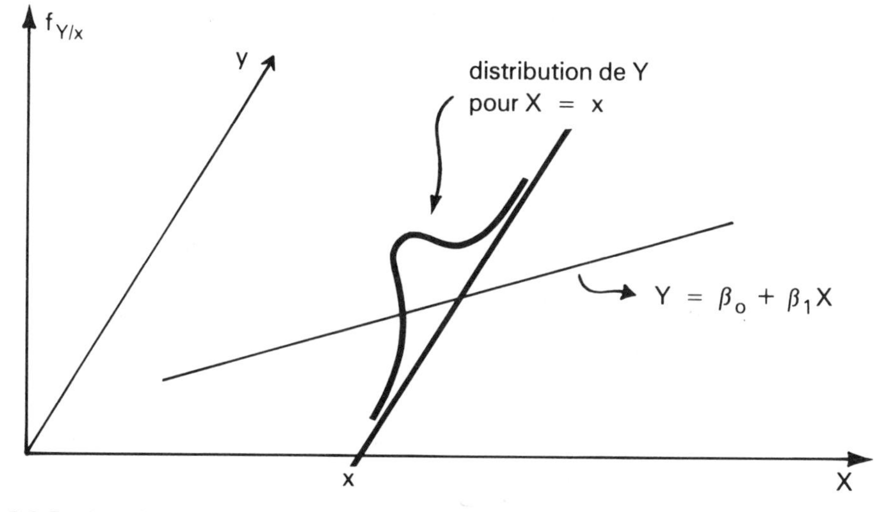

9.2.2 Les hypothèses du modèle

La droite de régression est obtenue à partir d'un ensemble d'observations, que l'on considère comme un échantillon dès le moment où les résultats de l'étude ont une vocation qui dépasse la simple description d'une liaison observable sur un ensemble particulier. Bien souvent, en effet, la relation déterminée sera jugée valable pour "prédire" la valeur prise par Y, lorsque l'on connaît la valeur d'un élément X n'appartenant pas à l'ensemble étudié. Ainsi, le comportement observé dans un échantillon sera généralisé à celui de l'ensemble de la population. A partir du moment où l'on a un échantillon, les phénomènes de fluctuation d'échantillonnage mentionnés au chapitre 5 se produisent. Les statistiques utilisées comme estimateurs constituent des variables aléatoires dont la distribution de probabilité peut être déterminée si l'échantillon est aléatoire.

Selon le modèle (9.1), pour les N couples (x_i, y_i) dans l'ensemble de la population, on a:

$$y_i = \beta_o + \beta_1 x_i + \varepsilon_i, \text{ pour } i = 1, 2, \ldots, N.$$

La spécification du modèle de régression consiste non seulement à préciser le type de relation qui lie la (les) variable(s) explicative(s) et le terme résiduel (aléatoire) ε à la variable expliquée, mais également à préciser l'énoncé des hypothèses concernant la (les) variable(s) explicative(s) et le terme aléatoire ε.

Une première série d'hypothèses permet d'appliquer la méthode des moindres carrés pour estimer les paramètres inconnus et la variance résiduelle. Une hypothèse supplémentaire concernant la distribution de probabilité du terme résiduel permet de faire des tests statistiques, et de construire des intervalles de confiance.

Hypothèse 1: Absence d'erreur de mesure sur la variable explicative. C'est une condition souvent difficile à respecter lorsque l'on mesure des variables de type socio-économique.

Hypothèse 2: Absence de biais systématique, c'est-à-dire que sur un grand nombre d'observations concernant X, le terme résiduel ε est de moyenne nulle. Cette hypothèse se traduit statistiquement par

$$E(\varepsilon_i / X = x_i) = 0, \text{ pour tout } i;$$

autrement dit, toutes les distributions conditionnelles de (ε_i / x_i) sont de moyennes nulles, pour tout x_i. Dans le cadre du modèle (9.1), on appelle fonction de régression de Y, la fonction $\mu_{Y/x} = E(Y/X = x)$ qui à chaque valeur de x fait correspondre l'espérance conditionnelle de Y. Alors, sous l'hypothèse H_2, la fonction de régression de Y est

$$\begin{aligned} \mu_{Y/x} = E(Y/X = x) &= \beta_o + \beta_1 x + E(\varepsilon/X = x) \\ &= \beta_o + \beta_1 x, \text{ pour tout } x. \end{aligned}$$

Une autre condition qui doit être vérifiée pour l'application de la méthode des moindres carrés est celle de l'indépendance entre les valeurs prises par X et les termes résiduels ε, c'est-à-dire que $COV(\varepsilon, X) = 0$. En effet, on sait que (Martel et Nadeau, **Probabilité en gestion et en économie**, chapitre 6)

$$COV(\varepsilon, X) = E\{(\varepsilon - E(\varepsilon))(X - E(X))\},$$

et, comme $E(\varepsilon) = 0$, alors

$$COV(\varepsilon, X) = E(\varepsilon, X) - E(\varepsilon)\, E(X) = E(\varepsilon, X) = 0$$

lorsque ε et X sont statistiquement indépendants. Il est d'ailleurs possible de vérifier que les équations normales reflètent les deux conditons

$$E(\varepsilon) = 0 \text{ et } E(\varepsilon, X) = 0.$$

Hypothèse 3: Absence de liaison entre les termes résiduels, c'est-à-dire que les écarts ε_i et ε_j relatifs à deux observations quelconques i et j$(i \neq j)$ sont non correlés entre eux; la connaissance de ε_i ne permet pas de prédire la valeur de ε_j, et l'on a

$$COV(\varepsilon_i, \varepsilon_j) = E(\varepsilon_i, \varepsilon_j) = 0, \text{ pour tout } i \neq j.$$

Cette hypothèse n'est pas toujours vérifiée, et c'est le cas en particulier dans l'observation de phénomènes temporels, où souvent il existe une corrélation positive entre deux termes résiduels successifs: c'est ce qu'on appelle l'autocorrélation des erreurs.

Hypothèse 4: Une hypothèse d'homoscédasticité selon laquelle la variance des résultats possibles reste constante, quelles que soient les valeurs prises par la variable X. Cette hypothèse se traduit statistiquement par

$$Var(\varepsilon_i / X = x_i) = E(\varepsilon_i^2 / X = x_i) = \sigma^2, \text{ pour tout } x_i,$$

c'est-à-dire que, dans la distribution conjointe des (X, Y), toutes les distributions conditionnelles de (Y/x) ont même variance. Dans le cadre du modèle (9.1), on a

$$Var(Y_i / X = x_i) = Var(\varepsilon_i / x_i) = \sigma^2, \text{ pour tout } x_i.$$

Pour une telle distribution, si en plus $E(\varepsilon_i / x_i) = 0$ pour tout x_i (comme le suppose l'hypothèse H_2), alors

$$Var(\varepsilon_i) = \sigma^2, \text{ pour tout } i.$$

Si cette hypothèse n'est pas vérifiée, on dit alors que les erreurs sont hétéroscédastiques.

Les 4 hypothèses précédentes sont nécessaires pour obtenir des estimateurs non biaisés et efficaces pour β_o et β_1. Une dernière hypothèse est nécessaire si l'on veut effectuer certains tests statistiques associés à la méthode des moindres carrés.

Hypothèse 5: Les erreurs alélatoires ε_i suivent une distribution normale, c'est-à-dire que

$$\varepsilon_i \in N(0, \sigma^2), \text{ pour tout } i.$$

Cette hypothèse est certainement vérifiée dans un très grand nombre de cas si, comme on l'a indiqué précédemment, les écarts résultent de l'influence d'innombrables variables non observées exerçant chacune un effet limité mais réel et additif. L'erreur ε_i étant aléatoire, la variable expliquée Y_i l'est également et

$$Y_i \in N(\beta_o + \beta_1 x_i, \sigma^2), \text{ pour tout i,}$$

c'est-à-dire que la distribution conditionnelle des (Y_i / x_i) est identique à celle des (ε_i / x_i), sauf pour leurs moyennes qui diffèrent.

On peut noter que cette hypothèse de normalité, de même que celle d'homoscédasticité de la variance supportent d'être violées sans que les tests de signification (qui vont suivre) s'en trouvent réellement affectés, à condition toutefois que la taille de l'échantillon soit suffisamment grande.

A partir des observations fournies par un échantillon de n valeurs prises par le couple (x_i, y_i), et de la relation

$$y_i = b_o + b_1 x_i + e_i, \text{ pour } i = 1, 2, ..., n,$$

on utilise la méthode des moindres carrés pour calculer b_o et b_1. On retient les valeurs ainsi obtenues comme estimations des paramètres β_o et β_1, et e_i comme estimation du terme résiduel ε_i. L'écart e_i est défini par

$$e_i = y_i - \hat{y}_i$$

où $\hat{y}_i = b_o + b_1 x_i$, pour $i = 1, 2, ..., n$, et la méthode des moindres carrés consiste à minimiser $Q = \sum_{i=1}^{n} e_i^2$. Dans la prochaine section, on donne les propriétés des coefficients b_o et b_1 déterminés par les formules (9.2) et (9.3), en tant qu'estimateurs de β_o et β_1. On traite également quelques problèmes d'inférence statistique reliés à la fonction de régression et à ses paramètres.

9.2.3 Inférence concernant les coefficients de régression

Estimation de β_o et β_1. Parmi les méthodes d'estimation paramétrique énumérées au chapitre 6, on emploie le plus souvent en régression la méthode des moindres carrés. Cette méthode repose sur le fait que si Y est une variable aléatoire réelle, $E(Y - a)^2$ est minimale pour $a = E(Y)$. Si on applique ce résultat à la distribution de Y pour x fixé, alors dans le cadre du modèle (9.1), puisque $E(Y/x) = \beta_o + \beta_1 x$, on en déduit que les paramètres β_o et β_1 sont les valeurs β'_o et β'_1 qui rendent minimales $E(Y - \beta'_o - \beta'_1 x)^2$ ou encore les valeurs β'_o et β'_1 qui rendent minimales $\sum_{i=1}^{n} E(Y_i - \beta'_o - \beta'_1 x_i)^2$. C'est de là que vient l'idée de Legendre et Gauss de proposer d'estimer β_o et β_1 par les valeurs de b_o et b_1 qui minimisent

$$Q = \sum_{i=1}^{n} (y_i - b_o - b_1 x_i)^2 = \sum_{i=1}^{n} (y_i - \hat{y}_i)^2 = \sum_{i=1}^{n} e_i^2,$$

avec $\hat{y}_i = b_o + b_1 x_i$ pour les valeurs estimées à partir de la droite de régression déterminée par les observations. Des résultats obtenus en (9.2) et (9.3), on déduit le résultat suivant:

Les estimateurs des moindres carrés de β_o et β_1 sont

$$
(9.4) \begin{cases} \hat{\beta}_o = b_o = \overline{Y} - b_1 \overline{X}, \\ \hat{\beta}_1 = b_1 = \dfrac{\sum_{i=1}^{n} (X_i - \overline{X})(Y_i - \overline{Y})}{\sum_{i=1}^{n} (X_i - \overline{X})^2} \end{cases}
$$

On peut noter que les valeurs b_o et b_1 qui minimisent $\sum_{i=1}^{n} e_i^2$ sont aussi celles qui minimisent $\frac{1}{n} \sum_{i=1}^{n} e_i^2$. Or, $\frac{1}{n} \sum_{i=1}^{n} e_i^2$ est la variance du terme résiduel e puisque

$$
\text{Var (e)} = \frac{1}{n} \sum_{i=1}^{n} (e_i - \overline{e})^2 = \frac{1}{n} \sum_{i=1}^{n} e_i^2 - \overline{e}^2
$$

et que $\overline{e} = \frac{1}{n} \sum_{i=1}^{n} e_i = 0$, de sorte que ces valeurs b_o et b_1 minimisent également la variance des termes résiduels.

Les estimateurs ainsi obtenus possèdent plusieurs propriétés intéressantes. Queques-unes de ces propriétés sont énoncées dans le théorème de Gauss-Markov:

Théorème de Gauss-Markov. Si les hypothèses 1 à 4 sont satisfaites, les estimateurs des moindres carrés b_o et b_1 sont respectivement les meilleurs estimateurs linéaires non biaisés de β_o et β_1 (BLUE, Best Linear Unbiased Estimator), c'est-à-dire que, de tous les estimateurs linéaires non biaisés de β_o et β_1, ce sont ceux qui ont la variance la plus petite.

De plus ces estimateurs sont convergents et exhaustifs.

Sans démontrer le théorème de Gauss-Markov, il est facile de vérifier les propriétés suivantes:

a) b_o **et** b_1 **sont des fonctions linéaires de** Y_i. En effet, à partir des expressions définies en (9.4), on peut écrire

$$
b_1 = \frac{\sum_i (X_i - \overline{X}) Y_i}{\sum_i (X_i - \overline{X})^2}, \text{ puisque } \sum_{i=1}^{n} (X_i - \overline{X}) = 0,
$$

$$
\text{et alors } b_1 = \sum_{i=1}^{n} A_i Y_i, \text{ avec } A_i = \frac{X_i - \overline{X}}{\sum_i (X_i - X)^2}.
$$

Comme b_o est une fonction linéaire de $\overline{Y}$, et comme b_1 est lui-même fonction linéaire de Y_i, on peut conclure que b_o est bien fonction linéaire des Y_i.

b) **Ces estimateurs sont non biaisés,** c'est-à-dire que

$$E(\hat{\beta}_o) = E(b_o) = \beta_o \text{ et } E(\hat{\beta}_1) = E(b_1) = \beta_1$$

Il s'agit là d'espérances mathématiques calculées à partir des distributions conditionnelles (X_i étant supposé fixé ou non aléatoire).

De l'équation $b_1 = \sum_{i=1}^{n} A_i Y_i$, on a

$$E(b_1) = \sum_{i=1}^{n} A_i\ E(Y_i) = \sum_i A_i\ (\beta_o + \beta_1 X_i)$$

$$= \beta_o \sum_i A_i + \beta_1 \sum_i A_i X_i$$

$$= 0 + \beta_1 \frac{\sum_i (X_i - \overline{X}) X_i}{\sum_i (X_i - \overline{X})^2} = \beta_1 \frac{\sum_i (X_i - \overline{X})(X_i - \overline{X})}{\sum_i (X_i - \overline{X})^2}$$

$$= \beta_1 .$$

De l'équation $b_o = \overline{Y} - b_1 \overline{X}$, on a

$$E(b_o) = E(\overline{Y}) - E(b_1)\ \overline{X}$$

$$= \frac{1}{n} \sum_{i=1}^{n} E(Y_i) - \beta_1\ \overline{X}$$

$$= \frac{1}{n} \sum_{i=1}^{n} (\beta_o + \beta_1 X_i) - \beta_1\ \overline{X} = \beta_o + \beta_1\ \overline{X} - \beta_1\ \overline{X}$$

$$= \beta_o .$$

c) **Les variances de** b_1 **et** b_o **sont respectivement**

$$\text{Var}(b_1) = \frac{\sigma^2}{\sum_i (X_i - \overline{X})^2}$$

$$\text{Var}(b_o) = \sigma^2 \left[\frac{1}{n} + \frac{\overline{X}^2}{\sum_i (X_i - \overline{X})^2} \right]$$

En effet, de la relation $b_1 = \sum_{i=1}^{n} A_i Y_i$, on obtient

$$\mathrm{Var}\,(b_1) = \sigma^2 \sum_i A_i^2 = \sigma^2 \frac{\sum_i (X_i - \overline{X})^2}{\left[\sum (X_i - X)^2\right]^2} = \frac{\sigma^2}{\sum_{i=1}^{n} (X_i - \overline{X})^2}$$

De plus, comme $b_o = \overline{Y} - b_1 \overline{X}$, on obtient

$$\mathrm{Var}\,(b_o) = \mathrm{Var}\,(\overline{Y}) + \overline{X}^2\,\mathrm{Var}\,(b_1) - 2\,\overline{X}\,\mathrm{COV}\,(\overline{Y}, b_1).$$

Cependant, on a

$$\mathrm{COV}\,(\overline{Y}, b_1) = \mathrm{COV}\,\Big(\frac{1}{n}\sum_i Y_i, \sum_i A_i Y_i\Big) = \frac{1}{n}\,\mathrm{COV}\,\Big(\sum_i Y_i, \sum_i A_i Y_i\Big)$$

$$= \frac{1}{n} \sum_i A_i\,\sigma^2 = \frac{\sigma^2}{n} \sum_i A_i = 0$$

puisque, comme les ε_i, les Y_i ont même variance σ^2 et sont deux à deux non corrélés. On est ainsi conduit à

$$\mathrm{Var}\,(b_o) = \frac{\sigma^2}{n} + \frac{\overline{X}^2\,\sigma^2}{\sum (X_i - \overline{X})^2} = \sigma^2 \left[\frac{1}{n} + \frac{\overline{X}^2}{\sum (X_i - \overline{X})^2}\right]$$

d) **La covariance de** b_o **et** b_1 est

$$\mathrm{COV}\,(b_o, b_1) = -\frac{\overline{X}\,\sigma^2}{\sum (X_i - \overline{X})^2}$$

En effet, on a $\mathrm{COV}\,(b_o, b_1) = \mathrm{COV}\,(\overline{Y} - b_1 \overline{X}, b_1) = \mathrm{COV}\,(\overline{Y}, b_1) - \overline{X}\,\mathrm{Var}\,(b_1)$; puisque $\mathrm{COV}\,(\overline{Y}, b_1) = 0$, on obtient le résultat énoncé.

e) **La variance de** $\hat{Y}$**, étant donné** $X = x_o$, est

$$\mathrm{Var}\,(\hat{Y}/X = x_o) = \sigma^2 \left[\frac{1}{n} + \frac{(x_o - \overline{X})^2}{\sum_{i=1}^{n} (X_i - \overline{X})^2}\right]$$

En effet, puisque $\hat{Y}/x_o = b_o + b_1 x_o$, on obtient

$$\mathrm{Var}(\hat{Y}/x_o) = \mathrm{Var}(b_o) + x_o^2 \,\mathrm{Var}(b_1) + 2\,x_o\,\mathrm{COV}(b_o, b_1)$$

$$= \left[\frac{\sigma^2}{n} + \frac{\overline{X}\,\sigma^2}{\sum_i (X_i - \overline{X})^2}\right] + \left[\frac{x_o^2\,\sigma^2}{\sum_i (X_i - \overline{X})^2}\right] - \left[\frac{2\,x_o\,\overline{X}\,\sigma^2}{\sum_i (X_i - \overline{X})^2}\right]$$

$$= \frac{\sigma^2}{n} + \frac{(x_o - \overline{X})^2\,\sigma^2}{\sum_{i=1}^{n} (X_i - \overline{X})^2}.$$

On voit que l'estimateur de la fonction de régression de Y, $\mu_{Y/x}$ (c'est-à-dire la moyenne conditionnelle de Y), est le plus précis (variance minimum) pour $x_o = \overline{X}$, et que cette précision décroît à mesure que l'écart $|x_o - X|$ croît.

Ainsi, b_o et b_1 tels que déterminés par (9.4) sont des estimateurs ponctuels non biaisés, efficaces, convergents et exhaustifs pour β_o et β_1. De plus, on a déterminé la variance (erreur standard) de chacun de ces estimateurs. Il ne reste plus qu'à déterminer leurs distributions de probabilité pour que l'on puisse estimer β_o et β_1 par des intervalles de confiance. Puisque, selon l'hypothèse 5, les Y_i sont normalement distribués, et puisque b_o et b_1 sont des fonctions linéaires de Y_i, on peut conclure que b_o et b_1 suivent respectivement des distributions normales, c'est-à-dire que

$$b_o \in N(\beta_o, \mathrm{Var}(b_o))$$

et

$$b_1 \in N(\beta_1, \mathrm{Var}(b_1)).$$

Il s'ensuit que $\dfrac{b_o - \beta_o}{\sqrt{\mathrm{Var}\ b_o}}$ et $\dfrac{b_1 - \beta_1}{\sqrt{\mathrm{Var}\ b_1}}$ suivent une distribution normale centrée réduite. Ceci est vrai si σ^2, la **variance résiduelle**, est connue. Si elle ne l'est pas, on doit l'estimer, et on utilise dans ce cas une distribution du t de Student. On peut montrer que la statistique

$$S^2 = \frac{\sum e_i^2}{n-2} = \frac{\sum_i (Y_i - \hat{Y}_i)^2}{n-2}$$

où $\hat{Y}_i = b_o + b_1 x_i$ est (comme on l'a mentionné précédemment) l'estimateur de la moyenne de la distribution Y_i, étant donné que $X = x_i$ est un estimateur non biaisé de σ^2. Le (n-2) qui apparaît au dénominateur représente le nombre de degrés de liberté associé à $\Sigma (Y_i - \hat{Y}_i)^2$, c'est-à-dire le nombre de données originales qui sont indépendantes. En général, on perd un degré de liberté chaque fois que l'on utilise les données originales pour estimer un paramètre. Ici, on a estimé β_o et β_1 à partir des n données originales, et l'on a ainsi perdu deux (2) degrés de liberté.

Alors les statistiques

$$\frac{b_o - \beta_o}{S\sqrt{\dfrac{1}{n} + \dfrac{\overline{x}^2}{\sum_i (x_i - \overline{x})^2}}} \quad \text{et} \quad \frac{b_1 - \beta_1}{S \Big/ \sqrt{\sum_i (x_i - \overline{x})^2}}$$

suivent une distribution du t avec n-2 degrés de liberté. Si $n - 2 \geqslant 30$, on peut utiliser la normale centrée réduite comme approximation de la t.

Intervalles de confiance pour β_o et β_1 au niveau $1 - \alpha$. De ce qui a été dit au chapitre 6 concernant les intervalles de confiance, on peut immédiatement déduire que si les hypothèses 1 à 5 sont satisfaites, et si la variance résiduelle σ^2 est inconnue et est estimée par S^2, alors on a:

L'intervalle de confiance pour estimer β_1, la pente de la droite de régression, au niveau de confiance $1 - \alpha$, est donné par

$$[LI, LS] = \left[b_1 \pm t_{\alpha/2} \cdot \frac{s}{\sqrt{\sum (x_i - \overline{x})^2}} \right]$$

le nombre de degrés de liberté pour la t étant n-2. Dans les mêmes conditions, on a:

L'intervalle de confiance pour estimer β_o, l'ordonnée à l'origine de la droite de régression, au niveau $1 - \alpha$, est donné par

$$[LI, LS] = \left[b_o \pm t_{\alpha/2} \cdot s \cdot \sqrt{\frac{1}{n} + \frac{\overline{x}^2}{\sum (x_i - \overline{x})^2}} \right]$$

Pas important

Exemple 9.3. Construire des intervalles de confiance au niveau 0.95 pour estimer les paramètres β_o et β_1 de la droite de régression de Y en X, à partir des données des exemples 9.1 et 9.2.

Solution: a) **Estimation de β_o** . Dans l'exemple 9.2, on a calculé les valeurs de b_o et b_1, et l'on a obtenu $b_o = -25.1135$ et $b_1 = .662$. Pour construire les intervalles de confiance, il reste à déterminer la valeur de

$$s = \sqrt{\sum_{i=1}^{n} (y_i - \hat{y}_i)^2 \,/\, (n-2)}$$

puisqu'on a les valeurs de $\overline{x}$ et $\Sigma\,(x_i - \overline{x})^2$ de l'exemple 9.2. Le tableau 9.3 présente les éléments intervenant dans le calcul de s.

TABLEAU 9.3

y_i	x_i	$\hat{y}_i$ (1)	$e_i = y_i - \hat{y}_i$	$(y_i - \hat{y}_i)^2$
30	84	30.4945	-0.4945	0.24453
20	71	21.8885	-1.8885	3.56643
24	71	21.8885	2.1115	4.45843
18	65	17.9165	0.0835	0.00697
26	80	27.8465	-1.8465	3.40956
24	74	23.8745	0.1255	0.01575
26	76	25.1985	0.8015	0.64240
20	68	19.9025	0.0975	0.00951
30	80	27.8465	2.1535	4.63756
22	75	24.5365	-2.5365	6.43383
28	78	26.5235	1.4775	2.18301
26	77	25.8605	0.1395	0.01946
294	889	-		25.62744

(1) $\hat{y}_i = -25.1135 + .662\ x_i$

L'estimation de la variance résiduelle est donc

$$s^2 = \frac{\sum (y_i - \hat{y}_i)^2}{n-2} = \frac{25.62744}{(12-2)} = 2.56274,$$

et son écart type est s = 1.601. Les limites [LI, LS] de l'intervalle de confiance sont

$$b_o \pm t_{0.025} \cdot s \cdot \sqrt{\frac{1}{n} + \frac{\bar{x}^2}{\sum (x_i - \bar{x})^2}}$$

c'est-à-dire

$$-25.1135 \pm 2.228 \text{ X } 1.601 \text{ X } \sqrt{\frac{1}{12} + \frac{(74.9167)^2}{326.916}}$$

$$= [-25.1135 \pm 14.82] = [-39.92, -10.29]$$

où la valeur 2.228 est lue dans la table du t avec $n-2 = 10$ degrés de liberté. Comme on pouvait s'y attendre, on ne peut attacher une très grande signification aux limites de cet intervalle de confiance. En effet, elles correspondent à une extrapolation sur la droite de régression pour X = 0 (ordonnée à l'origine). De plus, on a souligné précédemment (lorsque l'on a développé la propriété des estimateurs) que la précision de $\hat{Y}/x$ décroissait quand on s'éloignait de $\bar{x}$ qui était 74.9167 dans l'exemple considéré; c'est pourquoi l'intervalle calculé ici est aussi large.

b) **Estimation de β_1.** Les limites [LI,LS] de l'intervalle de confiance pour β_1, au niveau $1 - \alpha = 0.95$, sont

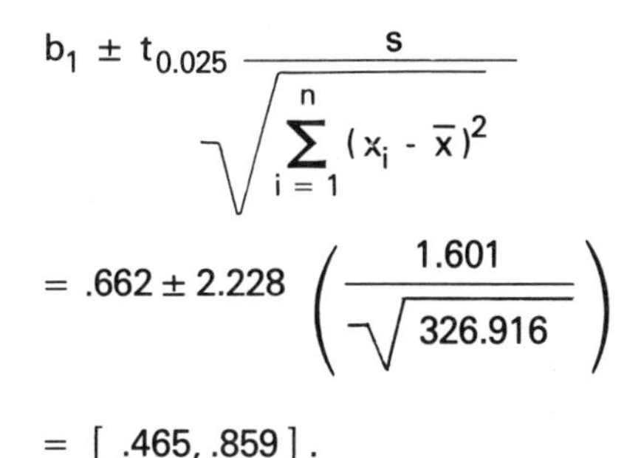

$$b_1 \pm t_{0.025} \frac{s}{\sqrt{\sum_{i=1}^{n} (x_i - \bar{x})^2}}$$

$$= .662 \pm 2.228 \left(\frac{1.601}{\sqrt{326.916}} \right)$$

$$= [\ .465, .859\ ]\ .$$

On a donc 95% de chances de ne pas se tromper en affirmant que la pente de la vraie droite de régression se situe entre .465 et .859, tel qu'illustré dans la figure 9.5.

Les tests d'hypothèses

Le plus souvent, en régression, on pose le problème de test d'hypothèses afin de vérifier si l'influence d'une variable explicative est significative. Pour l'exemple, dans l'analyse du montant des ventes mensuelles d'un vendeur, on voudra vérifier si la connaissance de son résultat au test d'aptitude est significative. Dans ce cas on pose les hypothèses suivantes:

$$H_o : \beta_1 = 0 \text{ contre } H_1 : \beta_1 \neq 0\ .$$

FIGURE 9.5

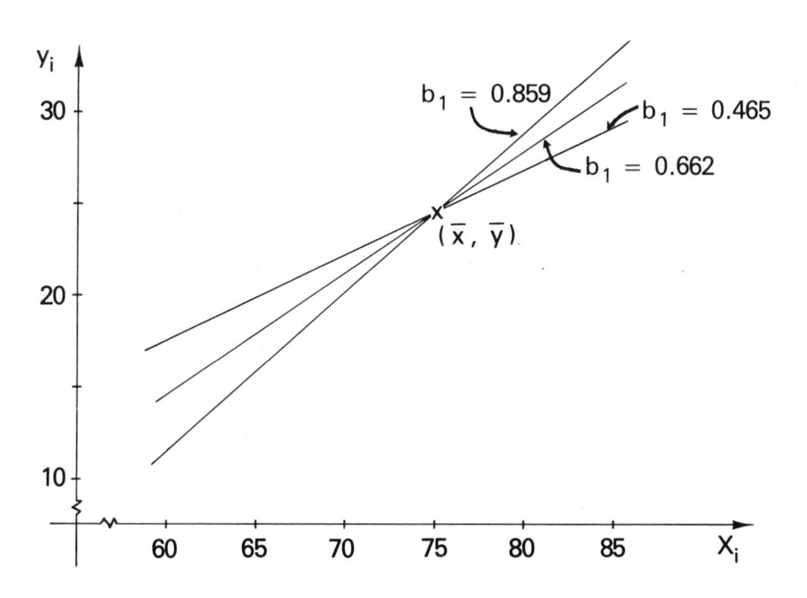

Si l'hypothèse H_o est retenue, alors on conclut que la variable explicative n'est pas significative (c'est-à-dire qu'elle n'explique pas réellement les valeurs prises par Y); ainsi le modèle (9.1) se réduit à

$$Y = \beta_o + \varepsilon, \text{ où } \beta_o \text{ est une constante.}$$

Pour confronter ces deux hypothèses relativement à β_1, on peut procéder exactement comme on l'a fait au chapitre 7, en exécutant les 5 étapes qu'on avait alors précisées.

Exemple 9.4. Vérifier, à partir de la droite de régression calculée dans l'exemple 9.2, si la variable explicative "score obtenu au test d'aptitude" est significative, par l'intermédiaire d'un test d'hypothèses au niveau $\alpha = 0.05$.

Solution

1) **Les hypothèses à tester:**

$$H_o: \beta_1 = 0 \text{ contre } H_1: \beta_1 \neq 0.$$

2) **Les conditions du test:**

population normale, variance résiduelle σ^2 inconnue et $n < 30$.

3) **La statistique utilisée et sa distribution:**

$$\frac{b_1 - (\beta_1)_o}{s \Big/ \sqrt{\sum (x_i - \bar{x})^2}} = \frac{b_1}{s \Big/ \sqrt{\sum (x_i - \bar{x})^2}} \in t\,(n-2)$$

où $(\beta_1)_o$ signifie la valeur de β_1 selon l'hypothèse H_o.

4) **La région critique:**

On rejette H_o si $b_1 < b_{c_1}$ ou $b_1 > b_{c_2}$ où

$$\begin{aligned} b_{c_1} &= (\beta_1)_o - t_{\alpha/2}\left(s \Big/ \sqrt{\sum (x_i - \bar{x})^2}\right) \\ &= 0 - 2.228\left(1.601 \Big/ \sqrt{326.916}\right) \\ &= -0.197, \end{aligned}$$

$$\begin{aligned} b_{c_2} &= (\beta_1)_o + t_{\alpha/2}\left(s \Big/ \sqrt{\sum (x_i - \bar{x})^2}\right) \\ &= 0 + 2.228\left(1.601 \Big/ \sqrt{326.916}\right) \\ &= 0.197, \end{aligned}$$

2.228 étant une valeur lue dans la table du t avec $n - 2 = 10$ degrés de liberté, au niveau 0.025.

5) **La décision:**
puisque la valeur observée dans l'échantillon est $b_1 = .662 > b_{c_2} = .197$, on rejette H_0, au niveau $\alpha = 0.05$, c'est-à-dire que la variable explicative est significative.

Donc on devrait être dans une meilleure position pour prédire la valeur de Y si l'on connaît la valeur de X que si l'on ne la connaît pas.

Ce n'est pas le seul test que l'on peut construire. On peut par exemple construire un test pour vérifier si la pente β_1 de la droite de régression est égale à une valeur fixée à l'avance et différente de 0, pour comparer la différence entre les pentes de deux droites de régression, pour vérifier certaines hypothèses sur β_0, etc.

9.2.4 Prévision

La construction d'un modèle prend toute son importance lorsqu'il peut aider, directement ou indirectement, à la prise de décisions. Lorsqu'on se prépare à prendre une décision, on doit fréquemment effectuer quelques prévisions conditionnelles, et dans ce contexte, les modèles de régression peuvent être très utiles. Ils permettent en effet d'expliquer la variabilité d'un phénomène mesurable par celles d'autres facteurs également mesurables, choisis pour leur valeur explicative.

On peut chercher soit à déterminer la valeur moyenne E(Y) de Y pour une valeur donnée x_0 de X, soit à prédire la valeur de Y correspondant à une nouvelle valeur observée x_0 pour X.

Intervalle de confiance pour la fonction de régression $\mu_{Y/x}$. On veut estimer à l'aide d'un intervalle de confiance la valeur de la fonction de régression $\mu_{Y/x} = E(Y/x) = \beta_0 + \beta_1 x$, étant donné une valeur spécifiée x de X. Si l'on ne connaît pas la valeur x, ou en l'absence de la liaison entre Y et X, le meilleur estimateur ponctuel que l'on peut obtenir de l'espérance mathématique de Y serait la statistique $\overline{Y}$. Cependant s'il existe une liaison entre Y et X, et si la valeur de X est connue (x_0), alors il est possible d'améliorer l'estimation de E (Y) en utilisant l'estimateur

$$\hat{\mu}_{Y/x_0} = \hat{Y}/x_0 = b_0 + b_1 x_0 = \overline{Y} + b_1 (x_0 - \overline{X})$$

obtenu par la méthode des moindres carrés. Cet estimateur est sans biais; en effet, on a

$$E\left[\hat{\mu}_{Y/x_0}\right] = E(b_0) + x_0 E(b_1) = \beta_0 + \beta_1 x_0 = \mu_{Y/x_0}.$$

On a montré à la section précédente que la variance de $\hat{Y}$ pour $X = x_o$ est

$$\text{Var}(Y/x_o) = \sigma^2 \left[\frac{1}{n} + \frac{(x_o - \bar{x})^2}{\sum (x_i - \bar{x})^2} \right]$$

De plus, puisque $\hat{Y}/x_o = b_o + b_1 x_o$ est une fonction linéaire de b_o et b_1 qui sont elles-mêmes des fonctions linéaires de Y_i, on peut conclure que, si l'hypothèse 5 est satisfaite, alors la statistique $\hat{Y}/x_o$ se distribue selon une normale. Si la variance résiduelle σ^2 n'est pas connue, on l'estime par s^2, et alors la statistique

$$\frac{\hat{Y}/x_o - \mu_{Y/x_o}}{s\sqrt{\dfrac{1}{n} + \dfrac{(x_o - \bar{X})^2}{\sum (X_i - \bar{X})^2}}}$$

suit une distribution du t avec n - 2 degrés de liberté.

Intervalle de confiance autour de la droite de régression. Si les hypothèses 1 à 5 sont satisfaites, si σ^2 n'est pas connue et si $n < 30$, alors les limites de l'intervalle de confiance **pour estimer la moyenne de Y pour** $X = x_o$ sont données par

$$(b_o + b_1 x_o) \pm t_{\alpha/2} \cdot s \cdot \sqrt{\frac{1}{n} + \frac{(x_o - \bar{x})^2}{\sum (x_i - \bar{x})^2}}$$

Exemple 9.5. En reprenant les données des exemples 9.2 et 9.3, estimer à l'aide d'un intervalle de confiance au niveau $1 - \alpha = 0.95$, la moyenne du montant des ventes mensuelles pour un candidat ayant obtenu un score de 71 au test d'aptitude.

Solution. En utilisant directement les valeurs calculées dans les exemples 9.2 et 9.3, on obtient

$$[LI, LS] = \left[(-25.1135 + .662\,(71)) \pm 2.228 \times 1.601 \times \sqrt{\frac{1}{12} + \frac{(71 - 74.9167)^2}{326.916}} \right]$$

$$= [21.8885 \pm 2.228 \times 1.601 \times .3609]$$

$$= [20.6012, 23.1758].$$

Il y a donc 95% de chances de ne pas se tromper en affirmant que la moyenne des ventes mensuelles se situe entre \$20,601.20 et \$23,175.80 pour $X = 71$.

Comme on l'a fait remarquer précédemment, et comme on peut l'observer dans l'expression de la variance de $\hat{Y}/x_0$, la précision de l'estimation augmente si x_0 se rapproche de $\bar{x}$, et elle diminue dans le cas contraire. Les courbes des limites des intervalles de confiance au niveau $1-\alpha$ que l'on pourrait construire pour les différentes valeurs de X sont illustrées dans la figure 9.6.

Intervalle de prédiction d'une valeur individuelle de Y. On veut prédire une valeur Y_0 de Y correspondant à une nouvelle observation x_0 de X; on peut prédire pour Y la valeur $b_0 + b_1 x_0$, c'est-à-dire celle calculée par la droite de régression. La différence entre cette prédiction et celle fournie pour la valeur moyenne $E(Y/x_0) = \mu_{Y/x_0}$ se situe au niveau de leur précision respective, la première étant moins précise que la seconde. En effet, la variance de Y/x_0 est plus grande que celle de $\hat{Y}/x_0$. Encore ici, le fait qu'il y ait une liaison entre Y et X, et que l'on connaisse la valeur de x_0 de X, permet d'améliorer la prédiction de Y_0. On peut montrer que $\text{Var}(Y) \geqslant \text{Var}(Y/x)$, et que le gain de précision obtenu par l'emploi de la droite des moindres carrés

FIGURE 9.6

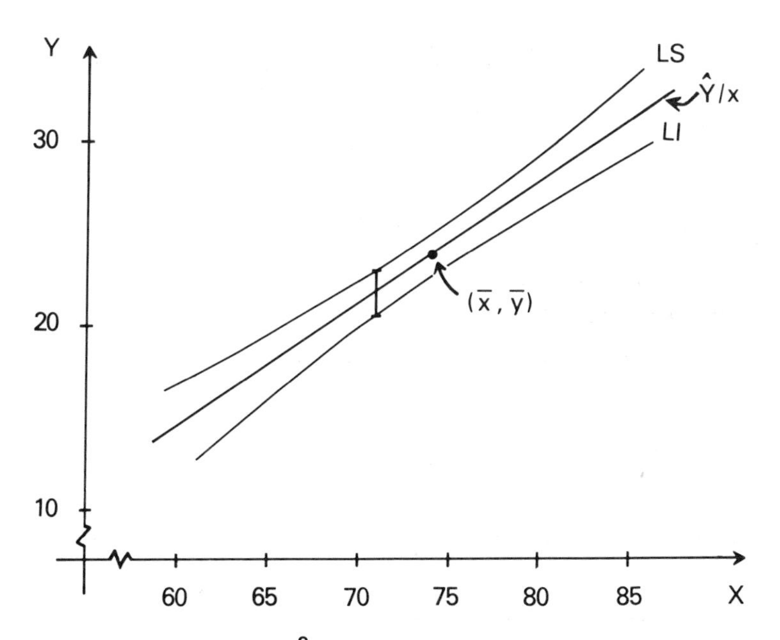

est dans le rapport de $(1 - \rho^2)$, où ρ est le coefficient de corrélation linéaire entre Y et X, c'est-à-dire que $[\text{Var}(Y/x) / \text{Var}(Y)] = 1 - \rho^2$. Le coefficient de corrélation linéaire sera étudié dans la section 9.4.

De l'hypothèse 5, on sait que la distribution conditionnelle de Y pour $X = x_0$ est une distribution normale de moyenne $\beta_0 + \beta_1 x_0$ et de variance σ^2. Il reste donc à déterminer la variance de l'erreur de prédiction de Y_0. L'erreur de prédiction est $(Y_0 - \hat{Y}_0)$; l'espérance mathématique de cette erreur $E(Y_o - \hat{Y}_o)$ est nulle et sa variance est

$$\begin{aligned}
\operatorname{Var}(Y_o - \hat{Y}_o) &= \operatorname{Var}(\beta_o + \beta_1 x_c + \varepsilon - b_o - b_l x_o) \\
&= \operatorname{Var}((\beta_o - b_o) + (\beta_1 - b_1)x_o + \varepsilon) \\
&= \operatorname{Var}(\hat{Y}/x_o) + \operatorname{Var}(\varepsilon) \\
&= \sigma^2\left[\frac{1}{n} + \frac{(x_o - \overline{X})^2}{\sum (X_i - \overline{X})^2} + \sigma^2\right] \\
&= \sigma^2\left[1 + \frac{1}{n} + \frac{(x_o - \overline{X})^2}{\sum (X_i - \overline{X})^2}\right].
\end{aligned}$$

Comme le plus souvent σ^2 est inconnu, on l'estime par $s^2 = \dfrac{\sum_{i=1}^{n} (y_i - \hat{y}_i)^2}{n-2}$ et alors la statistique

$$\frac{Y_o - \hat{Y}_o}{s\sqrt{1 + \dfrac{1}{n} + \dfrac{(x_o - \overline{X})^2}{\sum_i (X_i - \overline{X})^2}}} \in t(n-2)$$

En résumé, on a

Les limites de l'intervalle de confiance au niveau $(1 - \alpha)$ **pour prédire une valeur** Y_o **de Y lorsque** $X = x_o$ sont données par

$$(b_o + b_1 x_o) \pm t_{\alpha/2} \cdot s \cdot \sqrt{1 + \frac{1}{n} + \frac{(x_o - \bar{x})^2}{\sum_i (x_i - \bar{x})^2}}$$

où $t_{\alpha/2}$ est lue dans une table de la distribution du t à $(n - 2)$ degrés de liberté.

Exemple 9.6. En reprenant les données des exemples 9.2 et 9.3, prédire à l'aide d'un intervalle de confiance au niveau 0.95, le montant des ventes mensuelles pour un nouveau candidat qui se présente à l'embauche si ce dernier obtient 71 au test d'aptitude.

Solution. A partir des valeurs calculées dans ces exemples, et en appliquant directement les résultats que l'on vient d'obtenir, on a

$$[LI, LS] = \left[(-25.11 + .662\,(71)) \pm (2.228)\,(1.601) \sqrt{1 + \frac{1}{12} + \frac{(71 - 74.92)^2}{326.92}} \right]$$

$$= [\,21.8885 \pm 2.228 \times 1.601 \times 1.603\,]$$

$$= [\,18.0968\,, 25.6802\,]\,.$$

On a donc 95% de chances de ne pas se tromper en affirmant que le montant des ventes mensuelles se situe entre $18,096.80 et $25,680.20 pour un candidat obtenant un score de 71 au test d'aptitude. On constate que cet intervalle, pour le même niveau de confiance, est beaucoup plus large que celui calculé à l'exemple 9.5 pour la moyenne du montant des ventes mensuelles. On pourrait encore ici construire les courbes des limites des intervalles de confiance pour prédire la valeur individuelle de Y pour différentes valeurs de X dans la région des valeurs observées. On obtiendrait des courbes de la même forme que celles illustrées à la figure 9.6, mais un peu plus éloignées de part et d'autre de la droite de régression.

Signalons qu'il faut être très prudent dans l'application d'un modèle de régression, lorsque l'on veut projeter les résultats obtenus pour des valeurs qui sortent en dehors du domaine des valeurs observées. On en a un exemple lorsque l'on a voulu faire de l'inférence pour β_0, l'ordonnée à l'origine. Il n'y a rien qui assure que le phénomène étudié se comporte de la même façon au-delà du domaine observé.

9.3 LE MODELE DE REGRESSION LINEAIRE MULTIPLE

La régression multiple est une extension de la régression simple dans laquelle Y, la variable dépendante (ou à expliquer), est régressée non plus sur une seule variable indépendante ou explicative X mais sur un ensemble de k variables $X_1, X_2, ..., X_k$ dont on veut mesurer les effets sur Y. Les raisons pour lesquelles on utilise la régression multiple plutôt que la régression simple sont nombreuses:

a) d'abord on ne s'intéresse pas toujours uniquement à l'effet sur Y d'une seule variable, mais aux effets de plusieurs variables;

b) en outre, la prise en considération simultanée de plusieurs régresseurs permet de réduire la variance résiduelle (variation inexpliquée de Y), et de ce fait d'accroître la précision des estimations et la puissance des tests;

c) enfin, la prise en considération de plusieurs régresseurs permet de réduire ou d'éliminer les biais susceptibles de se produire, lorsqu'une ou plusieurs variables agissant sur Y sont incontrôlées et tenues hors de la régression.

Le modèle de régression linéaire multiple est de la forme

$$Y = \beta_o + \beta_1 X_1 + \beta_2 X_2 + \dots + \beta_k X_k + \varepsilon$$

L'approche suivie jusqu'ici est transposable sans grande difficulté; on a:

1) **Les hypothèses** nécessaires pour estimer les paramètres β_j selon la méthode des moindres carrés, et pour effectuer certains tests, sont essentiellement les mêmes que celles de la section 9.2.2. On doit cependant ajouter aux cinq (5) hypothèses énoncées dans cette section une hypothèse **d'absence de collinéarité** dans l'ensemble des variables explicatives X_j. Si cette hypothèse n'est pas satisfaite, c'est-à-dire s'il y a une interdépendance entre les variables explicatives (multicollinéarité), elle a pour conséquence de rendre presqu'impossible l'identification des coefficients de régression, et d'accroître considérablement leur variance. Or, un écart type aussi faible que possible de la distribution d'échantillonnage de n'importe quel coefficient de régression est souhaitable pour estimer avec précision le paramètre correspondant de la population.

2) **La méthode des moindres carrés** est de nouveau utilisée **pour estimer les paramètres** β_j. Si l'on dispose d'un ensemble de n observations, chacune décrite sous la forme $(x_{1i}, x_{2i}, \dots, x_{ki}, y_i)$, on peut écrire une équation par observation comme suit:

$$y_1 = b_o + b_1 x_{11} + b_2 x_{21} + \dots + b_k x_{k1} + e_1$$

$$\vdots$$

$$y_i = b_o + b_1 x_{1i} + b_2 x_{2i} + \dots + b_k x_{ki} + e_i$$

$$\vdots$$

$$y_n = b_o + b_1 x_{1n} + b_2 x_{2n} + \dots + b_k x_{kn} + e_n \,.$$

La méthode des moindres carrés consiste à déterminer les valeurs de $b_o, b_1, \dots, b_k$ qui minimisent la somme des carrés des déviations entre les valeurs observées y_i et les valeurs calculées (ajustées) $\hat{y}_i$. On doit donc résoudre le problème d'optimisation

$$\min_{b_o, b_1, \dots, b_k} (Q) = \sum_{i=1}^{n} e_i^2 = \sum_{i=1}^{n} (y_i - \hat{y}_i)^2$$

$$= \sum_{i=1}^{n} (y_i - b_o - b_1 x_{1i} - \dots - b_k x_{ki})^2 \,.$$

On obtient les valeurs de $b_o, b_1, ..., b_k$ en annulant les dérivées partielles du premier ordre, et en résolvant le système de k + 1 équations ainsi obtenues, qu'on appelle les équations normales. L'intérêt de présenter les formules correspondant aux solutions du système est évident dans le cas de la régression simple, et est encore perceptible dans le cas de deux variables explicatives, mais cet intérêt disparaît complètement lorsque le nombre de variables explicatives est plus grand que 2. Le recours à l'informatique est presque indispensable dans ce cas. Les programmes d'ordinateurs utilisent des méthodes de calcul fondées sur des algorithmes assez efficaces, que l'on n'a pas l'intention de présenter ici, et dont la connaissance n'est pas essentielle pour comprendre les fondements de la régression multiple. On peut dire toutefois que le terme indépendant b_o peut être calculé par la formule

$$b_o = \overline{Y} - b_1 \overline{X}_1 - ... - b_k \overline{X}_k ,$$

une fois que les valeurs des coefficients $b_1, ..., b_k$ sont connues.

Même si le passage de la régression simple à la régression multiple n'implique aucun changement fondamental dans la philosophie de la méthode, on ne peut en dire autant pour la représentation graphique, sauf lorsqu'on se limite à deux variables explicatives; dans ce dernier cas, au lieu de chercher à déterminer une droite des moindres carrés (comme dans le cas d'une seule variable explicative), on cherche à déterminer le plan qui s'ajuste le mieux aux n triplets (x_{1i}, x_{2i}, y_i) observés dans l'échantillon. Ce **plan des moindres carrés** a la forme suivante:

$$\hat{Y} = b_o + b_1 X_1 + b_2 X_2 .$$

Les coefficients b_o, b_1 et b_2 obtenus par la méthode des moindres carrés correspondent à la solution du système d'équations linéaires suivant, appelé **système d'équations normales**:

$$\sum_i y_i = n b_o + b_1 \sum_i x_{1i} + b_2 \sum_i x_{2i}$$

$$\sum x_{1i} y_i = b_o \sum_i x_{1i} + b_1 \sum_i x_{1i}^2 + b_2 \sum_i x_{1i} x_{2i}$$

$$\sum x_{2i} y_i = b_o \sum_i x_{2i} + b_1 \sum_i x_{1i} x_{2i} + b_2 \sum_i x_{2i}^2 .$$

Exemple 9.7. Des données de l'exemple 9.1, le directeur des ventes ajoute un autre facteur explicatif de la variabilité des ventes, ce deuxième facteur étant un indice de l'effort fourni. Les valeurs de cet indice sont respectivement pour chacun des 12 vendeurs sélectionnés

1.1, 1.0, 1.8, 0.8, 0.9, 0.6, 0.7, 0.2, 2.0, 0.6, 1.4 et 1.0.

Déterminer le plan des moindres carrés de la forme $\hat{Y} = b_o + b_1 X_1 + b_2 X_2$ dans lequel le score du test d'aptitude (X_1) et l'indice de l'effort (X_2) servent de variables explicatives.

Solution. Les éléments nécessaires pour calculer les coefficients b_o, b_1 et b_2 sont calculés au tableau 9.4. On peut ainsi écrire le système d'équations normales de la façon suivante:

$$294 = 12 b_o + 899 b_1 + 11.56 b_2 \quad (1)$$

$$22242 = 899 b_o + 67677 b_1 + 917.6 b_2 \quad (2)$$

$$309 = 11.56 b_o + 917.6 b_1 + 15.11 b_2 \quad (3)$$

TABLEAU 9.4

	ventes y_i	score x_{1i}	indice x_{2i}	$x_{1i}y_i$	$x_{2i}y_i$	$x_{1i}x_{2i}$	x_{1i}^2	x_{2i}^2
	30	84	1.1	2520	33	92.4	7056	1.21
	20	71	1.0	1420	20	71.	5041	1.00
	24	71	1.8	1704	45.2	127.8	5041	3.24
	18	65	0.8	1170	14.4	52.	4225	0.64
	26	80	0.9	2080	23.4	72.	6400	0.81
	24	74	0.6	1776	14.4	44.4	5476	0.36
	26	76	0.7	1976	18.2	53.2	5776	0.49
	20	68	0.2	1360	4.0	13.6	4624	0.04
	30	80	2.0	2400	60.	160.	6400	4.00
	22	75	0.6	1650	13.2	45.	5625	0.36
	28	78	1.4	2184	39.2	109.2	6084	1.96
	26	77	1.0	2002	26	77	5929	1.00
Total	294	899	12.1	22242	309	917.6	67677	15.11

La solution de ce système d'équations donne

$$b_o = -21.9599, \; b_1 = 0.5925 \text{ et } b_2 = 2.0514$$

On obtient ainsi comme plan des moindres carrés

$$\hat{Y} = -21.9599 + 0.5925X_1 + 2.0514X_2$$

où $\hat{Y}$ est la moyenne du montant des ventes mensuelles associée à un couple spécifié de valeurs de X_1 et de X_2. Par exemple, pour $X_1 = 71$ et $X_2 = 1$, on a $\hat{y} = -21.9599 + 0.5925(71) + 2.0514(1)$

$$= 22.159$$

On peut également interpréter géométriquement les coefficients b_o, b_1 et b_2 (où b_o, b_1 et b_2 sont des estimations de β_o, β_1 et β_2). En effet, b_o est l'ordonnée à l'orignie du plan de régression, c'est-à-dire le point d'intersection du plan avec l'axe des Y; b_1 est la pente de la droite formée par l'intersection du plan de régression avec le plan (X_1, Y), et b_2 est la pente de la droite formée par l'intersection du plan de régression avec le plan (X_2, Y).

Il est aussi possible de construire des intervalles de confiance pour estimer les différents coefficients de régression, et de construire des tests de signification pour chacun des coefficients β_j. Il convient de souligner que le jugement que l'on porte sur un coefficient de régression n'est pas indépendant des autres coefficients de régression; le jugement effectué porte sur le complément d'explication apporté par la variable considérée par rapport à un modèle qui n'incluerait que les autres variables. Il en résulte que le fait qu'un coefficient de régression ne soit pas significatif dans une régression multiple n'implique pas nécessairement que la variable correspondante ne joue aucun rôle, mais seulement que son apport par rapport aux autres variables introduites n'est pas significatif.

Pour construire ces intervalles et ces tests, si la variance résiduelle σ^2 n'est pas connue, on l'estime par

$$s^2 = \frac{\sum_{i=1}^{n} (y_i - \hat{y}_i)^2}{n - k - 1}$$

où k est le nombre de variables explicatives dans le modèle linéaire.

9.4 L'ANALYSE DE LA CORRELATION

Dans l'analyse de la régression, les variables indépendantes ou explicatives sont supposées fixées, et l'objectif est de spécifier la fonction linéaire représentant le mieux la liaison entre les variables explicatives et la variable dépendante ou à expliquer. L'objectif de l'analyse de la corrélation est d'évaluer jusqu'à quel point ces différentes variables sont reliées d'une façon linéaire, c'est-à-dire de fournir un certain indice de l'intensité de la relation linéaire. Dans l'analyse de la corrélation, toutes les variables, aussi bien indépendantes que dépendantes, sont aléatoires.

9.4.1 Le coefficient de corrélation simple

Une mesure de la liaison linéaire entre deux variables aléatoires est donnée par la covariance des deux variables. Afin d'obtenir une mesure standardisée, on préfère utiliser comme mesure de cette liaison le quotient de la covariance des deux variables par le produit des écarts-types de ces variables. Donc pour l'ensemble de la population, **le coefficient de corrélation linéai-**

re simple est défini par

$$\rho_{XY} = \frac{COV(X, Y)}{\sqrt{Var(X) . Var(Y)}} = \frac{E[(X - E(X))(Y - EY)]}{\sqrt{E(X - E(X))^2 E(Y - E(Y))^2}}$$

Si l'on suppose l'existence d'une relation entre X et Y, il semble naturel qu'une part de la variabilité totale de Y soit expliquée par cette liaison. On a donc l'habitude de décomposer (comme on le fait dans l'analyse de la variance) la variation totale de Y comme la somme de la **variation expliquée** dans X et de la **variation non expliquée** ou résiduelle. Dans l'analyse de la régression linéaire, on décompose Y_i en une partie associée linéairement à X_i, et une autre non associée linéairement à X_i :

$$Y_i = (\beta_o + \beta_1 X_i) + \varepsilon_i .$$

La condition $COV(X_i \varepsilon_i) = 0$ permet de décomposer la variation totale de Y, définie par $\sum (Y_i - Y_i)^2$, comme suit :

$$\sum (Y_i - \overline{Y}_i)^2 = \sum (\hat{Y}_i - \overline{Y}_i)^2 + \sum (Y_i - Y_i)^2.$$

L'expression $\sum (\hat{Y}_i - \overline{Y}_i)^2$ représente la variation de Y expliquée par X tandis que $\sum (Y_i - \hat{Y}_i)^2$ représente la variation résiduelle de Y non expliquée par X.

Le quotient (variation expliquée/variation totale), noté ρ^2_{XY}, est appelé **coefficient de détermination de Y et X**, c'est-à-dire

$$\boxed{\rho^2_{XY} = \frac{\sum (\hat{Y}_i - \overline{Y})^2}{\sum (Y_i - \overline{Y})^2}} = 1 - \frac{\sum (Y_i - \hat{Y}_i)^2}{\sum (Y_i - \overline{Y})^2}.$$

On peut démontrer que ce coefficient de détermination ρ^2_{XY} est égal au carré du coefficient de corrélation ρ_{XY} défini précédemment; ρ^2_{XY} *mesure la part de la variation de* Y *qui est expliquée par la régression*. Ainsi, une valeur $\rho^2_{XY} = 0.84$ signifie que la régression linéaire simple explique jusqu'à 84% de la variation totale de Y. Son complément $(1 - \rho^2_{XY})$ mesure la proportion que la variation résiduelle représente dans la variation de Y, c'est-à-dire

$$1 - \rho^2_{XY} = \frac{\sum (Y_i - \hat{Y}_i)^2}{\sum (Y_i - \overline{Y})^2}$$

À cause de la définition même de ρ^2_{XY}, on a nécessairement

$$0 \leqslant \rho^2_{XY} \leqslant 1 ,$$

et, par le fait même, le coefficient de corrélation varie entre −1 et + 1. Les trois cas limites $\rho_{XY} = 0$ et $\rho_{XY} = \pm 1$ sont illustrés aux figures 9.7 (a), (b) et (c).

FIGURE 9.7

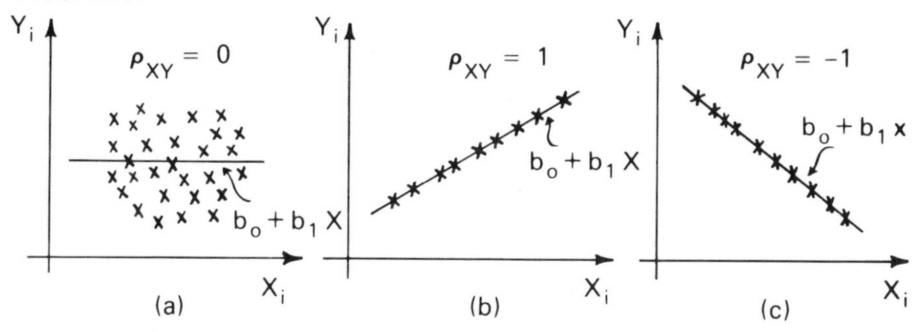

Si les deux variables X et Y sont indépendantes,alors $\rho_{XY} = 0$; mais le fait que $\rho_{XY} = 0$ n'implique pas nécessairement l'indépendance entre X et Y. Les cas $\rho_{XY} = \pm 1$ représentent le fait que les deux variables X et Y sont liées fonctionnellement par une relation linéaire.

Il faut être prudent dans l'interprétation du coefficient de détermination ou de corrélation. D'abord l'existence d'un coefficient de corrélation élevé n'implique pas nécessairement une relation de cause à effet entre X et Y; l'inverse est aussi vrai, c'est-à-dire qu'un faible coefficient de corrélation n'implique pas forcément qu'il n'existe aucune relation de cause à effet entre X et Y. D'autre part, il se peut que, même si l'on a trouvé un "bon" coefficient de corrélation, la variance de Y soit tellement grande que la variance résiduelle reste élevée, et que l'écart type résiduel soit important par rapport à la moyenne.

Estimation des coefficients de corrélation et de détermination

Si l'on dispose d'un échantillon de n couples (x_i , y_i), alors

$$r_{XY} = \frac{\sum (x_i - \bar{x})(y_i - \bar{y})}{\sqrt{\sum (x_i - \bar{x})^2 \sum (y_i - \bar{y})^2}} = \frac{\sum x_i y_i - n\bar{x}\bar{y}}{\sqrt{(\sum x_i^2 - n\bar{x}^2)(\sum y_i^2 - n\bar{y}^2)}}$$

$$= \sqrt{\frac{\sum (\hat{y}_i - \bar{y})^2}{\sum (y_i - \bar{y})^2}}$$

fournit une estimation ponctuelle de ρ_{XY}, le coefficient de corrélation linéaire dans l'ensemble de la population, et donc r^2_{XY} fournit une estimation de ρ^2_{XY}, le coefficient de détermination. Cependant si la taille n de l'échantillon est plutôt petite, il convient d'utiliser plutôt l'estimation obtenue par

$$r_{XY} = \sqrt{1 - \frac{s^2_{Y/x}}{s^2_Y}}$$

où $$s^2_{Y/x} = \frac{\sum (y_i - \hat{y}_i)^2}{n-2} \quad \text{et} \quad s^2_Y = \frac{\sum_{i=1}^{n} (y_i - \bar{y})^2}{n-1}$$

sont des estimateurs sans biais de la variance résiduelle Var (ε) = Var (Y/x) et de la variance de Y, c'est-à-dire qu'il y a un facteur de correction que l'on doit apporter au résultat obtenu par la première formule, afin d'obtenir un estimateur asymptotiquement sans biais.

Exemple 9.8. En reprenant les données des exemples 9.2 et 9.3, estimer les coefficients de détermination et de corrélation linéaire entre le montant des ventes mensuelles et le résultat du test d'aptitude.

Solution. Pour déterminer r^2_{XY}, il reste à calculer la variance échantillonnale de Y, puisque $S^2_{Y/x}$ a déjà été calculé à l'exemple 9.3. Comme on a

$$\sum_i (y_i - \bar{y})^2 = \sum_i y_i^2 - n\,\bar{y}^2 ,$$

on doit calculer $\sum_i y_i^2$. Des données de l'exemple 9.2, on obtient

$$\sum y_i^2 = (30)^2 + (20)^2 + (24)^2 + \ldots + (26)^2 = 7372 \text{ et alors}$$

$$s^2_Y = \frac{7372 - 12\,(24.5)^2}{(12-1)} = \frac{169}{11} = 15.36363$$

L'estimation du coefficient de détermination est donc

$$r^2_{XY} = 1 - \frac{2.56274}{15.36363} = 1 - .167 = .833$$

et celle du coefficient de corrélation est

$$r_{XY} = \sqrt{0.833} \simeq .913 .$$

Il semble donc que cette droite de régression explique 83.3% de la variation totale de Y.

Evidemment, la valeur de l'estimateur r_{XY} du coefficient de corrélation (et de détermination) varie d'un échantillon à l'autre, et pour pouvoir bien apprécier cette valeur, il faudrait connaître la distribution d'échantillonnage de cet estimateur. Malheureusement, en général, r_{XY} ne suit pas une distribution normale. La distribution de l'estimateur r_{XY} est fonction de la valeur du coefficient de corrélation ρ_{XY} et de la taille n de l'échantillon. Par exemple, pour une valeur $\rho_{XY} = 0$, la distribution de r_{XY} est symétrique et approximativement normale. De toutes façons, quelle que soit la valeur de ρ_{XY}, Fisher proposa un changement de variable qui permet l'approximation de la distribution de r_{XY} par une distribution normale, et certaines tables donnent directement les limites de l'intervalle de confiance pour estimer ρ_{XY} (cf. Wonnacott et Wonnacott [34] , p. 417). On peut tester la signification globale du modèle linéaire simple en testant l'hypothèse nulle $H_o : \rho_{XY} = 0$, ce qui est équivalent au test de l'hypothèse nulle $\beta_1 = 0$ sur le coefficient de régression.

9.4.2 Le coefficient de corrélation partielle et multiple

Le coefficient de corrélation partielle

Dans l'équation de régression multiple, la signification statistique de chaque variable explicative peut être vérifiée par un test du t de Student, comme pour la régression simple. Cette même information peut être obtenue du coefficient de corrélation partielle qui est défini comme le coefficient de corrélation entre une variable explicative et la variable dépendante lorsque toutes les autres variables explicatives sont tenues constantes. Par exemple, pour le modèle linéaire à deux variables explicatives, le coefficient de corrélation partielle entre Y et X_1 débarrassé de l'influence de X_2, se noterait ρ_{YX_1/X_2}. En résumé, on utilise le coefficient de corrélation partielle pour mesurer la corrélation pouvant exister entre deux variables lorsque l'influence des autres variables sur ces deux variables est éliminée.

Le coefficient de corrélation multiple

Alors que le coefficient de corrélation partielle détermine dans quelle mesure Y est relié à chacune des variables explicatives prises une à la fois, le coefficient de corrélation multiple $\rho_{YX_1 \ldots X_K}$ détermine dans quelle mesure Y est relié à toutes les variables explicatives à la fois. Comme pour le coefficient de corrélation simple, $\rho_{YX_1 \ldots X_k}$ mesure la qualité de l'ajustement de l'hyperplan $\hat{Y} = b_o + b_1 X_1 + \ldots + b_k X_k$ aux points observés. Le coefficient de détermination multiple $\rho^2_{YX_1 \ldots X_k}$, qui est égal au carré du coefficient de corrélation multiple, est aussi défini comme le rapport de la variation expliquée par l'hyperplan $\hat{Y}$ à la variation totale de Y, et on peut de nouveau l'estimer par

$$r^2_{YX_1 \ldots X_k} = \frac{\sum (\hat{y}_i - \overline{y})^2}{\sum (y_i - \overline{y})^2} = 1 - \frac{\sum (y_i - \hat{y}_i)^2}{\sum (y_i - \overline{y})^2}$$

La valeur de $r^2_{YX_1 \ldots X_K}$ ne donne pas d'information sur la précision du calcul des coefficients de régression, mais caractérise uniquement la dispersion des observations autour de l'hyperplan. L'addition de variables explicatives dans une régression linéaire ne peut jamais réduire la valeur de r^2.

9.4.3 L'analyse de la variance

La décomposition de la variance totale des observations que l'on a effectuée pour introduire le coefficient de détermination est aussi celle qui apparaît dans l'analyse de la variance d'une régression linéaire. On a en effet:

$$SCT = SCF + SCE$$

où SCT = la somme des carrés totale,

$$= \sum_{i=1}^{n} (Y_i - \overline{Y})^2 ,$$

SCF = la somme des carrés due aux facteurs (due à la régression),

$$= \sum_{i=1}^{n} (\hat{Y}_i - \overline{Y})^2$$

SCE = la somme des carrés due à l'erreur (due au terme résiduel),

$$= \sum_{i=1}^{n} (Y_i - \hat{Y}_i)^2$$

A chacune de ces sommes de carrés est associé un nombre appelé nombre de degrés de liberté, et qui correspond au nombre d'écarts indépendants dans ces sommes. Tout comme la variation totale, le nombre total de degrés de liberté se décompose de façon additive comme suit:

le nombre de degrés de liberté associé à $\sum (Y_i - \overline{Y})^2$ est $(n - 1)$,

" " " " $\sum (\hat{Y} - \overline{Y})^2$ est k,

" " " " $\sum (Y_i - \hat{Y})^2$ est $(n - k - 1)$.

On est donc maintenant en mesure de calculer les moyennes des carrés, en divisant les sommes des carrés par leurs nombres de degrés de liberté respectifs, et de résumer le tout dans un **tableau d'analyse de la variance** (tableau 9.5).

La raison pour laquelle on calcule cette quantité F_o est de s'assurer de la signification globale de la régression linéaire, et donc du r^2; une faible valeur de F_o risque en effet d'être due aux fluctuations d'échantillonnage, le r^2 ne différant de 0 que par l'effet du hasard. Sous certaines conditions concernant les erreurs, la statistique F = (MCF/MCE) suit une distribution du F de Fisher avec (k) et (n - k - 1) degrés de liberté, et l'hypothèse nulle

$$H_o : \rho^2_{YX_1 \ldots X_k} = 0 ,$$

TABLEAU 9.5

Source de variation	Somme des carrés	Degrés de liberté	**Moyenne des carrés**	**Valeur observée pour F**
régression (expliquée)	SCF	k	$MCF = \frac{SCF}{k}$	$F_o = \frac{MCF}{MCE}$
terme résiduel (non expliqué)	SCE	n - k - 1	$MCE = \frac{SCE}{n-k-1}$	
Total	SCT	n - 1		

ou encore l'hypothèse selon laquelle tous les coefficients sont nuls ($\beta_1 = \beta_2 = \ldots = \beta_k = 0$) est rejetée lorsque F_o excède la valeur théorique de la table pour un niveau de signification donné.

Exemple 9.9. Vérifier à partir des données des exemples 9.2 et 9.3 si globalement la régression est significative au niveau $\alpha = 0.05$. **Solution.** Dans cet exemple, il s'agit d'une régression linéaire simple, c'est-à-dire que k = 1. On dispose de toutes les données requises pour construire le tableau d'analyse de la variance (SCT a été calculé à l'exemple 9.8).

Tableau de l'analyse de la variance

Source de variation	Somme des carrés	Degrés de liberté	Moyenne des carrés	Valeur observée de F
régression	143.37256	1	143.37256	$F_o = 55.945$
terme résiduel	25.62744	10	2.56274	
Total	169	11		

Puisque la valeur observée $F_o = 55.945$ est plus grande que la valeur critique $F_{0.05}(1, 10) = 4.96$, où 4.96 est la valeur lue dans la table F avec 1 et 10 degrés de liberté, on est amené à rejeter H_o, et à conclure que la régression est significative au niveau $\alpha = .05$. Cette conclusion est la même que celle à laquelle on est arrivé à l'exemple 9.4, puisque pour la régression linéaire simple, tester $\rho^2 = 0$ est équivalent à tester $\beta_1 = 0$.

On voit donc que l'analyse de la variance permet de vérifier l'adéquation du modèle linéaire avec les données observées; ainsi son rôle consiste non seulement à indiquer la proportion de la variation de la variable dépendante expliquée par le modèle, mais aussi à informer sur l'opportunité du choix de l'ajustement linéaire.

On doit noter enfin que la régression linéaire multiple peut être globalement significative, et néanmoins compter un ou plusieurs régresseurs n'exerçant aucun effet réel sur la variable dépendante.

9.5 L'APPROCHE BAYESIENNE EN REGRESSION

L'approche présentée jusqu'ici dans ce chapitre est l'approche classique. Les estimations et les tests qui ont été effectués sont basés uniquement sur l'information provenant d'un échantillon. Comme on l'a indiqué précédemment, selon l'approche bayesienne, en plus de l'information provenant d'un échantillon, on peut considérer également l'information collatérale et a priori. La question qui se pose est celle de savoir comment on peut introduire l'information a priori dans l'analyse de la régression. Dans le modèle de régression linéaire simple

$$Y = \beta_o + \beta_1 X + \varepsilon \quad ,$$

où le terme d'erreur ε est normalement distribué avec une moyenne zéro et une variance σ^2, il y a trois paramètres inconnus, à savoir β_o, β_1 et σ^2. Alors, pour introduire de l'information a priori concernant ces paramètres, on doit leur assigner une distribution de probabilité jointe. Même si l'on suppose que σ^2 est connu, on a encore besoin d'une distribution jointe pour les paramètres β_o et β_1 . Pour un modèle de régression linéaire multiple avec k variables explicatives, on a $(k+1)$ paramètres β_j inconnus, en plus de σ^2.

Les difficultés que l'on rencontre déjà pour assigner une distribution a priori à un seul paramètre sont considérablement augmentées lorsque l'on doit assigner une distribution de probabilité jointe à deux ou plusieurs paramètres. A moins que ces paramètres soient indépendants, on doit non seulement porter un jugement sur chaque paramètre pris individuellement, mais également sur les relations qu'ils entretiennent entre eux. Conceptuellement la démarche est la même que celle suivie lorsqu'on a affaire à un seul paramètre: la distribution a priori est revisée à partir de l'information additionnelle provenant d'un échantillon, et les estimations sont faites sur la base de la distribution a posteriori. Par exemple, si l'on suppose que la distribution d'échantillonnage des écarts e_i est une normale multidimensionnelle, et si la distribution a priori des paramètres inconnus $\beta_o, \beta_1, ..., \beta_k$ et σ^2 est diffuse (aucune information), alors les résultats obtenus par l'analyse de régression bayesienne coïncident avec ceux obtenus par l'analyse de régression classique (à ce sujet voir, par exemple Sasaki [20] , chapitre 20).

A cause des difficultés reliées à l'attribution d'une distribution de probabilité jointe a priori aux paramètres inconnus, du caractère relativement technique de l'analyse bayesienne en régression, et du niveau relativement élémentaire auquel se situe le présent ouvrage, l'approche bayesienne en régression ne sera pas développée davantage ici.

9.6 EXERCICES

9.1 Un directeur de banque aimerait savoir s'il existe une relation entre le revenu annuel d'une famille (variable X) et le montant d'argent qu'elle consacre annuellement à l'épargne (variable Y). Pour un échantillon aléatoire de 10 familles, il a obtenu les résultats suivants (en milliers de dollars):

famille	revenu X	épargne Y
1	12	0.6
2	15	1.2
3	13	1.0
4	10	0.7
5	10	0.3
6	14	1.0
7	16	1.6
8	18	1.4
9	16	1.2
10	14	0.7

a) Représenter graphiquement les couples (x , y). Cette représentation graphique suggère-t-elle l'utilisation d'un modèle explicatif linéaire de la forme (9.1)?

b) Déterminer les estimations b_0 et b_1 des paramètres β_0 et β_1 de la droite de régression de Y sur X selon la méthode des moindres carrés, et représenter cette droite dans ce plan.

c) En utilisant la droite de régression déterminée en (b), quel montant d'argent ce directeur de banque peut-il espérer qu'une famille ayant un revenu de $11,000 consacre annuellement à l'épargne?

d) Le directeur peut-il utiliser la droite de régression calculée en (b) pour prédire le montant qu'une famille ayant un revenu de $25,000 va consacrer à l'épargne?

9.2 Les données suivantes représentent les dépenses en publicité (représentées en termes de % du total des dépenses de fonctionnement), et le profit net des opérations (exprimé en % du total des ventes) pour un échantillon aléatoire de 8 magasins d'articles de sport:

magasin	1	2	3	4	5	6	7	8
X: dépense en publicité	1.5	0.8	2.6	1.0	0.6	2.8	2.0	0.4
Y: profit	3.1	1.9	4.2	2.3	1.2	4.9	3.8	1.4

a) Représenter graphiquement les couples (x, y) .

b) Déterminer les paramètres b_o et b_1 de la droite de régression de Y sur X selon la méthode des moindres carrés, et représenter cette droite dans le plan.

c) Utiliser la droite calculée en (b) pour prédire le profit (exprimé en % de ses ventes) qu'un magasin de ce type peut espérer réaliser, s'il consacre pour la publicité 1.2% du total de toutes ses dépenses de fonctionnement.

9.3 On veut ajuster le modèle général (9.1), c'est-à-dire $Y = \beta_o + \beta_1 X + \varepsilon$, aux données de l'exercice 9.1. En supposant que les hypothèses 1 à 5 de la section 9.2.2 soient vérifiées:

a) construire des intervalles de confiance au niveau $1 - \alpha = 0.95$ pour le coefficient β_o et pour la pente β_1 de la droite;

b) vérifier si la variable "revenu de la famille" est significative pour expliquer le montant épargné Y, par l'intermédiaire d'un test d'hypothèses au niveau $\alpha = 0.05$.

9.4 On veut ajuster le modèle (9.1) aux données de l'exercice 9.2. En supposant que les hypothèses 1 à 5 de la section 9.2.2 soient vérifiées:

a) construire des intervalles de confiance au niveau 0.95 pour les coefficients β_o et β_1 ;

b) à l'aide d'un test d'hypothèses au niveau $\alpha = 0.05$, vérifier si la variable "dépense en publicité" est significative pour expliquer le profit réalisé par un magasin de ce type.

9.5 Relativement à l'exercice 9.1, en supposant les hypothèses de la section 9.2.2 vérifiées, estimer par l'intermédiaire d'un intervalle de confiance au niveau $(1 - \alpha) = 0.95$:

a) le montant d'argent moyen qu'une famille qui a un revenu annuel de \$14 000 va consacrer annuellement à l'épargne;

b) le montant d'argent que l'on croit qu'une famille particulière consacre annuellement à l'épargne, si cette famille gagne \$14,000.

9.6 Relativement à l'exemple 9.2, en supposant que les hypothèses de la section 9.2.2 soient vérifiées, estimer par l'intermédiaire d'un intervalle de confiance au niveau $(1 - \alpha) = 0.95$:

a) le profit moyen (en %) qu'un magasin de ce type, qui consacre 1.8% de ses dépenses en publicité, peut espérer réaliser;

b) le profit (en %) que l'on croit qu'un magasin d'articles de sport particulier va réaliser si ce magasin consacre 1.8% de ses dépenses en publicité.

9.7 L'association des marchands détaillants en alimentation (A.M.D.A) veut déterminer la relation qu'il semble exister entre le revenu net d'un magasin d'alimentation et les deux variables "superficie de plancher du magasin" et "nombre de produits de marques indépendantes offerts aux clients". Pour un échantillon aléatoire de 5 magasins d'alimentation, l'A.M.D.A. a obtenu les résultats suivants:

Superficie de plancher (en 1000 pi.^{2}) X_1	**Nombre de marques** indépendantes (x 10) X_2	**Revenu net** (en $10,000) Y
20	11	7
40	16	26
35	19	13
30	12	5
50	26	33

a) A partir de ces données, déterminer le plan de régression des moindres carrés de la forme $\hat{Y} = b_o + b_1 X_1 + b_2 X_2$.

b) Si un magasin d'alimentation particulier a une superficie de plancher de 30,000 pi^2, et s'il offre à ses clients 150 marques indépendantes, quel revenu net peut-il espérer réaliser?

9.8 En se replaçant dans le contexte de l'exercice 9.1, calculer les coefficients de détermination et de corrélation linéaire entre le revenu d'une famille et le montant qu'elle consacre annuellement à l'épargne.

9.9 Dans le contexte de l'exercice 9.2, quelle est la proportion de la variation totale du profit Y qui est expliquée par la droite de régression de Y sur X où X représente les dépenses en publicité?

9.10 La fréquentation des cinémas de Ville Normand est variable. Dans le but d'étudier la relation qu'il y aurait éventuellement entre la fréquentation et le prix d'admission, une enquête est menée auprès de 25 cinémas. Les résultats de cette enquête ont permis d'établir les données suivantes:
le prix moyen d'admission est de $3.00;
la variance du prix d'admission est de $0.25;
l'occupation moyenne est de 200 spectateurs;
la variance du nombre de spectateurs est de 1,600;
la covariance (prix, nombre de spectateurs) est de - 16.

1) Peut-on faire état d'une dépendance linéaire entre le prix d'admission et le nombre de spectateurs? Comment peut-on présenter cette dépendance?

2) Quelle est la fréquentation la plus probable pour un cinéma qui affiche un prix d'entrée égal à \$3.50? Entre quelles limites la fréquentation de ce cinéma a-t-elle 95% de chances de se situer?

9.11 M. Tricofil, fabriquant de sous-vêtements, s'interroge sur la qualité des fils élastiques achetés auprès d'un nouveau fournisseur. Son expérience lui a enseigné le test suivant pour juger de la qualité d'un fil élastique: on prend un morceau de fil, on mesure sa longueur (x) au début du test, ensuite on y attache un poids de 1 kg, et on mesure de nouveau sa longueur (y). On sait (de façon certaine) que ces deux longueurs sont proportionnelles en moyenne mais que l'on peut observer au cours d'un essai une petite différence due à un certain nombre de facteurs très secondaires (qu'il importe peu d'analyser). Le coefficient de proportionnalité entre les deux longueurs x et y, appelé "élasticité du fil", est l'élément principal qui caractérise la qualité du fil. M. Tricofil estime qu'un fil est acceptable, s'il est persuadé (au niveau 0.95) que l'élasticité est au moins de 1.5. Il fait donc une série de 100 tests, et il trouve les résultats suivants:

$$\bar{x} = 50\,\text{cm},\ \bar{y} = 100\,\text{cm},\ s_x^2 = 3\,\text{cm}^2,\ s_y^2 = 16\,\text{cm}^2,\ s_{xy} = 6\,\text{cm}^2$$

M. Tricofil devrait-il accepter le fil élastique de son nouveau fournisseur?

9.12 En se replaçant dans le contexte de l'exercice 9.1, tester, par une analyse de la variance, la signification globale de la régression linéaire simple (au niveau $\alpha = 0.05$), c'est-à-dire l'hypothèse nulle: $H_o : \rho^2 = 0$.

9.13 En se replaçant dans le contexte de l'exercice 9.7, tester par une analyse de la variance, la signification globale de la régression linéaire multiple (au niveau $\alpha = 0.05$), c'est-à-dire vérifier l'hypothèse nulle: $H_o : \beta_1 = \beta_2 = 0$.

CHAPITRE 10

L'ANALYSE MULTIVARIÉE

Il y a une partie spécifique de l'analyse statistique qui traite des problèmes d'inférence concernant plusieurs variables (au moins deux), et que l'on appelle "l'analyse multivariée". Il peut s'agir de variables associées à une seule population ou à plusieurs populations différentes. On peut noter que la régression multiple présentée au chapitre précédent constitue une méthode d'analyse multivariée: en régression multiple, on essayait d'établir une relation linéaire entre une variable Y dépendante et plusieurs variables indépendantes $X_1, X_2, ..., X_p$.

Il existe une gamme diversifiée de problèmes d'inférence qui sont abordés en analyse multivariée; les principaux sont les suivants:

a) l'étude des interrelations entre les variables, que ce soit par des analyses de dépendance comme l'analyse discriminante ou la régression multiple, ou par des analyses d'interdépendance comme l'analyse en composantes principales ou le groupement de variables;

b) la découverte de différences significatives entre les groupes d'objets par la comparaison des centroïdes des groupes, et la recherche de "dimensions" selon lesquelles ces groupes se distinguent, ceci au moyen de l'analyse discriminante;

c) la représentation parcimonieuse de l'information d'une matrice de données considérable par une matrice plus restreinte qui retient le plus possible l'information originale; à cet effet, les instruments les plus couramment utilisés sont l'analyse en composantes principales et l'analyse de groupes (groupement de variables ou groupement d'objets).

Il faut faire observer tout de suite que l'analyse multivariée est surtout de nature exploratoire, en ce sens qu'elle tente de fournir des indices et des indications plutôt que des preuves absolues. Dans certains cas, elle pourra peut-être dévoiler des relations entre les variables, ou entre les objets que l'oeil nu n'avait pu apercevoir jusque-là.

Les quelques techniques d'analyse multivariée qui seront présentées ici sont connues depuis assez longtemps (1940 environ), mais elles n'ont commencé à être utilisées couramment que depuis une dizaine d'années, soit depuis l'avènement des ordinateurs de grande puissance. Il existe actuellement sur le marché plusieurs logiciels commerciaux (banques informatisées de programmes), les plus connus étant BMD, BMDP, OSIRIS, SAS, SPSS. Dans ce qui suit, quelques matrices de données seront utilisées afin d'illustrer chacune des techniques présentées, et les tirages d'ordinateur seront fournis par les logiciels SPSS (Statistical Package for the Social Sciences) et MULTV (disponible au Centre de traitement de l'information de l'Université Laval en langage APL).

Naturellement, étant donné le niveau du présent volume, ce chapitre ne constitue qu'une brève introduction à l'analyse multivariée, et seuls les sujets suivants seront traités: la comparaison des centroïdes de groupes et la statistique T^2 de Hotelling (section 10.1), l'analyse discriminante (section 10.2) et l'analyse en composantes principales (section 10.3). Enfin, dans l'annexe IV, le lecteur intéressé trouvera une brève revue des principales notions d'algèbre matricielle (matrice, déterminant, inverse, valeurs propres et vecteurs propres). En effet, on utilisera la notation matricielle afin d'alléger l'écriture, l'usage d'indices étant souvent plus lourd, et de ce fait moins clair pour le lecteur.

10.1 COMPARAISON DE CENTROÏDES DE GROUPES ET LA STATISTIQUE T^2 DE HOTELLING

Dans le chapitre 7 sur les tests d'hypothèses, il a été fait mention et usage de la statistique $\tilde{t}$ de Student à plusieurs reprises. Elle a été utilisée pour effectuer, entre autres, les tests d'hypothèses suivants:

a) test sur la moyenne μ d'une population normale lorsque la variance σ^2 de cette population est inconnue, et que la taille de l'échantillon est petite $(n < 30)$,

b) test sur la différence des moyennes de deux populations normales, la même variable étant considérée dans les deux populations, lorsque les variances σ_1^2 et σ_2^2 sont inconnues mais supposées égales, et que les tailles d'échantillons sont petites $(n_1 + n_2 - 2 < 30)$,

c) test sur la différence des moyennes d'une variable considérée pour deux groupes d'une population normale, ou d'une variable considérée dans deux populations normales différentes à partir de deux échantillons par paire $(n_1 = n_2 = n < 30)$.

Dans tous ces cas, on ne considère qu'une seule caractéristique ou variable dans la ou les populations étudiées.

Cependant, en pratique, il arrive qu'on désire considérer en même temps plusieurs caractéristiques $X_1, X_2, \ldots, X_p$ $(p > 1)$ qui constituent donc un vecteur aléatoire à p dimensions $(X_1, \ldots, X_p)$. Ces variables ont respectivement comme moyennes $\mu_1, \ldots, \mu_p$, et l'on note par $\underline{\mu}$ le vecteur colonne des moyennes, c'est-à-dire

$$\underline{\mu} = \begin{pmatrix} \mu_1 \\ \mu_2 \\ \cdot \\ \cdot \\ \cdot \\ \mu_p \end{pmatrix}$$

Ce vecteur de paramètres constitue ce que l'on appelle le **centroïde** de la population. On va supposer, dans cette section, que le vecteur aléatoire $(X_1, ..., X_p)^1$ est distribué selon une loi normale à p dimensions, le centroïde $\underline{\mu}$ et la matrice des variances-covariances Σ étant inconnus. On voudrait ici effectuer des tests d'hypothèses sur le vecteur $\underline{\mu}$ des moyennes.

Dans le cas où l'on ne considérait qu'une seule variable X obéissant à une loi normale de variance σ^2 inconnue, on utilisait la statistique

$$T = \frac{\overline{X} - \mu}{S / \sqrt{n}}$$

pour confronter l'hypothèse nulle $H_o : \mu = \mu_o$ contre l'une des alternatives $\mu < \mu_o$, $\mu > \mu_o$ ou $\mu \neq \mu_o$. Cette statistique T suit la loi de Student à (n - 1) degrés de liberté.

Quand on considère p variables, on cherche souvent à éprouver l'une ou l'autre des hypothèses suivantes concernant $\underline{\mu}$. Dans certains cas, on veut tester l'hypothèse nulle de la forme

$$H_o : \underline{\mu} = \underline{\mu}_o$$

où $\underline{\mu}_o$ est un vecteur de constantes connues, contre l'hypothèse alternative

$$H_1 : \underline{\mu} \neq \underline{\mu}_o$$

Dans d'autres cas, on cherche plutôt à comparer les moyennes des p variables impliquées à deux moments différents dans le temps (par exemple, avant et après un traitement); soit $\underline{\mu}_1$ et $\underline{\mu}_2$ les vecteurs des moyennes à ces deux moments dans le temps, on veut alors tester

$$H_o : \underline{\mu}_1 = \underline{\mu}_2$$

contre

$$H_1 : \underline{\mu}_1 \neq \underline{\mu}_2$$

En analyse multivariée, on doit remarquer que l'hypothèse alternative s'exprime toujours par une inégalité; la raison en est que la comparaison de deux vecteurs permet uniquement de conclure soit à l'égalité, soit à l'inégalité des deux vecteurs en question.

Pour tester des hypothèses de ce type, on tire un échantillon aléatoire de taille n de la population, et comme p variables son impliquées, on obtient le vecteur des moyennes (le centroïde de l'échantillon)

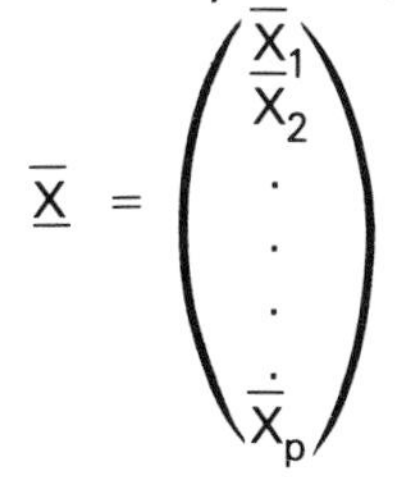

$$\underline{\overline{X}} = \begin{pmatrix} \overline{X}_1 \\ \overline{X}_2 \\ \cdot \\ \cdot \\ \cdot \\ \cdot \\ \overline{X}_p \end{pmatrix}$$

et la matrice des variances-covariances

$$\underset{\sim}{S} = \begin{pmatrix} \text{Var}(X_1) & , \text{Covar}(X_1, X_2), \ldots, & \text{Covar}(X_1, X_p) \\ \text{Covar}(X_2, X_1), & \text{Var}(X_2), \ldots\ldots\ldots, & \text{Covar}(X_2, X_p) \\ \ldots\ldots & \ldots\ldots & \ldots\ldots \\ \ldots\ldots & \ldots\ldots & \ldots\ldots \\ \ldots\ldots & \ldots\ldots & \ldots\ldots \\ \text{Covar}(X_p, X_1), \ldots, & \text{Var}(X_p) \ \ldots, & \text{Var}(X_p) \end{pmatrix}$$

où $\text{Covar}(X_i, X_j) = \frac{1}{n-1} \sum_{k=1}^{n} (X_{ik} - \overline{X}_{i.})(X_{jk} - \overline{X}_{j.})$, i et j $= 1, 2, \ldots, p$.

Au lieu d'utiliser la statistique $\tilde{t}$ de Student comme dans le cas d'une seule variable, on utilise plutôt la statistique T^2 **de Hotelling**, qui est définie par la forme quadratique

$$T^2 = n(\underline{\overline{X}} - \underline{\mu}_o)' \underset{\sim}{S}^{-1} (\underline{\overline{X}} - \underline{\mu}_o)$$

où $\underset{\sim}{S}^{-1}$ est la matrice inverse de $\underset{\sim}{S}$. Cependant, comme la distribution de T^2 n'est pas une distribution d'échantillonnage d'usage courant, on utilise alors une statistique F, fonction de T^2, et définie par

$$F = \frac{(n-p)}{(n-1)p} T^2;$$

cette statistique F suit la loi de Fisher à p et (n - p) degrés de liberté (table 4, annexe II), sous l'hypothèse nulle H_o.

D'après la définition du T^2 de Hotelling, il est certain que ce ne sont que les "grandes" valeurs de T^2, et donc de F, qui seront significatives. Ainsi, pour tester $H_o : \underline{\mu} = \underline{\mu}_o$ contre $H_1 : \underline{\mu} \neq \underline{\mu}_o$, on rejettera H_o si la valeur F_o observée pour la statistique F dans l'échantillon est plus grande que la valeur critique F_α ; pour trouver ce F_α, on résout l'équation

$$P\left(F > F_\alpha(p, n-p) / H_o\right) = \alpha,$$

où la valeur F_α est lue dans la table de la distribution du F à p et (n - p) degrés de liberté. Par la suite, si l'on a $F_o > F_\alpha$, on rejette H_o ; sinon, on l'accepte.

Exemple 10.1. Dans une population, on considère les deux caractéristiques X_1 et X_2, et l'on suppose que la distribution jointe de (X_1, X_2) est normale de centroïde $\underline{\mu} = (\mu_1, \mu_2)$, et de matrice de variances-covariances inconnues. On veut tester

$$H_o : \underline{\mu} = \underline{\mu}_o = \begin{pmatrix} 17 \\ 10 \end{pmatrix}$$

contre

$$H_1 : \underline{\mu} \neq \underline{\mu}_o$$

On tire un échantillon aléatoire de taille 20 de cette population (chacun des 20 sujets étant considéré par rapport aux deux caractéristiques X_1 et X_2), et l'on obtient

$$\underline{\bar{x}} = \begin{pmatrix} \bar{x}_1 \\ \bar{x}_2 \end{pmatrix} = \begin{pmatrix} 15.4 \\ 9.9 \end{pmatrix}$$

$$\underset{\sim}{S} = \begin{pmatrix} 16 & 8 \\ 8 & 9 \end{pmatrix}$$

Peut-on rejeter H_o au niveau $\alpha = 0.05$?

Solution. On rejettera H_o si la valeur observée de la statistique F est plus grande que la valeur critique $F_\alpha = F_{0.05}$, où $F_{0.05}$ est la valeur obtenue dans une table de Fisher à $p = 2$ et $n - p = 18$ degrés de liberté. On a

$$F_{0.05}(2, 18) = 3.55 .$$

Puisque $\underset{\sim}{S}^{-1} = \frac{1}{80}\begin{pmatrix} 9 & -8 \\ -8 & 16 \end{pmatrix}$, la valeur observée de la statistique F est alors égale à

$$F_o = \frac{(n-p)}{(n-1)p} T^2$$

$$= \frac{(n-p)}{(n-1)p} n(\underline{\bar{x}} - \underline{\mu}_o)' \underset{\sim}{S}^{-1} (\underline{\bar{x}} - \underline{\mu}_o)$$

$$= \frac{18}{(19)2} 20(-1.6, -0.1) \frac{1}{80} \begin{pmatrix} 9 & -8 \\ -8 & 16 \end{pmatrix} \begin{pmatrix} -1.6 \\ -0.1 \end{pmatrix}$$

$$= \frac{18}{(19)2} 20(0.258)$$

$$= 2.44$$

Comme on a

$$F_o = 2.44 < F_\alpha = 3.55 ,$$

on est amené à accepter H_o; autrement dit, le vecteur des moyennes observées dans l'échantillon ne diffère pas significativement (au niveau 5%) du centroïde spécifié par H_o.

Par ailleurs, le T^2 de Hotelling sert aussi à **comparer les moyennes d'un même groupe d'individus (ou d'unités) par rapport à plusieurs variables, à deux moments distincts dans le temps.** Dans ce cas, on utilise des **échantillons jumelés** ou par paires: pour chacun des n individus choisis et pour chacune des variables, on a une paire d'observations, et l'on forme une matrice de différences entre ces paires d'observations. Voici un exemple illustrant cette situation.

Exemple 10.2. Dix personnes ont participé à un programme de conditionnement physique pendant six mois au PEPS de l'Université Laval. Les responsables en mesure et évaluation de la condition physique ont fait passer certains tests aux participants au début et à la fin du programme, et ils ont ainsi recueilli des données relatives aux variables suivantes:

A = nombre de redressements assis par minutes (abdominaux)

C = consommation maximale d'oxygène (en litres par minute)

G = pourcentage de graisse

R = rythme cardiaque au repos pendant une minute

Les mesures relatives à la variable C étaient prises au moment d'un effort d'intensité progressive sur bicycle ergométrique. Pour chacune des 10 personnes impliquées, on a obtenu les données suivantes au début et à la fin de ce programme:

Variable \ Personne		1	2	3	4	5	6	7	8	9	10
A	Début	15	24	20	30	18	21	17	28	19	23
	Fin	38	51	45	63	32	41	45	60	42	54
C	Début	2.1	2.2	2.5	2.5	2.0	2.1	2.2	2.4	2.1	2.4
	Fin	2.4	2.6	3.1	3.0	2.5	2.5	2.5	2.9	2.3	2.9
G	Début	20	16	18	15	20	18	22	14	18	18
	Fin	16	15	16	14	16	16	17	13	16	15
R	Début	75	70	72	65	78	75	80	65	75	68
	Fin	65	62	62	58	72	67	72	60	70	58

Peut-on conclure, au niveau $\alpha = 0.01$, que ce programme permet une amélioration significative de la condition physique des participants?

Solution. Si l'on note par $\underline{\mu}_1$ le vecteur des moyennes des variables avant le programme et par $\underline{\mu}_2$ le vecteur des moyennes après le programme, les hypothèses à vérifier sont les suivantes:

$$H_o : \underline{\mu}_1 = \underline{\mu}_2$$

$$H_1 : \underline{\mu}_1 \neq \underline{\mu}_2$$

On se sert à nouveau de la statistique $F = \frac{n-p}{(n-1)p} T^2$, qui est distribuée selon la loi de Fisher à $p = 4$ et $(n-p) = 6$ degrés de liberté. Au niveau $\alpha = 0.01$, la valeur critique est la valeur $F_{0.01}$, telle que

$$P\left(F \geqslant F_{0.01}(4,6)\right) = 0.01\,;$$

la lecture de la table indique $F_{0.01}(4,6) = 9.15$. Par la suite on calcule la valeur observée pour F dans l'échantillon. A partir des observations pairées, on calcule la matrice des différences (début-fin) suivante:

SUJET	1	2	3	4	5	6	7	8	9	10
X_1	-23	-27	-25	-33	-14	-20	-28	-32	-23	-31
X_2	-0.3	-0.4	-0.6	-0.5	-0.5	-0.4	-0.3	-0.5	-0.2	-0.5
X_3	4	1	2	1	4	2	5	1	2	3
X_4	10	8	10	7	6	8	8	5	5	10

On a comme valeurs de $\underline{\overline{X}}$ et de la matrice symétrique des variances-covariances $\underset{\sim}{S}$

$$\underline{\overline{x}} = \begin{pmatrix} -25.60 \\ -1.47 \\ 2.50 \\ 7.70 \end{pmatrix} \qquad \underset{\sim}{S} = \begin{pmatrix} 34.71 & 0.876 & 3.444 & -0.978 \\ & 0.122 & 0.372 & 0.221 \\ & & 2.056 & 0.833 \\ & & & 3.789 \end{pmatrix}$$

La valeur observée pour la statistique F est alors

$$F_o = \frac{6}{9(4)} \, (497.98) = 82.99$$

Comme la valeur observée $F_o = 82.99$ est de loin supérieure à la valeur critique $F_{0.01} = 9.15$, on est amené à rejeter H_o. Ce résultat tendrait à confirmer l'opinion fort répandue selon laquelle un programme de conditionnement physique aurait des répercussions positives sur le bien-être et la qualité de la vie de ceux qui s'y adonnent. Ceci rejoint bien la maxime du poète latin Juvenal: MENS SANA IN CORPORE SANO.

Ces résultats sont obtenus avec le système APL de l'Université Laval, au moyen du programme HOTEL de la banque MULTV. Celle-ci contient une dizaine de sous-routines, et diverses données numériques. On peut obtenir la liste complète des éléments de ce logiciel en faisant d'abord

```
 )LOAD 486 MULTV
puis
 )FNS
et
 )VARS
```

Pour une description complète de ce logiciel, le lecteur pourrait consulter une publication du laboratoire de recherches en sciences de l'administration de l'Université Laval, intitulée:

"Banques de programmes en APL pour l'analyse

multivariée de données". A. Dionne 1978.

La matrice des différences a ici été désignée par PEPS:

```
      PEPS
¯23              ¯0.3              4              10
¯27              ¯0.4              1               8
¯25              ¯0.6              2              10
¯33              ¯0.5              1               7
¯14              ¯0.5              4               6
¯20              ¯0.4              2               8
¯28              ¯0.3              5               8
¯32              ¯0.5              1               5
¯23              ¯0.2              2               5
¯31              ¯0.5              3              10
```

et les résultats de l'analyse apparaissent dans le vecteur R à 4 coordonnées dont les éléments sont les valeurs du T^2, du F, et les degrés de liberté suivants:

```
      R← 0 0 0 0 HOTEL PEPS

      R
497.9800295 82.99667158 4 6
```

Pour terminer cette section sur le T^2 de Hotelling, on va considérer la situation où l'on dispose de deux échantillons indépendants, et où l'intérêt porte sur **la comparaison des centroïdes des deux populations normales dont les matrices de variances-covariances sont inconnues, mais supposées égales**. On veut tester l'hypothèse nulle

$$H_o : \underline{\mu}_1 = \underline{\mu}_2$$

en comparant les centroïdes des échantillons $\underline{\overline{X}}_1$ et $\underline{\overline{X}}_2$ basés sur n_1 et n_2 observations indépendantes, respectivement. Incidemment, il est recommandé que les tailles des deux échantillons soient à peu près égales ($n_1 \simeq n_2$) pour ce genre de test.

L'expression à calculer est tout à fait analogue encore une fois au $\tilde{t}$ de Student pour deux échantillons provenant de populations normales (variances inconnues mais supposées égales); on calcule le T^2 de Hotelling de la façon suivante:

$$T^2 = \frac{n_1 \, n_2}{n_1 + n_2} \, (\underline{\overline{X}}_1 - \underline{\overline{X}}_2)' \, \underset{\sim}{S}^{-1} \, (\underline{\overline{X}}_1 - \underline{\overline{X}}_2)$$

où $\underset{\sim}{S}$ est la matrice des variances-covariances pondérées, c'est-à-dire

$$\underset{\sim}{S} = \frac{(n_1 - 1)\underset{\sim}{S}_1 + (n_2 - 1)\underset{\sim}{S}_2}{n_1 + n_2 - 2}$$

$\underset{\sim}{S}_1$ et $\underset{\sim}{S}_2$ étant les matrices des variances-covariances de chacun des deux échantillons. De plus, une fonction de T^2, en l'occurrence la statistique

$$F = \frac{n_1 + n_2 - p - 1}{(n_1 + n_2 - 2)p} T^2 ,$$

sous H_o, obéit à la loi du F de Fisher avec p et $(n_1 + n_2 - p - 1)$ degrés de liberté. C'est cette valeur du F que l'on utilise habituellement pour déterminer si la différence observée entre les centroïdes des échantillons $(\underline{\overline{X}}_1 - \underline{\overline{X}}_2)$ est significativement différente de zéro.

Exemple 10.3. Un manufacturier d'acier opère à deux températures T_1 et T_2. Sur des pièces choisies au hasard, on mesure les deux caractéristiques suivantes (en 100 kg. par cm. carré de section):

X_1 = limite élastique (force qu'il faut exercer pour produire une déformation permanente)

X_2 = limite de rupture

On veut vérifier si la température affecte ces deux caractéristiques de l'acier. Soit $\underline{\mu}_1$ le vecteur des moyennes des deux caractéristiques à la température T_1, et $\underline{\mu}_2$ le vecteur des moyennes des deux caractéristiques à la température T_2; alors on veut tester

$$H_o : \underline{\mu}_1 = \underline{\mu}_2 \quad \text{contre} \quad H_1 : \underline{\mu}_1 \neq \underline{\mu}_2$$

A cette fin, on tire $n_1 = 5$ pièces au hasard, et l'on mesure X_1 et X_2 à la température T_1. Par la suite on tire $n_2 = 7$ autres pièces au hasard, et on mesure X_1 et X_2 à la température T_2. On obtient les résultats suivants:

x_1	x_2
33	60
36	61
35	64
38	63
40	65

échantillon pris à la température T_1

x_1	x_2
35	57
36	59
38	59
39	61
41	63
43	65
41	59

échantillon pris à la température T_2

Est-ce que les résultats permettent de rejeter H_o, au niveau $\alpha = 0.01$?

(On suppose les matrices de variances-covariances inconnues mais égales)

Solution. Les degrés de liberté de la statistique F sont ici $p = 2$ et $(n_1 + n_2 - p - 1) = 9$; d'où la valeur critique

$$F_{0.01}(2, 9) = 8.02$$

Pour obtenir la valeur observée de F, on calcule le vecteur des moyennes de l'échantillon sous T_1 : $\underline{\overline{x}}_1 = (36.40, 62.60)$, et le vecteur des moyennes de l'échantillon sous T_2 : $\underline{\overline{x}}_2 = (39.00, 60.43)$. Par la suite, on a

$$\underline{\bar{x}}_1 - \underline{\bar{x}}_2 = \begin{pmatrix} -2.60 \\ 2.17 \end{pmatrix}$$

$$\underset{\sim}{S} = \begin{pmatrix} 7.92 & 5.68 \\ 5.68 & 6.29 \end{pmatrix}$$

$$\underset{\sim}{S}^{-1} = \begin{pmatrix} 0.358 & -0.323 \\ -0.323 & 0.451 \end{pmatrix}$$

Le T^2 observé est donc donné par

$$T_o^2 = \frac{(5)\ (7)}{5 + 7} \left(-2.60 \quad 2.17 \right) \begin{pmatrix} 0.358 & -0.323 \\ -0.323 & 0.451 \end{pmatrix} \begin{pmatrix} -2.60 \\ 2.17 \end{pmatrix} = 23.89$$

d'où le F observé est

$$F_o = \frac{9}{10\,(2)} (23.89) = 10.75$$

Comme $F_o = 10.75 > F_{0.01} = 8.02$, on est amené à rejeter H_o et à conclure soit que les moyennes des limites élastiques diffèrent, soit que les moyennes des limites de rupture diffèrent, soit que les deux diffèrent à la fois.

L'intérêt de cet exemple vient du fait que l'analyste peu averti, supposant incorrectement l'indépendance des deux caractéristiques X_1 et X_2, aurait accepté les deux hypothèses d'égalité des moyennes en effectuant les tests univariés avec le $\tilde{t}$ de Student. Si les caractéristiques sont correlées, une suite d'analyses univariées n'est pas un substitut valable pour une analyse multivariée. La figure 10.1 représente les observations obtenues dans l'espace à deux dimensions, et fait ressortir une nette séparation entre les deux groupes; d'où le rejet de $H_o : \underline{\mu}_1 = \underline{\mu}_2$.

FIGURE 10.1

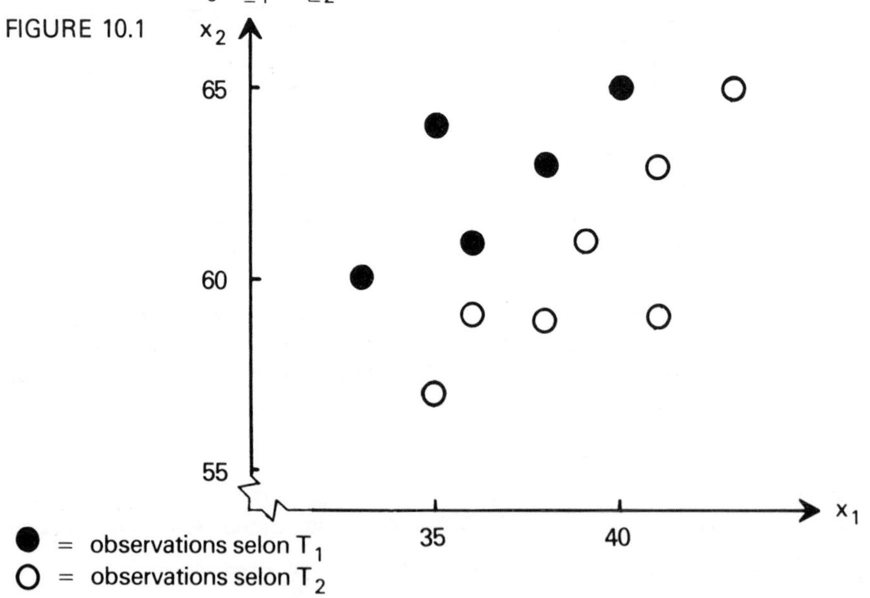

Voici une dernière remarque concernant la comparaison des centroïdes de plusieurs groupes. Si la statistique F de l'analyse de la variance (ANOVA) est utilisée pour tester l'hypothèse nulle

$$H_o : \mu_1 = \mu_2 = \ldots\ldots = \mu_k$$

de l'égalité de k moyennes de populations normales (avec variance commune), il est possible de tester de façon analogue

$$H_o : \underline{\mu}_1 = \underline{\mu}_2 = \ldots\ldots = \underline{\mu}_k$$

avec l'analyse de variance multivariée (MANOVA). Quelques statistiques sont disponibles pour effectuer ce test, la plus connue étant sans doute le lambda de Wilks. Le lecteur désireux d'approfondir cette technique d'analyse trouvera dans les textes de Laforge [48], Morrison [49] ou Tatsuoka [50] un développement satisfaisant, et dans le logiciel BMD les programmes appropriés.

10.2 ANALYSE DISCRIMINANTE

On dispose de membres issus de deux ou plusieurs (k) populations **connues**, lesquels membres ont été mesurés par rapport aux mêmes variables $X_1, X_2, \ldots, X_p$. Si l'hypothèse nulle

$$H_o : \underline{\mu}_1 = \underline{\mu}_2 = \ldots = \underline{\mu}_k$$

de l'égalité des centroïdes des k populations multinormales a été rejetée à un niveau α fixé à l'avance, on peut conclure qu'il y a des différences significatives entre les centroïdes des échantillons. Ce que l'on souhaite maintenant, c'est pouvoir mettre en évidence la nature de ces différences observées, c'est-à-dire déterminer la ou les "dimensions" selon lesquelles ces populations se distinguent le mieux, ainsi que les variables qui permettent de faire la discrimination entre elles. Ce sont précisément là quelques-uns des buts poursuivis par l'analyse discriminante (due à R.A. Fisher). Ce type d'analyse peut aussi permettre de prédire l'appartenance à l'une des populations d'un nouveau membre sur lequel on vient de mesurer les mêmes caractéristiques $X_1, X_2, \ldots, X_p$ (problème de classification).

Lorsque l'on considère uniquement **deux populations**, on recherche une combinaison linéaire des X_i, de la forme

$$Y = a_1 X_1 + a_2 X_2 + \ldots + a_p X_p,$$

qui permet le mieux de distinguer ou séparer les deux populations. Cette combinaison linéaire s'appelle la fonction discriminante; elle est calculée sur la base de l'appartenance **connue** de chaque membre à l'une des deux populations.

Considérons à titre d'illustration les deux groupes d'individus suivants:

G_1 = des artistes,

G_2 = des cadres administratifs.

On mesure G_1 et G_2 par rapport à 2 traits de personnalité:

X_1 = introversion,

X_2 = propension au risque.

On obtient la représentation donnée à la figure 10.2.

FIGURE 10.2

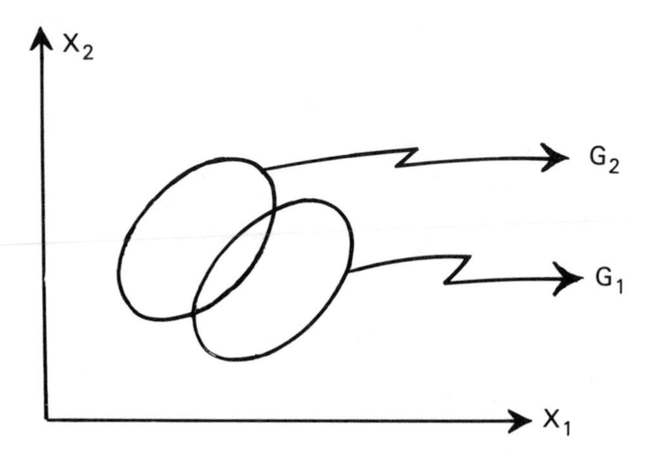

Il y a de toute évidence beaucoup de recouvrement entre les deux nuages de points, et aucune des deux variables ne parvient seule à bien séparer les groupes. Par contre, si l'on projette les points sur cette nouvelle "dimension" donnée par la fonction discriminante

$$Y = 0.8\,X_1 - 0.6\,X_2\,,$$

une séparation plus nette des groupes a été réalisée; la distribution des scores sur Y est ici une normale pour chaque groupe (figure 10.3).

FIGURE 10.3

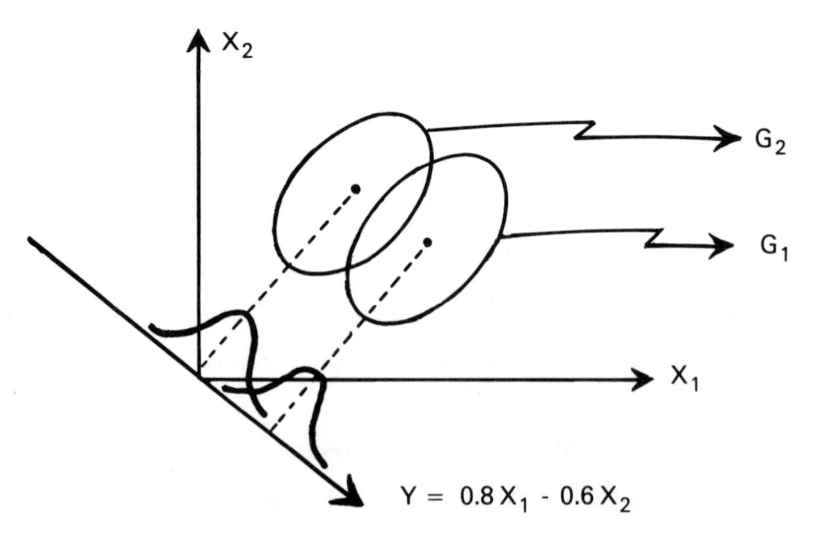

Du point de vue analytique, l'analyse discriminante se présente comme suit: étant donné k ($\geqslant$ 2) populations dont chaque membre est mesuré selon les variables $X_1, X_2, ..., X_p$, on cherche une combinaison linéaire des X_i

$$Y = a_1 X_1 + a_2 X_2 + ... + a_p X_p$$

qui maximise la valeur du F que l'on obtiendrait en effectuant une analyse de variance sur les scores Y; en fait, on maximise

$$F = \frac{\text{(somme des carrés entre les groupes)} \div (k-1)}{\text{(somme des carrés à l'intérieur des groupes)} \div (n-k)}$$

Dans cette dernière expression, n représente le nombre total de sujets ($n = n_1 + n_2 + ... + n_k$). Il est possible (voir par exemple Tatsuoka[50], p. 161) de montrer que le maximum de F s'obtient par calcul différentiel, en résolvant l'équation caractéristique

$$|W^{-1} B - \lambda I| = 0$$

dans laquelle B et W sont les matrices d'ordre p des sommes de carrés et des produits croisés calculées entre les groupes (Between) et à l'intérieur des groupes (Within).

Il y aura $r = \min(k-1, p)$ racines caractéristiques positives de la matrice $W^{-1} B$, notées

$$\lambda_1 > \lambda_2 > ... > \lambda_r > 0$$

et les vecteurs caractéristiques correspondants (normés à l'unité) contiennent les pondérations à appliquer aux variables originales pour obtenir les fonctions discriminantes non corrélées $Y_1, Y_2, ..., Y_r$. Si les variances des variables originales sont à peu près égales, on examine les signes et les valeurs des coefficients pour tenter d'identifier les axes de discrimination, et d'expliquer ainsi les différences observées entre les groupes.

Il est possible d'effectuer des tests d'hypothèses sur les fonctions discriminantes, afin de déterminer combien parmi celles-ci sont significatives à un niveau α fixé à l'avance; cette suite de tests indique donc le nombre de "dimensions" selon lesquelles les groupes se différencient significativement. Le lecteur désireux de poursuivre cette direction trouvera dans Tatsuoka [50] un exposé des plus limpides.

Dans la littérature statistique, on retrouve plusieurs applications de l'analyse discriminante. Qu'il suffise ici d'en mentionner quatre:

a) l'orientation d'un étudiant à qui on a fait passer une batterie de tests psychologiques;

b) la sélection de candidats à différents postes à l'intérieur d'une entreprise, à la suite de tests d'aptitude et de personnalité, des interviews, etc.;

c) le choix d'une diète à prescrire pour un patient qui vient de terminer une série d'examens cliniques et de laboratoire;

d) le choix des rapports d'impôt des compagnies que l'on doit examiner plus en détail, après avoir calculé un certain nombre de ratios financiers (cette pratique est déjà établie aux U.S.A., ainsi qu'au ministère fédéral du Revenu).

Exemple 10.4. Les données qui suivent ont été recueillies à la Bourse de Toronto, dans trois secteurs d'activité boursière intense; il y a $n_1 = 12$ titres prélevés au hasard parmi les produits industriels, $n_2 = 10$ titres choisis parmi les hydrocarbures, et $n_3 = 8$ titres dans le secteur des mines. On a donc $n = 30$ titres de compagnies, chacun mesuré d'après les caractéristiques

X_1 = taux de croissance annuelle des bénéfices durant les 5 dernières années,

X_2 = taux de croissance moyen correspondant des dividendes.

G_1		G_2		G_3	
X_1	X_2	X_1	X_2	X_1	X_2
7	12	12	12	15	5
11	9	16	15	19	14
5	7	18	13	25	18
15	8	21	17	12	12
14	12	15	17	16	9
19	12	14	19	16	13
13	10	17	14	22	11
6	8	13	7	21	7
11	6	18	20		
13	10	11	17		
4	15				
7	13				
Moyennes					
10.4	10.2	15.5	15.1	18.3	11.1

Le programme d'analyse discriminante contenu dans le logiciel SPSS a été utilisé, et voici les éléments les plus importants de ce traitement par ordinateur. A la figure 10.4, on donne la liste des cartes perforées telles que présentées au Centre de traitement de l'information de l'Université Laval. Puis on retrouve les valeurs caractéristiques $\lambda_1 = 0.749$ et $\lambda_2 = 0.341$; les deux fonctions discriminantes sont significatives à un niveau 1%, tel que le révèlent les valeurs du χ^2 dans la figure 10.4, ces tests étant effectués avec la statistique lambda de Wilks, ou avec une fonction inverse de lambda qui obéit à la loi du chi-carré.

FIGURE 10.4

```
//SPSS JOB (4300A262,JFC,0),'DIONNE',REGION=256K
// EXEC SPSS
//FT09F001 DD SYSOUT=A
//SYSIN DD *
RUN NAME          ANALYSE DISCRIMINANTE  N=30,K=3 GROUPES
VARIABLE LIST     X1,X2
SUBFILE LIST      G1(12),G2(10),G3(8)
INPUT MEDIUM      CARD
INPUT FORMAT      FIXED(2F2.0)
DISCRIMINANT      GROUPS=SUBFILES/VARIABLES=X1 TO X2/
                  ANALYSIS=X1 TO X2/
OPTIONS           5,6,7,10,11,12,17,18,19
STATISTIC         ALL
READ INPUT DATA
 712
11 9
 5 7
15 8
1412
1912
1310
 6 8
11 6
1310
 415
 713
1212
1615
1813
2117
1517
1419
1714
13 7
1820
1117
15 5
1914
2518
1212
16 9
1613
2211
21 7
FINISH
/*
//
```

CANONICAL DISCRIMINANT FUNCTIONS

FUNCTION	EIGENVALUE	PERCENT OF VARIANCE	CUMULATIVE PERCENT	CANONICAL CORRELATION	AFTER FUNCTION	WILKS' LAMBDA	CHI-SQUARED	D.F.	SIGNIFICANCE
					0	0.4262236	22.599	4	0.0002
1*	0.74955	68.73	68.73	0.6545410	1	0.7456988	7.7760	1	0.0053
2*	0.34102	31.27	100.00	0.5042829					

* MARKS THE 2 CANONICAL DISCRIMINANT FUNCTION(S) TO BE USED IN THE REMAINING ANALYSIS.

STANDARDIZED CANONICAL DISCRIMINANT FUNCTION COEFFICIENTS

	FUNC 1	FUNC 2
X1	0.89680	-0.48111
X2	0.30620	0.97055

Il ressort de l'examen de ces résultats que les fonctions discriminantes sont

$$Y_1 = 0.897\,X_1 + 0.306\,X_2$$

et

$$Y_2 = -0.481\,X_1 + 0.971\,X_2$$

Si l'on norme les vecteurs à l'unité, on obtient dans ce cas

$$Y_1^* = 0.946\,X_1 + 0.323\,X_2$$

et

$$Y_2^* = -0.444\,X_1 + 0.896\,X_2$$

C'est X_1 qui sépare le mieux les secteurs sur le premier axe de discrimination, tandis que X_2 tient ce rôle sur le second axe.

En utilisant Y_1 et Y_2, on peut obtenir les scores des 30 titres dans cet espace de discrimination ainsi que les coordonnées des centroïdes. Voici les résultats obtenus par ordinateur:

```
CENTROIDS OF GROUPS IN REDUCED SPACE

                      FUNC  1        FUNC  2

GROUP        1      -0.78246       -0.07296
  SUBFILE         G1
GROUP        2       0.43236        0.61700
  SUBFILE         G2
GROUP        3       0.63325       -0.66181
  SUBFILE         G3
```

Il a déjà été mentionné que l'analyse discriminante pouvait servir d'instrument de **prédiction de l'appartenance d'un membre à l'une des populations**; il faut calculer à cette fin les distances du membre par rapport à chacun des k centroïdes, et classifier le membre dans la population pour laquelle la distance est **minimale.** Le programme dans SPSS utilise les mêmes 30 titres qui ont servi à développer Y_1 et Y_2, et parvient à classifier correctement seulement 70% d'entre eux. Voici cette "matrice de confusion" qui permet de juger de la qualité de l'instrument de classification:

```
PREDICTION RESULTS -

                                NO. OF     PREDICTED GROUP MEMBERSHIP
     ACTUAL GROUP               CASES      GP.     1    GP.     2    GP.     3
-------------------            ------      --------     --------     --------

GROUP      1                    12.             9.           1.           2.
  SUBFILE          G1                       75.0%         8.3%        16.7%

GROUP      2                    10.             2.           7.           1.
  SUBFILE          G2                       20.0%        70.0%        10.0%

GROUP      3                     8.             1.           2.           5.
  SUBFILE          G3                       12.5%        25.0%        62.5%

PERCENT OF "GROUPED" CASES CORRECTLY CLASSIFIED:  70.00%
```

Pour l'utilisateur éventuel de l'analyse discriminante, il convient d'énoncer quelques règles pratiques:

a) il est souhaitable d'avoir un nombre total d'observations dépassant 2 à 3 fois le nombre de variables ($n > 2p$, ou $n > 3p$),

b) dans chaque échantillon, le nombre d'observations devrait être supérieur au nombre de variables($n_j > p$, pour tout j),

c) les populations doivent être mutuellement exclusives, ce qui implique l'élimination des membres appartenant à plus d'une population, et

d) l'interprétation des fonctions discriminantes se fait seulement quand les variances des variables X_i sont à peu près égales.

Exemple 10.5. 244 employés d'une compagnie aérienne ont été choisis, et forment les 3 groupes que voici:

G_1 = 85 agents préposés aux passagers
G_2 = 93 mécaniciens
G_3 = 66 gestionnaires des opérations

On leur a remis un questionnaire, afin de connaître leurs activités préférées telles que mesurées en particulier par les 3 variables bipolaires suivantes:

X_1 : intérieures — extérieures
X_2 : solitaires — de groupe
X_3 : libérales — conservatrices

(Une note élevée sur X_1 indique une préférence pour des activités extérieures; une note faible sur X_2 dénote un goût marqué pour des activités solitaires, etc.).

Les moyennes des groupes d'employés sur chaque échelle sont reproduites dans le tableau suivant:

Groupe	n_i	$\overline{X}_1$	$\overline{X}_2$	$\overline{X}_3$
G_1	85	12.59	24.22	9.02
G_2	93	18.54	21.14	10.14
G_3	66	15.58	15.45	13.24

Les matrices d'ordre 3 des sommes de carrés et des produits croisés, matrices calculées entre les groupes (B) et à l'intérieur des groupes (W), vont servir d'intrants au programme d'analyse discriminante DISC du logiciel MULTV. Voici d'ailleurs le tirage d'ordinateur:

```
  B
 1572.7441            ¯773.0506              273.6214
 ¯773.0506            2889.3193            ¯1405.9955
  273.6214           ¯1405.9955              691.6068

  W
 3967.8301             351.6142               76.6342
  351.6142            4406.2517              235.4365
   76.6342             235.4365             2683.3164

   244 3 3 DISC B B W
 1.080517697E0       3.241747982E¯1
 2.432013390E2       6.737331764E1
 6.000000000E0       2.000000000E0
 3.522691930E¯1     ¯9.144638194E¯1
¯7.330973994E¯1     ¯1.960465071E¯1
 5.817857155E¯1      3.540080366E¯1
```

Les racines caractéristiques sont $\lambda_1 = 1.08$, $\lambda_2 = 0.32$, et les fonctions discriminantes

$$Y_1 = 0.35\,X_1 - 0.73\,X_2 + 0.58\,X_3$$

$$Y_2 = -0.91\,X_1 - 0.19\,X_2 + 0.35\,X_3$$

Afin de faciliter l'interprétation des fonctions discriminantes (les 2 sont significatives à un niveau 1%), il est utile d'établir la position des centroïdes des groupes dans le plan de discrimination (Y_1, Y_2), comme on l'a fait à la figure 10.5.

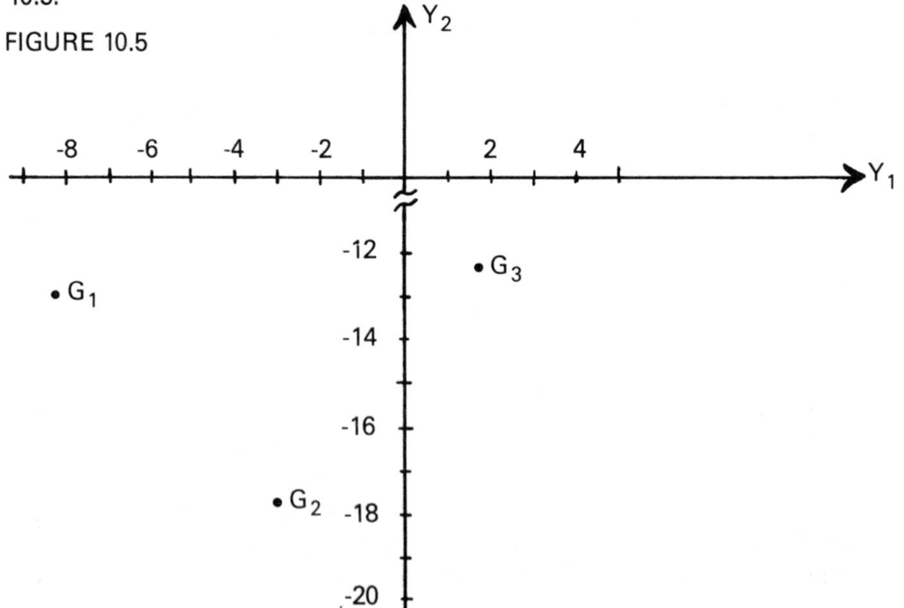

FIGURE 10.5

A cette fin, on substitue dans les fonctions discriminantes les moyennes de chacun des groupes aux valeurs X_1, X_2, X_3; ainsi, pour G_1, on obtient les coordonnées (-8.04, -12.90) en calculant

$$Y_1 = 0.35\,(12.59) - 0.73\,(24.22) + 0.58\,(9.02) = -8.04$$

$$Y_2 = -0.91\,(12.59) - 0.19\,(24.22) + 0.35\,(9.02) = -12.90$$

Les coordonnées des centroïdes des deux autres groupes sont obtenues de façon similaire; pour G_2, elles sont (-3.06, -17.34), et pour G_3,(1.85, -12.48). La figure 10.5 illustre la position relative des groupes dans le plan de discrimination (Y_1, Y_2).

On note que, sur Y_1, les 3 groupes sont à peu près également espacés, tandis que G_1 et G_3 sont confondus sur la seconde dimension, mais bien séparés de G_2.

Les gens qui se situent à droite sur Y_1 ont des préférences pour des activités surtout solitaires mais conservatrices; ce sont d'abord les gestionnaires des opérations qui manifesteraient dans cette étude de telles préférences. Les agents préposés aux passagers, à l'autre extrémité de cette "dimension", affectionnent particulièrement les activités libérales et de groupe. Quant aux mécaniciens, ils se situent à mi-chemin entre les agents et les gestionnaires.

Pour interpréter le second axe de discrimination Y_2, il suffit d'observer que la variable X_1 est dotée d'un très fort coefficient négatif. Des gens préférant des activités à l'extérieur auront donc une note faible sur Y_2, et c'est bien la raison pour laquelle le groupe des mécaniciens constitue une classe à part sur cette dimension.

10.3 ANALYSE EN COMPOSANTES PRINCIPALES

Dans bien des recherches, un **très grand nombre** de variables $X_1, X_2, ..., X_p$ sont mesurées sur chacun des n membres. Ces variables sont la plupart du temps corrélées entre elles d'une part, et elles expliquent à peu près également les variations observées dans les données d'autre part. Afin d'illustrer ces remarques, voici un nuage de données hypothétiques pour seulement deux variables centrées réduites (figure 10.6).

Chaque point représente un individu mesuré quant à X_1 et X_2; de plus, 19 individus sur 20 dans cette population se retrouvent à l'intérieur de la ligne contour à 95%. Il y a évidemment corrélation entre les deux variables, et la variation totale du système est partagée à peu près également entre X_1 et X_2.

FIGURE 10.6

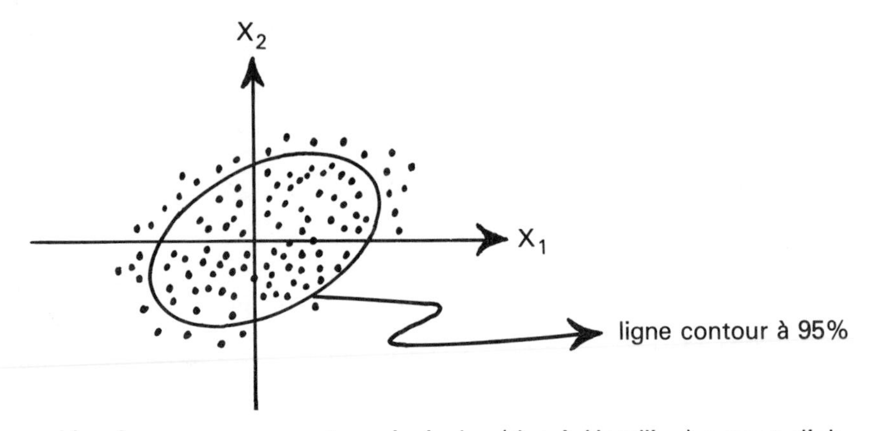

L'analyse en composantes principales (due à Hotelling) permet d'obtenir de nouvelles variables, appelées composantes, qui seront

a) non corrélées, et

b) à variance ordonnée (comme expliqué plus loin)

Un petit nombre de ces composantes permettra d'expliquer la plus grande partie de la variation observée: ce seront les composantes principales.

Du point de vue géométrique, l'analyse en composantes effectue une rotation rigide des axes. Dans la figure 10.7 (où $p = 2$), la première composante Y_1 correspond au grand axe de l'ellipse, tandis que son petit axe donne l'orientation de la seconde composante Y_2.

FIGURE 10.7

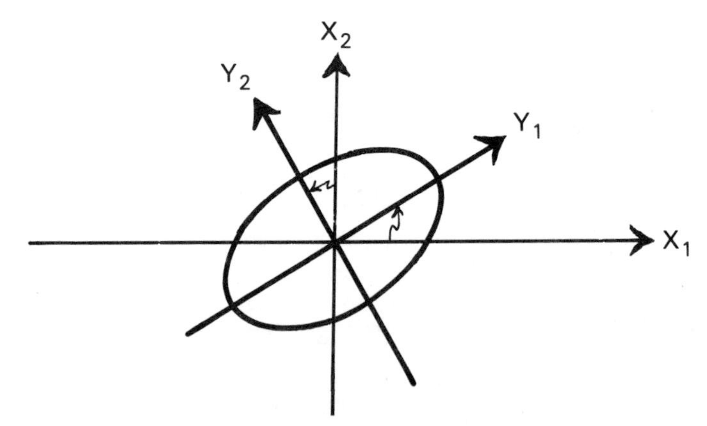

On remarque que Y_1 et Y_2 sont des axes à angle droit, ce qui implique que les composantes sont non corrélées; qui plus est, la variation sur Y_1 est beaucoup plus forte que celle sur Y_2 : c'est en ce sens que l'on dit des composantes qu'elles sont à variance ordonnée.

Le problème de l'analyse en composantes principales peut aussi être envisagé d'un point de vue analytique. Alors on définit la première composante Y_1 comme une combinaison linéaire des variables centrées réduites $X_1, X_2, ..., X_p$, c'est-à-dire

$$Y_1 = a_1 X_1 + a_2 X_2 + ... + a_p X_p$$

telle que la variance de Y_1 soit maximale. La deuxième composante Y_2 est aussi une combinaison linéaire des mêmes variables

$$Y_2 = b_1 X_1 + b_2 X_2 + ... + b_p X_p$$

telle que Y_2 possède la variance maximale parmi toutes les combinaisons linéaires qui ne sont pas correlées avec Y_1. Il en est ainsi pour les autres composantes $Y_3, Y_4, ..., Y_p$, chacune d'elles ayant variance maximale parmi toutes les combinaisons linéaires de $X_1, X_2, ..., X_p$ qui ne sont pas corrélées avec les composantes précédentes.

Soit R la matrice des corrélations des variables originales. La solution de l'équation caractéristique

$$| R - \lambda I | = 0$$

permet d'obtenir dans un premier temps les racines propres de R

$$\lambda_1 > \lambda_2 > ... > \lambda_p$$

et les vecteurs propres correspondants. Ce sont précisément les éléments de ces vecteurs propres qui fournissent les pondérations $a_1, a_2, ..., a_p, b_1, b_2, ..., b_p$, etc. à être attribuées aux variables X_i, pour constituer ces combinaisons linéaires appelées composantes. De plus, si les vecteurs propres sont normés à l'unité (longueur du vecteur = 1), on aura les deux résultats intéressants suivants:

a) $\text{Var}(Y_i) = \lambda_i, \quad i = 1, 2, ..., p,$

c'est-à-dire que la variance de la i-ème composante est la i-ème racine propre de R,

b) $\sum_{i=1}^{p} \lambda_i = p,$

ce qui veut dire que la somme des variances des composantes est égale à la somme des variances des p variables originales centrées réduites.

Il est d'usage de calculer les statistiques suivantes:

$$\frac{\lambda_1}{p}, \quad \frac{\lambda_1 + \lambda_2}{p}, \quad \frac{\lambda_1 + \lambda_2 + \lambda_3}{p}, \text{ etc.}$$

qui indiquent le pourcentage de variation totale (p) expliqué par la première composante, par les 2 premières composantes, etc.

Enfin, une règle empirique due à Kaiser stipule qu'on doit retenir comme composantes principales seulement celles pour lesquelles la racine propre correspondante est supérieure à l'unité ($\lambda_i > 1$).

Exemple 10.6. Soit un échantillon de $n = 36$ pays mesurés (il y a quelques années) suivant chacune des $p = 14$ caractéristiques suivantes:

X_1 = densité de population par kilomètre carré
X_2 = taux de natalité par 1,000 habitants
X_3 = taux de mortalité par 1,000 habitants
X_4 = nombre de femmes pour 1,000 hommes
X_5 = espérance de vie pour l'homme
X_6 = espérance de vie pour la femme
X_7 = production industrielle
X_8 = prix des ventes de gros
X_9 = indice des prix à la consommation
X_{10} = nombre de licences de radiodiffusion par 1,000 habitants
X_{11} = nombre de licences de télédiffusion par 1,000 habitants
X_{12} = nombre d'appareils téléphoniques par 100 personnes
X_{13} = nombre de lettres expédiées par 1,000 personnes
X_{14} = nombre de voitures par 1,000 personnes

Une analyse en composantes a été effectuée avec ces données, et voici les valeurs propres de R :

i	1	2	3	4	5	6	7 -------- 14
λ_1	6.18	2.25	1.64	1.04	0.85	0.66	0.62 ------ 0.005

En appliquant la règle de Kaiser, seules les 4 premières composantes seront retenues pour la suite de l'analyse.

On voit alors que ces 4 composantes principales expliquent à elles seules un peu plus de 79% de la variation totale dans les observations

$$\left(\frac{11.11}{14} = 0.794\right).$$

L'examen attentif des pondérations et de leurs signes permet d'identifier les variables importantes, et d'interpréter les résultats. Les pondérations des 4 premières composantes apparaissent dans le tableau qui suit, certaines pondérations ayant été soulignées en raison de leur importance numérique:

	X_1	X_2	X_3	X_4	X_5	X_6	X_7	X_8	X_9	X_{10}	X_{11}	X_{12}	X_{13}	X_{14}
Y_1	0.04	-0.50	-0.19	0.01	0.51	0.48	-0.15	-0.15	-0.04	0.73	0.89	0.93	0.91	0.94
Y_2	-0.11	0.67	0.75	-0.42	-0.76	-0.80	-0.81	0.19	-0.20	-0.15	-0.23	-0.13	-0.09	-0.10
Y_3	0.07	-0.26	0.22	0.70	0.18	0.20	0.07	-0.66	-0.83	0.07	0.17	-0.01	0.05	-0.02
Y_4	0.91	-0.16	0.26	-0.09	0.17	0.13	0.21	-0.36	0.01	-0.20	0.03	0.02	0.23	0.03

La première composante principale

$$Y_1 = 0.04\,X_1 - 0.5\,X_2 - 0.19\,X_3 + \ldots + 0.94\,X_{14}$$

est influencée surtout par les variables $X_{11}, X_{12}, X_{13}, X_{14}$: on pourrait interpréter Y_1 comme un indice du "niveau de communications". C'est donc selon cette dimension qu'il y a le plus de variation entre les pays.

La deuxième composante principale Y_2 est définie en grande partie par les variables X_2, X_3, X_5, X_6, X_7 : ce sont les dimensions "manque de développement industriel" et "natalité et mortalité" qui se reflètent ici; bref, Y_2 est un indice de sous-développement.

La troisième composante principale est surtout indicatrice de la stabilité des prix (absence d'inflation), tandis que la dernière est identifiée à la variable X_1 = densité de population par kilomètre carré.

L'analyse en composantes principales est considérée par certains auteurs seulement comme une première étape de l'analyse factorielle. Ils recommandent ensuite de faire subir des rotations aux axes retenus lors de la première étape, ce qui peut faciliter l'interprétation des facteurs. Ceci se produit bien sûr quand certains des coefficients (appelés saturations dans ce contexte) tendent vers zéro, alors que les autres s'approchent de l'unité. On atteint à ce moment-là une structure plus simple. Signalons l'existence de diverses méthodes de rotation dans les logiciels commerciaux (varimax, equimax, quartimax, oblimin, etc.); certaines de ces rotations conservent les axes orthogonaux, tandis que d'autres font que les axes sont obliques après rotation.

Deux sous-produits d'une analyse en composantes principales seront mentionnés brièvement ici:

a) les notes en facteurs, c'est-à-dire les notes des objets sur les composantes $Y_1, Y_2, \ldots, Y_r$, où $r \leqslant p$, peuvent être utilisées comme intrants dans une analyse de régression, une analyse discriminante, etc.; l'intérêt de cette démarche préliminaire à une analyse de régression réside en particulier dans le fait que les composantes principales sont non corrélées, ce qui élimine d'un seul coup les problèmes engendrés par la multicollinéarité des variables originales.

b) l'examen des notes en facteurs permet aussi de détecter des données aberrantes (OUTLIERS): ce sont des sujets qui sont constamment éloignés des autres sur chacun des axes factoriels. Cette inspection revêt, il va sans dire, un caractère un tant soit peu subjectif.

Pour terminer cette section sur l'analyse en composantes principales, il est opportun de faire quelques mises en garde:

a) certains auteurs, dont M.G. Kendall [47], conseillent d'utiliser 10 fois plus de sujets qu'il y a de variables à l'étude, c'est-à-dire qu'on devrait avoir

$$n \geqslant 10\,p,$$

dans la mesure du possible, bien sûr.

b) On doit considérer cette technique surtout comme un guide pour l'exploration préliminaire d'un ensemble complexe d'observations, et en aucune manière comme une panacée; une telle analyse pourrait être totalement inutile, par exemple, si l'on était dans l'incapacité d'en interpréter les résultats.

10.4 EXERCICES

10.1 Afin de comparer le coût de la vie en Europe avec celui en Amérique, on a fait, il y a quelques années, une enquête dans les principales villes de ces deux continents; les prix rapportés ici sont exprimés en dollars. On demande de tester, au niveau 5%, s'il y a une différence significative entre les centroïdes des deux échantillons.

	PANIER DE PROVISIONS	CHAMBRE D'HOTEL	LOYER MENSUEL	SORTIE POUR 4 PERSONNES	GAZOLINE (1 LITRE)	20 CIGARETTES	BOUTEILLE DE GIN
Stockholm	33.24	23.50	325.00	112.20	0.20	1.10	15.50
Copenhague	28.02	20.00	266.70	100.89	0.18	1.06	8.77
Oslo	26.46	19.50	185.00	103.00	0.21	0.87	10.03
Athènes	26.39	36.50	300.00	151.20	0.19	1.00	7.00
Helsinki	25.07	15.47	288.09	61.10	0.16	0.67	9.28
Paris	23.99	39.09	360.00	101.76	0.21	0.72	5.34
Rome	23.97	26.00	450.00	128.50	0.25	0.77	6.00
Bruxelles	23.00	26.17	320.00	148.40	0.19	0.36	7.20
Zurich	22.75	20.83	208.30	65.67	0.14	0.32	7.40
Londres	16.98	33.00	360.00	89.70	0.17	0.78	7.90
Vienne	17.43	21.50	200.00	71.60	0.15	0.46	6.40
Madrid	15.20	11.10	525.00	57.70	0.15	0.52	5.50
Lisbonne	14.77	22.75	350.90	158.65	0.23	0.58	6.47
New York	26.48	45.00	975.00	225.00	0.10	0.60	8.00
Montréal	21.69	28.50	400.00	108.50	0.10	0.60	8.00
Washington	18.95	34.00	350.00	169.00	0.09	0.40	5.50
Caracas	18.81	30.00	500.00	233.00	0.07	0.44	8.20
Buenos-Aires	16.96	31.00	320.00	101.50	0.12	1.00	10.00
Mexico	16.83	18.00	400.00	221.10	0.09	0.90	8.90
Los Angeles	23.42	38.00	320.00	155.00	0.09	0.60	6.50
Chicago	24.31	41.00	420.00	175.00	0.10	0.55	6.20

Si ce test s'avère significatif, il y aurait intérêt à découvrir la "dimension" selon laquelle les deux continents se distinguent le mieux; à cette fin, effectuez une analyse discriminante, et donnez-en l'interprétation.

On peut aussi chercher une autre "dimension" selon laquelle, cette fois, les villes prises individuellement offrent le plus de variation entre elles. Obtenez donc cette première composante, et analysez l'importance relative de chaque variable.

10.2 Une école de langues utilise deux méthodes pour l'enseignement de l'espagnol: l'une traditionnelle, l'autre audio-visuelle. Afin de comparer les mérites relatifs de chacune d'elles, on a fait subir divers tests à la fin des cours, et mesuré ainsi les caractéristiques suivantes:

X_1 = test de lecture ,

X_2 = test de compréhension ,

X_3 = test de rédaction.

On demande de tester, au niveau 5%, s'il y a une différence significative entre les deux méthodes d'enseignement, quand on prend en considération les 3 variables à la fois.

Méthode traditionnelle			**Méthode audio-visuelle**		
X_1	X_2	X_3	X_1	X_2	X_3
85	70	94	80	94	84
75	65	86	72	86	70
68	68	78	65	84	66
80	72	84	58	82	62
90	78	88	65	80	66
86	56	90	75	90	70
84	64	82	68	84	66
82	62	78			

Si la réponse à cette première question est positive, la direction de l'école aimerait connaître la nature des différences observées; effectuez donc une analyse discriminante à cette fin, et tirez les conclusions appropriées.

10.3 Deux formes de publicité (écrite-orale) ont été utilisées par la Compagnie Oster dans deux régions comparables, mais éloignées l'une de l'autre, afin d'assurer la promotion de son nouvel extracteur à jus Oster Juicer. La campagne de lancement de ce nouveau produit a duré 10 semaines, et les mêmes montants ont été alloués aux deux régions en question.

A la fin de la campagne de publicité, on a distribué un questionnaire à des personnes choisies au hasard, et noté leurs réponses aux trois questions portant sur les aspects cognitif, affectif et comportemental. La variable X_1 est une mesure de notoriété sur une échelle de 1 à 7 (ignorant,.................. connaît très bien); la deuxième variable X_2 mesure l'attitude du consommateur face à ce produit, de nouveau sur une échelle à 7 points (très défavorable, ..., extrêmement favorable); et X_3 indique l'intention d'achat sur une échelle à 7 points (aucun intérêt, ..., beaucoup d'intérêt).

Voici maintenant ces données:

Publicité écrite			Publicité orale		
X_1	X_2	X_3	X_1	X_2	X_3
3	4	1	5	6	5
2	3	2	6	7	4
1	2	1	5	6	5
4	3	1	7	7	6
1	2	2	4	5	7
3	4	2	5	5	4
2	1	1	4	5	5
2	1	1	7	6	5
1	2	3	4	6	5
2	2	2	5	5	4

On demande de tester, au niveau 5%, si la forme de publicité a un effet quelconque sur les caractéristiques considérées.

10.4 Dans une expérience sur la production du maïs, on a utilisé 4 niveaux de fertilisation azotée. Les récoltes terminées, on a ensuite procédé à l'analyse des données qui portaient principalement sur

X_1 = nombre d'épis par plant,

X_2 = nombre de talles par plant,

X_3 = rendement en grammes par plant.

Dans un premier temps, on a constaté des différences significatives entre les groupes quant aux caractéristiques considérées. Si les matrices des sommes de carrés et des produits croisés calculées entre les groupes (B) et à l'intérieur des groupes (W) sont

$$B = \begin{pmatrix} 23.9 & 13.9 & 18.1 \\ & 14.7 & 10.4 \\ & & 13.6 \end{pmatrix} \text{ et } W = \begin{pmatrix} 167.7 & 65.2 & 12.2 \\ & 269.6 & 61.4 \\ & & 141.6 \end{pmatrix}$$

et si le nombre total d'observations est de 100, on demande de découvrir la "nature" des différences observées entre les quatre groupes, en utilisant le programme d'analyse discriminante DISC du logiciel MULTV.

10.5 Jolicoeur et Mosimann de l'Université de Montréal ont mesuré les longueurs, largeurs et hauteurs des carapaces de 24 tortues femelles.

La matrice des corrélations des variables originales est

$$R = \begin{pmatrix} 1 & 0.97 & 0.97 \\ & 1 & 0.97 \\ & & 1 \end{pmatrix}$$

Effectuez une analyse en composantes principales, et expliquez pourquoi les auteurs appellent Y_1 la "taille de la carapace", tandis que les 2 autres composantes sont des variables de "forme". Quel est le pourcentage de la variation totale qui est expliquée par la première composante Y_1 ?

10.6 Il y a eu 48 personnes qui ont postulé un emploi pour un certain poste. Ces gens ont été évalués par rapport aux 15 caractéristiques suivantes:

X_1 = forme de la lettre de demande d'emploi
X_2 = apparence
X_3 = habileté académique
X_4 = amabilité
X_5 = confiance en soi
X_6 = lucidité
X_7 = honnêteté
X_8 = aptitude à la vente
X_9 = expérience
X_{10} = énergie entreprenante
X_{11} = ambition
X_{12} = avidité
X_{13} = potentiel
X_{14} = ardeur au travail
X_{15} = convenance

La matrice des corrélations a été calculée à partir des données originales; la voici:

	1	2	3	4	5	6	7	8	9	10	11	12	13	14	15
1	1.00	.24	.04	.31	.09	.23	−.11	.27	.55	.35	.28	.34	.37	.47	.59
2		1.00	.12	.38	.43	.37	.35	.48	.14	.34	.55	.51	.51	.28	.38
3			1.00	.00	.00	.08	−.03	.05	.27	.09	.04	.20	.29	−.32	.14
4				1.00	.30	.48	.65	.35	.14	.39	.35	.50	.61	.69	.33
5					1.00	.81	.41	.82	.02	.70	.84	.72	.67	.48	.25
6						1.00	.36	.83	.15	.70	.76	.88	.78	.53	.42
7							1.00	.23	.16	.28	.21	.39	.42	.45	.00
8								1.00	.23	.81	.86	.77	.73	.55	.55
9									1.00	.34	.20	.30	.35	.21	.69
10										1.00	.78	.71	.79	.61	.62
11											1.00	.78	.77	.55	.43
12												1.00	.88	.55	.53
13													1.00	.54	.57
14														1.00	.40
15															1.00

On aimerait savoir comment ces variables se regroupent, en ce sens qu'il est possible que certaines de ces qualités soient fortement confondues dans l'esprit des évaluateurs. A cette fin, on demande d'effectuer une analyse en composantes principales et de découvrir les "groupes de variables", si évidemment de tels groupes existent.

ANNEXE 1
Table de nombres aléatoires

	1	2	3	4	5
	1581922396	2068577984	8262130892	8374856049	4637567488
	0928105582	7295088579	9586111652	7055508767	6472382934
1	4112077556	3440672486	1882412963	0684012006	0933147914
	7457477468	5435810788	9670852913	1291265730	4890031305
	0099520858	3090908872	2039593181	5973470495	9776135501
	7245174840	2275698645	8416549348	4676463101	2229367983
	6749420382	4832630032	5670984959	5432114610	2966095680
2	5503161011	7413686599	1198757695	0414294470	0140121598
	7164238934	7666127259	5263097712	5133648980	4011966963
	3593969525	0272759769	0385998136	9999089966	7544056852
	4192054466	0700014629	5169439659	8408705169	1074373131
	9697426117	6488888550	4031652526	8123543276	0927534537
3	2007950579	9564268448	3457416988	1531027886	7016633739
	4584768758	2389278610	3859431781	3643768456	4141314518
	3840145867	9120831830	7228567652	1267173884	4020651657
	0190453442	4800088084	1165628559	5407921254	3768932478
	6766554338	5585265145	5089052204	9780623691	2195448096
4	6315116284	9172824179	5544814339	0016943666	3828538786
	3908771938	4035554324	0840126299	4942059208	1475623997
	5570024586	9324732596	1186563397	4425143189	3216653251
	2999997185	0135968938	7678931194	1351031403	6002561840
	7864375912	8383232768	1892857070	2323673751	3188881718
5	7065492027	6349104233	3382569662	4579426926	1513082455
	0654683246	4765104877	8149224168	5468631609	6474393896
	7830555058	5255147182	3519287786	2481675649	8907598697
	7626984369	4725370390	9641916289	5049082870	7463807244
	4785048453	3646121751	8436077768	2928794356	9956043516
6	4627791048	5765558107	8762592043	6185670830	6363845920
	9376470693	0441608934	8749472723	2202271078	5897002653
	1227991661	7936797054	9527542791	4711871173	8300978148
	5582095589	5535798279	4764439855	6279247618	4446895088
	4959397698	1056981450	8416606706	8234013222	6426813469
7	1824779358	1333750468	9434074212	5273692238	5902177065
	7041092295	5726289716	3420847871	1820481234	0318831723
	3555104281	0903099163	6827824899	6383872737	5901682626
	9717595534	1634107293	8521057472	1471300754	3044151557
	5571564123	7344613447	1129117244	3208461091	1699403490
8	4674262892	2809456764	5806554509	8224980942	5738031833
	8461228715	0746980892	9285305274	6331989646	8764467686
	1838538678	3049068967	6955157269	5482964330	2161984904
	1834182305	6203476893	5937802079	3445280195	3694915658
	1884227732	2923727501	8044389132	4611203081	6072112445
9	6791857341	6696243386	2219599137	3193884236	8224729718
	3007929946	4031562749	5570757297	6273785046	1455349704
	6085440624	2875556938	5496629750	4841817356	1443167141
	7005051056	3496332071	5054070890	7303867953	6255181190
	9846413446	8306646692	0661684251	8875127201	6251533454
10	0625457703	4229164694	7321363715	7051128285	1108468072
	5457593922	9751489574	1799906380	1989141062	5595364247
	4076486653	8950826528	4934582003	4071187742	1456207629

Table tirée de: D.J. Cowden et M.S. Cowden, ***Practical Problems in Business Statistics***, 2e édition, Prentice-Hall, Englewood Cliffs, N.J., 1960.

ANNEXE 2

Table 1

Distribution normale centrée réduite cumulée

$Z \in N(0, 1),\ P(Z \geqslant z)$

z	00	01	02	03	04	05	06	07	08	09
0	500	496	492	488	484	480	476	472	468	464
1	460	456	452	448	444	440	436	433	429	425
2	421	417	413	409	405	401	397	394	390	386
3	382	378	375	371	367	363	359	356	352	348
4	345	341	337	334	330	326	323	319	316	312
5	309	305	302	298	295	291	288	284	281	278
6	274	271	268	264	261	258	255	251	248	245
7	242	239	236	233	230	227	224	221	218	215
8	212	209	206	203	201	198	195	192	189	187
9	184	181	179	176	174	171	169	166	164	161
1.0	159	156	154	152	149	147	145	142	140	138
1.1	136	134	131	129	127	125	123	121	119	117
1.2	115	113	111	109	108	106	104	102	100	099
1.3	097	095	093	092	090	089	087	085	084	082
1.4	081	079	078	076	075	074	072	071	069	068
1.5	067	066	064	063	062	061	059	058	057	056
1.6	055	054	053	052	051	049	048	047	046	046
1.7	045	044	043	042	041	040	039	038	038	037
1.8	036	035	034	034	033	032	031	031	030	029
1.9	029	028	027	027	026	026	025	024	024	023
2.0	023	022	022	021	021	020	020	019	019	018
2.1	018	017	017	017	016	016	015	015	015	014
2.2	014	014	013	013	013	012	012	012	011	011
2.3	011	010	010	010	010	010	010	009	009	009
2.4	009	008	008	008	007	007	007	007	007	006
2.5	006	006	006	006	006	005	005	005	005	005
2.6	005	005	004	004	004	004	004	004	004	004
2.7	003	003	003	003	003	003	003	003	003	003
2.8	003	002	002	002	002	002	002	002	002	002
2.9	002	002	002	002	002	002	002	001	001	001
3.0	001	001	001	001	001	001	001	001	001	001
3.1	001	001	001	001	001	001	001	001	001	001
3.2	001	001	001	001	001	001	001	001	001	001

ANNEXE 2

Table 2

Distribution du χ^2 cumulée

La table 2 donne les valeurs χ^2_α telles que $P(\chi^2 \geqslant \chi^2_\alpha / m) = \alpha$ où m est le nombre de degrés de liberté

m\α	0.990	0.975	0.950	0.900	0.750	0.500	0.250	0.100	0.050	0.025	0.010
1				0.02	0.10	0.45	1.32	2.71	3.84	5.02	6.63
2	0.02	0.05	0.10	0.21	0.58	1.39	2.77	4.61	5.99	7.38	9.21
3	0.11	0.22	0.35	0.58	1.21	2.37	4.11	6.25	7.81	9.35	11.34
4	0.30	0.48	0.71	1.06	1.92	3.36	5.39	7.78	9.49	11.14	13.28
5	0.55	0.83	1.15	1.61	2.67	4.35	6.63	9.24	11.07	12.83	15.09
6	0.87	1.24	1.64	2.20	3.45	5.35	7.84	10.64	12.59	14.45	16.81
7	1.24	1.69	2.17	2.83	4.25	6.35	9.04	12.02	14.07	16.01	18.48
8	1.65	2.18	2.73	3.49	5.07	7.34	10.22	13.36	15.51	17.53	20.09
9	2.09	2.70	3.33	4.17	5.90	8.34	11.39	14.68	16.92	19.02	21.67
10	2.56	3.25	3.94	4.87	6.74	9.34	12.55	15.99	18.31	20.48	23.21
11	3.05	3.82	4.57	5.58	7.58	10.34	13.70	17.28	19.68	21.92	24.72
12	3.57	4.40	5.23	6.30	8.44	11.34	14.85	18.55	21.03	23.34	26.22
13	4.11	5.01	5.89	7.04	9.30	12.34	15.98	19.81	22.36	24.74	27.69
14	4.66	5.63	6.57	7.79	10.17	13.34	17.12	21.06	23.68	26.12	29.14
15	5.23	6.27	7.26	8.55	11.04	14.34	18.25	22.31	25.00	27.49	30.58
16	5.81	6.91	7.96	9.31	11.91	15.34	19.37	23.54	26.30	28.85	32.00
17	6.41	7.56	8.67	10.09	12.79	16.34	20.49	24.77	27.59	30.19	33.41
18	7.01	8.23	9.39	10.86	13.68	17.34	21.60	25.99	28.87	31.53	34.81
19	7.63	8.91	10.12	11.65	14.56	18.34	22.72	27.20	30.14	32.85	36.19
20	8.26	9.59	10.85	12.44	15.45	19.34	23.83	28.41	31.41	34.17	37.57
21	8.90	10.28	11.59	13.24	16.34	20.34	24.93	29.62	32.67	35.48	38.93
22	9.54	10.98	12.34	14.04	17.24	21.34	26.04	30.81	33.92	36.78	40.29
23	10.20	11.69	13.09	14.85	18.14	22.34	27.14	32.01	35.17	38.08	41.64
24	10.86	12.40	13.85	15.66	19.04	23.34	28.24	33.20	36.42	39.36	42.98
25	11.52	13.12	14.61	16.47	19.94	24.34	29.34	34.38	37.65	40.65	44.31
26	12.20	13.84	15.38	17.29	20.84	25.34	30.43	35.56	38.89	41.92	45.64
27	12.88	14.57	16.15	18.11	21.75	26.34	31.53	36.74	40.11	43.19	46.96
28	13.56	15.31	16.93	18.94	22.66	27.34	32.62	37.92	41.34	44.46	48.28
29	14.26	16.05	17.71	19.77	23.57	28.34	33.71	39.09	42.56	45.72	49.59
30	14.95	16.79	18.49	20.60	24.48	29.34	34.80	40.26	43.77	46.98	50.89
40	22.16	24.43	26.51	29.05	33.66	39.34	45.62	51.80	55.76	59.34	63.69
50	29.71	32.36	34.76	37.69	42.94	49.33	56.33	63.17	67.50	71.42	76.15
60	37.48	40.48	43.19	46.46	52.29	59.33	66.98	74.40	79.08	83.30	88.38
70	45.44	48.76	51.74	55.33	61.70	69.33	77.58	85.53	90.53	95.02	100.42
80	53.54	57.15	60.39	64.28	71.14	79.33	88.13	96.58	101.88	106.63	112.33
90	61.75	65.65	69.13	73.29	80.62	89.33	98.64	107.56	113.14	118.14	124.12
100	70.06	74.22	77.93	82.36	90.13	99.33	109.14	118.50	124.34	129.56	135.81

ANNEXE 2

Table 3

Distribution du $\tilde{t}$ cumulée

La table 3 donne les valeurs t_α telles que $P(\tilde{t} \geqslant t_\alpha / m) = \alpha$

où m est le nombre de degrés de liberté

$m \backslash \alpha$	0.40	0.30	0.20	0.10	0.05	0.025	0.01	0.005
1	.325	.727	1.376	3.078	6.314	12.706	31.821	63.657
2	.289	.617	1.061	1.886	2.920	4.303	6.965	9.925
3	.277	.584	.978	1.638	2.353	3.182	4.541	5.841
4	.271	.569	.941	1.533	2.132	2.776	3.747	4.604
5	.267	.559	.920	1.476	2.015	2.571	3.365	4.032
6	.265	.553	.906	1.440	1.943	2.447	3.143	3.707
7	.263	.549	.896	1.415	1.895	2.365	2.998	3.499
8	.262	.546	.889	1.397	1.860	2.306	2.896	3.355
9	.261	.543	.883	1.383	1.833	2.262	2.821	3.250
10	.260	.542	.879	1.372	1.812	2.228	2.764	3.169
11	.260	.540	.876	1.363	1.796	2.201	2.718	3.106
12	.259	.539	.873	1.356	1.782	2.179	2.681	3.055
13	.259	.538	.870	1.350	1.771	2.160	2.650	3.012
14	.258	.537	.868	1.345	1.761	2.145	2.624	2.977
15	.258	.536	.866	1.341	1.753	2.131	2.602	2.947
16	.258	.535	.865	1.337	1.746	2.120	2.583	2.921
17	.257	.534	.863	1.333	1.740	2.110	2.567	2.898
18	.257	.534	.862	1.330	1.734	2.101	2.552	2.878
19	.257	.533	.861	1.328	1.729	2.093	2.539	2.861
20	.257	.533	.860	1.325	1.725	2.086	2.528	2.845
21	.257	.532	.859	1.323	1.721	2.080	2.518	2.831
22	.256	.532	.858	1.321	1.717	2.074	2.508	2.819
23	.256	.532	.858	1.319	1.714	2.069	2.500	2.807
24	.256	.531	.857	1.318	1.711	2.064	2.492	2.797
25	.256	.531	.856	1.316	1.708	2.060	2.485	2.787
26	.256	.531	.856	1.315	1.706	2.056	2.479	2.779
27	.256	.531	.855	1.314	1.703	2.052	2.473	2.771
28	.256	.530	.855	1.313	1.701	2.048	2.467	2.763
29	.256	.530	.854	1.311	1.699	2.045	2.462	2.756
30	.256	.530	.854	1.310	1.697	2.042	2.457	2.750
40	.255	.529	.851	1.303	1.684	2.021	2.423	2.704
60	.254	.527	.848	1.296	1.671	2.000	2.390	2.660
120	.254	.526	.845	1.289	1.658	1.980	2.358	2.617
∞	.253	.524	.842	1.282	1.645	1.960	2.326	2.576

ANNEXE 2

Table 4

Distribution du F cumulée

La table 4 donne les valeurs F_α telles que $P(F \geqslant F_\alpha / m_1, m_2)$,

pour α = .05 et .01

m_2 \ m_1	1	2	3	4	5	6	7	8	9	10	11	12	14	16	20	24	30	40	50	75	100	200	500	∞
1	161	200	216	225	230	234	237	239	241	242	243	244	245	246	248	249	250	251	252	253	253	254	254	254
	4,052	**4,999**	**5,403**	**5,625**	**5,764**	**5,859**	**5,928**	**5,981**	**6,022**	**6,056**	**6,082**	**6,106**	**6,142**	**6,169**	**6,208**	**6,234**	**6,261**	**6,286**	**6,302**	**6,323**	**6,334**	**6,352**	**6,361**	**6,366**
2	18.51	19.00	19.16	19.25	19.30	19.33	19.36	19.37	19.38	19.39	19.40	19.41	19.42	19.43	19.44	19.45	19.46	19.47	19.47	19.48	19.49	19.49	19.50	19.50
	98.49	**99.00**	**99.17**	**99.25**	**99.30**	**99.33**	**99.36**	**99.37**	**99.39**	**99.40**	**99.41**	**99.42**	**99.43**	**99.44**	**99.45**	**99.46**	**99.47**	**99.48**	**99.48**	**99.49**	**99.49**	**99.49**	**99.50**	**99.50**
3	10.13	9.55	9.28	9.12	9.01	8.94	8.88	8.84	8.81	8.78	8.76	8.74	8.71	8.69	8.66	8.64	8.62	8.60	8.58	8.57	8.56	8.54	8.54	8.53
	34.12	**30.82**	**29.46**	**28.71**	**28.24**	**27.91**	**27.67**	**27.49**	**27.34**	**27.23**	**27.13**	**27.05**	**26.92**	**26.83**	**26.69**	**26.60**	**26.50**	**26.41**	**26.35**	**26.27**	**26.23**	**26.18**	**26.14**	**26.12**
4	7.71	6.94	6.59	6.39	6.26	6.16	6.09	6.04	6.00	5.96	5.93	5.91	5.87	5.84	5.80	5.77	5.74	5.71	5.70	5.68	5.66	5.65	5.64	5.63
	21.20	**18.00**	**16.69**	**15.98**	**15.52**	**15.21**	**14.98**	**14.80**	**14.66**	**14.54**	**14.45**	**14.37**	**14.24**	**14.15**	**14.02**	**13.93**	**13.83**	**13.74**	**13.69**	**13.61**	**13.57**	**13.52**	**13.48**	**13.46**
5	6.61	5.79	5.41	5.19	5.05	4.95	4.88	4.82	4.78	4.74	4.70	4.68	4.64	4.60	4.56	4.53	4.50	4.46	4.44	4.42	4.40	4.38	4.37	4.36
	16.26	**13.27**	**12.06**	**11.39**	**10.97**	**10.67**	**10.45**	**10.29**	**10.15**	**10.05**	**9.96**	**9.89**	**9.77**	**9.68**	**9.55**	**9.47**	**9.38**	**9.29**	**9.24**	**9.17**	**9.13**	**9.07**	**9.04**	**9.02**
6	5.99	5.14	4.76	4.53	4.39	4.28	4.21	4.15	4.10	4.06	4.03	4.00	3.96	3.92	3.87	3.84	3.81	3.77	3.75	3.72	3.71	3.69	3.68	3.67
	13.74	**10.92**	**9.78**	**9.15**	**8.75**	**8.47**	**8.26**	**8.10**	**7.98**	**7.87**	**7.79**	**7.72**	**7.60**	**7.52**	**7.39**	**7.31**	**7.23**	**7.14**	**7.09**	**7.02**	**6.99**	**6.94**	**6.90**	**6.88**
7	5.59	4.74	4.34	4.12	3.97	3.87	3.79	3.73	3.68	3.63	3.60	3.57	3.52	3.49	3.44	3.41	3.38	3.34	3.32	3.29	3.28	3.25	3.24	3.23
	12.25	**9.55**	**8.45**	**7.85**	**7.46**	**7.19**	**7.00**	**6.84**	**6.71**	**6.62**	**6.54**	**6.47**	**6.35**	**6.27**	**6.15**	**6.07**	**5.98**	**5.90**	**5.85**	**5.78**	**5.75**	**5.70**	**5.67**	**5.65**
8	5.32	4.46	4.07	3.84	3.69	3.58	3.50	3.44	3.39	3.34	3.31	3.28	3.23	3.20	3.15	3.12	3.08	3.05	3.03	3.00	2.98	2.96	2.94	2.93
	11.26	**8.65**	**7.59**	**7.01**	**6.63**	**6.37**	**6.19**	**6.03**	**5.91**	**5.82**	**5.74**	**5.67**	**5.56**	**5.48**	**5.36**	**5.28**	**5.20**	**5.11**	**5.06**	**5.00**	**4.96**	**4.91**	**4.88**	**4.86**
9	5.12	4.26	3.86	3.63	3.48	3.37	3.29	3.23	3.18	3.13	3.10	3.07	3.02	2.98	2.93	2.90	2.86	2.82	2.80	2.77	2.76	2.73	2.72	2.71
	10.56	**8.02**	**6.99**	**6.42**	**6.06**	**5.80**	**5.62**	**5.47**	**5.35**	**5.26**	**5.18**	**5.11**	**5.00**	**4.92**	**4.80**	**4.73**	**4.64**	**4.56**	**4.51**	**4.45**	**4.41**	**4.36**	**4.33**	**4.31**
10	4.96	4.10	3.71	3.48	3.33	3.22	3.14	3.07	3.02	2.97	2.94	2.91	2.86	2.82	2.77	2.74	2.70	2.67	2.64	2.61	2.59	2.56	2.55	2.54
	10.04	**7.56**	**6.55**	**5.99**	**5.64**	**5.39**	**5.21**	**5.06**	**4.95**	**4.85**	**4.78**	**4.71**	**4.60**	**4.52**	**4.41**	**4.33**	**4.25**	**4.17**	**4.12**	**4.05**	**4.01**	**3.96**	**3.93**	**3.91**
11	4.84	3.98	3.59	3.36	3.20	3.09	3.01	2.95	2.90	2.86	2.82	2.79	2.74	2.70	2.65	2.61	2.57	2.53	2.50	2.47	2.45	2.42	2.41	2.40
	9.65	**7.20**	**6.22**	**5.67**	**5.32**	**5.07**	**4.88**	**4.74**	**4.63**	**4.54**	**4.46**	**4.40**	**4.29**	**4.21**	**4.10**	**4.02**	**3.94**	**3.86**	**3.80**	**3.74**	**3.70**	**3.66**	**3.62**	**3.60**
12	4.75	3.88	3.49	3.26	3.11	3.00	2.92	2.85	2.80	2.76	2.72	2.69	2.64	2.60	2.54	2.50	2.46	2.42	2.40	2.36	2.35	2.32	2.31	2.30
	9.33	**6.93**	**5.95**	**5.41**	**5.06**	**4.82**	**4.65**	**4.50**	**4.39**	**4.30**	**4.22**	**4.16**	**4.05**	**3.98**	**3.86**	**3.78**	**3.70**	**3.61**	**3.56**	**3.49**	**3.46**	**3.41**	**3.38**	**3.36**

ANNEXE 2

Table 4 (suite)

m_2 \ m_1	1	2	3	4	5	6	7	8	9	10	11	12	14	16	20	24	30	40	50	75	100	200	500	∞
13	4.67 **9.07**	3.80 **6.70**	3.41 **5.74**	3.18 **5.20**	3.02 **4.86**	2.92 **4.62**	2.84 **4.44**	2.77 **4.30**	2.72 **4.19**	2.67 **4.10**	2.63 **4.02**	2.60 **3.96**	2.55 **3.85**	2.51 **3.78**	2.46 **3.67**	2.42 **3.59**	2.38 **3.51**	2.34 **3.42**	2.32 **3.37**	2.28 **3.30**	2.26 **3.27**	2.24 **3.21**	2.22 **3.18**	2.21 **3.16**
14	4.60 **8.86**	3.74 **6.51**	3.34 **5.56**	3.11 **5.03**	2.96 **4.69**	2.85 **4.46**	2.77 **4.28**	2.70 **4.14**	2.65 **4.03**	2.60 **3.94**	2.56 **3.86**	2.53 **3.80**	2.48 **3.70**	2.44 **3.62**	2.39 **3.51**	2.35 **3.43**	2.31 **3.34**	2.27 **3.26**	2.24 **3.21**	2.21 **3.14**	2.19 **3.11**	2.16 **3.06**	2.14 **3.02**	2.13 **3.00**
15	4.54 **8.68**	3.68 **6.36**	3.29 **5.42**	3.06 **4.89**	2.90 **4.56**	2.79 **4.32**	2.70 **4.14**	2.64 **4.00**	2.59 **3.89**	2.55 **3.80**	2.51 **3.73**	2.48 **3.67**	2.43 **3.56**	2.39 **3.48**	2.33 **3.36**	2.29 **3.29**	2.25 **3.20**	2.21 **3.12**	2.18 **3.07**	2.15 **3.00**	2.12 **2.97**	2.10 **2.92**	2.08 **2.89**	2.07 **2.87**
16	4.49 **8.53**	3.63 **6.23**	3.24 **5.29**	3.01 **4.77**	2.85 **4.44**	2.74 **4.20**	2.66 **4.03**	2.59 **3.89**	2.54 **3.78**	2.49 **3.69**	2.45 **3.61**	2.42 **3.55**	2.37 **3.45**	2.33 **3.37**	2.28 **3.25**	2.24 **3.18**	2.20 **3.10**	2.16 **3.01**	2.13 **2.96**	2.09 **2.98**	2.07 **2.86**	2.04 **2.80**	2.02 **2.77**	2.01 **2.75**
17	4.45 **8.40**	3.59 **6.11**	3.20 **5.18**	2.96 **4.67**	2.81 **4.34**	2.70 **4.10**	2.62 **3.93**	2.55 **3.79**	2.50 **3.68**	2.45 **3.59**	2.41 **3.52**	2.38 **3.45**	2.33 **3.35**	2.29 **3.27**	2.23 **3.16**	2.19 **3.08**	2.15 **3.00**	2.11 **2.92**	2.08 **2.86**	2.04 **2.79**	2.02 **2.76**	1.99 **2.70**	1.97 **2.67**	1.96 **2.65**
18	4.41 **8.28**	3.55 **6.01**	3.16 **5.09**	2.93 **4.58**	2.77 **4.25**	3.66 **4.01**	2.58 **3.85**	2.51 **3.71**	2.46 **3.60**	2.41 **3.51**	2.37 **3.44**	2.34 **3.37**	2.29 **3.27**	2.25 **3.19**	2.19 **3.07**	2.15 **3.00**	2.11 **2.91**	2.07 **2.83**	2.04 **2.78**	2.00 **2.71**	1.98 **2.68**	1.95 **2.62**	1.93 **2.59**	1.92 **2.57**
19	4.38 **8.18**	3.52 **5.93**	3.13 **5.01**	2.90 **4.50**	2.74 **4.17**	2.63 **3.94**	2.55 **3.77**	2.48 **3.63**	2.43 **3.52**	2.38 **3.43**	2.34 **3.36**	2.31 **3.30**	2.26 **3.19**	2.21 **3.12**	2.15 **3.00**	2.11 **2.92**	2.07 **2.84**	2.02 **2.76**	2.00 **2.70**	1.96 **2.63**	1.94 **2.60**	1.91 **2.54**	1.90 **2.51**	1.88 **2.49**
20	4.35 **8.10**	3.49 **5.85**	3.10 **4.94**	2.87 **4.43**	2.71 **4.10**	2.60 **3.87**	2.52 **3.71**	2.45 **3.56**	2.40 **3.45**	2.35 **3.37**	2.31 **3.30**	2.28 **3.23**	2.23 **3.13**	2.18 **3.05**	2.12 **2.94**	2.08 **2.86**	2.04 **2.77**	1.99 **2.69**	1.96 **2.63**	1.92 **2.56**	1.90 **2.53**	1.87 **2.47**	1.85 **2.44**	1.84 **2.42**
21	4.32 **8.02**	3.47 **5.78**	3.07 **4.87**	2.84 **4.37**	2.68 **4.04**	2.57 **3.81**	2.49 **3.65**	2.42 **3.51**	2.37 **3.40**	2.32 **3.31**	2.28 **3.24**	2.25 **3.17**	2.20 **3.07**	2.15 **2.99**	2.09 **2.88**	2.05 **2.80**	2.00 **2.72**	1.96 **2.63**	1.93 **2.58**	1.89 **2.51**	1.87 **2.47**	1.84 **2.42**	1.82 **2.38**	1.81 **2.36**
22	4.30 **7.94**	3.44 **5.72**	3.05 **4.82**	2.82 **4.31**	2.66 **3.99**	2.55 **3.76**	2.47 **3.59**	2.40 **3.45**	2.35 **3.35**	2.30 **3.26**	2.26 **3.18**	2.23 **3.12**	2.18 **3.02**	2.13 **2.94**	2.07 **2.83**	2.03 **2.75**	1.98 **2.67**	1.93 **2.58**	1.91 **2.53**	1.87 **2.46**	1.84 **2.42**	1.81 **2.37**	1.80 **2.33**	1.78 **2.31**
23	4.28 **7.88**	3.42 **5.66**	3.03 **4.76**	2.80 **4.26**	2.64 **3.94**	2.53 **3.71**	2.45 **3.54**	2.38 **3.41**	2.32 **3.30**	2.28 **3.21**	2.24 **3.14**	2.20 **3.07**	2.14 **2.97**	2.10 **2.89**	2.04 **2.78**	2.00 **2.70**	1.96 **2.62**	1.91 **2.53**	1.88 **2.48**	1.84 **2.41**	1.82 **2.37**	1.79 **2.32**	1.77 **2.28**	1.76 **2.26**
24	4.26 **7.82**	3.40 **5.61**	3.01 **4.72**	2.78 **4.22**	2.62 **3.90**	2.51 **3.67**	2.43 **3.50**	2.36 **3.36**	2.30 **3.25**	2.26 **3.17**	2.22 **3.09**	2.18 **3.03**	2.13 **2.93**	2.09 **2.85**	2.02 **2.74**	1.98 **2.66**	1.94 **2.58**	1.89 **2.49**	1.86 **2.44**	1.82 **2.36**	1.80 **2.33**	1.76 **2.27**	1.74 **2.23**	1.73 **2.21**
25	4.24 **7.77**	3.38 **5.57**	2.99 **4.68**	2.76 **4.18**	2.60 **3.86**	2.49 **3.63**	2.41 **3.46**	2.34 **3.32**	2.28 **3.21**	2.24 **3.13**	2.20 **3.05**	2.16 **2.99**	2.11 **2.89**	2.06 **2.81**	2.00 **2.70**	1.96 **2.62**	1.92 **2.54**	1.87 **2.45**	1.84 **2.40**	1.80 **2.32**	1.77 **2.29**	1.74 **2.23**	1.72 **2.19**	1.71 **2.17**
26	4.22 **7.72**	3.37 **5.53**	2.98 **4.64**	2.74 **4.14**	2.59 **3.82**	2.47 **3.59**	2.39 **3.42**	2.32 **3.29**	2.27 **3.17**	2.22 **3.09**	2.18 **3.02**	2.15 **2.96**	2.10 **2.86**	2.05 **2.77**	1.99 **2.66**	1.95 **2.58**	1.90 **2.50**	1.85 **2.41**	1.82 **2.36**	1.78 **2.28**	1.76 **2.25**	1.72 **2.19**	1.70 **2.15**	1.69 **2.13**
27	4.21 **7.68**	3.35 **5.49**	2.96 **4.60**	2.73 **4.11**	2.57 **3.79**	2.46 **3.56**	2.37 **3.39**	2.30 **3.26**	2.25 **3.14**	2.20 **3.06**	2.16 **2.98**	2.13 **2.93**	2.08 **2.83**	2.03 **2.74**	1.97 **2.63**	1.93 **2.55**	1.88 **2.47**	1.84 **2.38**	1.80 **2.33**	1.76 **2.25**	1.74 **2.21**	1.71 **2.16**	1.68 **2.12**	1.67 **2.10**

ANNEXE 2

Table 4 (suite)

m_2 \ m_1	1	2	3	4	5	6	7	8	9	10	11	12	14	16	20	24	30	40	50	75	100	200	500	∞
28	4.20	3.34	2.95	2.71	2.56	2.44	2.36	2.29	2.24	2.19	2.15	2.12	2.06	2.02	1.96	1.91	1.87	1.81	1.78	1.75	1.72	1.69	1.67	1.65
	7.64	**5.45**	**4.57**	**4.07**	**3.76**	**3.53**	**3.36**	**3.23**	**3.11**	**3.03**	**2.95**	**2.90**	**2.80**	**2.71**	**2.60**	**2.52**	**2.44**	**2.35**	**2.30**	**2.22**	**2.18**	**2.13**	**2.09**	**2.06**
29	4.18	3.33	2.93	2.70	2.54	2.43	2.35	2.28	2.22	2.18	2.14	2.10	2.05	2.00	1.94	1.90	1.85	1.80	1.77	1.73	1.71	1.68	1.65	1.64
	7.60	**5.42**	**4.54**	**4.04**	**3.73**	**3.50**	**3.33**	**3.20**	**3.08**	**3.00**	**2.92**	**2.87**	**2.77**	**2.68**	**2.57**	**2.49**	**2.41**	**2.32**	**2.27**	**2.19**	**2.15**	**2.10**	**2.06**	**2.03**
30	4.17	3.32	2.92	2.69	2.53	2.42	2.34	2.27	2.21	2.16	2.12	2.09	2.04	1.99	1.93	1.89	1.84	1.79	1.76	1.72	1.69	1.66	1.64	1.62
	7.56	**5.39**	**4.51**	**4.02**	**3.70**	**3.47**	**3.30**	**3.17**	**3.06**	**2.98**	**2.90**	**2.84**	**2.74**	**2.66**	**2.55**	**2.47**	**2.38**	**2.29**	**2.24**	**2.16**	**2.13**	**2.07**	**2.03**	**2.01**
32	4.15	3.30	2.90	2.67	2.51	2.40	2.32	2.25	2.19	2.14	2.10	2.07	2.02	1.97	1.91	1.86	1.82	1.76	1.74	1.69	1.67	1.64	1.61	1.59
	7.50	**5.34**	**4.46**	**3.97**	**3.66**	**3.42**	**3.25**	**3.12**	**3.01**	**2.94**	**2.86**	**2.80**	**2.70**	**2.62**	**2.51**	**2.42**	**2.34**	**2.25**	**2.20**	**2.12**	**2.08**	**2.02**	**1.98**	**1.96**
34	4.13	3.28	2.88	2.65	2.49	2.38	2.30	2.23	2.17	2.12	2.08	2.05	2.00	1.95	1.89	1.84	1.80	1.74	1.71	1.67	1.64	1.61	1.59	1.57
	7.44	**5.29**	**4.42**	**3.93**	**3.61**	**3.38**	**3.21**	**3.08**	**2.97**	**2.89**	**2.82**	**2.76**	**2.66**	**2.58**	**2.47**	**2.38**	**2.30**	**2.21**	**2.15**	**2.08**	**2.04**	**1.98**	**1.94**	**1.91**
36	4.11	3.26	2.86	2.63	2.48	2.36	2.28	2.21	2.15	2.10	2.06	2.03	1.98	1.93	1.87	1.82	1.78	1.72	1.69	1.65	1.62	1.59	1.56	1.55
	7.39	**5.25**	**4.38**	**3.89**	**3.58**	**3.35**	**3.18**	**3.04**	**2.94**	**2.86**	**2.78**	**2.72**	**2.62**	**2.54**	**2.43**	**2.35**	**2.26**	**2.17**	**2.12**	**2.04**	**2.00**	**1.94**	**1.90**	**1.87**
38	4.10	3.25	2.85	2.62	2.46	2.35	2.26	2.19	2.14	2.09	2.05	2.02	1.96	1.92	1.85	1.80	1.76	1.71	1.67	1.63	1.60	1.57	1.54	1.53
	7.35	**5.21**	**4.34**	**3.86**	**3.54**	**3.32**	**3.15**	**3.02**	**2.91**	**2.82**	**2.75**	**2.69**	**2.59**	**2.51**	**2.40**	**2.32**	**2.22**	**2.14**	**2.08**	**2.00**	**1.97**	**1.90**	**1.86**	**1.84**
40	4.07	3.23	2.84	2.61	2.45	2.34	2.25	2.18	2.12	2.07	2.04	2.00	1.95	1.90	1.84	1.79	1.74	1.69	1.66	1.61	1.59	1.55	1.53	1.51
	7.31	**5.18**	**4.31**	**3.83**	**3.51**	**3.29**	**3.12**	**2.99**	**2.88**	**2.80**	**2.73**	**2.66**	**2.56**	**2.49**	**2.37**	**2.29**	**2.20**	**2.11**	**2.05**	**1.97**	**1.94**	**1.88**	**1.84**	**1.81**
60	4.00	3.15	2.76	2.52	2.37	2.25	2.17	2.10	2.04	1.99	1.95	1.92	1.86	1.81	1.75	1.70	1.65	1.59	1.56	1.50	1.48	1.44	1.41	1.39
	7.08	**4.98**	**4.13**	**3.65**	**3.34**	**3.12**	**2.95**	**2.82**	**2.72**	**2.63**	**2.56**	**2.50**	**2.40**	**2.32**	**2.20**	**2.12**	**2.03**	**1.93**	**1.87**	**1.79**	**1.74**	**1.68**	**1.63**	**1.60**
∞	3.84	2.99	2.60	2.37	2.21	2.09	2.01	1.94	1.88	1.83	1.79	1.75	1.69	1.64	1.57	1.52	1.46	1.40	1.35	1.28	1.24	1.17	1.11	1.00
	6.64	**4.60**	**3.78**	**3.32**	**3.02**	**2.80**	**2.64**	**2.51**	**2.41**	**2.32**	**2.24**	**2.18**	**2.07**	**1.99**	**1.87**	**1.79**	**1.69**	**1.59**	**1.52**	**1.41**	**1.36**	**1.25**	**1.15**	**1.00**

ANNEXE 2

Table 5

Fonction de perte pour la normale centrée réduite

$$L_n(z^o) = (f(z^o) - z^o)\ P(Z > z^o),\ \text{où } z^o = \left| \frac{x^o - \mu}{\sigma} \right|$$

z°	00	01	02	03	04	05	06	07	08	09
0.0	399	394	389	384	379	374	370	365	360	356
0.1	351	346	342	337	333	328	324	320	315	311
0.2	307	303	299	294	290	286	282	278	275	271
0.3	267	263	259	256	252	248	245	241	237	234
0.4	230	227	224	220	217	214	210	207	204	201
0.5	198	195	192	189	186	183	180	177	174	171
0.6	169	166	163	161	158	155	153	150	148	145
0.7	143	141	138	136	133	131	129	127	125	122
0.8	120	118	116	114	112	110	108	106	104	102
0.9	100	099	097	095	093	092	090	088	087	085
1.0	083	082	080	079	077	076	074	073	071	070
1.1	069	067	066	065	063	622	061	060	058	057
1.2	056	055	054	053	052	051	050	049	048	047
1.3	046	046	044	043	042	041	040	039	038	037
1.4	037	036	035	034	034	033	032	031	031	030
1.5	029	029	028	027	027	026	026	025	024	024
1.6	023	023	022	022	021	021	020	020	019	019
1.7	018	018	017	017	017	016	016	015	015	015
1.8	014	014	014	013	013	013	012	012	012	011
1.9	011	011	010	010	010	010	009	009	009	009
2.0	008	008	008	008	008	007	007	007	007	007
2.1	006	006	006	006	006	006	005	005	005	005
2.2	005	005	005	004	004	004	004	004	004	004
2.3	004	004	003	003	003	003	003	003	003	003
2.4	003	003	003	002	002	002	002	002	002	002
2.5	002	002	002	002	002	002	002	002	002	002
2.6	001	001	001	001	001	001	001	001	001	001
2.7	001	001	001	001	001	001	001	001	001	001
2.8	001	001	001	001	001	001	001	001	001	001
2.9	001	001	001	000	000	000	000	000	000	000

ANNEXE 2

Table 6

Distribution binômiale cumulée

$P(X \geqslant x / n, p)$, pour n = 5, 10, 15 et 20

n = 5

x\p	01	02	03	04	05	06	07	08	09	10
1	049	096	141	185	226	266	304	341	376	410
2	001	004	008	015	023	032	042	054	067	081
3				001	001	002	003	005	006	009

x\p	11	12	13	14	15	16	17	18	19	20
1	442	472	502	530	556	582	606	629	651	672
2	097	112	129	147	165	183	203	222	242	263
3	011	014	018	022	027	032	037	044	051	058
4	001	001	001	002	002	003	004	004	006	007

x\p	21	22	23	24	25	26	27	28	29	30
1	692	711	729	746	763	778	793	807	820	832
2	283	304	325	346	367	388	409	430	451	472
3	066	074	084	093	104	114	126	138	150	163
4	008	010	011	013	016	018	021	024	027	031
5		001	001	001	001	001	001	002	002	002

x\p	31	32	33	34	35	36	37	38	39	40
1	844	855	865	875	884	893	901	908	916	922
2	492	513	532	552	572	591	609	628	646	663
3	177	191	205	220	235	251	267	283	300	317
4	035	039	044	049	054	060	066	073	080	087
5	003	003	004	005	005	006	007	008	009	010

x\p	41	42	43	44	45	46	47	48	49	50
1	929	934	940	945	950	954	958	962	965	969
2	680	697	713	729	744	759	773	787	800	813
3	335	353	370	389	407	425	444	463	481	500
4	095	103	112	121	131	141	152	163	175	188
5	012	013	015	016	018	021	023	025	028	031

ANNEXE 2

Table 6 (suite)

n = 10

x\p	01	02	03	04	05	06	07	08	09	10
1	096	183	263	335	401	461	516	566	611	651
2	004	016	035	058	086	118	152	188	225	264
3		001	003	006	012	019	028	040	054	070
4					001	002	004	006	009	013
5								001	001	002

x\p	11	12	13	14	15	16	17	18	19	20
1	688	721	752	779	803	825	845	863	878	893
2	303	342	380	418	456	492	527	561	593	624
3	088	109	131	155	180	206	234	263	292	322
4	018	024	031	040	050	061	074	088	104	121
5	003	004	005	007	010	013	017	021	027	033
6			001	001	001	002	003	004	005	006
7									001	001

x\p	21	22	23	24	25	26	27	28	29	30
1	905	917	927	936	944	951	957	963	967	972
2	654	682	708	733	756	778	798	817	834	851
3	353	383	414	444	474	504	534	562	590	617
4	139	159	179	201	224	248	273	298	324	350
5	040	048	057	067	078	090	104	118	134	150
6	008	010	013	016	020	024	029	034	040	047
7	001	002	002	003	004	004	006	007	009	011
8						001	001	001	001	002

x\p	31	32	33	34	35	36	37	38	39	40
1	976	979	982	984	987	988	990	992	993	994
2	866	879	892	904	914	924	932	940	947	954
3	643	669	693	716	738	759	779	798	816	833
4	377	404	432	459	486	513	540	566	592	618
5	168	187	206	227	249	271	294	318	342	367
6	055	064	073	084	095	107	121	135	150	166
7	013	016	019	022	026	031	036	041	048	055
8	002	003	003	004	005	006	007	009	010	012
9					001	001	001	001	001	002

ANNEXE 2

Table 6 (suite)

n = 10

x\p	41	42	43	44	45	46	47	48	49	50
1	995	996	996	997	997	998	998	999	999	999
2	959	964	969	973	977	980	983	985	987	989
3	848	863	876	889	900	911	921	930	938	945
4	642	667	690	712	734	755	774	793	811	828
5	392	418	444	470	496	522	547	573	598	623
6	183	202	221	241	262	283	306	329	353	377
7	063	071	081	091	102	114	127	141	156	172
8	015	017	020	024	027	032	037	042	048	055
9	002	003	003	004	005	005	006	008	009	011
10							001	001	001	001

n = 15

x\p	01	02	03	04	05	06	07	08	09	10
1	140	261	367	458	537	605	663	714	757	794
2	010	035	073	119	171	226	283	340	396	451
3		003	009	020	036	057	083	113	147	184
4			001	002	005	010	018	027	040	056
5					001	001	003	005	008	013
6								001	001	002

x\p	11	12	13	14	15	16	17	18	19	20
1	826	853	876	896	913	927	939	949	958	965
2	503	552	599	642	681	718	751	781	808	833
3	224	265	308	352	396	439	482	523	564	602
4	074	096	120	148	177	209	243	278	315	352
5	019	026	036	048	062	078	096	117	139	164
6	004	006	008	012	017	023	030	039	049	061
7	001	001	002	002	004	005	007	010	014	018
8					001	001	001	002	003	004
9									001	001

ANNEXE 2

Table 6 (suite)

n = 15

x\p	21	22	23	24	25	26	27	28	29	30
1	971	976	980	984	987	989	991	993	994	995
2	855	874	891	906	920	931	942	950	958	965
3	639	673	706	736	764	790	814	835	855	873
4	390	427	465	502	539	574	609	642	673	703
5	191	219	250	281	314	347	381	415	450	485
6	075	090	108	127	148	171	196	222	250	278
7	023	030	037	046	057	068	082	097	113	131
8	006	008	010	013	017	022	027	034	041	050
9	001	002	002	003	004	006	007	009	012	015
10				001	001	001	002	002	003	004
11									001	001

x\p	31	32	33	34	35	36	37	38	39	40
1	996	997	998	998	998	999	999	999	999	1000
2	970	975	979	983	986	988	990	992	994	995
3	889	904	917	928	938	947	955	962	968	973
4	731	758	783	806	827	847	865	881	896	909
5	519	552	585	617	648	678	706	733	759	783
6	308	339	371	403	436	468	501	533	565	597
7	151	172	195	219	245	272	300	329	359	390
8	060	071	084	098	113	130	149	169	190	213
9	019	024	029	035	042	050	060	070	082	095
10	005	006	008	010	012	015	019	023	028	034
11	001	001	002	002	003	004	005	006	007	009
12						001	001	001	001	002

x\p	41	42	43	44	45	46	47	48	49	50
1	1000	1000	1000	1000	1000	1000	1000	1000	1000	1000
2	996	997	997	998	998	999	999	999	999	1000
3	977	981	984	987	989	991	993	994	995	996
4	922	932	942	950	958	964	970	975	979	982
5	805	826	845	863	880	894	908	920	931	941

ANNEXE 2

Table 6 (suite)

n = 15

x\p	41	42	43	44	45	46	47	48	49	50
6	627	657	686	713	739	764	788	810	830	849
7	421	453	485	516	548	579	609	639	668	696
8	237	263	290	318	346	376	407	437	469	500
9	110	125	143	162	182	203	227	251	277	304
10	040	048	056	066	077	089	102	117	133	151
11	012	014	017	021	025	031	036	043	051	059
12	002	003	004	005	006	008	010	012	015	018
13			001	001	001	001	002	002	003	004

n = 20

x\p	01	02	03	04	05	06	07	08	09	10
1	182	332	456	558	642	710	766	811	848	878
2	017	060	120	190	264	340	413	483	548	608
3	001	007	021	044	076	115	161	212	267	323
4		001	003	007	016	029	047	071	099	133
5				001	003	006	011	018	029	043
6						001	002	004	007	011
7								001	001	002

x\p	11	12	13	14	15	16	17	18	19	20
1	903	922	938	951	961	969	976	981	985	989
2	662	711	754	792	824	853	877	898	916	931
3	380	437	492	545	595	642	685	725	761	794
4	171	213	257	304	352	401	450	497	544	589
5	061	083	108	138	170	206	244	285	327	370
6	018	026	037	051	067	087	110	136	164	196
7	004	007	010	015	022	030	041	054	069	087
8	001	001	002	004	006	009	013	018	024	032
9			001	001	001	002	003	005	007	010
10							001	001	002	003
11										001

ANNEXE 2

Table 6 (suite)

n = 20

x\p	21	22	23	24	25	26	27	28	29	30
1	991	993	995	996	997	998	998	999	999	999
2	943	954	963	970	976	981	984	988	990	992
3	823	849	872	891	909	924	936	947	957	965
4	631	671	708	743	775	804	830	853	874	893
5	414	458	501	544	585	625	662	698	731	762
6	230	266	304	343	383	423	464	505	545	584
7	107	130	156	184	214	247	281	317	354	392
8	042	054	067	083	102	122	145	171	198	228
9	014	019	025	032	041	052	064	078	095	113
10	004	005	008	010	014	018	024	030	038	048
11	001	001	002	003	004	005	007	010	013	017
12				001	001	001	002	003	004	005
13								001	001	001

x/p	31	32	33	34	35	36	37	38	39	40
1	999	1000	1000	1000	1000	1000	1000	1000	1000	1000
2	994	995	996	997	998	998	999	999	999	1000
3	971	977	981	985	988	990	992	994	995	996
4	909	924	936	947	956	963	970	976	980	984
5	791	817	841	863	882	899	914	927	939	949
6	621	657	692	724	755	783	809	833	855	874
7	431	469	508	546	583	620	655	688	720	750
8	259	292	327	362	399	436	474	511	548	584
9	134	157	182	209	238	268	301	334	369	404
10	059	072	087	103	122	142	165	190	216	245
11	022	028	035	043	053	065	078	092	109	128
12	007	009	012	015	020	025	031	038	047	057
13	002	003	003	005	006	008	010	013	017	021
14		001	001	001	002	002	003	004	005	007
15							001	001	001	002

x\p	41	42	43	44	45	46	47	48	49	50
1	1000	1000	1000	1000	1000	1000	1000	1000	1000	1000
2	1000	1000	1000	1000	1000	1000	1000	1000	1000	1000
3	997	998	998	999	999	999	999	1000	1000	1000
4	987	990	992	994	995	996	997	998	998	999
5	958	965	971	977	981	985	988	990	992	994
6	892	908	922	934	945	954	962	969	974	979
7	778	804	828	850	870	888	904	919	931	942
8	620	654	687	718	748	776	802	826	848	868
9	441	477	514	550	586	621	655	687	719	748
10	275	306	339	374	409	444	480	517	553	588
11	148	170	195	221	249	279	310	343	377	412
12	068	081	096	112	131	151	173	198	224	252
13	026	032	040	048	058	069	082	097	113	132
14	008	011	014	017	021	027	033	040	048	058
15	002	003	004	005	006	008	011	013	017	021
16		001	001	001	002	002	003	004	005	006
17							001	001	001	001

n = **100**

x/p	01	02	03	04	05	06	07	08	09	10
1	634	867	952	983	994	998	999	1000	1000	1000
2	264	597	805	913	963	985	994	998	999	1000
3	079	323	580	768	882	943	974	989	995	998
4	018	141	353	571	742	857	926	963	983	992
5	003	051	182	371	564	723	837	910	953	976
6	001	016	081	212	384	559	709	820	896	942
7		004	031	106	234	394	556	697	806	883
8		001	011	048	128	252	401	553	687	794
9			003	019	063	146	266	407	551	679
10			001	007	028	078	162	278	413	549
11				002	012	038	091	176	288	417
12				001	004	017	047	103	188	297
13					002	007	022	056	114	198
14					001	003	010	028	065	124
15						001	004	013	034	073
16							002	006	017	040
17							001	002	008	021
18								001	003	010
19									001	005
20									001	002
21										001

x/p	11	12	13	14	15	16	17	18	19	20
1	1000	1000	1000	1000	1000	1000	1000	1000	1000	1000
2	1000	1000	1000	1000	1000	1000	1000	1000	1000	1000
3	999	1000	1000	1000	1000	1000	1000	1000	1000	1000
4	997	999	999	1000	1000	1000	1000	1000	1000	1000
5	989	995	998	999	1000	1000	1000	1000	1000	1000
6	970	985	993	997	998	999	1000	1000	1000	1000
7	933	963	981	990	995	998	999	1000	1000	1000
8	872	924	957	977	988	994	997	999	999	1000
9	784	861	916	951	973	985	992	996	998	999
10	672	774	852	908	945	968	983	991	995	998
11	547	666	766	844	901	939	964	980	989	994
12	421	546	661	759	837	894	934	961	977	987
13	305	424	545	657	753	830	888	929	957	975
14	208	311	427	544	653	747	823	882	924	953
15	133	216	317	429	543	649	742	818	877	920
16	080	141	224	323	432	542	646	737	813	872
17	046	087	149	231	328	434	541	643	733	808
18	024	051	094	156	237	332	436	541	640	729
19	012	028	056	101	163	242	336	437	540	638
20	006	015	032	061	107	169	248	340	439	540
22	003	007	017	036	066	112	175	253	343	441
22	001	003	009	020	039	071	117	180	257	346
23	001	002	004	010	022	043	075	122	185	261
24		001	002	005	012	025	046	080	127	189
25			001	002	006	014	027	050	084	131
26				001	003	007	015	030	053	088
27				001	001	004	008	017	032	056
28					001	002	004	009	018	034
29						001	002	005	010	020
30							001	002	005	011
31								001	003	006
32								001	001	003
33									001	002
34										001

n = 100

x/p	21	22	23	24	25	26	27	28	29	30
1	1000	1000	1000	1000	1000	1000	1000	1000	1000	1000
2	1000	1000	1000	1000	1000	1000	1000	1000	1000	1000
3	1000	1000	1000	1000	1000	1000	1000	1000	1000	1000
4	1000	1000	1000	1000	1000	1000	1000	1000	1000	1000
5	1000	1000	1000	1000	1000	1000	1000	1000	1000	1000
6	1000	1000	1000	1000	1000	1000	1000	1000	1000	1000
7	1000	1000	1000	1000	1000	1000	1000	1000	1000	1000
8	1000	1000	1000	1000	1000	1000	1000	1000	1000	1000
9	1000	1000	1000	1000	1000	1000	1000	1000	1000	1000
10	999	1000	1000	1000	1000	1000	1000	1000	1000	1000
11	997	999	999	1000	1000	1000	1000	1000	1000	1000
12	993	997	998	999	1000	1000	1000	1000	1000	1000
13	986	992	996	998	999	1000	1000	1000	1000	1000
14	972	984	991	995	998	999	999	1000	1000	1000
15	950	970	982	990	995	997	999	999	1000	1000
16	915	946	967	981	989	994	997	998	999	1000
17	867	911	943	865	979	988	993	996	998	999
18	803	863	907	940	962	977	987	993	996	998
19	725	799	859	904	937	960	976	986	992	996
20	636	722	795	855	901	934	958	974	985	991
21	539	634	719	792	851	897	932	956	973	984
22	442	539	632	716	789	848	894	929	954	971
23	349	443	539	630	714	786	845	892	927	952
24	265	351	444	539	629	711	783	842	889	925
25	193	268	354	446	538	628	709	780	839	886
26	136	197	272	356	447	538	626	707	778	837
27	091	139	201	275	358	448	538	625	705	776
28	059	095	143	204	278	360	448	538	624	704
29	036	062	098	146	208	280	362	449	538	623
30	022	039	064	101	150	211	283	364	450	538
31	012	023	041	067	104	153	213	285	365	451
32	007	013	025	043	069	107	155	216	287	367
33	004	007	014	026	045	072	109	158	218	289
34	002	004	008	015	028	047	074	112	161	221
35	001	002	004	009	016	029	048	076	114	163
36		001	002	005	009	017	030	050	078	116
37		001	001	003	005	010	018	032	052	080
38			001	001	003	006	011	019	033	053
39				001	001	003	006	011	020	034
40					001	002	003	006	012	021
41						001	002	004	007	013
42							001	002	004	007
43								001	002	004
44								001	001	002
45									001	001
46										001

n = 100

x/p	31	32	33	34	35	36	37	38	39	40
1	1000	1000	1000	1000	1000	1000	1000	1000	1000	1000
2	1000	1000	1000	1000	1000	1000	1000	1000	1000	1000
3	1000	1000	1000	1000	1000	1000	1000	1000	1000	1000
4	1000	1000	1000	1000	1000	1000	1000	1000	1000	1000
5	1000	1000	1000	1000	1000	1000	1000	1000	1000	1000
6	1000	1000	1000	1000	1000	1000	1000	1000	1000	1000
7	1000	1000	1000	1000	1000	1000	1000	1000	1000	1000
8	1000	1000	1000	1000	1000	1000	1000	1000	1000	1000
9	1000	1000	1000	1000	1000	1000	1000	1000	1000	1000
10	1000	1000	1000	1000	1000	1000	1000	1000	1000	1000
11	1000	1000	1000	1000	1000	1000	1000	1000	1000	1000
12	1000	1000	1000	1000	1000	1000	1000	1000	1000	1000
13	1000	1000	1000	1000	1000	1000	1000	1000	1000	1000
14	1000	1000	1000	1000	1000	1000	1000	1000	1000	1000
15	1000	1000	1000	1000	1000	1000	1000	1000	1000	1000
16	1000	1000	1000	1000	1000	1000	1000	1000	1000	1000
17	1000	1000	1000	1000	1000	1000	1000	1000	1000	1000
18	999	1000	1000	1000	1000	1000	1000	1000	1000	1000
19	998	999	999	1000	1000	1000	1000	1000	1000	1000
20	995	997	999	999	1000	1000	1000	1000	1000	1000
21	990	995	997	999	999	1000	1000	1000	1000	1000
22	983	990	994	997	998	999	1000	1000	1000	1000
23	970	982	989	994	997	998	999	1000	1000	1000
24	950	969	981	989	993	996	998	999	1000	1000
25	922	949	967	980	988	993	996	998	999	999
26	884	920	947	966	979	987	993	996	998	999
27	835	882	919	946	965	978	987	992	996	998
28	774	833	880	917	944	964	977	986	992	995
29	702	772	831	878	915	943	963	977	986	992
30	622	701	770	829	876	914	942	962	976	985
31	538	622	699	768	827	875	912	941	961	975
32	452	538	621	698	767	825	873	911	940	960
33	368	452	538	620	697	766	824	872	910	939
34	291	370	453	538	620	696	764	823	871	909
35	223	293	371	454	538	619	695	763	822	870
36	165	225	295	372	454	538	619	695	762	821
37	118	167	227	296	373	455	538	618	694	761
38	082	120	169	229	298	374	455	538	618	693
39	055	083	122	171	230	299	375	456	538	618
40	035	056	085	124	172	232	300	376	456	538
41	022	036	057	086	125	174	233	301	377	457
42	013	023	037	058	088	127	175	234	302	378
43	008	014	023	038	059	089	128	177	236	303
44	004	008	014	024	039	061	090	129	178	237
45	002	004	008	015	025	040	061	091	130	179
46	001	002	005	009	015	025	041	062	092	131
47	001	001	003	005	009	015	026	041	063	093
48		001	001	003	005	009	016	026	042	064
49			001	001	003	005	009	016	027	042
50				001	002	003	005	010	017	027
51					001	002	003	006	010	017
52						001	002	003	006	010
53							001	002	003	006
54								001	002	003
55									001	002
56										001

n = 100

x/p	41	42	43	44	45	46	47	48	49	50
1	1000	1000	1000	1000	1000	1000	1000	1000	1000	1000
2	1000	1000	1000	1000	1000	1000	1000	1000	1000	1000
3	1000	1000	1000	1000	1000	1000	1000	1000	1000	1000
4	1000	1000	1000	1000	1000	1000	1000	1000	1000	1000
5	1000	1000	1000	1000	1000	1000	1000	1000	1000	1000
6	1000	1000	1000	1000	1000	1000	1000	1000	1000	1000
7	1000	1000	1000	1000	1000	1000	1000	1000	1000	1000
8	1000	1000	1000	1000	1000	1000	1000	1000	1000	1000
9	1000	1000	1000	1000	1000	1000	1000	1000	1000	1000
10	1000	1000	1000	1000	1000	1000	1000	1000	1000	1000
11	1000	1000	1000	1000	1000	1000	1000	1000	1000	1000
12	1000	1000	1000	1000	1000	1000	1000	1000	1000	1000
13	1000	1000	1000	1000	1000	1000	1000	1000	1000	1000
14	1000	1000	1000	1000	1000	1000	1000	1000	1000	1000
15	1000	1000	1000	1000	1000	1000	1000	1000	1000	1000
16	1000	1000	1000	1000	1000	1000	1000	1000	1000	1000
17	1000	1000	1000	1000	1000	1000	1000	1000	1000	1000
18	1000	1000	1000	1000	1000	1000	1000	1000	1000	1000
19	1000	1000	1000	1000	1000	1000	1000	1000	1000	1000
20	1000	1000	1000	1000	1000	1000	1000	1000	1000	1000
21	1000	1000	1000	1000	1000	1000	1000	1000	1000	1000
22	1000	1000	1000	1000	1000	1000	1000	1000	1000	1000
23	1000	1000	1000	1000	1000	1000	1000	1000	1000	1000
24	1000	1000	1000	1000	1000	1000	1000	1000	1000	1000
25	1000	1000	1000	1000	1000	1000	1000	1000	1000	1000
26	999	1000	1000	1000	1000	1000	1000	1000	1000	1000
27	999	999	1000	1000	1000	1000	1000	1000	1000	1000
28	998	999	999	1000	1000	1000	1000	1000	1000	1000
29	995	997	999	999	1000	1000	1000	1000	1000	1000
30	991	995	997	999	999	1000	1000	1000	1000	1000
31	985	991	995	997	999	999	1000	1000	1000	1000
32	975	984	991	995	997	998	999	1000	1000	1000
33	959	974	984	991	995	997	998	999	1000	1000
34	938	959	974	984	990	994	997	998	999	1000
35	908	937	958	973	983	990	994	997	998	999
36	869	907	936	958	973	983	990	994	997	998
37	820	868	906	936	957	972	983	990	994	997
38	761	819	867	905	935	957	972	983	990	994
39	693	760	818	866	905	935	956	972	983	990
40	618	692	759	817	866	904	934	956	972	982
41	538	617	692	759	817	865	904	934	956	972
42	457	538	617	692	759	817	865	904	934	956
43	378	458	538	617	691	758	816	865	904	933
44	304	379	458	539	617	691	758	816	865	903
45	238	305	379	458	539	617	691	758	816	864
46	180	238	306	380	459	539	617	691	758	816
47	132	181	239	306	380	459	539	617	691	758
48	094	133	182	240	307	381	459	539	618	691
49	064	094	134	182	240	307	381	460	540	618
50	043	065	095	134	183	241	308	382	460	540
51	028	043	066	096	135	183	241	308	382	460
52	017	028	044	066	096	135	184	242	308	382
53	010	017	028	044	066	096	135	184	242	309
54	006	010	017	028	044	066	097	136	184	242
55	003	006	010	018	028	044	067	097	136	184
56	002	003	006	011	018	029	044	067	097	136
57	001	002	003	006	011	018	029	044	067	097
58		001	002	003	006	011	018	029	044	067
59		001	001	002	003	006	011	018	029	044
60			001	001	002	003	006	011	018	028

ANNEXE 3

Table 1

Limites de confiance pour une proportion p au niveau (1 - α) = 95%

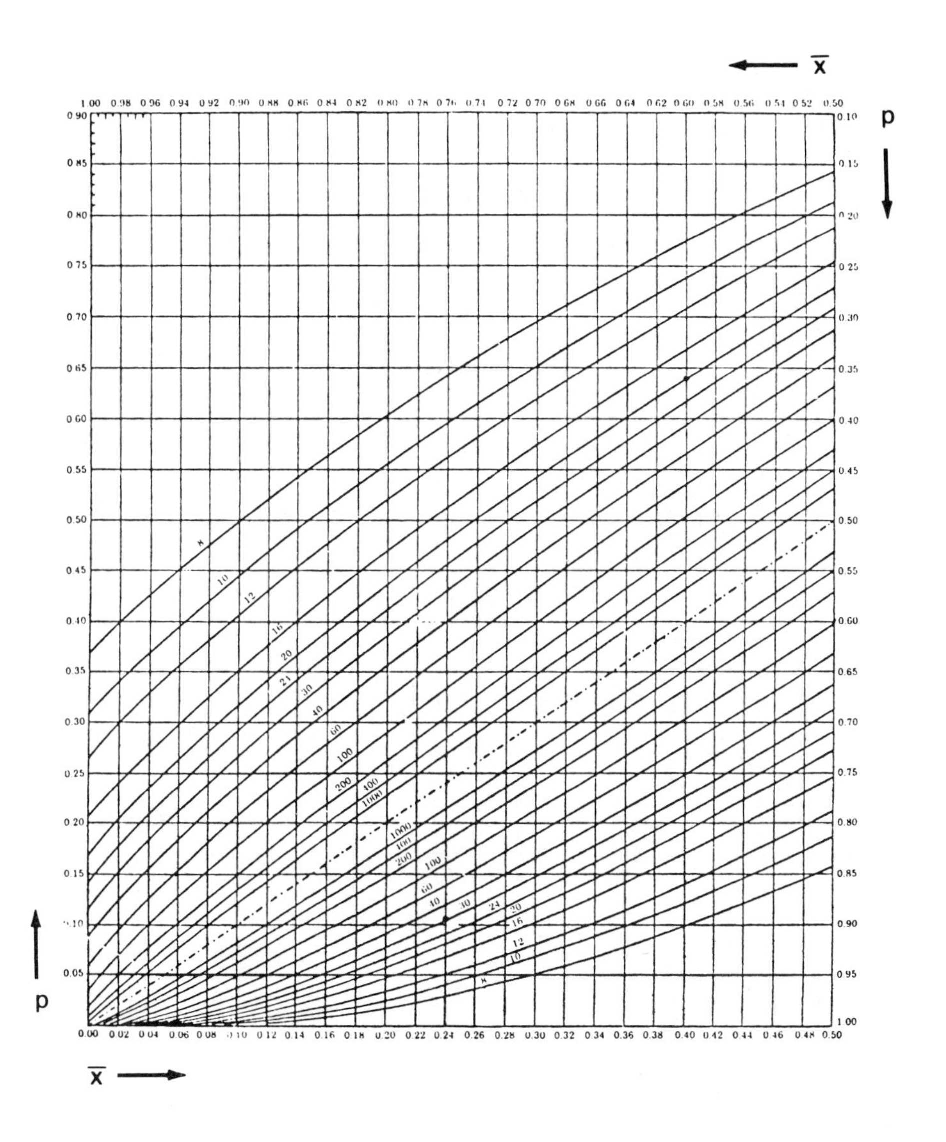

Table tirée de: Biometrika Tables for Statisticians, Vol. 1, édité par E.S. Pearson et H.O. Hartley, Cambridge Univ. Press (1966).

ANNEXE 3

Table 2

Limites de confiance pour une proportion p au niveau $(1 - \alpha) = 99\%$

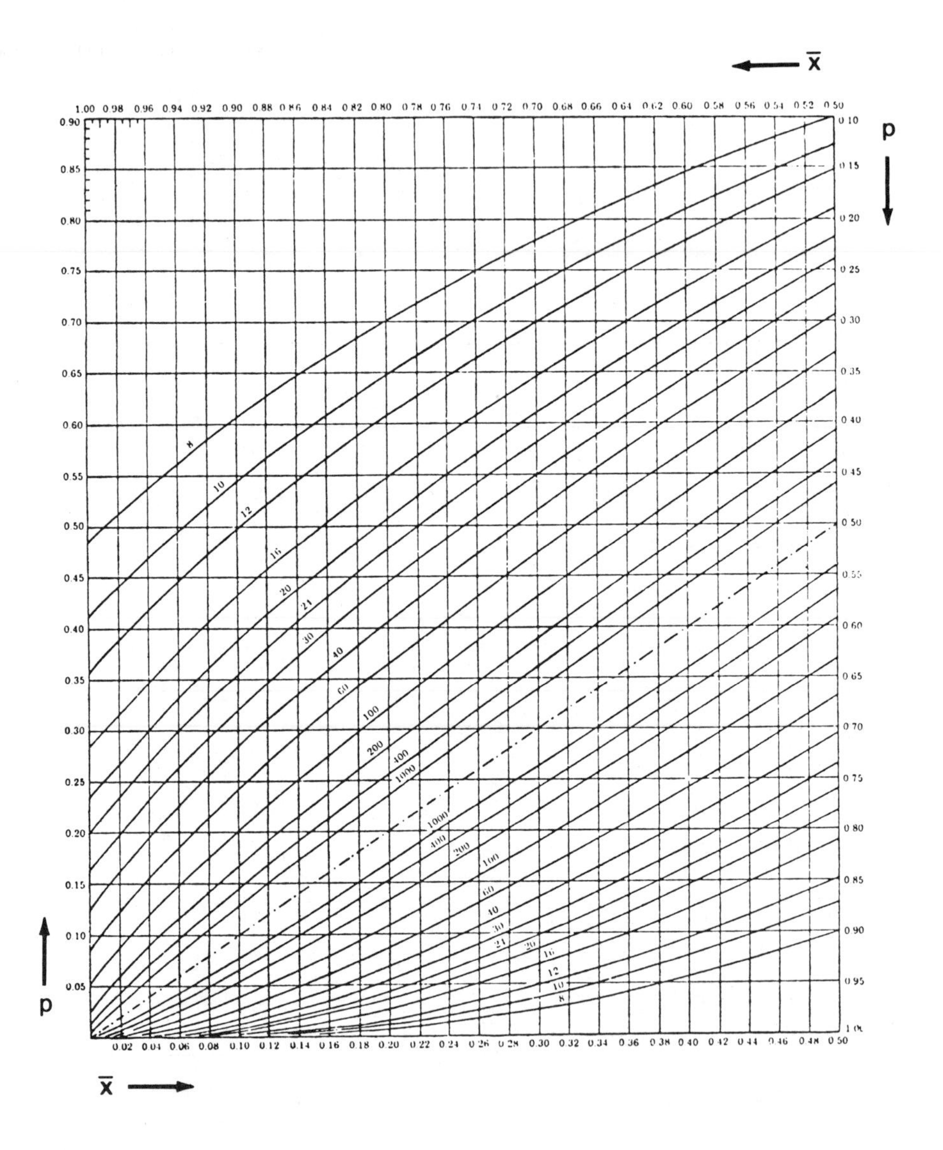

Table tirée de: Biometrika Tables for Statisticians, Vol. 1, édité par E.S. Pearson et H.O. Hartley, Cambridge Univ. Press (1966).

ANNEXE 4

Éléments d'algèbre matricielle

Une **matrice de format r sur c** est un tableau rectangulaire de nombres ayant r rangées et c colonnes; elle est dénotée $A_{(r,\, c)}$. Par exemple,

$$A_{(2,\,3)} = \begin{pmatrix} -1 & 3.5 & 0.8 \\ 3 & 7.2 & -2 \end{pmatrix}$$

Une **matrice carrée** de format p sur p est dite d'ordre p. En particulier,

$$I = \begin{pmatrix} 1 & 0 & 0 \\ 0 & 1 & 0 \\ 0 & 0 & 1 \end{pmatrix}$$

est la **matrice unité** d'ordre 3. Une matrice de format r sur 1 est un **vecteur colonne** à r coordonnées qu'on représente par une lettre minuscule soulignée; ainsi

$$\underline{x} = \begin{pmatrix} 3 \\ -2 \\ 1 \end{pmatrix}$$

est un vecteur colonne à 3 coordonnées.

On désigne par A' la **transposée** de la matrice A; elle est obtenue à partir de A en plaçant les lignes de A en colonnes.

$$\text{Soit} \quad A = \begin{pmatrix} 1 & 2 & 3 \\ 4 & 5 & 6 \end{pmatrix}$$

$$\text{alors} \quad A' = \begin{pmatrix} 1 & 4 \\ 2 & 5 \\ 3 & 6 \end{pmatrix}$$

Une matrice A est **symétrique** si elle est égale à sa transposée, c'est-à-dire si A = A'.

Il est possible d'effectuer 3 types d'opérations sur les matrices: ce sont l'addition, la soustraction et la multiplication. Ces notions déjà vues ailleurs ne seront cependant pas rappelées ici; on trouvera dans Brown une présentation claire et concise des principaux éléments du calcul matriciel.

A chaque matrice **carrée** on associe un nombre qu'on appelle **déterminant**; par exemple,

$$\text{si } B = \begin{pmatrix} 1 & 2 \\ 3 & 4 \end{pmatrix}$$

alors le déterminant de B, noté $|B|$, est calculé de la façon suivante:

$$|B| = (1)\ (4) - (2)\ (3) = -2$$

Quand elle existe, l'**inverse** de la matrice carrée A s'écrit A^{-1} et doit satisfaire

$$A A^{-1} = A^{-1} A = I$$

Il est facile de vérifier que la matrice B plus haut a pour inverse

$$B^{-1} = \begin{pmatrix} -2 & 1 \\ 1.5 & -0.5 \end{pmatrix}$$

Soit une matrice carrée d'ordre p. On dit que le vecteur colonne $\underline{x}$ est un **vecteur propre** de A s'il existe un scalaire λ tel que

$$A \underline{x} = \lambda \underline{x}$$

ou, de façon équivalente,

$$(A - \lambda I)\ \underline{x} = \underline{0}$$

Ce système d'équations linéaires homogènes possède une solution non triviale si et seulement si

$$|A - \lambda I| = 0$$

Le développement de cette dernière expression donne lieu à une équation en λ de degré p, appelée équation caractéristique de A, dont les solutions $\lambda_1, \lambda_2, \ldots, \lambda_p$ sont les **valeurs propres** de A (racines caractéristiques de A). Pour chaque λ_i, on pourra résoudre le système d'équations

$$(A - \lambda_i I)\ \underline{x}_i = \underline{0}$$

et trouver le vecteur propre $\underline{x}_i$ correspondant à λ_i. Par exemple, la matrice symétrique

$$A = \begin{pmatrix} 5 & 2 \\ 2 & 2 \end{pmatrix}$$

a pour valeurs propres $\lambda_1 = 6$, $\lambda_2 = 1$, et les vecteurs propres correspondants (normés à l'unité) sont

$$\underline{X}_1 = \begin{pmatrix} \frac{2}{\sqrt{5}} \\ \frac{1}{\sqrt{5}} \end{pmatrix} \text{ et } \underline{X}_2 = \begin{pmatrix} \frac{1}{\sqrt{5}} \\ \frac{-2}{\sqrt{5}} \end{pmatrix}$$

ANNEXE 5

Réponses à quelques exercices

Chapitre 3

3.1 a)

x_i	n_i	f_i
0	1	.025
1	2	.050
2	1	.025
3	3	.075
4	5	.125
5	9	.225
6	7	.175
7	4	.100
8	5	.125
9	2	.050
10	1	.025
	40	1

b)

$$F(x) = \begin{cases} 0, & \text{si } x < 0 \\ .025, & \text{si } 0 \leqslant x < 1 \\ .075, & \text{si } 1 \leqslant x < 2 \\ .100, & \text{si } 2 \leqslant x < 3 \\ .175, & \text{si } 3 \leqslant x < 4 \\ .300, & \text{si } 4 \leqslant x < 5 \\ .525, & \text{si } 5 \leqslant x < 6 \\ .700, & \text{si } 6 \leqslant x < 7 \\ .800, & \text{si } 7 \leqslant x < 8 \\ .925, & \text{si } 8 \leqslant x < 9 \\ .975, & \text{si } 9 \leqslant x < 10 \\ 1.000, & \text{si } x \geqslant 10 \end{cases}$$

c) 1° 5.4 2° 5 3° 5

4° $Q_1 = 4$, $Q_2 = 5$, $Q_3 = 7$

5° 10 6° 1.77 7° 2.245

3.3 b) 49%, 16%, 71%

3.4 a) 1655 b) 1647.06 c) 1660.92

d) 568.75 e) 1941.18

3.6 a)

Classe	Fréquence
7.5 — 9.49	6
9.5 — 11.49	4
11.5 — 13.49	10
13.5 — 15.49	6
15.5 — 17.49	4
17.5 — 19.49	1
19.5 — 21.49	3
21.5 — 23.49	1
23.5 — 25.49	2
25.5 — 27.49	0
27.5 — 29.49	2
29.5 — 31.49	2
31.5 — 33.49	1

b) 1° 16.02

2° 13.83

3° 12.7

4° 6.64

5° $Q_1 = 11.6$

$Q_2 = 13.83$

$Q_3 = 19.8$

6° 4.1

3.8 a) Examen 1 : Mo = 72, Mé = 75, $\bar{x}$ = 76.5
Examen 2 : Mo = 86 et 91, Mé = 84, $\bar{x}$ = 80.5

b) Examen 1 : $Q_1 = 72$, $Q_3 = 84$
Examen 2 : $Q_1 = 76$, $Q_3 = 89.5$

c) Le fractile d'ordre 0.83 dans l'examen 1
Le fractile d'ordre 0.75 dans l'examen 2

3.9 a) $I(76/75) = 116$, $I(77/75) = 130$

b) Rapport des moyennes: $I(76/75) = 110.72$, $I(77/75) = 121.58$
Moyenne des rapports: $I(76/75) = 108.82$, $I(77/75) = 119.29$

c) $I_L(76/75) = 108.24$ $I_L(77/75) = 117.86$

d) $I_P(76/75) = 108.28$

3.10 a) \$0.52 b) 107.08

Chapitre 4

4.1

e	P (e / étude indique produit supérieur)
produit supérieur	0.90
produit inférieur	0.10

4.3 a) 0.0465

b)

P_i	.45	.50	.55
$P_1(P_i)$	.43	.52	.05

4.4 0.749

4.6 a_1 = acheter du manufacturier étranger, a_2 = "marques connues"

a) $$R(p,a_1) = \begin{cases} 0, \text{ si } p \leqslant .04 \\ 50{,}000\,(p - .04), \text{ si } p > .04 \end{cases}$$

$$R(p,a_2) = \begin{cases} 50{,}000\,(.04 - p), \text{ si } p < .04 \\ 0, \text{ si } p \geqslant .04 \end{cases}$$

b) $a^* = a_1$, V.E.I.P. = \$250.

c) $a^* = a_2$

4.8 a) Oui b) \$19,701 c) Oui

4.10 Il devrait d'abord procéder au sondage sismique; si ce sondage indique que le sol n'a pas de structure géologique particulière, il ne devrait pas forer; si ce sondage indique une structure "ouverte" ou "fermée", il devrait procéder au forage.

4.12 V.E.I. (maison A) = \$17,200
V.E.I. (maison B) = 0

Il devrait consulter uniquement la maison A; si cette maison lui indique que e_1 va se réaliser,il devrait choisir a_1; autrement il devrait choisir a_2.

4.14 a) Pas de réglage par des spécialistes

b) Oui; V.E.I. (Ω) = \$55.20

c) $c^* = 2$

Chapitre 5

5.7 $n = 62$

5.9 a) 2.74 b) 0.138

5.11 0.925

5.13 a) 3.33 b) 0.157

5.15 0.17 (par interpolation linéaire)

Chapitre 6

6.1 $\bar{x} = 10.3$ $s^2 = 1.99$

6.3 a $\hat{p} = 0.65$ b) [0.41, 0.85]

6.5 a) $\hat{\mu}$ = \$150 b) [\$140.20, \$159.80]

6.7 a) $\hat{\mu}$ = \$15,500 b) $\hat{\sigma} = 6.23$ c) [\$14,475, \$16,525]

6.9 [– \$147.97, – \$92.03]

6.12 $n \geqslant 385$

6.13 [12,349,491, 21,557,532]

6.16 [0.57, 0.63]

6.17 a) [0.376, 0.424] b) [752,000, 848,000]

6.19 a) \$400 b) [−\$1,527.26, \$2,327.26]
c) Suspendre le programme

6.22 [0.1224, 1.0584]

6.23 a) [34.48, 86.92] b) [33.19, 79.61]
c) [−0.224, 8.824]

6.25 a) [\$14.29, \$23.12] b) [\$15.97, \$23.13]
c) $\hat{\mu}^* = \$19.55$ V.E.I.P. = \$334.89

6.28 $\hat{\mu}^* = 89.6$

Chapitre 7

7.2 On accepte H_o au niveau 5%, $P\{ \text{acc. } H_o / H_1 \} = .359$

7.4 a) [\$90.20, \$109.80] b) Il y a 5% de chances de rejeter H_o alors qu'elle est vraie.

7.5 a) Non b) 34 semaines

7.6 a) Oui

7.8 a) Oui b) 0.726 c) $n \cong 1341$

7.9 a) H_o : $p \geqslant 0.25$ et H_1 : $p < 0.25$

E_I = faire la campagne coûteuse alors que cela n'était pas nécessaire.

E_{II} = ne pas faire la campagne alors que cela aurait été nécessaire.

Si l'on juge qu'un déboursé est plus sérieux qu'un manque à gagner, alors l'erreur la plus sérieuse consiste à faire la campagne coûteuse alors que cela n'est pas nécessaire.

b) Schéma binômial avec $n = 20$ et $p = .25$

c) 0.225

d) Entreprendre une campagne coûteuse si moins de 3 tenanciers (parmi les 20) distribuent du Vinicola.

7.10 a) Rejette H_o au niveau 5%; accepte H_o au niveau 1%.

b) Rejette H_o au niveau 1%.

7.14 a) Oui, sur la base des résultats observés.

b) $n \cong 316$ et $\bar{y}_c \cong 0.25$

7.16 Non

7.17 a) Non b) Non

7.20 Oui

7.21 On accepte H_o puisque $F_o = 1.56 < F_{.05}(2, 27) = 3.35$

7.24 a) Non b) Non

7.26 a) Rejet de H_o, car $\frac{P_1(H_1)}{P_1(H_o)} = 3.83$

b) Rejet de H_o

7.27 a) $H_o : p \leqslant 0.25$ et $H_1 : p > 0.25$

b) (n,c) où $n = 20$ et l'on rejette H_o si le nombre d'ingénieurs ayant réussi le cours d'introduction est $> c$.

c) $c^* = 5$ d) Non

Chapitre 8

8.1 Oui ($\chi_o^2 = 1.65$, $\chi_c^2 = 3.84$)

8.3 Non ($\chi_o^2 = 10.25$, $\chi_c^2 = 9.49$)

8.5 Oui ($\chi_o^2 = 20$, $\chi_c^2 = 5.99$)

8.7 Oui ($\chi_o^2 = 14.7$, $\chi_o^2 = 9.21$)

8.9 On accepte H_o

8.11 Non

Chapitre 9

9.1 b) $b_o = -0.854$, $b_1 = 0.132$

c) 0.6 d) Non

9.3 a) $[-1.711, 0.003]$ pour β_o et $[0.071, 0.183]$ pour β_1

b) Tester H_o: $\beta_1 = 0$ contre H_1: $\beta_1 \neq 0$
Rejet de H_o, c'est-à-dire que la variable revenu est significative

9.5 a) [0.842, 1.146] b) [0.491, 1.497]

9.8 $r^2_{XY} = 0.7265$, $r_{XY} = 0.85$

9.10 a) Oui, puisque $r_{XY} = -0.80$; une dépendance de la forme $Y = \beta_o + \beta_1 X + \varepsilon$, où Y = fréquentation et X = prix.

b) 152; [99, 205]

9.12 Rejet de H_o, c'est-à-dire que la régression est significative ($F_o = 24.899 > F_{.05}(1, 8) = 5.32$).

BIBLIOGRAPHIE

CHAPITRES 1, 2 et 3

(1) BAILLARGEON, G., et RAINVILLE, J., **Statistique appliquée.** tome 1, Editions SMG, Trois-Rivières: 1975.

(2) CALOT, G., **Cours de statistique descriptive.** Dunod, Paris: 1965.

(3) HAMBURG, M., **Statistical Analysis for Decision Making.** Harcourt: Brace & World, Inc., 1970.

(4) KAZMIER, L.J., **Business Statistics.** Schaum's Series, McGraw-Hill, New York: 1976.

(5) MARTEL, J.M., et NADEAU, R., **Probabilités en gestion et en économie.** Gaëtan Morin éditeur, Chicoutimi: 1980.

(6) PARSONS, R., **Statistical Analysis: A Decision-Making Approach.** 2ième édition, Harper & Row, Publishers, 1978.

(7) SPURR, W.A., et BONINI, C.P., **Statistical Analysis for Business Decisions.** Irwin, Illinois: 1967.

(8) STOCKTON, J.R., et CLARK, C.T., **Business and Economics Statistics.** 4ième édition, South Western Pub., Cincinnati: 1971.

CHAPITRE 4

Parmi les références des chapitres 1, 2 et 3, voir (3), (4), (5), (6) et (7). Voir aussi:

(9) DYCKMAN, T.R., SMIDT, S., et McADAMS, A.K., **Management Decision Making Under Uncertainty.** MacMillan, 1969.

(10) ENIS, B.M., "Bayesian Approach to Ad Budgets". **J. of Advertising Research.** vol. 12, 1, 1972, (13-19).

(11) JONES, J.M., **Introduction to Decision Theory.** Richard D. Irwin, 1977.

(12) KING, J.R., "Decision Analysis by Decision Tree". **Omega.** Vol. 1, 1, 1973, (79-96).

(13) MARTEL, J.M., **Décision et inférence statistique en affaires.** Les Presses de l'Université Laval, Québec: 1973.

(14) MORGAN, B.W., **An Introduction to Bayesian Statistical Decision Processes.** Prentice Hall: 1968.

(15) RAIFFA, H., **Analyse de la décision.** Dunod, Paris: 1973.

(16) RAMEAU, C., **La prise de décision: acte de management.** Les Editions d'Organisation, Paris: 1977.

(17) ULMO, J., et BERNIER, J., **Eléments de décision statistique.** Presses Universitaires de France: 1973.

CHAPITRES 5, 6 et 7

Parmi les références des chapitres précédents, voir (3) à (9) et (13). Voir aussi:

(18) BAILLARGEON, G., et RAINVILLE, J., **Statistique appliquée.** tome 2, Editions SMG, Trois-Rivières: 1975.

(19) BLUM, J.R., et ROSENBLATT, J.I., **Probability and Statistics.** Saunders, Philadelphia: 1972.

(20) EDWARDS, W., LINDMAN, H., et SAVAGE, L.J., "Bayesian Statistical Inferance for Psychological Research". **Psychological Review.** Vol. 70, 3, 1963.

(21) FREUND, J.E., et WILLIAMS, F.J., **Elementary Business Statistics.** 3ième édition, Prentice Hall, New-Jersey: 1977.

(22) GILBERT, N., **Statistiques.** Les éditions HRW, Montréal: 1978.

(23) GUENTHER, W.C., **Analysis of Variance.** Prentice-Hall, New Jersey: 1964.

(24) HAYS, W.L., et WINKLER, R.L., **Statistic: Probability, Inference and Decision.** Holt, Rinehart and Winston Inc, 1970.

(25) HOEL, P.G., et JESSEN, R.J., **Basis Statistics for Business and Economics.** 2ième édition, John Wiley, New York: 1977.

(26) LEVIN, R.T., **Statistics for Management.** Prentice-Hall, New Jersey: 1978.

(27) MALIK, H.J., et MULLEN, K., **Applied Statistics for Business and Economics.** Addison-Wesley, Massachussetts: 1975.

(28) PETERS, W.S., et SUMMERS, G.W., **Statistical Analysis for Business Decisions.** Prentice-Hall, New-Jersey: 1968.

(29) SCHEFFE, H., **The Analysis of Variance.** Wiley, New York: 1959.

(30) TIAO, G.C., et BOX, G.E.P., "Some Comments on Bayes Estimator". **The American Statistician.** Vol. 27, 1, 1973.

(31) TRICOT, C., et PICARD, J.M., **Ensemble et statistique.** McGraw-Hill, Montréal: 1969.

(32) WINKLER, R.L., "A Decision-Theoric Approach to Interval Estimation". **J.A.S.A.** Vol. 63, 337, 1972.

(33) WONNACOTT, T.H., et WONNACOTT, R.J., **Introductory Statistics for Business and Economics.** 2ième édition, John Wiley, New York: 1977.

CHAPITRE 8

Parmi les références des chapitres précédents, voir (4), (6), (21), (24), (25), (26), (27) et (33). Voir aussi:

(34) CHAMPION, D.J., **Basic Statistics for Social Research.** Chandler Pub., Pennsylvanie: 1970.

(35) GIBBONS, J.D., **Nonparametrics Methods for Quantitative Analysis.** Holt, Rinehart and Winston, New York: 1976.

(36) LEHMANN, E.L., **Nonparametrics: Statisticals Methods Based on Ranks.** Holden-Day, San Francisco: 1975.

(37) SIEGEL, S., **Nonparametric Statistics for Behavioral Sciences.** McGraw-Hill, New York: 1956.

CHAPITRE 9

Parmi les références des chapitres précédents, voir (3), (6), (7), (17), (18), (24) et (33). Voir aussi:

(38) BROWN, A., **Régression et corrélation.** Presses de l'Université Laval, 1978.

(39) KLEINBAUM, D.G., et KUPPER, L.L., **Applied Regression Analysis and Other Multivariate Methods.** Duxbury Press, North Scituate, Massachusetts: 1978.

(40) SASAKI, K., **Statistics for Modern Business Decision Making.** Wadsworth Publishing Company Inc., 1968.

CHAPITRE 10

Parmi les références des chapitres précédents, voir (38) et (39). Voir aussi:

(41) BERTIER, P., et BOUROCHE, J.-M., **Analyse des données multidimensionnelles.** PUF, 1975.

(42) CLEROUX, R., **Analyse de données multidimensionnelles.** Université de Montréal, 1978.

(43) COOLEY, W.W., et LOHNES, P.R., **Multivariate data analysis.** Wiley, 1971.

(44) DIONNE, A., **Banque de programmes en APL pour l'analyse multivariée de données.** Laboratoire de recherche en Sciences de l'Administration, Université Laval, 1978.

(45) DIONNE, A., "Recherche des racines caractéristiques en analyse multidimensionnelle". **Gazette des Sciences mathématiques du Québec**, mars 1979.

(46) KENDALL, M.G., **Multivariate Analysis.** Hafner Press, 1975.

(47) LAFORGE, H., **Analyse multivariée.** Université Laval, 1978.

(48) MORRISON, D.F., **Multivariate Statistical Methods.** McGraw-Hill, 1976.

(49) TATSUOKA, M.M., **Multivariate Analysis.** Wiley, 1971.

NOTES